神霊術少女チェルニ1

神去り子爵家と微睡の雛

須尾見　蓮　著

opsol book

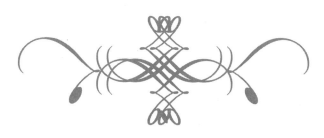

神霊術少女チェルニ1

神去り子爵家と微睡の雛

運命の日

人の一生には、必ず分岐点となる瞬間がある……。そうわたしに教えてくれたのは、町立学校の校長先生だった。それが人生の分かれ目なんだって、すぐにわかることもあるし、何十年も経ってから気づくこともある。誰の目にも見えるくらい大きな分岐点もあれば、ほんの小さな分岐点もある。でも、結局のところ、すべての〈人の子〉は、いくつもの分岐点を通り抜けながら、生きていくものらしい。

わたし、チェルニ・カペラの場合、人生を左右する分岐点は、ものすごくはっきりとした形で現れた。もうすぐ十四歳になるっていう夏の日、たった一瞬の出来事が、わたしの生き方を根本から変えてしまったんだ。それは、想像もしたことがないくらい大きな、本当にとてつもなく大きな変化だった。

後になって、〈運命の日〉って呼ぶことになるとも知らず、その日のわたしは、いつものように家の仕事を手伝っていた。いつも、お父さんとお母さんの役に立ちたいと思っている、健気な少女なのだ、わたしは。

「パンが焼き上がった。頼むぞ、チェルニ」

そういって、わたしの大好きなお父さんは、ぴかぴかに磨かれた食卓の上に、大きな籐籠《とうかご》を置いた。中に積み上げられているのは、湯気が立ちそうな焼き立てほやほやのパンで、ふんわりと幸せな香りがあたりに広がっている。お父さん自慢の焼き立てパンは、今日も本当においしそうだよ。

「はい！　任せて、お父さん！」

籐籠《とうかご》を持ってきたお父さんが、優しく笑いかけてくれるから、わたしは、元気いっぱいに返事をした。

ここは、ルーラ王国の南部に位置するキュレルの街で、〈野ばら亭〉っていう宿の大食堂なんだ。

〈野ばら亭〉は、キュレルの街でも有名な高級宿で、泊まるのもご飯を食べるのも、実はけっこう値段が高い。田舎でもないけど都会でもなく、王都までは馬車で半日もかかっちゃって、特別な観光地でもないキュレルで、商売としてやっていけるものなのか？　思わず心配しちゃうけど、予約は何ヵ月も先までいっぱいらしい。

今、わたしがいる大食堂は、宿泊客じゃない近所のお客さんや、相席でもいいっていう宿泊客に、気軽に利用してもらうためのお店で、五十人は座れそうなくらい広い。お値段もすごく安くて、量もたくさんで、すっごくおいしい。お昼時を過ぎても、大勢のお客さんが来てくれる、キュレル一の人気店なんだ。

うちの大食堂は、料理を頼んでくれたお客さんには、いつも無料でパンを提供している。いくつ食べても無料。パンばっかりお代わりして、料理をちょっとしか頼んでくれない人にでも、お父さんは絶対に嫌な顔をしない。街の人たちのおかげで商売が繁盛《はんじょう》して、何不自由のない暮らしができるんだから、お返しに得意のパンを焼いて食べてもらうんだって。わが父親ながら、素晴らしい。お父さん、大好き。

人気の〈野ばら亭〉で、もう一つの人気は、美人姉妹の看板娘だ。わたし、チェルニ・カペラは、その妹の方。たくさんの従業員さんが働いてくれる大食堂で、わたしが力になれることなんて、本当はあんまりないんだけど、ご近所のお客さんたちは、わたしたち姉妹のことを、小さい頃から可愛がってくれているからね。感謝を込めて、時間があるときには、お手伝いをするようにしているんだ。

そう、わたしは、キュレルの街の町立学校に通っている。もう最上級生で、秋には卒業を控えているから、王都の高等学校へ進むか、キュレルの街の高等学校に進学するかで、いろいろと悩んでいるところなんだ。王都の高等学校は、うちの家から通うには遠くて、どうしても寄宿舎暮らしになるのがつらい。うちは家族仲がいいし、ご飯は最高においしいから、離れたくないんだよ。

キュレルの街の高等学校なら、家のすぐ近くにもあるし、便利といえば便利なんだけど、学校の教育レベルを考えたら、絶対に王都の高等学校の方がいいと思う。家族との生活を取るべきか、教育レベルを取るべきか……。わたしが、可愛い上に賢くて、神霊術《しんれいじゅつ》のすごい使い手でなければ、ずっとキュレルの街にいるだけなのにね。

ぐるぐると考えている間にも、籐籠《とうかご》に山盛りになった焼き立てパンの香りに、大食堂のお客さんたちの視線が、いっせいに集まってきた。よし！　考えごとは後にして、熱いうちに食べてもらおう。

「皆さん、焼き立てのパンですよ。今日もとってもおいしそうです。召し上がる方《かた》は、指で個数を示してくださいね」

わたしが、大きな声でいうと、大食堂に集まっている常連さんたちが、さっと指を出してくれる。初めての人でも、近くのテーブルの人が教えてくれるから、まったく問題はない。

お父さんとお母さんが守っている〈野ばら亭〉は、お客さんたちまで親切なんだ。

ぐるっと店内を見回して、皆んなが指を立てているのを確かめてから、わたしは、神霊術を使うために指先で印《いん》を切り、いつものように詠唱した。

「パンを司る神霊さん。お父さんが焼いたおいしいパンを、お客さんに配ってくださいな。対価はわたしの魔力と、お父さんの焼き立てパンを一つ」

わたしの詠唱が終わると同時に、柔らかい黄色に輝く、小さな光球が現れた。光球は、パンを盛った籠《かご》の上をくるくるっと回る。すると、パンが次々に浮かび上がり、あっちこっちを飛び交いながら、ひとりでにお客さんのお皿まで飛んでいった。ひゅうっと。

「チェルニちゃんの神霊術は、いつ見ても見事だな」

「まったくだ。印《いん》を切るのも、詠唱も早いし、これだけの人数分の術を同時に展開するんだから、すごいよ」

「チェルニちゃんの神霊術で配ってもらうと、ただでさえ美味《うま》い焼き立てパンが、もっと美味く感じるんだよな」

お客さんたちは、飛んできたパンを手に取って、今日も口々に褒《ほ》めてくれる。お客さんたちの笑顔を見ると、わたしも、とってもうれしくなる。おいしい焼き立てパンと、たくさんの笑顔があれば、たいていの人は幸福を感じるものなんじゃないかな？

パンを運んでくれた光球は、神霊さんそのものじゃなくて、霊力の欠片《かけら》だっていわれている。神霊さんは、あまりにも尊くて畏《おそ》れ多い存在で、普通に目にすることなんてできないから、わたしたち人の子に、ほんのわずかな霊力を貸し与えて、神霊術を使わせてくれるんだ。

籠《かご》に残ったパンの上を、くるくるっと回って、光球はパンと一緒に消えていった。消えたパンは一つ。

わたしが約束した、対価の分ぴったりだね。今日も本当にありがとうございます、神霊さん。

　わたしたちの暮らすルーラ王国では、ほとんどの国民が、神霊術《しんれいじゅつ》って呼ばれる力を使っている。小さな子供の頃から、学校で覚えさせられる言葉は、〈森羅万象《しんらばんしょう》、八百万《やおよろず》、遍《あまね》く神霊の御坐《おわ》す〉。この世のすべてのものに、神霊さんが宿っているっていう意味で、わたしたちは、その神霊さんのお力をお借りして、人にできる以上のことができるようになるんだ。

　驚くことに、ルーラ王国以外の国には、神霊術は存在しない。他の国の人たちが使うのは、魔術って呼ばれる力で、自分の持つ魔力を使って、神霊術と同じようなことをするんだって。ルーラ王国にも、外国から来た人はいて、その人たちは、ルーラ王国の中でも魔術を使っているんだよ。

　神霊術と魔術の違いは、〈範囲設定〉にあるんだって、一般的にはいわれている。神霊さんは、すべてのものにそれぞれ宿っているから、わたしたちの使う神霊術は、とにかく細かい。体調の悪い人を治療するにも、〈腹痛の神霊〉〈頭痛の神霊〉〈歯痛の神霊〉って、症状によってお願いする神霊さんが異なっているから、実はけっこう大変なんだ。腹痛の神霊術しか使えない人だと、頭痛は治せないしね。

　これが魔術になると、〈回復〉とか〈快癒《かいゆ》〉とかっていう魔術だけで、いろいろな症状の治療ができるんだって。すごいな、魔術。

　ただし、神霊術が魔術より弱いのかというと、それはまったく違う。細かく分業化されている分だけ、神霊術は強力だし、消費する魔力も少ないんだ。例えば、他の国だと、骨折を瞬間的に治せるレベルの魔術を使える人は、めったにいないくらい希少《きしょう》で、国の魔術師団にだって入れるらしいんだけど、ルーラ王国なら、骨の神霊術を使える人がいれば、骨折くらいはほいほい治してくれる。

同じ町内で接骨院をしている、ナグルおじさんなんて、一日に五十人くらいは余裕で治せるって、いつも話している。そんなにたくさん骨折する人がいたら大変だし、ナグルおじさんは、骨の神霊術と頭痛の神霊術と水の神霊術しか使えないけどね。

パンを司る神霊さんのおかげで空っぽになった籐籠《とうかご》を、調理場に戻してから、わたしは、そろそろ自分の部屋に戻ろうかと考えていた。一緒にお手伝いをしている、アリアナお姉ちゃんを誘って、〈野ばら亭〉の向かい側に建っている、わたしたちの家に戻って、お父さんが用意してくれた、おいしいお菓子を食べて……。いつものような、平和で楽しい暮らしを続けていくんだって、わたしは、無意識に信じていたんだ。

でも、お姉ちゃんに声をかけようとした瞬間、大食堂の扉を開けて、すごい勢いで飛び込んできた人がいた。わたしの大好きな、冒険小説のいい回しを真似すると、こんな感じになるだろう。

後になって振り返ると、その瞬間こそが、わたしの運命の分岐点だったのだ……ってね。

＊＊＊

乱暴に扉を開けて、飛び込むようにして入ってきたのは、騎士っぽい制服姿の男の人だった。うちの大食堂の常連さんで、若くて長身で美男子のフェルトさん。フェルトさんは、キュレルの街を守ってくれる守備隊で、分隊長の任務についている。

仕事ぶりの真面目さで、街のお嬢さんたちにも大人気らしい、キュレル守備隊の有望株なんだ。

「いらっしゃいませ、フェルトさん。お急ぎになって、何かありました？」

大食堂の接客をしてくれている、たくさんの従業員さんたちより先に、綺麗な鈴みたいな声で、フェルトさんに話しかけたのは、アリアナお姉ちゃんだった。わたしの大好きなアリアナお姉ちゃんは、美人姉妹の姉の方で、キュレルの街の女学校に通っている。わたしが可愛い寄りの美人で、親しみやすさが魅力のタイプだとすると、アリアナお姉ちゃんは正真正銘、掛け値なしの超美人。顔面偏差値は、実は姉妹でけっこう差がついている。もちろん、高レベルなのは姉である。

いつもはおっとりと優しくて、こっちが心配になるくらいのんびりとしているお姉ちゃんの、この反応の速さ。わかりやすいにもほどがあるよ、お姉ちゃん。

「あ、あの、騒がせてすみません、アリアナさん。ちょっと、緊急事態なんです。ご迷惑だとは思うんですけど」

人気者のわりに硬派で、積極的なお嬢さんたちを、歯牙にもかけないって評判のフェルトさんが、頬を染めて口ごもる。こっちも、わかりやすいにもほどがある。この二人、実は何年もこんな感じなんだよ。

お姉ちゃんたちに任せていると、時間がもったいないので、わたしが、フェルトさんに声をかけることにしよう。食堂の従業員さんたちは、お姉ちゃんとフェルトさんのやり取りに慣れっこで、生暖かく見守っているから、まったく話が進まないんだ。

「うちの誰かにご用ですか、フェルト分隊長？　お父さんかお母さんを、呼んできた方がいいですか？」

わたしの言葉に、正気に返ったらしいフェルトさんは、途端にきりっとした顔に戻って、周りを見回した。大食堂のお客さんたちが、注目しているところで、〈緊急事態〉の話をしていいのか、迷ったんだろう。

フェルトさんは、すぐに自分なりの答を出したみたいで、真《ま》っ直《す》ぐにわたしを見つめながら、こういった。

「チェルニちゃん、いてくれてよかった。カペラさんには許可を願い出るが、わたしたち守備隊は、きみに力を貸してほしいと思っているんだ。街の子供たちが三人、拐《さら》われたかもしれない」

フェルトさんは、ちゃんと声をひそめていたんだけど、食堂中の人たちが、フェルトさんに注目して、静まり返っていたからね。抑えようとしても抑え切れない、切迫した響きを持ったフェルトさんの言葉は、皆んなの耳に入ったんだろう。昼下がりの穏やかな空気の中、楽しげで賑やかだった〈野ばら亭〉の大食堂が、一瞬で騒然となった。

子供が拐《さら》われるなんて、これ以上ないくらいの一大事じゃないか！　慌てて調理場から出てきたお父さんが、怒鳴るみたいな声で聞いた。

「今、何ていった、分隊長。子供が拐《さら》われたって？」

「そうなんです、カペラさん。お騒がせして、すみません」

「そんなことは良い。気にするな。子供が拐《さら》われたっていうんなら、おれたちは、何を置いても守備隊に協力するべきだ。確かな話なのか？」

「今のところ、はっきりと断定はできません。ですが、まるで暴れ回るみたいな麻袋を担いだ男たちが、裏道から逃げるように走って行く姿を、目撃した人がいるんです。念のために確かめてみたところ、孤児院の子供が三人、昼前から姿が見えなくなっていました」

「暴れ回る麻袋を担いだ男たちに、孤児院から消えた子供か。くそっ！　聞いているだけで、胸が悪くなるような話じゃないか」

フェルトさんの説明に、お父さんが顔色を変えた。お店にいる人たちも、全員、激怒したのがわかった。もちろん、わたしも頭に血が上った。上り切った。

神霊王国とも呼ばれるルーラ王国は、立派な王家と神霊さんのお力添えのおかげで、千年以上も平和を守っている。天候も安定しているし、農耕や酪農に役に立つ神霊術《しんれいじゅつ》を使える人も多くて、いつも実りは豊かだ。本当にありがたいことに、わたしたちは、飢えっていうものを知らないんだよ。

だからこそ、ルーラ王国は、けっこう他の国から妬《ねた》まれている。ルーラ王国の国民だけが使うことのできる神霊術も、やっぱり注目の的らしくて、何もわからない子供たちを拐《さら》おうとする悪者も、後から後から出続ける。神霊術を使える子供を奴隷《どれい》に売ると、すごい値段になるんだって。

「分隊長のいうことは、よくわかった。それで、うちのチェルニに、何を頼みたいんだ？　できることなら、協力させるぞ」

「チェルニちゃんに、羅針盤《らしんばん》の神霊術を使ってほしいんです。うちの守備隊にも、羅針盤を司るご神霊から、印《いん》を与えられた者がいるんですが、昨日から隣街に駆り出されていて、不在にしています。その、隣街でも誘拐《ゆうかい》騒ぎがあるんです」

「なるほど。同じ犯人かもしれないわけか。わかった。チェルニ？」

お父さんが、厳しい表情で、わたしを振り返った。お父さんは、わたしとアリアナお姉ちゃんのことを、本当に大切にしてくれていて、危ない目に遭《あ》わないように、いつも見守ってくれている。今だって、子供たちの誘拐《ゆうかい》に関わる可能性のある場所になんて、行かせたくないに決まっているんだ。

でも、わたしの大好きなお父さんは、黙ってわたしを送り出そうとしている。娘が大切だから、他の子供がどうなってもいいだなんて、絶対に思わない人なんだよ。わたしを心配して、できることならフェルトさんのお願いを断りたいのに、〈お父さんの指示〉で協力させようとするのも、きっと、それがお父さんの責任の取り方だからなんだと思う。親心を理解する少女なのだ、わたしは。

フェルトさんにしても、民間人の少女であるわたしを、誘拐《ゆうかい》事件に巻き込むのは、それだけ困っているっていうことだろう。拐《さら》われた子供たちは、すぐに捜《さが》し始めないと行方《ゆくえ》を見失ってしまう。実際、拐《さら》われたまま帰ってこない子供たちは、それなりの数になるんだって、町立学校の先生が教えてくれたしね。

ちなみに、ルーラ王国では、〈尋《たず》ね人〉や〈失《う》せ物捜し〉には、よく羅針盤の神霊術を使う。羅針盤を司る神霊さんにお願いして、目指すべき場所を指し示してもらうんだ。羅針盤の神霊術を使える人は、どこにでもいるわけじゃないけど、希少《きしょう》っていうほどでもない。ちょっとした紛失物くらいなら、街に何軒かある〈失《う》せ物屋〉さんでも、捜し出してもらえるんじゃないかな?

ただし、遠く離れた場所から捜し物をしたり、素早く移動する人を追い続けられる術者となると、一気に数が少なくなる。一つの街で数人いるかどうかで、守備隊の術者の人が、隣街に行っちゃったんなら、キュレルの街には、わたししかいないかもしれない。

そう、わたし、チェルニ・カペラは、羅針盤の神霊術も大得意なんだ。任せておいて、お父さん。こんなときに使ってこその神霊術《しんれいじゅつ》だから、子供たちを助けるために、頑張ってくるよ。

わたしは、青白い顔をしたお父さんに、にっこりと笑いかけて、大きな声で元気いっぱいの返事をした。

「わかりました！　行ってきます、お父さん！」

「……ああ。頑張って子供たちを捜《さが》してくれ。頼んだぞ、チェルニ」

「すみません、カペラさん。助かります。民間人の少女に、無理なお願いをすることの非常識は、改めてお詫《わ》びに上がります。チェルニちゃんは、我々が命に代えてもお守りします。何があっても、無事にお返しします」

フェルトさんは、お父さんに向かって深々と頭を下げた。その真剣な姿は、お姉ちゃんをお嫁にあげてもいいんじゃないかって思うくらい、凛々《りり》しくてカッコいい。こんなときだけど、食堂にいた女の人たちから、小さな溜息が漏れちゃってるよ。

思わずお姉ちゃんを見ると、わたしの大好きなアリアナお姉ちゃんは、そんなカッコいいフェルトさんではなく、わたしのことだけをじっと見つめていた。エメラルドみたいに澄んだ瞳を、心配そうに潤ませて。美少女の涙って、すっごい威力だよね。お姉ちゃんを悲しませないように、絶対に無事に帰ってくるからね！

尋《たず》ね人と失《う》せ物捜しは、時間が過ぎるほどむずかしくなる。わたしとフェルトさんは、大急ぎで〈野ばら亭〉を飛び出すと、フェルトさんの馬に二人乗りして、守備隊の本部へと向かった。

キュレルの守備隊の本部まで、子供たちを救出するお手伝いをするために、蹄《ひづめ》の音を響かせて、キュレルの街を疾走する馬は、そのまま、わたしを新しい運命へと運んでいったんだ……。

＊＊＊

舗装された馬車道を、危なくないぎりぎりの速度で走り抜けて、わたしとフェルトさんが到着したのは、街の中心部にある守備隊の本部だった。大きな煉瓦《レンガ》造りの建物の隣には、広々とした運動場があって、そこに二十人くらいの守備隊員と馬が、出発の準備を終えて整列していた。

わたしたちの姿を見つけた隊員さんたちが、いっせいに歓声を上げたのは、羅針盤《らしんばん》の神霊術を使う人を、今か今かと待っていたんだろう。

馬の速度を落としながら、運動場に駆け込んだフェルトさんは、ひときわ目立つ隊員さんに向かって、ぴしっと声を張った。

「お待たせしました、総隊長！　来てくれました！」

「よし！　でかした、フェルト。その子なのか？」

「はい。〈野ばら亭〉のお嬢さんで、チェルニ・カペラ嬢です。まだ町立学校の生徒ですが、神霊術の天才です。羅針盤の神霊術も、強力なものだと聞いています」

フェルトさんの答に、隊員さんたちは、またまた歓声を上げてくれたんだけど、わたしは、ちょっと恥ずかしい。天才っていうのは、さすがにいい過ぎだよ、フェルトさん。謙遜ではなく、事実として。

わたしは、ルーラ王国では、一年に一人は現れるレベルの才能だろう。すごいといえば、十分すごいと思う。でも、天才って呼んでいいのは、十年に一人とか、百年に一人とかっていう人じゃないのかな？
神霊術《しんれいじゅつ》の使い手としての能力は、〈数〉と〈力〉によって判断されることが多い。数っていうのは、一人の人が使える神霊術の種類で、力っていうのは、文字通り術の効果の大きさのことだ。そして、数も力も、やっぱり血筋や魔力量で決まる場合が多いみたい。

平民だと、十個以下が一般的で、力の強い神霊さんから印《いん》をもらった人だと、他の神霊術を使えないことが多いのに、貴族の人たちになると、二十個とか三十個とか術を使えたり、すごく用途の広い神霊さんに印《いん》をもらったりするんだって。

例えば、今の王国騎士団長で、英雄と名高いレフ・ティルグ・ネイラ様は、数え切れないほどの神霊術を使えるんじゃないかっていわれている。特に有名なのが、剣と炎と力の三つの神霊術で、どれも強大な術だから、ネイラ様に個人で勝てる騎士は、世界中を探してもいないらしい。うちの国、戦争はしない主義なのが、ある意味で惜《お》しいね。

わたし、〈野ばら亭〉の看板娘のチェルニ・カペラはというと、どこまで遡《さかのぼ》っても、由緒正しい平民なのに、実は三十を超える神霊術が使える。何をお願いしたらいいのか、すごく謎な神霊さんもいるけど、とにかく、平民にしてはものすごく多い。

一つ一つの術の強さも、〈町立学校始まって以来〉っていわれているくらいだから、フェルトさんが天才扱いしてくれるのも、無理はない……のかな？

フェルトさんは、わたしの恥じらいなんて気にしないで、ぱっと馬から飛び降りると、丁寧な手つきで、わたしを降ろしてくれた。厳《いか》つい熊みたいな、迫力のある見た目の総隊長さんは、わたしの目の前にかがみ込んで、ものすごく真剣な口調でいった。

「おれは、守備隊を任されている、ヴィドール・シーラだよ、お嬢ちゃん。守備隊とは無関係の女の子に、無理な頼み事をしてしまって、本当にすまない。しかし、おれたちは、どうしても小さな子供たちを救いたいんだ。キュレルの街の守備隊長として、チェルニ・カペラ嬢にお願い申し上げる。どうか、お嬢ちゃんの力を貸してくれ！」

おお。わたしみたいな少女を相手に、こんなに誠実な態度を取る大人って、なかなかいないよね？うちの街の守備隊長さんは、すごく立派な人だ。もともと、一生懸命に協力しようと思っていたけど、益々《ますます》やる気になったじゃないか。

わたしは、元気良く手を上げて、〈はい！〉って返事をした。大丈夫、任せておいてね、総隊長さん。やるときはやる少女なのだ、わたしは。

「早速、お願いがあります、総隊長さん」

「何だい、お嬢ちゃん？　何でもいってくれ」

「拐《さら》われた子供たちの持ち物って、何かありますか？　できたら、最近のものがいいんですけど」

「持ってきてあるよ。うちの守備隊の術者も、神霊術を使うときは、同じようなことをいってたからな。これでいいかな？」

そういって、部下らしい人が出してくれたのは、子供服と靴が三人分だった。どっちも本当に小さくて、まだ幼い子供たちが拐《さら》われたんだって、実感としてわかる。犯人を許せないって、改めて思ったよ。

これで、準備は万端《ばんたん》。そのまま、服と靴を持っていてもらって、わたしは早速、神霊術を使うための印《いん》を切り、詠唱した。

「羅針盤《らしんばん》を司る神霊さん、緊急事態です。街の子供たちが三人、悪者に拐《さら》われちゃったんです。絶対に助けたいから、連れ去られた先を教えてください。対価は、わたしの魔力を必要なだけ。もし足りなかったら、わたしの髪の毛を、ちょっとだけ……いや、必要なだけ持っていってください」

自分でいうのも恥ずかしいけど、わたしの髪は、すごく綺麗なピンクブロンドだって褒《ほ》められる。正確にいうと、ルーラ王国の国花になっている、サクラの花びらみたいな、ほわっとしたサクラブロンド。なぜか、神霊さんには大人気の髪色なんだ。

神霊術《しんれいじゅつ》に必要な詠唱には、決まった形がなくて、自分と神霊さんの間で、術を使わせてもらうことに対する対価を決めれば、それだけでいい。国花に似た色だからか、ほとんどの神霊さんは、わたしの髪の毛を対価に差し出すと、強い術を使わせてくれるんだよ。

詠唱が終わると同時に、両手を広げたくらい大きな、深い紺色の光球が現れた。光球はくるくるって、しばらく子供たちの服の上を回ってから、何度か強く明滅した。見つけたよっていう、神霊さんの合図だった。

「わかりました！　羅針盤の神霊さんが、子供たちのところまで案内してくれます。けっこう遠いみたいだから、急ぎましょう！」

わたしが、元気良く報告する。総隊長さんやフェルトさん、守備隊の騎士さんたちが、大きな歓声を上げながら、いっせいに馬に飛び乗った。日が暮れるまでには、まだまだ時間がある。一気に追いついて、子供たちを助け出すんだ！

もちろん、わたしも一緒に行くつもりで、堂々とフェルトさんに両手を差し出した。少女が一人で、踏み台もなしに馬には乗れないからね。フェルトさんは、わたしと、差し出したままの両手を交互に見て、すごく困った顔をした。

「いや、行き先だけ教えてくれれば、十分だよ。この先は、危ないことがあるかもしれないから、チェルニちゃんは、詰所で待っていてくれないかな？　羅針盤の御神霊に、案内だけを頼んでほしい」

「無理だよ、フェルトさん。相手が二手《ふたて》に分かれたりしたら、術をかけ直さないといけないじゃない。そもそも、わたしがいないと、羅針盤を司る神霊さんが、何を伝えたいのか、誰もわからないでしょう？　一緒に行くよ、わたし」

「お嬢ちゃんのいう通りだ、フェルト。おまえの心配はもっともだが、お嬢ちゃんがいなければ、犯人は追い詰められない。どう考えても、一緒に来てもらった方がいい」

「……。わかりました、総隊長。子供たちの命がかかってる。申し訳ないが、頼まれてくれ、チェルニちゃん」

「了解です、フェルトさん！」

「犯人たちに追いついたとき、戦闘が始まりそうだと思ったら、おまえは、即座に戦線を離脱して、お嬢ちゃんと逃げろ。良いな、フェルト？」

「必ず命令に従います、総隊長」

フェルトさんは、吹っ切れたような凛々《りり》しい顔で、わたしの身体を引っ張り上げて、丁寧に馬に乗せてくれた。守備隊の本部に来たときと同じ二人乗りで、フェルトさんは、後ろからわたしの顔を覗《のぞ》き込んだ。

「ありがとう、チェルニちゃん。きみのことは、おれが命に代えても守る。絶対に、傷一つつけずに、お姉さんたちの下へ返すから、信じてくれ。さあ、さっさと犯人どもを捕まえて、報いを受けさせてやろう！」

そういって、フェルトさんは笑顔を見せた。〈不敵な笑み〉って、きっとこんな感じなんだと思う。今日は、本当にカッコいいな、フェルトさん。よし、決めた。お姉ちゃんのお婿さんは、この人にしよう。そうしよう。

わたしが詠唱してから、きらきら、ふわふわ、ずっと浮かんだままの紺色の光球は、わたしたちの準備が整うまで、待ってくれていたんだろう。全員が馬に乗ったのを見定めたように、ひときわ強く輝いて、くるくるくるりと回転すると、守備隊本部の外に向かって飛んでいったんだ。

総隊長さんとフェルトさんを先頭に、守備隊の騎士さんたちは、いっせいに神霊さんの後をついていく。最初はゆっくりとした速度で、街中の馬車道を走り抜け、一つの方向を目指し進む。光球は、どうやら街の外に向かっているみたいだった。

遠くにぼんやりと、キュレルの街の通用門が見えてきた頃、前を飛んでいく光球から、はっきりとしたイメージが送られてきた。尊い存在である神霊さんは、人の使う言葉を話すわけじゃないけど、神霊《しんれい》術《じゅつ》を使っている術者には、何となく神霊さんの意志が伝わってくる。逆にいうと、神霊さんの意志を、はっきりと感じ取れる人ほど、強い神霊術を使えるんだって、町立学校の先生たちが教えてくれた。

わたしは、ほんの小さな子供の頃から、神霊さんの送ってくれるイメージを解釈するのが、とっても得意だった。今も、羅針盤《らしんばん》の神霊さんのいいたいことが、頭の中に文字を書かれたような確かさで、くっきりと浮かんできたんだ。

「はい！　はい！」

「何だい、チェルニちゃん？」

「羅針盤の神霊さんは、キュレルの街を出たら、一気に速度を上げると思います。拐《さら》われた子供たちは、別の街に連れて行かれたみたいです」

「わかった。ありがとう」

　一声お礼をいってから、フェルトさんは、後ろを走る騎士さんたちに向かって、大きな声で叫んだ。

「皆んな、聞こえていたか？　子供たちは、別の街に連れていかれた模様。こちらも街を出たら、速度を上げて追うぞ。後ろのやつらまで、伝言を回してくれ」

「了解！」

「お嬢ちゃん、本当にすごい神霊術の使い手なんだな。まだ小っちゃいのに、大したもんだ。助かるよ。本当にありがとうな」

　総隊長さんは、そういって笑いかけてくれた。厳《いか》つい熊みたいなのに、とっても優しい笑顔だった。すっかりうれしくなって、わたしも元気いっぱいに笑った。総隊長さんのためにも、頑張るからね！

＊＊＊

大きな通用門を駆け抜けて、街と街をつなぐ街道に出ると、紺色の光球は、一気に速度を上げた。フェルトさんや総隊長さん、守備隊の騎士さんたちも、負けずに後を追っていく。灰色の石を敷《し》き詰めた街道を、二十頭もの馬が、音を立てて進んでいく光景を見た人がいたら、きっとその迫力に驚いただろう。フェルトさんに、後ろから身体を支えられて、馬に揺られているわたしは……実は、けっこう困っていた。こんなに長い時間、馬に乗ったことなんかなかったから、もうお尻が痛い。守備隊の馬の鞍《くら》って、固いんだよ！

思春期の少女が、お尻が痛いとはいいにくくて、もぞもぞと動いていると、フェルトさんが気づいてくれたみたい。左手だけでさっと印《いん》を切り、口の中で小さく何かをつぶやくと、ほわっとした小さな金色の光球が現れて、わたしのお尻のあたりで、くるくると回る。あれ？　この綺麗な金色って、めったに印《いん》を授かることができないっていう、力の神霊さんじゃないの？

わたしが驚いていると、お尻がほんのちょっと持ち上がって、薄いクッションが敷《し》かれたみたいな感じになった。ちょうどいい感じに体重を受け止めてくれて、すっごく楽。もう、馬は速度を上げていて、話すと舌を噛んじゃいそうなので、フェルトさんの腕を軽く叩いて、感謝を伝えておいた。

それから、途中で何度か短い休憩を取りながら、わたしたちは、けっこうな距離を走り続けた。午後の早い時間に街を出て、もうすぐ夕方に近くなるくらい。この頃になると、神霊さんの目的地が、わたしにもわかってきた。純白の王城を囲むように広がる、ルーラ王国の王都、太陽の名を持つソールの街。子供たちを拐《さら》った犯人は、脇目も振らずに、王都を目指しているみたいなんだ。

ずっと遠くに、高くそびえ立つ王城の尖塔《せんとう》が、微《かす》かに見えてきたとき、紺色の光球が大きく明滅し、くるくる、くるくると旋回した。それを見た総隊長さんは、わたしが声をかけるまでもなく、さっと片手を上げて、馬を止めるように合図を出した。

「御神霊からの合図だろう、お嬢ちゃん？」

「そうです、そうです。羅針盤《らしんばん》を司る神霊さんが、イメージを送ってくれています。犯人の居場所がわかりました！」

「やっぱり、そうか。教えてくれ。犯人はどこにいる？」

「この場所から王都の通用門までの、ちょうど中間地点くらいのところに、犯人と子供たちがいます。追いつきましたよ！」

わたしが、はっきりと宣言すると、守備隊の騎士さんたちが、無言で拳《こぶし》を突き上げた。まだまだ距離があるとはいえ、全員で歓声を上げたりしたら、もしかして、気づかれるかもしれないからね。それくらいのところまでは、追いつけたんだよ！

「チェルニちゃん、ありがとう。何とお礼をいっていいか、わからないよ。本当に助かった。きみのお陰だ」

「まったくだな。感謝の言葉もないよ、お嬢ちゃん。ここまで助けてもらったんだ。子供たちは、絶対に無事に取り戻すぞ」

フェルトさんと総隊長さんは、そういって、わたしの頭をぐりぐりと撫でてくれた。もうすぐ十四歳になるのに、小さな子みたいな扱いだよね。気持ちはうれしいから、別にかまわないけど。

片手で合図を出して、全員を近くに集めた総隊長さんは、迷う素振りも見せずに、てきぱきと指示を出した。

「このまま、一気に追いつくぞ。王都の中に入られて、人混みに紛《まぎ》れ込まれたら厄介だ。何としても、その前に捕縛《ほばく》する。アラン」

「はい、総隊長」

「おまえが一番速い。おまえは、先駆けして通用門を目指せ。王都の門番に話を通して、犯人どもを通さないように、門を固めてもらえ。それから、万一の備えに、王都の守備隊に援軍を依頼してくれ」

「了解です。行きます！」

総隊長さんが指名したのは、フェルトさんよりちょっとだけ年上っぽい騎士さんで、ずっと総隊長さんと馬を並べていた人だった。アランさんは、一声返事をしただけで、素早く手元で印《いん》を切った。

「風を司る神霊よ、助けてくれ。誰よりも先に、風のように速く、王都の通用門まで行きたい。おれと、おれの相棒でもある馬を、風に乗せてほしいんだ。対価は、必要なだけ、おれの魔力で払う」

アランさんの詠唱に応えて、たちまち現れたのは、きらきら光る水色の雲みたいな光球だった。水色の光球は、くるくるくるりと回転しながら、アランさんと馬を包み込んだ。そして、次の瞬間、アランさんはものすごい勢いで馬を走らせたんだ。

アランさんが使ったのは、風を司る神霊さんの術だよね。風の神霊術《しんれいじゅつ》を使える人は、そんなに多くないし、アランさんの術は、わりと強そうに見える。風の神霊さんの後押しで、アランさんと馬の影は、見る見るうちに遠くなっていったんだから。

「よし。次はおれたちだ。もう隊列は気にしなくて良い。それぞれに犯人を追うぞ。追いついたら、前に回り込んで足止めしろ。向こうが手を出してくるまでは、剣を抜かず、全員が到着するのを待て。いいな、皆んな？」

「了解です！」

「フェルト。おまえは一番後ろから来い。少し離れたところから、状況を見極めるんだ。犯人が、すぐに投降すれば良し。もし斬り合いになったら、そのまま迂回《うかい》して、お嬢ちゃんを通用門の中に避難させろ。おれたちにかまわず、必ず守れ」

「承知しました！」

「よし、行こう！」

総隊長さんのかけ声を合図に、守備隊の騎士さんたちは、いっせいに走り出した。あっという間に置いていかれそうになったけど、フェルトさんは、まったく慌てず、一定の距離を保ったまま、皆んなの後に続いていった。

しばらくすると、立派な箱型の馬車が二台、先を急ぐように走っているところに追いついた。馬車の周りには、十人くらいの護衛っぽい人たちがいて、馬で並走しながら馬車を守っている。先行した守備隊の人たちは、次々にその馬車の前に走り込み、静止させようと叫んでいるんだ。

羅針盤《らしんばん》を司る神霊さんの光球は、二台ある馬車の後ろの方、見るからにしっかりとした作りの箱馬車の上を、くるくるくるくる回りながら、激しく明滅した。

わたしがイメージを伝えるまでもなく、守備隊の騎士さんたち全員が、神霊さんの意図を読み取ったに違いない。あの馬車の中には、キュレルの街から拐《さら》われた子供たちが乗せられているんだって。やった、やった！　とうとう追い詰めた！　神霊さん、ありがとう！

ルーラ王国では、それぞれの街の治安を守る守備隊は、揃って深緑色の軍服を着ることになっている。ルーラ王国の国民なら、その軍服を知らないはずはないのに、誘拐《ゆうかい》犯たちは馬車を止めようとせず、静止を無視して走り続けている。

その態度に、平和的な解決なんてないって、総隊長さんも諦めたんだろう。騎士さんたちに合図をすると、〈止まらねば、斬る！〉って、腰の剣を引き抜いたんだ。しゅって短い音を立てて、二十人近い騎士さんたちも、次々に剣を抜く。その本気の迫力に、思わず視線をさまよわせた御者《ぎょしゃ》に、総隊長さんが怒鳴った。

「止まれ、止まれ！　それ以上進むことは、許さんぞ。馬車を走らせようとするなら、手加減なく斬り捨てる。投降する者は、馬から降りろ！」

馬車の護衛をしている人たちは、悪人には違いないんだろうけど、そんなに覚悟が決まっているわけではなかったんだと思う。でっかい熊が後ろ足で立ち上がったみたいな、総隊長さんの大迫力と、守備隊の騎士さんたちの抜き身の剣に圧倒されて、見るからに動揺しているのがわかった。

総隊長さんの咆哮《ほうこう》を、一番近くで聞いていた護衛役が、たまらずに馬を止める。すると、それが合図になったみたいに、護衛役が次々に馬から降り、二台の馬車を走らせていた御者《ぎょしゃ》も、諦めて馬を止めたんだ。

今にも斬り合いが始まるんじゃないかって、わたしは、ちょっとだけ震えていた。物語の中だと、戦争も決闘も斬り合いも、いくらでも書かれているけど、キュレルの街の十三歳の少女が、本当に剣を抜いている人を見ることなんて、あるはずがないんだよ。繊細なわたしが、内心で怖がっちゃっても、それが当然っていうものだろう。

わたしの後ろから手綱《たづな》を握って、緊張に張り詰めていたフェルトさんは、ほっと小さな息を吐いた。フェルトさんは、斬り合いが怖かったんじゃなく、わたしを巻き込むことを心配していたんだろう。馬車の護衛たちが剣を抜いたら、その瞬間に馬を走らせられるように、息を詰めて見守っていたんだって、ちゃんとわかっているからね、わたし。

「よし！　全員、剣を地面に置け。鞘《さや》から出したら、その時点で抵抗したものと見なす。馬車に乗っている者にも、おれの声が聞こえているだろう。武器を持たず、すぐに降りてこい。馬車の中を検《あらた》める」

総隊長さんの声が響いてからしばらく、馬車からは何の反応もなかった。これはもう、外側から馬車をこじ開けるしかない……皆んなが、そう思い始めたとき、前の方の馬車から、男の人が降りてきた。

すごく高そうで、きらきらした服を着た、いかにも貴族っぽい人。わたしたちとは、ちょっと顔立ちが違う気がするから、外国の人なんだと思う。貴族っぽい人は、守備隊を見回して、馬鹿にしたように鼻で笑った。

「これは、これは。揃いも揃って、何とも品のない者どもだな。我が馬車に、何か用でもあるのか？　貴人に敬意を払うことさえ知らぬ、愚民めが！」

＊＊＊

愚民……。愚民って、歴史小説の中では見た覚えがあるけど、実際に口にする人を見たのは、さすがに初めてだよ、わたし。子供たちを拐《さら》った誘拐《ゆうかい》犯が、どうやったらここまで開き直れるんだろう？

想像していた犯人とはまったく違う、貴族っぽい人の自信満々な様子に、わたしたちは戸惑った。総隊長さんやフェルトさんも、とっさに反論もできないみたいで、驚いた顔をして固まっている。でも、羅針盤《らしんばん》を司る神霊さんが間違えることなんて、絶対にない。ないったら、ない。

そう信じてほしくて、思わずフェルトさんたちに目をやると、フェルトさんも総隊長さんも、力強くうなずいてくれた。大丈夫、信じてるよって。そして、総隊長さんは、堂々とした態度で、貴族っぽい人にいった。

「わたしは、キュレルの街の守備隊で総隊長を拝命している、ヴィドール・シーラ。我が街の子供たちが拐《さら》われ、その行方《ゆくえ》を追っている。馬車を開けてもらおうか。我ら守備隊が、中を検《あらた》める」

「はっ！　何の義務があって、おまえ如《ごと》きの命令を聞かねばならんのだ。断る。わたしには、関わりがないからな。わかったら、さっさと跪《ひざまず》いて道を空けろ。わたしの邪魔をするな」

「ほう。後ろ暗いところがあるから、断りたいわけか。よくわかった。ならば、力ずくで検《あらた》めるまでのことだ」

貴族っぽい人が断ったことで、周りはすぐにでも斬り合いが始まりそうなくらい、緊迫した雰囲気になった。一度は抵抗を諦めて、剣を置いたはずの護衛たちも、貴族っぽい人が目の前にいるからか、慌てて剣を拾い上げる。これって、やっぱり、戦闘になっちゃうんじゃないだろうか。

緊迫した空気の中、フェルトさんは、わたしの身体を支えている手に力を入れ、馬の手綱《たづな》を握りしめている方の手で、そっと印《いん》を切った。

「風を司る神霊よ、力を貸してくれ。合図をしたら、おれたちが、風のように速く走れるようにしてほしい。対価は、おれの魔力だ」

フェルトさんが小声で詠唱すると、指先くらいの小さな水色の光球が現れて、そっとフェルトさんの肩にとまった。合図があるまでは、そうして待機してくれるみたい。こんなに繊細な術を使えるなんて、フェルトさん、実はけっこうな神霊術《しんれいじゅつ》の使い手じゃないのかな？

フェルトさんは、ほとんど口を動かさないまま、わたしにしか聞こえないくらいの声で、そっと話しかけてきた。

「チェルニちゃん。護衛のやつらが剣を抜いたら、すべてを無視して、王都の通用門まで一気に走る。速度を上げるから、舌を噛まないように、しっかり歯を食いしばっていてくれ。いいね？」

「でも、フェルトさん。わたし、神霊さんにお願いして、犯人たちを捕まえる手伝いをすることもできるよ？」

「わかってる。きみは、それだけの力を持った神霊術師だ。ありがとう、チェルニちゃん。でも、きみみたいな女の子を、これ以上危険な目に遭《あ》わせるなんて、おれたち守備隊の誇りが許さない。もう十分過ぎるほど助けてもらったよ」

一応いってみたけど、無理だね、これは。フェルトさんたちは、わたしの安全を第一に考えてくれているから、絶対に意見を変えないだろう。総隊長さんといい、フェルトさんといい、実に立派な大人たちだ。うちの国、人材に恵まれているね。

無理をいって、万が一、足手まといになったりしたら大変だから、ここは自分の身を守った上で、できるだけの協力をするとしよう。可愛いだけじゃなく、聞き分けが良くて、有能な少女なのだ、わたしは。

「わかったよ、フェルトさん。いわれた通りにします。でも、わたしも、できるだけの協力はするからね」

「どうするの、チェルニちゃん？」

「見てて」

さっき、フェルトさんが、風を司る神霊さんの光球を、こっそりと待機させていたのを見て、閃《ひらめ》いちゃったんだよ。わたしは、さっと両手で印《いん》を切って、フェルトさんだけに聞こえる声で、こっそり詠唱した。

「錠前を司る神霊さん。子供たちが危ないかもしれないから、助けてください。誰にも見つからないように、後ろの馬車にそっと錠前をかけてほしいんです。ここにいる守備隊の騎士さんたち以外、誰も馬車に入れないで。対価は、わたしの魔力をどうぞ。もし足りなかったら、わたしの髪をほんのちょっと」

すると、空気の読める錠前の神霊さんは、小さな半透明の光球になって、さっと馬車の下へ飛んでいった。これで大丈夫。誰も気づいていないけど、誘拐《ゆうかい》された子供たちが乗せられている馬車には、しっかり鍵がかかった。

錠前を開け閉めする神霊さんとか、これまでは、ほとんどお願いする機会がなかった。うちの家にも、〈野ばら亭〉にも、錠前式の鍵はなかったんだ。でも、印《いん》をもらってて良かったって、今は心から思うよ。

「これで、守備隊の騎士さんたちにしか、後ろの馬車は開けられなくなったよ。子供たちが人質にされることはないから、安心してね、フェルトさん」

「すごい！　素晴らしいよ、チェルニちゃん。きみは、本当にできる子だね。けど、もし、馬車の中に犯人も乗っていたら……って、それは考えないようにしよう。人質として引き出されるよりは、危険が少ない……はずだ、多分」

何となく、フェルトさんが不穏なことをつぶやいている気がするけど、そこを追及する前に、わたしとフェルトさんは、息を呑《の》んだ。総隊長さんと押し問答をしていた、貴族っぽい人が、不意に動いたんだ。

貴族っぽい人は、いかにも高級そうな金ぴかな服の胸元から、小さな盾みたいな形をしたものを取り出して、総隊長さんの方に掲げて見せた。少し離れたところにいる、わたしたちの目にも、その高慢な表情は、はっきりと見えた。

「仕方がない。おまえたち平民に名乗るほど、我が名は安いものではないのだが、特別に教えてやろう。我が名は、シャルル・ド・セレント子爵。アイギス王国の輝ける太陽たる、国王陛下の御命《ぎょめい》によって、ルーラ王国へ派遣された、正式な外交官の一人だ。証拠の徽章《きしょう》を見せてやるが、汚い手で触れることは許さんぞ」

貴族っぽい人の言葉に、緊迫していた周囲の空気が、一気に重苦しいものに変わるのがわかった。総隊長さんは、苦虫を噛み潰したような顔で、徽章《きしょう》っていうらしい、小さな盾形のものを確認している。

フェルトさんが、小さな声で教えてくれたところによると、ルーラ王国には、三つの国が大使館を置いていて、外交官として派遣されてきた人には、特別な身分証として徽章《きしょう》が発行されるんだって。

フェルトさんも、総隊長さんも、他の守備隊の騎士さんたちも、全員がものすごく嫌な顔をしている。わりと上品で、言葉遣いも綺麗なフェルトさんが、まるで吐き捨てるみたいにつぶやいた。

「くそっ！　よりにもよって、外交官特権か。何が外交官だ、下衆野郎《げすやろう》が。あの屑《くず》ども、子供たちを外国に売る気じゃないだろうな」

「それって、町立学校で習った気がするよ、フェルトさん。外交官って、強い権力を持っているんじゃなかったっけ？」

「そうだよ、チェルニちゃん。外国から送られてくる正式な外交官は、おれたち守備隊の権限では、逮捕はおろか、捜査することさえできない。外交官を裁けるのは、外交官の本国だけなんだ。だから、おれたちでは、後ろの馬車を開けさせられない。誘拐《ゆうかい》された子供たちが、閉じ込められているはずなのに！」

「悪いことをしても、捕まえられないってこと？　だから、あの感じの悪い、貴族っぽい人は、平気な顔をしているの、フェルトさん？」

「そうだよ、チェルニちゃん。貴族っぽいんじゃなく、本物の貴族みたいだけどね。おれたちは、相手の本国に抗議して、調べてもらうことしかできない。大使館っていうのは、ルーラ国内に外国を抱えているみたいなものなんだ」

「じゃあ、馬車の中から、子供たちを助けるのは……」

「法律的には無理だ」

そんな馬鹿な！　でも、フェルトさんの言葉が正しいんだって、皆んな、わかっているんだろう。総隊長さんも、他の騎士さんたちも、ぎりぎりって、奥歯を噛み締める音が聞こえそうなくらい怖い顔で、貴族っぽい人を睨《にら》んでいる。

「この徽章《きしょう》が、偽造できるものではないことくらい、おまえたち愚民にも理解できるだろう。わかったのなら、身のほどをわきまえて道を空けろ、愚か者。おまえたちの無礼は、後で正式に抗議してやるからな。首を洗って待っているが良い」

貴族っぽい人……さっき、シャルル・ド・セレントって名乗ってたから、もうシャルルでいいや。シャルルは、偉そうにそういうと、にやにやと馬鹿にしたように笑いながら、馬車に乗り込もうとした。

まさか、ここまで追いついたのに、見逃すしかないの？　馬車に閉じ込められているはずの子供たちは、どうなっちゃうの？

＊＊＊

外交官であるシャルルは、外交官特権っていう強い権限で、この場から逃げようとしている。わたしたちが、最悪の展開に青くなっていると、ずっと黙っていた総隊長さんが、覚悟を決めたような顔で、すっと前に出た。

「待て」

「何だ。まだ何か用か？」

「このまま通すわけにはいかん」

「おまえ、総隊長とか名乗っていたが、ただの平民だろうが。外交官であり、セレント子爵家の当主であるわたしに、気安い口をきくな。本来なら、おまえ如《ごと》き平民とは、護衛騎士を通してしか、話す身分ではないのだぞ」

「身分をいうなら、確かにそうだろう。しかし、その子爵様が、どうして執事も連れずに馬車に乗っているんだ？　それに、どうして騎士でもないただの護衛を、山のように並べている？　外交官の護衛なら、普通は正式な王国騎士だろうが」

「おまえには関係がない。答える必要もない。さあ、道を空けろ」

「いや、通さん。その馬車に子供たちが乗っていることは、神霊術《しんれいじゅつ》によってわかっている。違うというのなら、中を見せてみろ！」

じりじりと馬車に近づきながら、総隊長さんが一喝《いっかつ》すると、シャルルは、鼻で笑った。嘲笑《ちょうしょう》っていう言葉がぴったりな、いやらしい笑いだった。

「はっ！　神霊術か。神霊術など、魔術には及びもつかぬ、微細な力ではないか。そんなもの、当てにはならんな。そもそも、仮にこの馬車に子供が乗っていたとして、それがどうしたというのだ？　誘拐《ゆうかい》だと騒ぎ立てるなら、先ほども申し付けた通り、偉大なる我が祖国、アイギス王国に訴えるのだな。我が国の正式な許しがない以上、おまえたちは、わたしにも馬車にも、乗っていると主張する子供にも、指一本触れられないのだ」

「語るに落ちたな、セレント子爵。どういい繕《つくろ》おうと、ルーラ王国の子供の誘拐《ゆうかい》など、アイギス王国も認めまい」

「そう思うなら、ルーラ王国から、正式に抗議をしろと、何度もいっておるだろう。退《ひ》け。これ以上足止めすれば、友好国である我が国への敵対行為と見なす。良いのか？　命を懸《か》けたところで、おまえの首一つでは、話は収まらんぞ。ここにいる騎士ども全員、道連れにする覚悟があるのか？」

総隊長さんは、黙ってシャルルを睨《にら》みつけた。すごく悔しそうだし、わたしだって悔しい。子供たちを拐《さら》って、尊い神霊さんを馬鹿にして、わたしたちの国まで軽く見たんだ、シャルルは。

あまりにも悔しくて、でも、どうすることもできなくて、わたしは、泣きそうになってしまった。フェルトさんや総隊長さんたちは、わたしよりも悔しい思いをしているんだろうけど、大人の男の人が、ここで泣くわけにはいかないからね。こうなったら、心の中で悔し涙を流している、皆んなの分まで、わたしが大声で泣いてやる！

そんな馬鹿な決心をして、本当に涙が溢《こぼ》れそうになったときだった。わたしたちは、不意に気づいた。遠くから、まるで地響きみたいな音がしているんだよ。どっどっど、どっどっど。どっどっど、どっどっど。地響きは、どんどん、わたしたちに近づいてきた。

慌てて音のする方向に目を向けて、わたしは、思わず目を見開いた。わたしだけじゃない。フェルトさんも、総隊長さんも、守備隊の騎士さんたちも、揃って目を見開き、歓声を上げた。だって、先行していた騎士さんで、アランって呼ばれていた人を先頭に、十人くらいの騎馬の集団が、わたしたち目がけて、すごい勢いで走ってきたんだよ！

騎馬の集団は、あっという間に、わたしたちのところに到着した。アランさんの緊張した表情が、わたしにもはっきり見える。アランさんは、飛び込むみたいな勢いで、総隊長さんの側まで馬を寄せた。

「総隊長！　無事で良かった。お待たせしました。援軍を出していただきました。王都の通用門も、何があっても開かせません」

「よくやった、アラン！」

総隊長さんは、アランさんの肩を叩いて、うれしそうに笑った。守備隊の騎士さんたちも、口々にアランさんに話しかけている。わたしたちが、本当に困っているところへ、颯爽《さっそう》と援軍を連れてきたんだから、当然だよね。

一方のシャルルは、馬車に乗ろうとした体勢のまま振り向いて、援軍を確認しただけで、少しも慌てていなかった。顔色一つ変えず、シャルルは、平然といい捨てた。

「おまえたち、制服の着用がないようだが、王都の衛兵か？　ならば、少しはものの道理がわかるだろう。我が名は、シャルル・ド・セレント子爵。アイギス王国、国王陛下の御命《ぎょめい》によってルーラ王国へ派遣された、正式な外交官だ。外交官特権も知らない田舎者に足止めされて、迷惑千万《せんばん》。自分の国が大切なら、おまえたちの手で、下劣な愚民どもを退《しりぞ》けろ」

それだけいって、今度こそ馬車の扉を開けたシャルルに、声をかけた人がいた。アランさんのすぐ後ろにいた、すらっとした背の高い男の人。すっぽりとフード付きのローブを羽織っていて、顔はよく見えない。その人は、まるで夜空の星が煌《きら》めくような声で、こういった。

「ならぬ。先行してきたキュレルの街の守備隊員から、ことの概略は聞いている。これから、そなたの馬車を調べる故《ゆえ》、命令に従いなさい」

「何を馬鹿な。わたしは、外交官特権を持っている。聞こえなかったのか。それとも、その意味も知らない愚者なのか」

「どちらでもないよ、シャルル・ド・セレント子爵。外交官特権は、悪質かつ緊急性のある事案だと、我が国が判断した場合、それを一時的に凍結することができる。今回は、それに該当すると判断したのだ」

今まで、ずっとわたしたちを小馬鹿にしていたシャルルが、初めて顔色を変えた。だって、ローブの人は、シャルルが外交官だってわかった上で、その特権を合法的に止めようとしているんだから。

ローブの人のいうことは、普通の十三歳にはむずかしいかもしれないけど、わたしにはわかった。優秀な少女なのだ、わたしは。

「外交官特権の凍結だと？　その判断が許されるのは、ルーラ王国の王族と宰相、近衛《このえ》騎士団と王国騎士団の両団長だけのはずだ。適当なことをいって、わたしを騙《だま》そうとしても無駄だぞ」

「もちろん、騙《だま》したりはしない。そんな必要はないのだから」

そういって、男の人はフードを下ろした。中から現れたのは、フェルトさんくらいの年頃の、若い男の人だった。すっきりと短い髪は、ルビーみたいな透明感のある真紅で、宝石よりも煌々《こうこう》と輝いている。くっきりとした切れ長の目は、まるで神事で使う鏡みたいな銀色……。

どっちも〈人の子〉が持つ色じゃないって、わたしには、すぐにわかった。あまりにも美しくて、鮮やかで、神秘的だったから。ものすごく強く、神霊さんの影響を受けた色だと思ったんだ。

この人は、きっと普通の人じゃない。何の前触れもなく、わたしの頭にぽっかりと浮かんだのは、〈覡《げき》〉っていう言葉だった。何十年に一人くらいの割合で生まれてくるっていわれている、神霊さんの体現者。女の人は〈巫《ふ》〉、男の人は〈覡《げき》〉っていうんだって、町立学校で習ったよ。

その人から目を離せなくて、あまりにも濃い神霊さんの気配に、ぼうっと見惚《みと》れているうちに、周りは何だか騒がしくなっていた。ひそひそとした小声で、〈もしかして……〉とか、〈まさか。なぜここへ？〉とか、〈しかし、あれほど見事な赤毛が他にいるか？〉とか聞こえてくるんだけど……まさか……？

「わたしの名は、レフ・ティルグ・ネイラ。ルーラ王国騎士団長の職を拝命しているので、外交官特権の一時停止を命令できる立場だ」

おお！　やっぱり、この男の人が、英雄で王国騎士団長のネイラ様なのか。ということは、子供たちを助けられる！

シャルルは、両眼を見開いて、呆然とネイラ様を見ていたんだけど、すぐに顔を紅潮させ、大きな声で怒鳴った。

「馬鹿なことをいうな！　王国騎士団長ともあろう者が、なぜ一人でこんなところにいるんだ！　適当なことをいうな！」

「そなたとは、遠目にすれ違ったことがある。王城において、アイギス王国外交使節団からの挨拶があったときに。わたしの髪色は目立つらしいので、そなたも、覚えているのではないか。第一、わたしは、一人ではないよ」

ネイラ様がいうと、後ろに従っていた十人くらいの人たちが、それぞれの右手で三度、いっせいに胸を叩いた。あれって、わたしの愛読書である〈騎士と執事の物語〉に出てくる、〈騎士の返答〉ってものじゃないの？　一度は承諾《しょうだく》、二度は感謝。三度続けて叩くと、相手に対する忠誠を意味するっていう、あの合図だよ。

物語から抜け出てきたみたいな、騎士さんたちのカッコよさに、わたしが、思わず感動していると、ネイラ様が淡々といった。

「最近、いくつかの街で、子供たちが拐《さら》われる事件が頻発《ひんぱつ》していたため、我が王国騎士団も、捜索《そうさく》に加わっていたのだ。ちょうどこの場に駆けつけられて、僥倖《ぎょうこう》だった。レフ・ティルグ・ネイラの名において、シャルル・ド・セレント子爵の外交官特権の一時停止を宣言しよう」

「馬鹿な。そんな強引なことをすれば、国と国との関係が悪化するぞ！　良いのか、アイギス王国の不《ふ》興《きょう》を買っても」

「もちろん、承知の上だ。キュレル守備隊、シーラ総隊長」

「はっ！」

「ここまで追い詰めたのは、あなたたちの力です。外交官特権の停止を宣言した以上、あなたたちを阻《はば》むものはありません。どうぞ、馬車を調べてください」

「ありがとうございます、王国騎士団長閣下！　このご恩は、決して忘れはいたしません。皆んな、行くぞ！」

すごい、すごい。これって、形勢逆転っていうやつだよね？　ネイラ様のおかげで、外交官のシャルルを調べられるんだよ！

＊＊＊

シャルルに外交官特権を振りかざされて、拐《さら》われた子供たちがいるってわかっているのに、どうすることもできなかった総隊長さんたちは、今後こそ大きな歓声を上げ、剣を握った片手を、高々と天に突き上げた。皆んなの悔しさを、わたしたちの国の王国騎士団長であるネイラ様が、一気に晴らしてくれたんだ。

しかも、王国騎士団の手柄にしようなんて素振りもなく、総隊長さんたちに調べさせてくれるなんて、本当にいい人だと思う。年上の総隊長さんへの言葉も、とっても優しくて丁寧だしね。カッコいいにもほどがあるよ、ネイラ様ってば。

キュレルの守備隊の騎士さんたちは、総隊長さんを先頭に、気合十分で馬車に殺到した。

シャルルの馬車の周りを固めていた、護衛っぽい人たちは、剣を抜いて応戦する構えを見せてはいるものの、完全に腰が引けちゃってる。人数も倍くらい違うし、ネイラ様が出てきた以上、どうしたって勝てるわけがないからね。

守備隊の騎士さんたちと向き合った途端、護衛の一人が、慌てて剣を地面に捨てた。すると、申し合わせたみたいに、護衛たちが次々に剣を投げ捨て始めた。わたしは、すっかり安心して、強張《こわば》っていた身体から力を抜いた。良かった、これで勝負はついたんだって……。

でも、どことなく落ち着いた気配が漂い始めた中、たった一人、シャルルだけは、まったく諦めていなかったらしい。護衛っぽい人たちが降伏している隙《すき》を突いて、シャルルは、素早く馬車に乗り込んでしまったんだ。

そして、馬車の扉が閉まると同時に、二台の馬車が薄《うっす》らと光り始めた。よく見ると、黒っぽい馬車のあちこちに、いつの間にか複雑な模様が浮かんでいる。そこから感じるのは、神霊術《しんれいじゅつ》とはどこまでも異質な気がする、魔力そのものの気配。馬車の中から、誰かが魔術を使っているんだって、わたしにはわかった。

馬車の内側から窓を開け、すっかり自信を取り戻したように見えるシャルルが、聞くだけで腹の立つ口調でいった。

「おまえたちの相手など、いつまでもしていられるか。わたしは、一足先に国へ帰る。文句があるなら、追いかけてくるがいい、愚民ども。そして、我がアイギス王国の権威を傷つけた対価は、いつか取り立ててやるから、それまで首を洗って待っていろ。ルーラ王国騎士団長、レフ・ティルグ・ネイラ！」

シャルルの言葉から、置いていかれそうになっていることが、わかったんだろう。護衛っぽい人たちは、慌てて馬車を止めようとするんだけど、透明な壁みたいなものに阻《はば》まれて、誰も馬車に近づけないんだ。強引に飛びかかって、自分も馬車に乗ろうとした護衛なんて、勢い良く弾き返されて、自分が地面に転がっちゃってるし。

わたしの身体を支えたまま、ずっと避難できる体勢を取っていたフェルトさんが、悔しそうに教えてくれた。

「まずいな。あれは、転移の魔術だ。あれで逃げられると、すぐには行き先が掴《つか》めなくなるんだよ」

「転移の魔術って、すごくむずかしいんでしょう？　めったに使える人はいないんだって、本に書いてあったよ。シャルルって、すごい魔術師だったの？」

「いや。どんなに力のある魔術師でも、大型の馬車を二台も転移させるなんて、まず不可能だろう。多分、あの馬車には、事前に転移の魔術陣が刻んであるんだ。その上で、魔力を増幅させる〈触媒《しょくばい》〉を持った魔術師を、馬車に乗せているんだと思う」

「魔術の〈触媒《しょくばい》〉って、わたしたちでいう対価みたいなものだったよね？」

「物知りだね、チェルニちゃん。その通りだ。大型馬車二台を転移させる触媒《しょくばい》なら、大きな水晶くらいじゃないかな？」

どうすることもできないまま、わたしとフェルトさんは、声をひそめて話し合った。わたしたちの視線の先では、守備隊の騎士さんたちが、馬車に斬りかかったり、何らかの神霊術《しんれいじゅつ》を使おうとしたりしているけど、やっぱり透明な壁に阻《はば》まれて、剣も神霊術も、まったく通じそうになかった。

どうしよう？　このままだと、逃げられちゃうよ。総隊長さんたちが、必死になって追跡して、やっと追いついたところだったのに。せっかくネイラ様たちが来てくれて、シャルルを捕まえられることになったのに。拐《さら》われた小さな子供たちを、やっと助けてあげられると思ったのに！

わたしの視線の端の方では、ネイラ様が、さっと馬を降りて、シャルルの馬車に近づいていくのが見えた。王国騎士団の騎士さんたちが、何かを叫びながら、馬車から皆んなを引き離そうとしているのもわかった。きっと、転移に巻き込まれると危ないから、避難させているんだ。いったん発動しちゃった魔術は、誰も止められないって聞いたことがあるから、正しい判断なんだと思う。

でも、わたしは、絶対に嫌だった。シャルルを逃すのは嫌だし、子供たちを見失うのも、絶対に嫌だった。シャルルの外交官特権は、もうなくなっているんだから、あの転移魔術を止められればいいだけなのに。悔しい。悔しいよ、神霊さん！

そこからは、多分、無意識だったと思う。馬車の周りから、皆んなが避難したのを確認した途端、きらきらと魔術陣を光らせ、段々と輪郭を薄くしていく馬車に向かって、わたしは、大声で叫んでいた。

「錠前の神霊さん。捕まえて!!」

わたしが叫んだ瞬間、周囲に轟音《ごうおん》が響き渡り、ものすごい砂ぼこりが上がった。フェルトさんが、とっさにわたしを抱き込んで、砂ぼこりを遮《さえぎ》ってくれる。いったい何が起こったのかわからなくて、ようやく砂ぼこりが収まってきたところで、馬車の方を見たわたしは、ぱかっと口を開けて固まった。

「……チェルニちゃん……」

呆然とした顔で、フェルトさんが、わたしを呼んだ。でも、ごめんなさい、フェルトさん。どうしてこうなったのか、わたしにだってわからないよ。

今にも消えていきそうだった二台の馬車は、その場に残っていた。わたしの腕くらいありそうな、太い鎖にぐるぐる巻きにされて。鎖の先の方には、両手を広げたくらい巨大な錠前がつながっていて、夕陽にきらきらと輝いていたんだよ……。

想像を超えた光景に、動き出す人はいなかった。わたしも、あまりといえばあんまりな状況に、声も出なかった。敵も味方もまとめて、全員が無言で静まり返る中、一番早く衝撃から立ち直ったのは、王国騎士団長のネイラ様だった。

ネイラ様は、明らかに笑いを噛み殺している顔で、ゆっくりと歩いてきた。そして、わたしの近くまで来ると、世にも不思議な銀色の瞳を輝かせながら、優しい微笑みを浮かべて、こういったんだ。

「はじめまして、お嬢さん。あの錠前は、きみだろう。きみは、素晴らしい神霊術師だね。協力してくれて、本当にありがとう。もう大丈夫だから、きみの素敵な錠前の神霊さんに、錠を外してくれるように頼んでくれないだろうか」

瞬間、何をいわれているのかわからなかった。いや、ちゃんと言葉は聞こえているんだけど、顔が熱くなって、胸がどきどきして、なぜか涙まで出そうになっちゃって……言葉の意味が、頭に入ってこなかったんだよ。

ぼうっと見惚《みと》れたまま、ろくに返事もできないわたしに、ネイラ様は、もう一度笑いかけてくれた。そこで、ようやく正気に返ったわたしは、何とか返事だけはして、ネイラ様の指示に従った。錠前を司る神霊さんにお願いして、巨大な錠前を外してもらうことにしたんだ。〈覡《げき》〉のネイラ様には、わたしが神霊術《しんれいじゅつ》を使ったことも、それが錠前の神霊さんだっていうことも、すぐにわかったんだね。錠前の神霊さんとか、超マイナーなのに。

錠前を司る神霊さんにお礼をいって、術を解《と》いてくださいってお願いすると、巨大な錠前や太い鎖が、少しずつ形を失って解《ほど》けていった。固い鉄でできていたはずのものが、小さな光の粒になって舞い上がり、きらきらと煌《きら》めきながら、音もなく消えていった。

錠前が完全に消えるのを待って、総隊長さんが、皆んなに声をかける。守備隊の騎士さんたちは、すぐに反応して、てきぱきと動き出した。護衛たちを拘束《こうそく》して、捨てられた剣を集めて、馬車の扉をこじ開けて、警戒しながら馬車に乗り込んで……。キュレルの街の守備隊が、すごく有能な人の集まりだってことは、見ているわたしにも伝わってきたよ。

二台の馬車から出てきたのは、黒いローブを着た魔術師っぽい人が二人と、従者っぽい人が三人、憤《ふん》然《ぜん》とした表情のシャルル。そして、意識のないまま抱き降ろされた、八人の小さな子供たちだった。シャルルが拐《さら》ったのは、うちの街の子供たちだけじゃなかったらしい。

護衛っぽい人たちも一緒に、シャルルたちは、縄でまとめて拘束《こうそく》されていく。この人たちが、どんな裁きを受けるのか、わたしにはわからないけど、犯した罪に相応《ふさわ》しい罰を与えられるんだって、信じようと思う。十三歳の少女に過ぎないわたしには、それしかできないんだから。

ぐったりと意識のないままの子供たちは、大丈夫なのかって、皆んなが固唾《かたず》を呑《の》んで見守っている中、騎士さんたちの何人かが、てきぱきと動いていた。治療の力を持っている神霊さんにお願いして、それぞれに子供たちを診てもらっているんだ。

淡い緑色の光球や、柔らかな紫色の光球が、いくつか現れては消えていき、ちょっとの間、周囲に緊張した空気が漂った。やがて、治癒の神霊術を使っていた騎士さんたちが、顔を見合わせてうなずき合い、明るい声で叫んだ。

「大丈夫、薬で眠らされているだけだ。子供たちは全員、無事だ！」

おおっ！　って、爆発したみたいな歓声が上がった。守備隊の騎士さんたちも、王国騎士団の人たちも、誰かれかまわず肩を叩き合い、抱き合って喜んでいる。良かった。本当に良かった！

ようやく安心して、くたっと力の抜けたわたしを、フェルトさんがしっかりと支えてくれる。〈ありがとう、チェルニちゃん。本当にありがとう〉って、何度もいってくれる、フェルトさんの声に応えながら、わたしは、その人の姿を目で追っていた。

わたしたちが、本当に悔しくてたまらなかったときに、物語の主人公みたいに颯爽《さっそう》と現れて、助けてくれた人。〈人の子〉とは思えないほど濃密に、神霊さんの気配をまとった人。わたしのことを〈お嬢さん〉っていって、優しく笑いかけてくれた人……。王国騎士団長で、ルーラ王国の英雄で、〈覡《げき》〉に違いない人は、ゆっくりと背中を向けて、歩き去るところだった。

少しずつ遠くなっていく、ネイラ様の背中を見つめながら、わたしは、二つのことを考えていた。わたしにとって、初めての冒険となる誘拐《ゆうかい》事件は、無事に終わったんだなって。思いがけず出会ってしまったネイラ様に、また会えないかなって……。

わたし、十三歳の少女であるチェルニ・カペラの長い一日は、こうして無事に終わりを告げようとしていたんだよ。

ᚁᚁᚁ

子供たちの誘拐《ゆうかい》事件が起こった日から一週間、わたしの生活は、すっかり落ち着きを取り戻していた。犯人のシャルルが、アイギス王国の外交官だったことから、キュレルの街の守備隊には、箝口令《かんこうれい》っていうものが敷《し》かれたみたいで、事件のことは、あんまり噂にはならなかった。

子供たちが拐《さら》われたけど、守備隊が無事に取り戻し、逮捕した犯人は王都に送られた……。それが、街の人が知っている情報のすべて。いろいろな事情を考えたら、当然の配慮だって、わたしでも思うよ。あの日、〈野ばら亭〉にいたお客さんたちは、わたしが、犯人の追跡に協力したことを知っているから、ものすごく褒《ほ》めてくれた。お父さんとお姉ちゃんには、無事に帰ってきて良かったって、ぎゅうぎゅうに抱きしめられて、買い物に行って留守だったお母さんには、ちょっと泣かれちゃったけどね。今となっては、それもいい思い出だ。

そして、今日は〈野ばら亭〉の定休日だから、フェルトさんと総隊長さんが、わざわざ家を訪ねてくれることになっている。事件のその後のことを、総隊長さんたちの口から、内々《うちうち》に説明してくれるらしい。義理堅い人だよね、二人とも。

総隊長さんとフェルトさんは、きちんとした軍服姿だった。肩に飾りがついていたり、ボタンがぴかぴか光ったりしているのは、何と、守備隊の正装だからなんだって。二人は、お父さんとお母さんに向かって、深々とお辞儀をしてから、わたしにも丁寧にお礼をいってくれた。

「本日は、お礼と謝罪のためにお伺いいたしました。犯人逮捕にご協力いただき、誠にありがとうございました、カペラ殿。大切なお嬢さんに、危険を伴う協力をお願いしてしまいましたこと、申し訳なく思っております。お嬢さんのご尽力のお陰で、子供たちを無事に助け出し、犯人を捕らえることができました。我ら守備隊一同、心から感謝しております。本当にありがとう、チェルニちゃん」

「わたしが、チェルニちゃんにお願いをしたばかりに、大変なご心配をおかけしてしまい、誠に申し訳ございませんでした。チェルニちゃんは、実に立派で、堂々とわたしたちを助けてくれました。本当にありがとうございました」

総隊長さんもフェルトさんも、ものすごく真剣で、謝罪と感謝の気持ちが、はっきりと伝わってきた。わたしの大好きなお父さんも、きちんとした礼を返して、こういった。

「ご丁寧に恐れ入ります、総隊長、分隊長。娘がお役に立てて、子供たちも無事で、キュレルの街に住む者として、これほど嬉しいことはありません。わたしたちこそ、いつも守備隊の皆さんに守っていただいて、感謝しております」

それから、家族以外には口外しないようにって頼みながら、二人はたくさんの情報を教えてくれた。まず、今回、シャルルたちが拐《さら》っていた子供たちは、何と三十人以上になるらしい。ルーラ王国のあちこちから、二人、三人と拐《さら》っていたんだって。

誘拐《ゆうかい》の目的は、やっぱり奴隷《どれい》として売るためだった。シャルルの本国、アイギス王国では、奴隷《どれい》は合法だから、神霊術《しんれいじゅつ》の使えるルーラ王国の子供は、とにかく大人気なんだって。シャルルみたいな外交官を派遣してきた上に、いまだに奴隷《どれい》制があるなんて、本当にだめな国だよ、アイギス王国。

アイギス王国の話を聞いたときには、おっとり優しいアリアナお姉ちゃんまで、顔色を変えて激怒していた。真っ白な頬がほんのり紅く染まり、潤んで揺れるエメラルドの瞳を怒《いか》らせて、薔薇《ばら》の花びらみたいな唇を尖《とが》らせて……。アリアナお姉ちゃんは、激怒しているときでも、うっとりするほどの美少女だった。

そんなお姉ちゃんを間近で見て、フェルトさんが、ぼうっと見惚《みと》れてたのは、当のお姉ちゃん以外、全員が気づいていたと思う。

誘拐《ゆうかい》事件の犯人たちは、今も王都で取り調べられていて、少しずつ事情がわかってきたらしい。護衛っぽい人たちは、アイギス王国の正式な騎士じゃなくて、ルーラ王国内で雇われた人たちなんだって。お金目当てに、同じ国の子供たちを奴隷《どれい》として売る手助けをしたわけだから、全員に厳しい処罰が待っているそうだ。

シャルルが連れていた魔術師は、当然、アイギス王国の人間だった。転移ができるほどの魔術師なんて、アイギス王国でもめったにいないから、ルーラ王国では、かなり高位の貴族が協力していたんじゃないかって、疑っているみたいだった。

そして、問題のシャルルは、どこかで拘束《こうそく》されているんだけど、場所は総隊長さんたちも知らされていない。高位貴族が絡《から》んでいる可能性がある以上、実行犯で証人にもなるシャルルには、命の危険があるらしいんだ。

これ以上詳しいことは、さすがに教えてもらえないし、総隊長さんたちも、無理に聞き出そうとは思っていないんだって。国と国との間のことは、〈上層部〉に任せるしかないからって、ちょっと悔しそうだった。

ただ、うちの国の〈為政者《いせいしゃ》〉って呼ばれる人たちは、本当に立派だから、子供たちを見捨てて、事件をうやむやにする気は一切ないんだって、総隊長さんとフェルトさんが、揃って断言してくれた。

二十人以上も行方《ゆくえ》不明になっている子供たちを、半年以内に全員無事に帰国させること。そして、犯人を全員引き渡すこと。この二つを実行しないのなら、開戦するぞって、正式にアイギス王国に宣言したそうなんだ。

子供たちを見捨てたりは絶対にできないけど、戦争なんて怖過ぎる。わたしたちが、思わず青くなっていると、総隊長さんが、何も心配する必要はないって、自信満々に請《う》け合ってくれた。

アイギス王国は、そんなに強い国じゃないし、魔術そのものを斬ってしまうネイラ様がいる以上、うちの国の王国騎士団には、絶対に勝てないのがわかっている。だから、アイギス王国の王様は、死に物狂いで事件を解決しようとするはずだって。

そう、ルーラ王国の英雄であり、世界最強の騎士でもあるネイラ様は、どんな魔術であっても、魔術それ自体を斬り捨ててしまえるんだ。あの日、馬を降りたネイラ様が、転移しようとする馬車に近づいていったのは、転移魔術を斬るためだったんだよ。

そうとも知らず、巨大な錠前なんて出してしまったわたしって……。フェルトさんから、ネイラ様の力について教えられたわたしが、家までの帰り道、ずっと下を向いて羞恥《しゅうち》に耐えていたのは、仕方のないことだったと思う。

ひと通りの話が終わってから、きちんと座り直した総隊長さんは、お父さんに向かって、立派な封筒を差し出した。今回のわたしの働きに対して、国からご褒美《ほうび》をもらえることになって、その目録なんだって。

後日、正式な授与式が行われるときには、照れるけど、一家で出席することになった。総隊長さんやフェルトさん、守備隊の人たちも、それぞれにご褒美《ほうび》がもらえるらしい。わたしはともかく、守備隊の騎士さんたちは、皆んな、本当に一生懸命だったから、その頑張りが報われるのは、本当にうれしい。

そして、もう一通、わたしに直接手渡されたのは、王立学院からのお手紙だった。純白の高級そうな封筒の四隅には、金の飾りが刻印されていて、〈チェルニ・カペラ殿〉って宛名が書いてある。差出人を確かめると、〈王立学院　学院長〉だって！

王立学院は、王城に隣接する場所に建っている、初等科から高等科までの総合学院で、王族や貴族と、特に優秀な平民だけが、少数精鋭で最高の教育を受ける。そう、最高水準の教育が受けられるからって、わたしがちょっと憧れている、あの王立学院だよ。

慌てて中身を読むと、何と、入学のお誘いだった。優秀な神霊術《しんれいじゅつ》の使い手であるチェルニ・カペラ嬢を、王立学院の特待生として迎えたいって！

事前に内容を知っていたらしい総隊長さんが、熊みたいに厳《いか》つい顔に、優しい微笑みを浮かべて、こういってくれた。

「王国騎士団長閣下が、神霊術の使い手としてのお嬢ちゃんの実力を、とても高く評価しておられて、王立学院に推薦してくださったんだ。家を離れて王都に行くことには、不安があるだろうが、ゆっくり考えてみてほしい。お嬢ちゃんには、それだけの価値があると、おれたちも思うからな」

王国騎士団長閣下って、ネイラ様のことだよね？　ネイラ様の名前が出ると、わたしは、それだけで頬に血が上って、胸がどきどきするみたい。これって、何かの病気なのかな？　わたしは十三歳の少女だから、何もわからない。わからないったら、わからない。

お父さんやお母さんを振り返ると、ちょっと複雑な顔をしながらも、しっかりとうなずいてくれた。これは、お話を受けてもいいって、そういう合図だよね？　ただの高等学校ならともかく、王立学院に入学できるなら、わたしの答は決まっている。ネイラ様が与えてくれた、せっかくの機会なんだから、無駄にすることなんてできないよ。

総隊長さんは、ゆっくり考えるようにっていってくれたけど、わたしの気持ちは決まっている。挑戦を恐れない少女なのだ、わたしは。

このときのわたしは、王立学院への入学が決まったことが、人生の分岐点なんだと思っていた。それ以前に、わたしの人生を根本から変えてしまう、大きな大きな分岐点を越えていたことには、まだ気づいていなかったんだ……。

神《かん》去《さ》り子爵家と微睡《まどろみ》の雛《ひな》

1

ルーラ王国の南部、都会でも田舎でもないキュレルの街にある、大人気の食堂兼宿屋〈野ばら亭〉。名物として有名なのは、エールのお供に最適なモツ煮込みと、自慢の焼き立てパン。そして、昼間の間だけ手伝いに出ることのある、美人姉妹の看板娘だ。

その妹の方で、可愛さと親しみやすさが魅力のわたし、十四歳になったばかりのチェルニ・カペラは、どきどきする胸を押さえながら、お客様を待っていた。

「来たわよ、チェルニ。どうしよう。お母さん、どこかおかしいところはないかしら?」

そういって、白い頬に手を当てたのは、わたしの大好きなお母さんだ。大きな子供が二人もいるようにはとても見えない、若くて美人のお母さんは、〈野ばら亭〉の家付き娘で、先代の看板娘でもある。

「今日も綺麗だよ、お母さん。わたしは? わたしは大丈夫?」

「とっても可愛いわよ、チェルニ。わたしの大事な子猫ちゃん」

うちのお母さんは、穏やかで優しい上に商売上手で、どこにでもあるお店だった〈野ばら亭〉を、あっという間に大きくしてしまった、凄腕の経営者なんだ。わたしとアリアナお姉ちゃんを溺愛するあまり、ちょっと不審な言動をすることもあるけど、わたしたちは、いつもさらりと受け流している。人間、誰にでも欠点はある。

お母さんとわたしが浮き足立っているのは、〈野ばら亭〉の食堂が定休日の今日、お客様が来ることになっているからだった。アリアナお姉ちゃんのいないときに、お父さん、お母さんとわたしに話があるんだって。

一週間くらい前、わざわざキュレルの街を守る守備隊の総隊長さんを仲介にして、そう頼んできたのは、あのフェルトさんだった。

若くて美男子でカッコよくて、街のお姉さんに大人気のフェルトさんが、正式にうちを訪ねてくる理由なんて、どう考えても一つしかないだろう。アリアナお姉ちゃんがいないときにっていうんだし、確定だよね？

お母さんとわたしは、一週間前からずっとそわそわして、この日に着る服を選びに選んだ。着飾るのは変だし、普段着というのも味気ない。お姉ちゃんに内緒で、あれやこれやと相談するのは、とっても楽しかった。お父さんはすっかり拗《す》ねちゃって、毎日エールをがぶ飲みしてたけど。

「ねえ、お母さん。フェルトさんは、一人で来たの？　総隊長さんも一緒？」

「一緒に来てくださったわ。それから、もう一人のお客様もね。さあ、行きましょう。お待たせすると失礼だから」

わたしたちの住む家は、〈野ばら亭〉から道を挟んだ、大きな通りの向かい側に建っている。今日は正式なお客様だから、お迎えするのはお店ではなく、自宅の応接室なんだ。

お母さんの後ろについて、静々《しずしず》とお淑やかに入っていくと、厳《いか》つい熊みたいだけど、とっても優しい総隊長さんと、落ち着いた雰囲気の綺麗な女の人が座っていた。肝心のフェルトさんは、ひと目でわかるくらい緊張していて、ちょっと顔が青いくらい。

お母さんとわたしを見たお客様は、立ち上がって挨拶をしてくれる。女の人は、わたしを見て笑いかけてくれて、その笑顔がすごく優しい。

フェルトさんは、何だか動きがカクカクしていて、糸で動かすマリオネットみたいだった。その緊張ぶりがおかしくて、わたしはすっかり落ち着いた。これが反面教師というものか。

この一週間、拗《す》ねたり落ち込んだりしていたお父さんは、何となく諦めがついたみたいで、総隊長さんに丁寧に尋《たず》ねた。

「このように正式にお訪ねいただいて、恐縮しております、総隊長。どういったお話なのか、聞かせていただけますか」

総隊長さんは、石かっていうくらい硬直しているフェルトさんに、憐れみの視線を向け、ちょっと溜息を吐いてから話を始めた。

「貴重なお時間をいただきまして、ありがとうございます。フェルトがこの有り様ですので、わたしが仲介を務めさせていただきます。本日は、我が守備隊の分隊長であるフェルト・ハルキスが、カペラ殿にお願いしたいことがあるということで、まかり越しました。同席しておられるのは、フェルトの母上です」

おお。やっぱり、フェルトさんのお母さんだったか。そうだろうとは思っていたけど、これはもう、お姉ちゃんとの縁談に決まってる。いよいよ現実的になると、わたしも緊張してきたよ。

「フェルト・ハルキスは、アリアナ・カペラ嬢と、婚姻を前提とした交際を望んでおります。もちろん、母上も同意の上で、このご縁を望んでおられます。って、おい、フェルト。おれが話してどうする。自分で説明して、きちんと頼め、軟弱者が」

折り目正しく話していた総隊長さんは、途中で我慢ができなくなったのか、硬直したまま座っているフェルトさんの頭を、勢い良くぶっ叩いた。手加減はしたんだろうけど、けっこういい音がしたので、痛かったと思う。

ぶっ叩かれたフェルトさんは、ようやく正気に返ったんだろう。何度か口を開きかけてから、ガバッと頭を下げて、こういった。

「お願いします。アリアナさんと、けっ、結婚を前提に、お付き合いをさせてください。何でしたら、お付き合いとかは抜きにして、すぐに、けっ、結婚を」

ぱしーんといい音をさせて、総隊長さんが、もう一度フェルトさんの頭をぶっ叩いた。

「いい加減に落ち着け、馬鹿者。おまえがしっかりしないと、まとまるものもまとまらんぞ。一生に一度のことだ。男らしく決めろ、フェルト」

「はい……すみません……」

頭を押さえて涙目になったフェルトさんは、何とか声を絞り出した。もう一度、今度は大きな溜息を吐いた総隊長さんは、指先で小さな印《いん》を切りながらいった。

「打撲傷の神霊よ。いつも世話になって、すまん。この馬鹿者の頭痛を、治してやってくれないか。対価は、おれの魔力で払う」

なるほど。総隊長さんは、打撲傷を治す神霊術《しんれいじゅつ》が使えるのか。いつも訓練を欠かさない守備隊の総隊長さんには、ぴったりな神霊さんだよね。

総隊長さんが詠唱を終えると、途端に小さな水色の光球が現れて、フェルトさんの頭の周りを、くるくるっと回った。フェルトさんは、痛みの消えたらしい頭を振りながら、総隊長さんに謝り、改めて姿勢を正してから、お父さんに向き合った。

「カペラさん。見苦しいところをお見せして、申し訳ありませんでした。もう一度、お願いいたします。わたし、フェルト・ハルキスは、お嬢さんのアリアナさんと、結婚を前提にした交際をさせていただきたいと心から願っております。どうか、アリアナさんに申し込みをする許可を、わたしにいただけませんでしょうか」

よし。今度のフェルトさんは、文句なくカッコいい。うちのお父さんは、何て答えるんだろう？　アリアナお姉ちゃんを手放したくないのは知ってるけど、わたしの大好きなお父さんは、娘の幸せを第一に考えてくれる人だ。きっと大丈夫！

わたしとお母さんが、どきどきしながらお父さんの返事を待っていると、挨拶のとき以外、ずっと黙って見守っていた、フェルトさんのお母さんが、そっと横から口を出した。

「だめよ、フェルト。お願いをさせていただく前に、こちらの事情をきちんとお話ししないと、カペラさんのご一家に対して、不誠実になってしまうわ」

フェルトさんのお母さんの言葉に、わたしたちは、それぞれ顔を見合わせた。事情って何？　他にも付き合っている人がいるなんていい出したら、地獄を見せるよ、フェルトさん。わたしの使える神霊《しんれい》術《じゅつ》の中には、どうして神霊さんが印《いん》をくれたのか、全然、まったく、わからない、女の子が使うには物騒過ぎる術もあるんだからね！

まあ、美男子のわりに、堅物で有名なフェルトさんだから、そんなことはないだろうし、本当にいい人なのは間違いないけどね。人を見る目には自信があるのだ、わたしは。

お母さんにいわれたフェルトさんは、何だかすごく悲しそうな顔をして、目を伏せてしまった。

「母のいう通りです。嫌なことだからこそ、先にご説明するべきでした。重ねて失礼をしてしまって、申し訳ありません、カペラさん」

「かまわないよ、分隊長。今日、こうして訪ねてきてくれただけでも、分隊長の誠意は伝わっているし、アリアナを大切に思ってくれていることも、よくわかっている。きみの気持ちは、とても嬉しい。おれだけじゃなく、妻や娘もそう思っているはずだ」

「カペラさん……」

お父さんが、フェルトさんに優しく声をかけた。フェルトさんは、ちょっとだけ瞳を潤ませて、もう一度お父さんに頭を下げた。

「ありがとうございます、カペラさん。母が申し上げた事情というのは、わたしの父親のことです。戸籍の上では、わたしには父親はおらず、母の〈婚外子〉として、母方の姓を名乗っています」

これには、ちょっと驚いた。フェルトさんには、お父さんがいないのか。でも、それは大したことじゃないよね？　アリアナお姉ちゃんと結婚したら、うちのお父さんがフェルトさんのお父さんになるんだから、それでいいんじゃないかな。お父さんも、すぐに返事をした。

「婚外子だからといって、大した問題じゃない。娘の幸福とは、関係のない話だ。少なくとも、うちの娘なら、そう考えるだろう」

「ありがとうございます、カペラさん。そういっていただけて、どれほど嬉しいか、言葉になりません。ただ……」

「いないはずの父親が、面倒な相手なのか、分隊長」

お父さんがそういうと、フェルトさんは、驚いて顔を上げた。フェルトさんだけじゃない。皆んなが驚いているし、わたしだって同じだよ。何をいってるの、お父さん？

「どうして、それを」

「わかるさ。年の功だ。誰が父親であれ、うちの返事は変わらない。安心して打ち明けてくれればいい」

どうしよう。うちのお父さんがカッコいい。お父さん、大好き！

いつにも増してカッコいいお父さんに、フェルトさんも、感動したみたいに尊敬の眼差しを向けて、はっきりといった。

「お言葉に甘えて申し上げます。わたしの父親は、クルト・セル・クローゼといいます。近衛《このえ》騎士団付けの職を賜《たまわ》っているクローゼ子爵の弟だったそうです」

✢✢✢

うわぁ、面倒臭い。フェルトさんには悪いけど、最初に浮かんだのは、身もふたもない感想だった。近衛《このえ》騎士団付けっていうことは、王都の貴族じゃないか。フェルトさんの神霊術《しんれいじゅつ》は、けっこうすごそうな気がしたから、納得はできるんだけどね。

わたしたちの暮らすルーラ王国は、立派な王家と神霊さんのおかげで、すごく平和で安定した国として有名だけど、やっぱり身分制度っていうものがあるし、何だったら、どろどろの権力争いだって、ないとはいえないんじゃないのかな。王都の貴族社会なんて、その縮図だって、この間読んだ歴史小説に書いてあったよ？

大事なアリアナお姉ちゃんを、面倒事には巻き込みたくない。同じように思ったのか、お父さんとお母さんも、微妙に暗い顔になっている。権力とか地位とかお金とか、そんなものに釣られたりしない、堅実な一家なのだ、うちは。

がしがしと頭を掻いたお父さんは、フェルトさんに聞いた。

「確かに面倒だな、分隊長。弟だった、ということは、もう亡くなったのか？」

「そうです。詳しいことは、母から話をさせてください」

フェルトさんのお母さんは、丁寧に頭を下げてから、きちんと説明してくれた。キュレルの街の商家で生まれたお母さんは、行儀見習いのために王都にあるクローゼ子爵のお屋敷のメイドになって、そこでフェルトさんのお父さんと出会ったんだって。

フェルトさんのお父さんは、クローゼ子爵家の三男で、生まれつき身体が弱くて、大人になるのは無理だろうっていわれていたらしい。同情したお母さんは、一生懸命にお父さんのお世話をして、二人は恋人になった。

こういうときって、普通なら、お母さんはすぐにお屋敷を追い出されるそうなんだけど、お父さんのお父さん、フェルトさんにとってはお祖父さんに当たる先代の子爵様が、長くは生きられない息子を可哀想に思って、一緒にいさせてあげたんだって。

何年か後、フェルトさんが生まれてからしばらくして、お父さんは亡くなってしまった。自分でフェルトって名付けた息子を抱いて、笑顔のまま亡くなったって。そう話しているとき、フェルトさんのお母さんは涙を浮かべていたし、わたしたちもすごく悲しかったよ。

それから、フェルトさんとお母さんは、クローゼ子爵のお屋敷を出された。お祖父さんは、お母さんを息子の嫁、フェルトさんをクローゼ子爵家の子供だとは、絶対に認めてくれなかったし、フェルトさんたちを引き止めてくれなかったんだって。酷《ひど》いね、貴族って。

「先代のクローゼ子爵様は、わたしとフェルトを、心配してくださったんです。お屋敷に居座って、奥様やご兄弟様と顔を合わせるよりも、親元に戻った方が穏やかに暮らせるだろう、と。戸籍のことも、万が一にも家督《かとく》争いに巻き込まれることのないようにという、ありがたいご配慮だったと思っております」

フェルトさんのお母さんは、それ以上は何もいわなかったけど、お祖母さんやお父さんの兄弟には、すっごく虐《いじ》められていたんだろう。多分、きっと。間違いなく。

何となくしんみりとした雰囲気の中で、最初に口を開いたのは、うちのお母さんだった。豪腕って名高いお母さんには、どうしても確認しておきたいことがあったみたい。

「では、ここにおられるフェルトさんは、クローゼ子爵家とは、無関係な方《かた》だと考えてもよろしいんでしょうか？」

「そうです。今は、ご長男様が爵位を継いでおられますし、ご長男様にもご次男様にも、ご子息様がおられます。フェルトがクローゼ子爵家の家督《かとく》に関わることは、あり得ないと思います」

「だったら、問題はありませんね。どうですか、あなた？」

安心した表情で、満足そうに笑ったお母さんに、お父さんも大きくうなずいた。

「ああ。それなら大丈夫だ。わたしたちは、キュレルの街の守備隊の分隊長として、フェルトさんの人柄を知っている。そのフェルトさんが、真剣にアリアナと交際したいというのであれば、反対はしないさ。チェルニも、それでいいな」

おっと。いきなり全員の視線が集中した。お父さんとお母さんは、事前に話し合っていたみたいだけど、わたしの気持ちを聞かれるのは、これが初めてだった。しっかりと胸を張って、わたしは、フェルトさんに宣言した。

「フェルトさんだったら、賛成です。大賛成。でも、わたしの大好きなアリアナお姉ちゃんを泣かせたら、二度と日の目を見られないようにするからね」

この〈二度と日の目を見られないように〉っていう言葉は、今読んでいる冒険小説の中に書いてあった。わたしは、キュレルの街でも指折りの文学少女なのだ。

「ありがとう、チェルニちゃん。きみが妹になってくれるなんて、本当に嬉しいよ。お義父《とう》さんもお義母《かあ》さんも、ありがとうございます」

フェルトさんが、本当にうれしそうに笑った。きらきら、きらきら、発光しそうな笑顔だよ。皆んなも、やっぱり笑顔になって、和やかな空気が流れたところで、総隊長さんがいいにくそうに口を出した。

「いや、皆さん。まだ、肝心のアリアナさんのお気持ちを、確かめていませんから。フェルト、おまえは気が早過ぎる。アリアナさんに断られたら、チェルニちゃんを妹にはできないぞ。交際してから振られることもあるし。気立ての良い美少女と評判のアリアナさんだから、求婚する男なんて、それこそ星の数ほどいるだろうが」

かちーんと音がするみたいに、フェルトさんが固まった。確かに、アリアナお姉ちゃんの気持ちはわかりやすいけど、結婚は別かもしれないしね。

総隊長さんにいわれて、自分もちょっと恥ずかしくなったらしいお父さんは、わざとらしい咳払いをしてから、わたしに聞いた。

「アリアナは今、どこにいるかわかるか、チェルニ？」

この時間、アリアナお姉ちゃんは、街の女学校に行っている。王都の高等学校とは違って、礼儀作法とか裁縫とか帳簿とか、生活に必要な教養を学ぶ学校だよ。アリアナお姉ちゃんは、わたしより三歳年上なので、もうすぐ女学校を卒業する予定なんだ。

フェルトさんたちが来てから、けっこうな時間が経つから、もう帰ってきてもいい頃だろう。わたしは素早く印《いん》を結んで、神霊さんを呼び出すことにする。

印《いん》をもらったとき、アリアナお姉ちゃん以外の全員が爆笑した、雀《すずめ》を司る神霊さん。何だそれ、と思うかもしれないけど、実はけっこう役に立ってくれるんだ。

「雀《すずめ》を司る神霊さん。今、周りに何が見えますか？　お姉ちゃんのいる場所を、わたしに教えてくださいな。お礼はいつもと同じ、わたしの魔力と髪をちょっぴり」

わたしがいうと、茶色のグラデーションになった小さな可愛い光球が現れて、わたしの目の前をくるくる回る。

そう、わたしは、雀《すずめ》を司る神霊さんにお願いして、外出するお姉ちゃんの周りに、〈依代《よりしろ》〉となる雀《すずめ》を配置してもらっている。どの街にも雀《すずめ》はたくさんいるから、依代《よりしろ》に困ることもない。この雀《すずめ》は、神霊さんの目になってくれるから、神霊さんを通して、わたしにもお姉ちゃんのいる場所のイメージが伝わってくるんだ。

美少女で有名なアリアナお姉ちゃんだから、わたしがしっかり守らないとね。まあ、実際のところ、お姉ちゃんに印《いん》をくれた神霊さんたちの力があれば、お姉ちゃんが危ない目に遭《あ》うとは考えにくいんだけど。

今日のアリアナお姉ちゃんは、女学校までの往復だから、だいたい二十羽くらいの雀《すずめ》が、交代で見守ってくれているみたい。小さな雀《すずめ》はとっても可愛いし、数が多くても問題はない。ないったらない。

頭に浮かんできたイメージのまま、お父さんに答える。

「今、ナグルおじさんの接骨院を通り過ぎるところだから、すぐに帰ってくると思うよ、お父さん」

骨の神霊術《しんれいじゅつ》が使えるナグルさんは、わたしたちの〈野ばら亭〉の近くで、接骨院を経営している。アリアナお姉ちゃんは、同じ女学校に通っているお友達で、ナグルさんの娘さんのナタリアさんと、手を振ってさよならの挨拶をしているから、家まではもうちょっとだろう。

わたしの答に緊張して、今度はがちーんと音がするほど固まり切ったフェルトさんを横目に、お母さんがいった。

「それじゃあ、アリアナの気持ちを確かめましょう。まずは、そこからよ。チェルニは家の玄関で待っていて、アリアナを庭に連れて行って。フェルトさんには、そこでアリアナに申し込んでもらいましょう。いいでしょう、あなた」

元気いっぱいの明るいお母さんに対して、途端に元気のなくなったお父さんは、それでも重々しくうなずいた。

「そうだな。大切なのはアリアナの気持ちだ。おれたちのいないところで、話してもらった方が良いだろう。それで良いな、分隊長」

そう聞かれたフェルトさんは、返事をしなかった。顔を見ると、青から白に変わっていて、ちょっと震えているみたい。そこまで緊張しなくても、いいと思うんだけど。

フェルトさんのお母さんは、石化した息子に憐れみの視線を送ってから、お父さんとお母さんに深々と頭を下げた。

「ありがとうございます、カペラさん、奥様。至らない息子ですけれど、アリアナさんのことは、本当に真剣に考えております。どうか、よろしくお願いいたします」

さっき、フェルトさんの頭をぶっ叩いた総隊長さんは、フェルトさんのお母さんと一緒に、今度は黙ったまま頭を下げた。

フェルトさんにとって、ここからが正念場というやつだろう。わたしの大好きな歴史小説でも、悪者と対決するときに、王様がいっていた。〈今こそ我らが正念場。命を尽くして迎え撃つ！〉ってね。

わたしの大好きなアリアナお姉ちゃんは、美少女な上にとっても優しいから、骨は拾ってくれるだろう。頑張れ、フェルトさん！

⚘⚘⚘

お母さんにいわれた通り、家の玄関で待っていると、すぐにアリアナお姉ちゃんが帰ってきた。お姉ちゃんは、わたしの顔を見ると、ふわっと音がしそうなくらい、柔らかく笑った。

「待っていてくれたの、チェルニ。ありがとう」

自然にゆるくカールした髪は本物の金色で、大きな瞳は透き通ったエメラルドで、小さな唇は薔薇《ばら》の花びらで、ほっそりした首筋は白鳥みたい。わが姉ながら、何という美少女。

おまけに、アリアナお姉ちゃんは、とにかく性格がいい。優しくて穏やかで、おまけに頭もいいから、ちゃんとしっかりしている。生まれたときから一緒にいる妹から見ても、のんびりし過ぎているところ以外、欠点らしい欠点が見当たらないんだ。

アリアナお姉ちゃんが、〈美人の看板娘〉くらいの評判で、平穏に暮らしていけるのは、すごくめずらしい神霊さんの力で守られているからだ。そうじゃなければ、どこかの貴族にでも誘拐《ゆうかい》されているか、男の人たちが〈取り合いの殺し合い〉でも起こしているだろう。

「お帰りなさい、お姉ちゃん。あのね、お姉ちゃんにお客様が来ているから、庭で待っていなさいって、お母さんがいってるよ」

お姉ちゃんは、びっくりするくらい長いまつげを瞬《またた》かせて、小首を傾げた。こんなことは初めてだから、不思議に思ったんだろうけど、何もいわずに黙ってついてきてくれる。

お姉ちゃんを連れて行ったのは、応接室からも出ていける、うちの自慢の庭だった。そこそこ広くて、お母さんとお姉ちゃんが熱心に世話をしているので、どの季節でも綺麗な花が咲いているんだ。

その端っこにある小さなテラスは、テーブルセットから庭が見渡せるし、応接室からはちょうど死角になるから、話し合いにはぴったりだろう。

「じゃあ、ちょっとだけ待っていてね、お姉ちゃん。すぐにお客様を呼んでくるよ」

「わかったわ。ありがとう、チェルニ」

アリアナお姉ちゃんの口癖は、〈ありがとう〉と〈うれしい〉だ。お姉ちゃんと結婚できたら、きっとルーラ王国でも一番の果報者だよ、フェルトさん。お姉ちゃんが、こんなにすごい美少女じゃなくってもね。

わたしが、庭を通って応接室に戻ると、フェルトさんがかちかちのまま出てきたところだった。わたしは、テラスの方を指差していった。

「お姉ちゃんは、そこのテラスで待ってるから。頑張ってね、フェルトさん」

「……ありがとう」

「声、小っさ！　しっかりしなよ、男でしょうが」

仕方ないので、わたしは、フェルトさんの背中をばしっとぶっ叩いて、気合を入れてあげた。誘拐《ゆうかい》された子供たちを追いかけていたときの、カッコいいフェルトさんはどこに行ったの？　そろそろ正気に戻ってもらわないと、この人がお姉ちゃんのお婿さんでいいのか、不安になるじゃないの。

わたしに叩かれて、情けなくよろけたフェルトさんは、ようやく覚醒したらしい。自分の顔を強く両手で叩いてから、しっかりといった。

「ありがとう、チェルニちゃん。もう大丈夫。頑張ってくるよ。アリアナさんに断られても、おれは諦めない。何年でも何十年でも求婚し続けるから、見ていてくれ」

……うん。そんなには見ていられないよ、フェルトさん。

ともあれ、フェルトさんを送り出して、応接室に戻ってみると、全員が緊張した顔で座っていた。お姉ちゃんの答は決まっていると思うんだけど、やっぱり不安があるんだろうか。さっきのフェルトさんみたいに、顔を強張《こわば》らせたお父さんが、わたしに聞いた。

「その、何だ、チェルニ。おまえの雀《すずめ》は、声のイメージも送ってくれるんだろう？　テラスでどんな話になっているのか、ちょっと教えてくれないか？」

「あなたったら、何てことを。それはルール違反ですよ。第一、さっきといってることが違っているじゃないの」

「いや、しかし、心配だろうが、いろいろと」

雀《すずめ》じゃなくて、雀《すずめ》を司る神霊さんだよ、お父さん。お父さんが何を心配しているのか、わたしにはわからないけど、お母さんは呆れたみたいに溜息を吐いてから、わたしを見た。これは、あれだ。ちょっとだけ、協力してあげなさいっていう合図だね。

「会話の内容じゃなくて、雰囲気だけ伝えようか、お父さん？　それならいいでしょう、お母さん？」

「仕方ないわね。それだけですよ、あなた」

「十分だ。頼むぞ、チェルニ」

「了解！」

わたしは小さく印《いん》を切って、もう一度、雀《すずめ》を司る神霊さんにお願いした。

「雀《すずめ》の神霊さん。今日は、追加のお願いをさせてくださいな。アリアナお姉ちゃんとフェルトさんが、どんな話をしているのか、雰囲気を教えてほしいんです。対価はわたしの魔力と、お母さんの焼いてくれた蜂蜜クッキーでどうでしょう」

いつも魔力や髪だと変化がないので、何となく雀《すずめ》の神霊さんが好きそうな、甘いお菓子を指定してみた。すぐに目の前に現れた、茶色の可愛い光球は、元気にくるくると回りながら、わたしに鮮明なイメージを送ってくれる。蜂蜜クッキーも、とっても楽しみにしてくれているみたいだった。

雀《すずめ》の神霊さんは、ルーラ王国の歴史が始まって以来、一度も頼み事をされたことがなかったみたい。まあ、普通はそうだろう。それで、ずっと寂しい思いをしていた神霊さんは、わたしが頻繁《ひんぱん》に呼び出すので、すごく喜んでくれているんだ。

神霊さんの依代《よりしろ》になっている、雀《すずめ》のうちの一羽が、さっと飛んできて、テラスの横の木蓮の木にとまった。そこからだと、アリアナお姉ちゃんとフェルトさんを同時に見られるし、声も拾いやすい最高の位置どりだと思う。有能過ぎるよ、雀《すずめ》さん。

テラスでは、ちょうどフェルトさんが、アリアナお姉ちゃんの横に座ったところだった。フェルトさんはもう緊張を通り越したのか、キリッとした顔をしていてカッコいい。

アリアナお姉ちゃんは、意味がわからないみたいに戸惑っていて、でもフェルトさんに会えてうれしいみたいで、何だかそわそわしている。

「家にいらしてくださったんですね、フェルトさん。何かご用でしたか？」

「今日は、アリアナさんにお話があってきました。突然だと思われるかもしれませんが、何年も前から、ずっと伝えたかった話です」

そういって、フェルトさんはお姉ちゃんの瞳を見つめ、ゆっくりと口を開いた……って、何でここまではっきり見せてくれるの、神霊さん。お姉ちゃんの押し殺した吐息とか、フェルトさんの微《かす》かに震える指先とか、全部見えるし聞こえるよ！

わたしは礼節を知る少女なので、お姉ちゃんやフェルトさんの大切な瞬間を、勝手に覗《のぞ》き見するつもりはない。慌てて神霊さんにお願いして、何となく会話がわかる程度まで、イメージを落としてもらった。それでも、わたしの方が赤くなるくらい、雰囲気は甘酸っぱいんだけど。

「どうなんだ、チェルニ。どんな話になっているんだ？　おまえ、何だかおかしな顔になっているが、大丈夫か？」

待ちかねたみたいに、お父さんが聞いてきた。おかしな顔とは失礼な。お姉ちゃんとフェルトさんに当てられて、居心地が悪いだけなんだよ。

お父さんだけじゃなく、お母さんも、フェルトさんのお母さんも、総隊長さんも、揃って注目しているので、わたしは二人の様子を簡単に教えることにした。

「フェルトさんは、きりっとした感じで、お姉ちゃんに交際の申し込みをしています。結婚を前提にお付き合いしてくださいって、ちゃんとそういう意味のことをいってます」

「……そうか……」

「まあ、素敵」

「良かった、きちんといえたのね」

「よし！　よくいった、フェルト」

お父さんたちは、それぞれに感想をつぶやいている。お父さんだけ、何となく暗いけど、そこは仕方がないだろう。アリアナお姉ちゃんをお嫁にやるなんて、本当は嫌に決まっているからね。

「それを聞いたお姉ちゃんは、涙をぽろぽろ溢《こぼ》しながら、フェルトさんに微笑んでます。フェルトさんは、真っ赤な顔になって、ハンカチを出そうとおろおろしてます」

「……アリアナ……」

「嬉し涙なのね、わたしの大事なお花ちゃん」

「良かったわ。もうちょっと頑張ってね、フェルト」

「よし！　いいぞ、フェルト」

「あ。お姉ちゃんが、はっきりとお話を受けました。フェルトさんも、喜んで泣き出す寸前です。お姉ちゃんとフェルトさんは、両手を握り合いました。フェルトさんは、お姉ちゃんを抱きしめたいみたいだけど、いいのかな？」

「だめだ！　まだ早い」

「それくらいは別にいいじゃないの、あなた」

「無作法はだめよ、フェルト。待ちなさい」

「よし！　そのままいけ、フェルト」

皆んなが口々に騒ぎ出したところで、お父さんが立ち上がろうとした。娘の父親らしく、二人の邪魔をしたいんだろう。隣に座っているお母さんは、お父さんの上着を引っ張って止めている。

「あなたが行かなくても、大丈夫ですよ。あの子たちはもう大人なんですから。それよりも、わたしの神霊さんにお願いして、二人を祝福してもらいましょう」

そういって、お母さんは素早く印《いん》を結んだ。お母さんが得意とする、キュレルの街でも有名な神霊《しんれい》術《じゅつ》を使うんだね。

「薔薇《ばら》を司る神霊さん。わたしの大切な娘のために、綺麗な花を降らせてください。今の季節にぴったりな、可憐な野ばらにしましょうか。対価は魔力と感謝の気持ち。それから今日は特別に、薔薇《ばら》のオイルの小瓶を一つ」

詠唱を終えて印《いん》を切ると、お母さんの目の前に綺麗なピンク色の光球が現れて、くるくるくるくる、すごい勢いで飛び回った。すると、お母さんが手のひらに載せていた、小さな瓶が消えてなくなり、ピンク色の光球が庭に向かって飛んでいく。

「さあ、わたしたちも庭に出ましょう。薔薇《ばら》の神霊さんが、きっと素敵な光景を見せてくれますからね」

お母さんに誘われて、わたしたちは、全員でテラスに向かった。そこで見たのは、涙を浮かべたお姉ちゃんと、こっちも目が赤くなっているフェルトさんが、しっかりと手を握って寄り添っている姿だった。

お母さんの得意の神霊術で、〈野ばら亭〉の名前の由来にもなった薔薇《ばら》の神霊さんは、今日は特別にサービスしてくれているらしい。

二人の上空からは、可愛い野ばらの蕾《つぼみ》がゆっくりと降り注いでいて、お姉ちゃんたちの頭の上に来ると、ぽんっと弾けて花びらが舞う。真っ赤な野ばらはもちろん、白にピンク、オレンジ、黄色と、色とりどりの花びらが次々に舞い散る様子は、本当に夢みたいに綺麗だった。

優しい花びらの雨の中、お姉ちゃんとフェルトさんの、あまりにも幸せそうな顔を見て、わたしがこっそり目元をぬぐったことは、誰だって簡単に想像できると思う。

だからね。幸せいっぱいのお姉ちゃんの縁談が、大きな事件の幕開きになるなんて、このとき予測できるはずなんてないんだよ……。

2

それから、アリアナお姉ちゃんとフェルトさんは、順調に結婚を前提にしたお付き合いというのを始めた。半年くらいお付き合いしてから婚約し、結婚式とか具体的なことを決めていくんだって。普段から優しい笑顔のアリアナお姉ちゃんが、もっと幸せそうに笑っているから、お母さんもわたしも、とってもうれしい。

お父さんだけは、ちょっと寂しそうな顔をして、すっかり仲良くなった総隊長さんと一緒に、お酒を飲みに行ったりしているらしいけど、そこは仕方がないだろう。花嫁の父は複雑なんだって、わたしでも知っているからね。

さて、お姉ちゃんの将来が決まりそうなところで、わたしはわたしとして、自分の未来に向けて少しずつ準備を進めている。あんまりそうはいわれないけど、計画的な少女なのだ、わたしは。

少し前の話をすると、街の子供たちが拐《さら》われて、フェルトさんや総隊長さんと一緒に追跡した事件のとき、アイギス王国の外交官で、貴族だった犯人を捕まえられたのは、王国騎士団長のネイラ様が助けてくれたからだった。

そして、鏡みたいにきらきら輝いている、不思議な銀色の瞳をしたネイラ様は、事件のときのわたしの神霊術《しんれいじゅつ》を評価して、王立学院の特待生として推薦してくれた。

家族と離れるのが嫌で、王都の高等学校に進学するかどうか迷っていたわたしは、王立学院と聞いて、いきなりその気になった。だって、ルーラ王国で一番の教育が受けられるんだから、その機会は活かさないとね。

王立学院から、入学を許可するっていう通知をもらってから、最初の準備として、わたしは総隊長さんとお父さんにお願いをした。大きなチャンスをくれたネイラ様に、お礼のお手紙を出したいって。人として、当然の礼儀だからそういったのであって、もう一度ネイラ様に会いたいとか、まったく考えていなかった。本当だよ？

総隊長さんとお父さんは、何だか変な顔になっていたけど、結局は許してくれた。手紙は総隊長さんが預かって、王都の騎士団に渡してくれるって。

総隊長さんは、ちょっと心配そうな顔をして、〈返事が来なくても気にしないように〉っていう意味のことを、何回も繰り返していた。厳《いか》つい熊みたいな総隊長さんは、繊細な少女の心にまで気を配ってくれる、とっても優しい人なんだ。

一生懸命に考えて、お母さんやお姉ちゃんにも読んでもらってから、わたしは、お父さんと総隊長さんに手紙を渡した。お父さんは、めずらしく丁寧な字で書いたわたしの手紙を、指先でくるくるっと回しただけで、読もうとはしなかった。ものすごく読みたそうだったけど、お父さんなりに気を遣《つか》ってくれたんだろう。

総隊長さんは、わたしの宛名書きの字を見て、〈チェルニちゃんにも苦手なことがあるのか〉って、妙にしみじみとつぶやいていたので、わたしは聞こえない振りをした。もう大好きになった総隊長さんでも、ちょっと失礼だよ。

わたしの書いた手紙が、無事にネイラ様の手元に届くことは、ちっとも疑っていなかったし、同時に返事にも期待はしていなかった。王国騎士団長で高位貴族のネイラ様は、ものすごく身分が上の人だから、キュレルの街の平民の少女に、わざわざ手紙の返事を書いてくれるなんて、思うはずがなかった。

わたしは、ただ、わたしの未来を大きく広げてくれたネイラ様に、心からお礼をいいたかっただけなんだ。物事の始まりは、そういうところからだと思うから。何事も〈けじめ〉をつけることで、人は立派な大人になっていくんだって、青少年向けの心理学の本にも書いてあったしね。

　そして、総隊長さんに手紙を預けてから一週間後、それは突然やってきた。家で晩ご飯を食べているとき、身体が小さく震えて、髪の毛がぞわって逆立つみたいな、何ともいえない気配を感じたんだ。

　お父さんもお母さんもお姉ちゃんも、何も気がつかないみたいで、楽しそうに話しながらご飯を食べている。わたしは、小さな声でいった。

「ねえ、何か来るよ」

　三人とも不思議そうな顔をして、わたしを見た。それまで元気いっぱいに話しながら、おいしそうにご飯を食べていたわたしが、急に態度を変えたから、訳がわからなかったんだろう。

　でも、わたしたちの暮らしているルーラ王国は、森羅万象《しんらばんしょう》、八百万《やおよろず》、すべてのものに神霊さんが宿っている国だ。神霊さんから印《いん》をもらうときがそうであるように、神秘的な体験には、皆んな耐性がついている。

　家族全員を代表して、お父さんが静かに聞いてくれた。

「何が来るんだ、チェルニ。悪い感じのするものか？　だったら、お父さんがチェルニを守るから、いってみなさい」

「何かはわからないよ、お父さん。でも、絶対に悪いものじゃない。ものすごく強くて、ものすごく綺麗で、ものすごく厳しいものが来るよ」

　あのときの気持ちは、今でも上手く表現できないけど、わたしは頭の片隅で、町立学校で何回も教えられてきた言葉を思い出していた。〈畏《おそ》れ〉。わたし、チェルニ・カペラは、十四歳になったばかりの人生で、初めて〈畏《おそ》れ多い〉っていう感覚を知ったんだと思う。

警戒したお母さんとお姉ちゃんは、わたしを守るために、自分に印《いん》をくれた神霊さんを呼び出そうとしている。お父さんは、首を振って二人を止めてくれた。

「チェルニの言葉を信じよう。多分、余計な真似はしない方がいい」

食堂が緊張に包まれる中、わたしが感じた〈何か〉は、それからもどんどん近づいてきて、とうとう家にやってきた！　家の屋根の周りを三回、ゆっくりと旋回したかと思ったら、いきなり目の前に現れたんだ。

それは、ルビーみたいに内側から輝いている、手のひらくらいの大きさの鳥だった。羽根はうっとりするほど美しい真紅で、長くて優雅な尾羽は、先に行くほど朱色になっている。鳥の周りには、火の粉みたいな朱い鱗粉《りんぷん》がパチパチと弾けていて、丸い瞳は月に照らされた湖みたいな銀色だった。

慌てて床に跪《ひざまず》く前に、紅い鳥はわたしの肩に乗った。ふわって。お父さんたちは、びっくりして硬直している。わたしの方こそ、いっそ卒倒したいよ。だって、見た瞬間にわかっちゃったから。

この紅い鳥は、神霊さんの依代《よりしろ》じゃない。わたしたちが光球という形で目にしている、神霊さんの霊力の欠片《かけら》でもない。現世《うつしよ》に顕現《けんげん》した、神霊さんのご分体そのものなんだよ！

紅い鳥から感じる〈神威《しんい》〉は圧倒的で、お父さんたちは、一言も口をきけないみたいだった。わたしも、だらだらと冷たい汗が流れたけど、紅い鳥は気にしないで、銀色の瞳でじっとわたしを見つめている。そして、小さな頭を動かして、ちょこんとわたしの頬に頭突きをしたんだ。

何が気に入ったのか、何回もそっと頭突きを繰り返す鳥……。畏《おそ》れ多いんだけど、尊過ぎて怖いんだけど、めちゃくちゃ可愛いじゃないか！

紅い鳥のあまりにも可愛い仕草に、どっと肩から力が抜けた。まあ、いいか。この神霊さんのご分体は、わたしのことを気に入ってくれたみたいで、盛んにイメージを送ってくれるんだ。緊張しなくていいよ、何も怖くないよ、仲良くしようって。

すっかり調子を取り戻したわたしは、いつもの感じで神霊さんのご分体に聞いてみた。

「神霊さんは、何かわたしにご用ですか？　どうして家に来てくれたんですか？　あ、わたしはチェルニ・カペラ、十四歳です。お目にかかれてうれしいです。よろしくお願いします」

わたしが自己紹介をすると、紅い鳥は小刻みに肩を震わせた。鳥の肩って、どこかよくわからないけど。何となく、鳥に笑われているような気がする。われながら礼儀正しくご挨拶ができたのに、なぜなんだろう？

しばらくの間、くつくつと震えてから、紅い鳥は、くちばしにくわえていた手紙を差し出してくれた。今の今まで、何もくわえてなんかいなかったと思うんだけど、気にしない、気にしない。神霊さんのご分体なんだから、それぐらいは不思議でもないんだろう。

受け取った手紙は、すごく高そうな封筒で、紅い蝋《ろう》で封がしてあった。宛名は、マルーク・カペラ殿。わたしの大好きな、お父さんの名前だった。

紅い鳥は、最後にもう一度優しく頭突きをしてから、羽ばたきもせずに飛び立った。ふわって。そして、わたしの頭の上をゆっくり三度回ると、どこかへ飛んでいった。壁も天井もないみたいに、音もなくすり抜けて。

しばらくの間、誰も何もいわなくて、家の食堂は沈黙に包まれていた。わたしは、すっかり大丈夫になったんだけど、お父さんたちには、すごい圧力がかかっていたみたいで、まだ緊張が続いている。仕方がないので、わたしは、お父さんの目の前まで行って、紅い鳥にもらった手紙を差し出した。

「はい、お父さんに。さっきの紅い鳥さんが渡してくれた手紙は、お父さん宛だったよ」

わたしの言葉に、大きな溜息を吐いたお父さんは、指で眉間のところをぐりぐりと揉《も》みながらいった。

「なあ、チェルニ。さっきの鳥は、普通じゃなかったよな？」

「うん。神霊さんのご分体そのものだと思う。わたし、初めて見たよ。ものすごく綺麗で、ものすごく力があったね、お父さん」

「御神霊の御分体って……。どうしてわかるんだ？」

「何となくだよ。でも、紅い鳥もそういうイメージを送ってくれたから、間違いないと思うけどな」

「軽くいってくれるなよ、チェルニ。いくらルーラ王国でも、御神霊の御分体に遭遇《そうぐう》できる機会なんて、王家の重要な祭事くらいしかないっていう話なんだからな」

「でも、そうだったんだし、見られて良かったじゃない。それに、お父さん宛の手紙を読んだら、紅い鳥のことも書いてあるかもしれないよ？」

そういうと、お父さんはしぶしぶ手紙を手に取り、自分の名前の書かれた宛名を確かめ、差出人を見たところで、びしっと硬直した。

「〈ルーラ王国騎士団長　レフ・ティルグ・ネイラ〉……。そう書いてあるぞ、チェルニ」

うん。そうだね、お父さん。紅い鳥を見ているうちに、何となくわかってたよ。あの鳥は、炎の神霊さんのご分体で、そんなとんでもない存在にお遣《つか》いを頼めるのは、きっと〈覡《げき》〉であるネイラ様しかいないって。

⚜⚜⚜

ネイラ様からお父さんに送られた手紙には、お父さんへのお願いと、わたしへの伝言が書いてあったらしい。むずかしい顔で手紙を読んでいたお父さんは、また大きな溜息を吐いてから、わたしに教えてくれた。

「本当にネイラ様からだよ、チェルニ。おまえがお出しした手紙を読んでくださって、返事を書きたいが、未成年の少女に連絡を取るのは憚《はばか》られるので、父親宛にしてくださったそうだ」

そういって、お父さんはお母さんに手紙を渡した。お母さんてば、お姉ちゃんとお揃いのエメラルドみたいな瞳をきらきらさせて、早速読み始めた。

「まあ、何て誠実で、礼儀正しいお手紙なんでしょう。あれほどの高位貴族でいらっしゃるのに、平民の一家にまで気を遣《つか》ってくださって。これだけで、お人柄がわかるわね」

「そうだな。まだお若い方《かた》だが、人間ができていらっしゃるな。ネイラ様が王国騎士団長なら、ルーラ王国は安泰だ」

「それから、あれよね、あなた。ネイラ様は、絶対に美男子に違いないわ。そうなんでしょう、チェルニ？」

お母さんにいわれて、わたしはちょっと考え込んだ。ネイラ様が美男子かどうか、実はよくわからない。不思議な銀色の瞳とか、すごく優しくて悪戯《いたずら》っぽい笑顔とか、穏やかで感じのいい声とか、わたしを〈お嬢さん〉って呼んでくれたときのいい方とか、そんなことばかりが頭を回って、顔の造作まで意識がいかなかったんだ。

正直に説明すると、お母さんはびっくりした顔をして、もう一度〈まあ〉っていって、側にいたアリアナお姉ちゃんと顔を見合わせた。お父さんは、なぜだか絶望的な顔をして、頭を掻きむしった。どうしちゃったの、お父さん？

それから、お父さんとお母さんは、家の食堂の片隅に行って、何だかこそこそと話し合っている。ネイラ様からの手紙を、早くわたしにも見せてほしいんだけどな。そう思って、うずうずしながら待っていると、アリアナお姉ちゃんが横に来て、わたしの顔を覗《のぞ》き込んだ。

「ネイラ様からお返事をいただけて、よかったわね、チェルニ」

「うん。ありがとう、お姉ちゃん」

「チェルニがうれしいと、わたしもうれしいわ。本当によかった」

お姉ちゃんは、ふんわりと優しく笑った。返事を期待するようなことは、わたしには一言もいわなかったけど、きっと気にして待っていてくれたんだろう。まったくもって、素晴らしい姉である。

しばらくすると、話し合いを終えたらしいお父さんが、わたしの手に、四つに折られた便箋《びんせん》を渡してくれた。

「これは、おれ宛のものに同封されていた、おまえ宛の手紙だよ。お父さんの了解を得られるなら、おまえに渡してほしいと書いてあった。内容はわかっているから、見せなくていいぞ、チェルニ。それから、おまえが望むなら、また手紙をお出ししてもかまわない。総隊長の手を煩《わずら》わせなくても、さっきの炎の御神霊が、仲介の労を取ってくださるそうだ。誠に畏《おそ》れ多いことにな」

お父さんの話がうれしくて、わたしは顔が真っ赤になるのがわかった。やった！　ネイラ様から、わたし宛の手紙をもらったし、お返事まで書ける！

渡された便箋《びんせん》を受け取ったわたしは、大急ぎで自分の部屋に戻った。何となく、誰もいないところで読みたかったんだ。

便箋《びんせん》に書かれていたのは、とっても綺麗な文字だった。流れるみたいに自然なのに、すごく読みやすい。〈流麗な文字〉って、きっとこういう字をいうんだろう。字の練習をしようと、わたしは密かに決意した。

微《かす》かに漂っている、神霊さんの気配を感じながら、早速、わたしは文字を目で追った。

§

《チェルニ・カペラ様

先日は、丁寧で心のこもった手紙を送ってくれて、どうもありがとう。

王立学院への推薦に際し、きみやご両親のお気持ちを確かめないまま、自分勝手に物事を進めてしまったことを反省しています。かえってご迷惑になったのではないかと、後になって心配していました。喜んでもらえたのであれば、わたしも嬉しく思います。こちらこそ、ありがとう。

王立学院に行く前でも、行った後でも、わたしで力になれることがあれば、何でもいってください。小さな子供たちのために勇敢に戦ってくれた、素晴らしい神霊術《しんれいじゅつ》の使い手であるお嬢さんへの、感謝と敬意の気持ちです。

また、暇ができたときでかまいませんので、きみの楽しい手紙を届けてもらえるのであれば、とても嬉しく思います。その際は、きみのもとへ手紙を運んでくれた、紅い鳥を思い浮かべてみてください。きっと、すぐに顕現《けんげん》してくれるはずですので。

きみの幸福と活躍を祈っています。いつかまた、お目にかかりましょう。

レフ・ティルグ・ネイラ》

§

長くはない手紙を、繰り返し繰り返し、百回くらいは読んだと思う。だって、ネイラ様からの返事だよ？　手紙を待ってるって、書いてもらってるんだよ？　社交辞令っていうのかもしれないけど、また会おうっていわれてるんだよ？

興奮にわれを忘れたわたしは、勢いで紅い鳥を思い浮かべた。真紅の羽、朱色の燐光《りんこう》、銀色の瞳……。

するとき、訪れたんだよ、あの瞬間が。

ルーラ王国の神霊術《しんれいじゅつ》は、神霊さんから印《いん》をもらうことによって、初めて使うことができるようになるんだけど、いつ、どこで、どんな神霊さんに印《いん》をもらえるのかは、まったく決まっていない。印《いん》をもらうときの方法も、やっぱり決まっていない。そして、印《いん》がどんなものなのかも、一切決まっていないんだ。

〈野ばら亭〉の近くで接骨院を経営しているナグルさんは、五歳くらいのとき、木登りをしていて、そのまま下に落ちてしまった。ポッキリと肩の骨を折って泣き出したら、優しい女の人の手で、額《ひたい》に文字を書かれたんだって。

女の人の手っていうのは、単なるイメージであって、本当に手だけが現れたわけではなかったらしい。でも、小さなナグルさんは、何となくわかったんだって。手が書いてくれた文字を再現したら、痛いのが治るって。

動く方の手で、ナグルさんは印《いん》を切った。文字の意味はわからなくても、神霊さんが与えてくれたものだから、簡単に再現できた。そして、泣き声を聞いて、ナグルさんのお母さんが慌てて飛んできたときには、もう肩の骨は元通りだったんだ。

ルーラ王国では、この〈印《いん》をもらった瞬間〉の経験談が、人気のある話題、不動の一位になっている。そりゃあ、誰だって興味はあるし、過去の偉い人の体験談なんて、物語みたいに素敵なんだ。強い力を持った印《いん》ほど、もらえる瞬間は神秘的になるからね。

わたし自身、三十以上の神霊さんから印《いん》をもらっているから、いろいろなパターンを経験している。

話題の豊富な少女なのだ、わたしは。

紅い鳥を思い浮かべたとき、わたしはいつの間にか、何もない空間に立っていて、身体を包み込むように燃えている、激しい炎の熱気だけを感じていた。ただの熱じゃない。とてつもなく熱くて、人の魂《たましい》まで燃やしてしまえるほどの灼熱《しゃくねつ》。これが〈業火《ごうか》〉というものだって、なぜかはっきりと理解できた。すごく怖かったけど、安心する気持ちもあった。この炎は、わたしを焼かない。傷つけない。むしろ、寒くなったら温めてくれて、何かのときにはわたしを守ってくれるって、心から信じられた。

恐怖よりも安心が勝って、わたしが炎に身を委《ゆだ》ねると、炎はポーンと弾け、無数の朱色の火の玉になって、わたしの周りをうれしそうに回った。くるくるくるくる、くるくるくるくる。

やがて、いくつかの火の玉が、わたしの頬に吸い込まれていった。ちょうど、紅い鳥が優しく頭突きをしていったところに。

その瞬間、わたしは現実に戻っていた。自分の部屋にいて、ネイラ様からの手紙を持って座っている、さっきまでのわたしに。でも、わたしの魂《たましい》には、炎を司る神霊さんからもらった印《いん》が、くっきりと刻み込まれていたんだよ。

早速、もらったばかりの印《いん》を切りながら、わたしは神霊さんにいった。

「炎を司る神霊さん。わたしに印《いん》をくださって、ありがとうございます。お礼のご挨拶をさせていただけませんか。対価はわたしの魔力と、よろしければ髪をちょっぴり」

その途端、目の前に現れたのは、霊力の欠片《かけら》である光球じゃなく、さっき帰っていったはずの紅い鳥だった。畏《おそ》れ多くも、気軽に呼び出しちゃったよ、ご分体を。

「紅い鳥さん。ネイラ様へのお手紙を運ぶために、印《いん》をくださったんですね。本当にありがとうございます」

そういって深々と頭を下げると、紅い鳥は不本意そうな顔をして、またしてもわたしの頬に頭突きをした。今回は、ちょっと勢いが強い。それに、鳥の不本意な顔って、ちょっと意味がわからないんだけど。

印《いん》をもらったからなのか、神霊さんのいいたいことが、さっきよりはっきりとしたイメージで伝わってきた。ネイラ様が、炎の神霊さんにお願いしてくれたのは、わたしの手紙を運ぶことだけで、印《いん》をくれたのは神霊さんの自由な意思なんだって。

神霊さんは、わたしの髪がご分体の〈尾羽の中段の色味に似ている〉から、気に入ってくれたんだって。独特の感性だね、鳥って。

さて、こうして思いがけなく、ネイラ様と交流を持つことができたわたしは、一週間に一度くらいの頻度で、手紙を出している。特にむずかしいことではなく、日常のあれこれを。ネイラ様には、庶民の暮らしはわからないだろうから、その方が楽しいかなって思ったんだ。

ネイラ様も、すごく忙しい人のはずなのに、きちんと返事を書いてくれる。まだ日は浅いけど、かなり生意気だけど、文通相手だと思っていいよね？　えへへ。

お姉ちゃんとフェルトさんのお付き合いが始まったときも、わたしはすぐにネイラ様にお知らせした。二人が了解してくれたから、フェルトさんのお父さんの事情も、名前だけは伏せて書いた。

後になって考えると、フェルトさんの個人情報まで書くなんて、礼節を知るわたしにしては、めずらしいことだったんだけど、きっと〈虫の知らせ〉だったんじゃないかな。いつもより早く、ほんの数日で届いた返事には、重い警告が書かれていたから。

〈神去《かんさ》り〉。ネイラ様は、そう知らせてくれたんだ。

3

神去《かんさ》りっていうのは、わたしたちルーラ王国の国民にとっては、ものすごく怖い言葉だ。神霊さんの恩寵《おんちょう》を失って、何の術も使えなくなること。神霊さんに見放されて、見守ってもらえなくなること。それを、神去《かんさ》りっていう。

何かの罪を犯したとか、意地悪な人だとか、それだけでは、神去《かんさ》りになるとは限らない。わたしたちの目から見て、神霊さんの恩寵《おんちょう》に相応《ふさわ》しくないような人でも、神霊術《しんれいじゅつ》を使い続けられたりするし、逆に立派な人だと評判だったのに、いきなり神霊さんに去られたりする場合もあるんだって。

神霊さんの〈理《ことわり》〉は、人間には理解できないくらい複雑で奥深いもので、神去《かんさ》りは、その人知を超えた理《ことわり》によって起こるんだ。

小さな子供の頃から、わたしたちルーラ王国の国民は、親や先生に教えられる。〈神霊さんに去られるような人間になっちゃいけないよ〉〈誰が見ていなくても、神霊さんは見ているよ〉って。だから〈正しく生きなさい〉って。

うちのお父さんとお母さんは、絶対にしなかったけど、〈神去《かんさ》りになるよ〉っていう言葉で怖がらせて、子供を躾《しつけ》る親も多いみたい。ちょっとしたトラウマになるから、是非やめてほしい。

そういえば、町立学校の教科書には、昔の人が作ったらしい詩歌が、必ず太い文字で書かれていて、大抵のルーラ国民は暗唱できると思う。

《神去《かんさ》りて捨てらるる身の寄る辺《よるべ》なき　天《あめ》にも地にも生きる瀬もなし》

初めてこの詩歌を読んだとき、わたしは、ちょっとだけ神霊さんが怖くなった。神霊さんは、優しいだけの存在じゃない。法律とかで罰せられるよりも、神霊さんの裁きの方が、ずっとずっと厳しいんだなって。

人の決めた罰を逃れることはできても、神霊さんからの罰を逃れることは、きっと誰にもできないんだろう。

ネイラ様の手紙を読んだわたしは、すぐにお父さんに相談した。この件の関係者だけなら、手紙の内容を教えてもかまわない。特に、お父さんには必ず伝えるようにって、ネイラ様が書いてくれたからね。

話を聞いたお父さんは、少しも迷わないで、その日のうちに関係者を集めた。つまり、お父さんとお母さん、アリアナお姉ちゃん、フェルトさん、フェルトさんのお母さん、総隊長さんの六人。総隊長さんは、フェルトさんの親代わりみたいなものだからね。

家の応接室に来てくれた人たちに向かって、わたしと一緒に頭を下げてから、お父さんは単刀直入にいった。けっこうな緊急事態だし、何事も勿体《もったい》ぶったりしない人なのだ、お父さんは。

「急にお呼び立てして、誠に申し訳ない。フェルト分隊長の出生に関係して、面倒事になる可能性が出てきてしまったので、皆さんにおいでいただきました。フェルト分隊長やお母さんが、ご家族で考えたいということなら、情報の提供だけをさせてもらいます」

お父さんの突然の言葉に、フェルトさんは大きく目を見開いた。フェルトさんのお母さんは、〈えっ〉っていう形に口を開いたまま、手のひらで胸を押さえた。他の人たちも、すごく驚いた顔をしている。当然といえば、当然だよね。

一瞬の間を置いて、フェルトさんはきっぱりといった。

「お気遣《きづか》いいただいて、ありがとうございます、カペラさん。大変厚かましいですが、わたしはカペラ家の皆さんのことを、もう家族だと思っています。守備隊に入隊した十八のときから、ずっと気にかけてくださった総隊長は、わたしの気持ちの中では父親以上の存在です。ご迷惑でなければ、ここで話し合いをさせてください。母も、きっと同じ気持ちです」

おお。今日は、カッコいい方のフェルトさんだ。というか、アリアナお姉ちゃんのことでふにゃふにゃになっているとき以外、フェルトさんはいつもカッコいいんだけどね。

フェルトさんのお母さんも、皆んなで話し合いたいって、お父さんにお願いしてくれたので、お父さんは大きくうなずいた。

「わかりました。ありがとうございます。フェルト分隊長は、たった今、わたしにとっても息子になりました。そのつもりで、ご説明させていただきます。チェルニ」

「はい、お父さん」

「ネイラ様に手紙をいただいたのは、おまえなんだから、おまえの口から説明してくれ。できるな？」

「はい！」

お父さんにいわれて、わたしは一生懸命に皆んなに説明した。ネイラ様が、わたしの書いたお礼の手紙に、丁寧な返事をくれたこと。それからけっこうな頻度で文通するようになったこと。アリアナお姉ちゃんとフェルトさんの交際を手紙で知らせたこと。そして、二人の許可をもらって、フェルトさんのお父さんの事情を、ネイラ様に伝えたことまで、全部。

「そうしたら、いつもより早く、ネイラ様が手紙の返事をくださって、注意をするように教えてくれたんです。まだ公にされていない話だけど、うちの家族と直接の関係者だけなら、話してもいいからって」

ここから先は、実際の手紙を読んでもらう方が早い。わたしは、ネイラ様がくれた手紙を大切に取り出して、それなりに長い文章を音読した。

§

《チェルニ・カペラ様

いつも元気いっぱいの手紙を送ってくれて、どうもありがとう。

きみの目を通して描かれる世界は、とても優しく美しく、興味深い物事に溢《あふ》れていて、わたしまで楽しい気分になることができます。炎の神霊の御霊《みたま》も、すっかりきみが気に入ってしまって、しょっちゅうお邪魔していますね。もし、相手をするのが面倒なようなら、かまわないのでさっさと追い返してください。

さて、楽しい話はここまでで、少しきみを不安にさせることを書かなくてはなりません。

フェルト分隊長の父上は、亡くなったクローゼ子爵家のご子息ではありませんか？　きみは、礼儀正しく名前を伏せていたけれど、先代のクローゼ子爵は有名な方《かた》です。近衛《このえ》騎士団の中でも屈指の武人であり、ご子息を亡くされていることは、王城ではよく知られている話なので、すぐにそうかと思いました。

わたしの推測が正しければ、少し面倒なことになるかもしれません。きみの父上にこの手紙をお見せして、相談してみてください。もし、クローゼ子爵家のご子息でないのなら、どうか読み流してください。

以下の内容は、特に秘密ではないものの、公にもなっていないことなので、きみのご家族とフェルト分隊長、そして直接の関係者に限っての話でお願いします。聡明なきみと、高潔なきみのご家族には、いうまでもないことでしょうけれど。

実は今、クローゼ子爵家は、とても困った事態に陥っています。当代のクローゼ子爵とご子息ご令嬢、子爵の弟に当たる方《かた》とそのご子息、先代の子爵夫人といった方々《かたがた》が、ことごとく〈神去《かんさ》り〉になったのです。クローゼ子爵家に近い血縁で、神霊の御加護を失っていないのは、先代のクローゼ子爵お一人という有り様です。

近衛《このえ》騎士団に奉職する貴族家が、一族揃って神去《かんさ》りになるなど、前代未聞の事態であり、とても見過ごせることではありません。王家の処断によって、間もなく先代のクローゼ子爵が当主に復帰され、現当主は廃嫡《はいちゃく》となります。そうすれば、クローゼ子爵家の不名誉な噂は、瞬《また》く間に王国中に広まるでしょう。

そして、クローゼ子爵家の新しい後継者《こうけいしゃ》が誰かといえば、神霊術《しんれいじゅつ》を使える唯一の直系となった、フェルト分隊長である可能性が高くなってくるのです。

後継《こうけい》問題だけなら、それほど心配する必要はないとしても、神去《かんさ》りという異常事態に陥ってしまった一族なのですから、何か強引な手段に出ないとも限りません。根拠なく人を中傷するようで気が引けますが、わたしの知っている当代のクローゼ子爵なら、潔く身を処するとは考えにくいのです。

わたしの方でも、詳しく調べてみます。きみの父上と相談の上、くれぐれも皆さんの身の回りに気をつけてください。きみも、少しでも不安なことがあれば、必ず紅い鳥に伝えてください。約束ですよ。

きみの友達である、レフ・ティルグ・ネイラ》

§

前半と最後の部分は、別に読まなくてもよかったんじゃないかと、途中で気がついたときには、もう後の祭りだった。わたしは、いざっていうときに頼りやすいように、ネイラ様がわざわざ〈友達〉って書いてくれたことを含め、全部を読んで聞かせたんだ。

ネイラ様が初めてわたしにくれた言葉を、他の人に知られるのは、何だかちょっと嫌だったけど、非常事態だからしょうがないよね。

読み終わったわたしは、お母さんが気をきかして渡してくれた、甘くて冷たいローズティーを一気に飲んでから、皆んなの顔を見回した。

フェルトさんと、フェルトさんのお母さん、熊みたいな総隊長さんは、深刻な表情で沈黙している。豪腕のお母さんは、微妙にうれしそうに微笑みながら、瞳をぎらぎら輝かせていた。これは、あれだ。誰かがお母さんを本気で怒らせて、反撃に出るときの顔だ。まだ事件は起こっていないのに、もうやる気になってるよ、お母さん。

フェルトさんと交際を始めてから、ずっと幸せそうな笑顔を浮かべていたアリアナお姉ちゃんは、とっても静かだった。特に表情も変えていないし、何もいわない。

でも、十四年間も妹をやっているわたしには、はっきりとわかった。おっとりと優しくて、ろくに怒ったところを見た覚えのないアリアナお姉ちゃんが、激怒してるよ！

わたしが動揺しているのを見たお父さんは、目でわたしの視線を追っていき、アリアナお姉ちゃんの様子に気づいた途端に、ぱきっと音を立てる勢いで固まった。

うん。わかるよ、お父さん。お花の化身みたいに可憐なお姉ちゃんが、冷たい無表情になると、なぜだかとっても怖いんだね……。

⚘⚘⚘

咳払いをして、気持ちを落ち着けたらしいお父さんは、フェルトさんにいった。

「急にこんな話を聞かされて、考えもまとまらないとは思うが、最初に一つだけいっておきたいんだ、分隊長。ネイラ様が伝えてくださった情報は、とても重いものだ。このことによって、きみを取り巻く状況が変わり、仮にアリアナとの縁を結べなくなっても、カペラ家として異議を申し立てるつもりはない。もちろん、アリアナの気持ちは別のものだが」

急に何をいい出すの、お父さん!? アリアナお姉ちゃんは、今度こそ顔色を変えたし、フェルトさんなんて、あっという間に涙目になってるよ。

「カペラさん。いや、お義父《とう》さん。それは、神去《かんさ》りになるような一族の血を引いた者には、アリアナさんを嫁がせられないということでしょうか。そうだとしたら、どうか挽回の機会をください。アリアナさんに相応《ふさわ》しくなれるように、どんな努力もいたします」

そういって、必死に頭を下げたフェルトさんを、お父さんは優しい声でなだめた。横で聞いているだけでちょっと泣きたくなるくらいの、優しい声。

「そうじゃない。そうじゃないんだ、分隊長。おれのいい方が悪かった。すまなかったな。おれがいいたかったのは、今の分隊長には、子爵家の後継《あとつぎ》に迎えられる可能性が出てきたってことなんだ。そうなったら、平民のアリアナでは、嫁ぐのにも身分が不足する。神去《かんさ》りの不名誉があるなら、余計に貴族同士の結婚が必要だろう?」

ああ、なるほど。お父さんの言葉は、絶対に納得なんてできなくて、同時に理解はできるものだった。ルーラ王国では、貴族と平民の結婚は、特に禁止されていない。しっかりとした身分制度はあるんだけど、神霊さんっていう絶対の存在がいるからか、他の国ほど厳しいものではないんだって。

ただ、禁止されていないっていうことと、喜ばれるっていうことは、やっぱり違うからね。フェルトさんが貴族になって、平民のアリアナお姉ちゃんと結婚したら、いろいろと風当たりが強いと思う。それも、一族中が神去《かんさ》りになった後なら、もっともっと虐《いじ》められるかもしれないんだ。

黙って話を聞いていたフェルトさんは、お父さんが口を閉じた途端に、吠えるみたいな口調でいった。

「わたしは、クローゼ子爵家が何といってこようと、子爵家を継ぐつもりなどありません。まして、それが理由でアリアナさんを失うなんて、考えられません。わたしにとって、アリアナさんは、身分なんかとは比べものにならないほど、価値のある人です」

フェルトさんは、まったく迷う素振りを見せず、はっきりと断言した。フェルトさんなら、きっとそういってくれるだろうって、信じてたよ。わたし、チェルニ・カペラは、十四歳という年齢のわりには、人を見る目のある少女なんだ。

フェルトさんの言葉を聞いたお父さんは、とってもうれしそうに目元をほころばせて、でも真剣に話を続けた。

「ありがとう、分隊長。アリアナの父親として、そういってくれるのは嬉しいよ。ただ、大変な出世であることは間違いないんだから、よく考えた方がいい。亡くなられたお父上も、そう望んでおられるかもしれないだろう？」

「出世がしたければ、自分の力でやり遂げます。それに、若くして亡くなった父親は気の毒に思いますし、慕う気持ちがないとはいいませんが、クローゼ子爵家は別です。母に冷たく当たり、何の助けも与えずに追い出した人たちを、身内だとは思えません。いくら考えても、この気持ちが変わることはないと、誰よりも自分自身が知っているんです」

心配そうに眉を寄せたまま、それまで黙って話を聞いていたフェルトさんのお母さんも、大きくうなずきながらいった。

「お気持ちはありがたいのですが、フェルトのいう通りなんです、カペラさん。アリアナさんと交際させていただくようになってから、息子は本当に幸せそうでした。あの家の後継《あとつぎ》になったら、フェルトの笑顔は失われます。母親として、フェルトを苦しめるような将来を選ばせたくはありません」

うん。わたしもそう思う。単に貴族になるっていうだけなら、大きな出世だろうけど、クローゼ子爵家の人たちは、多分、フェルトさんのお母さんを虐《いじ》めてた。その上、お父さんが亡くなった途端に、小さなフェルトさんと一緒に、着の身着のままで追い出すような人たちなんだよ？

直系の一族が全員〈神去《かんさ》り〉になったからって、それだけで罰を受けるわけじゃないから、もしもフェルトさんが子爵になったら、ずっと一族の人たちと関わり続けることになるだろう。アリアナお姉ちゃんはもちろん、フェルトさんにだって、そんな環境にいてほしくないよ。

お父さんは、お母さんやアリアナお姉ちゃん、それから総隊長さんとも視線を交わしてから、フェルトさんたちにいった。

「わかったよ、分隊長。お母さんのお気持ちも、よく理解できました。そういうことでしたら、フェルト分隊長とアリアナの未来を、わたしたちも全力で守る。本当に後継《あとつぎ》の話がくるかどうかはさておき、準備と警戒だけはしておこう」

「すまん、マルーク。おれからも礼をいう」

そういってガバッと頭を下げたのは、総隊長さんだ。一緒にお酒を飲みに行ってるのは知ってたけど、お父さんを名前で呼ぶほど親しくなってたんだね。

「フェルトは、初めてアリアナさんに会った五年前から、ずっと思い続けていたんだ。アリアナさんに一目惚れする男なんて、そりゃあ掃いて捨てるほどいるだろうが、フェルトは本当に一途に、アリアナさんが大人になるのを待っていた。それに、サリーナさんを虐め抜いたクローゼ子爵家に行っても、今度はフェルトが迫害されるだけだ」

フェルトさんのお母さんは、やっぱり虐められてたのか……って、総隊長さん。さりげなくフェルトさんのお母さんを名前で呼んでるし、すごく事情に詳しいみたいじゃない？　まあ、今は非常時だから、追及するのはやめておこう。

それから、わたしたちはいろいろなことを話し合った。結果、何よりも大切なのは、それぞれの身の安全を図ることだし、アリアナお姉ちゃんとフェルトさんは、特に標的になりやすいから、可能な限りの〈護《まも》り〉を付けようっていうことになった。

これが他の国だったら、何の権力もない平民のわたしたちが、王都の貴族に対抗するなんて、絶対に不可能だったと思う。強い魔術師だったとしても、いつも守りたい人の側にいられるとは限らないしね。でも、わたしたちの暮らしているルーラ王国は、この世界でたった一つ、神霊さんと一緒に生きる国なんだ。印《いん》をくれた神霊さんは、わたしたちが道を間違えない限り、力を貸してくれるに決まってる。

わたしは、ぎゅっと握った両手に力を込めて、しっかりと気持ちを固めた。大丈夫、大丈夫。フェルトさんとアリアナお姉ちゃんは、絶対に幸せにしてみせるよ！

「ともかく、今は情報を集めることが先決だ。王城の動きとなると、ネイラ様のご厚意に甘えるしかないのが申し訳ないが、こればっかりは仕方ないだろうな」

「そうね、あなた。ただ、クローゼ子爵家の評判や資産状況、交友関係なんかは、こちらでもある程度は調べられると思うわ。何もわからないよりは、ずっと有利なはずよ」

「わたしも、商会を継いだ兄に頼んで、王都の噂を集めます。それから、メイド時代の仲間にも連絡を取りますわ。他の貴族家で働いている人もいるので、何か耳に入っているかもしれませんもの」

「こんなことになって、本当に申し訳ない。でも、おれは、どうしてもきみを諦めることなんてできないんだ。命に懸《か》けて守るから、どうかおれから離れていかないでくれ」

「わたしこそ、あなたを諦めることなんてできません。長い間思っていたのは、わたしも同じです。どんな困難も危険も、あなたを失うことと比べたら、ものの数ではありません。わたしも、全力であなたをお守りします」

「おれが王都にいたときに、仲良くしていた奴《やつ》らにも連絡を取ってみよう。何しろ、近衛《このえ》騎士団の幹部が神去《かんさ》りなんて、聞いたこともない一大事だからな。もう噂は流れ始めているはずだ。神去《かんさ》りになった事情がわかれば、こっちの手も打ちやすくなる」

「嬉しいよ、アリアナさん。いつも口では上手くいえないけど、心の底からきみを思っている。おれには、生涯きみだけだ」

「分隊長。おまえは、今日からフェルトだ。おれの息子になるんだから、これからは呼び捨てにする。おまえもカペラさんなんていわず、親父と呼べ。かなり早いが、もう許す」

「サリーナさん。今度、一緒にお買い物に行きません？　そうだ。アリアナやチェルニも連れて、王都まで行きましょうよ。アリアナのお支度とか、チェルニの入学準備もあるし」

「アリアナさん。きみに手を取ってもらえただけで、おれは生まれてきて良かったと、心から思えるんだ。いつだって、きみのことを……」

うわぁ。皆んな気合が入り過ぎて、話し合いが混沌としてるよ。フェルトさんなんて、どさくさに紛《まぎ》れて、アリアナお姉ちゃんの手まで握ってるし。

このままでは話が進まなくなるので、わたしは勢い良く手を挙げて、皆んなの注目を集めた。わたしにも、自分なりに、考えていることがある。優秀な少女だからね、わたしは。

「はい！　はい！」

「何だ、チェルニ。何かいいたいことがあるのか？」

「あります！　あのね、クローゼ子爵家の情報が必要なら、いい方法があるよ。その一族の人たちに、見張りをつけておけばいいと思うんだ」

全員でわいわい話していた皆んなは、揃ってわたしの顔を見る。お父さんは、ちょっと考えてから、確かめるみたいにいった。

「おまえの雀《すずめ》か？」

「雀《すずめ》じゃなくて、雀《すずめ》を司る神霊さんだってば。でも、そう。王都にだって雀《すずめ》はたくさんいるはずだから、神霊さんにお願いして、クローゼ子爵家の人たちを見張ってもらおうよ」

「よく思いついたな、チェルニ。確かに有効な手だ。まさか雀《すずめ》が尾行しているなんて、誰も夢にも思わないからな」

そうなんだ。依代《よりしろ》である雀《すずめ》たちに、クローゼ子爵家を見張ってもらえば、相手の動きを予測できると思うんだ。ルーラ王国の中でも、雀《すずめ》の神霊術《しんれいじゅつ》を使う人なんていないから、雀《すずめ》を疑う人もいない。万が一疑われても、ただの雀《すずめ》として、飛んで逃げてもらえばいいだけだよね。

わたしは、大切に手に持っている手紙を、そっと指でなぞってみた。クローゼ子爵家の神去《かんさ》りを教えてくれたネイラ様は、自分も調べてみるって書いてくれた。ネイラ様のことだから、本当にそうしてくれるだろう。全力で、最速で。ネイラ様は、そういう人だって信じられる。

でもね、わたしが嫌なんだ。ネイラ様に頼りっぱなしで、甘えているだけなのは嫌だ。わたしが幼い少女だからって、そういう一方的な関係ではいたくない。一生懸命に勉強して、もっともっと神霊術を磨いて、わたしもいつかネイラ様の役に立ちたい。一通一通、送られてくる手紙が増えるたびに、わたしはそう思うようになったんだ。

「しかし、それだけの神霊術を使い続けるとなると、かなりの対価になるぞ。大丈夫なのか、チェルニ？　第一、雀《すずめ》がそれを受けてくれるかどうか、わからないだろう」

「うん。だから、神霊さんに直接聞いてみるよ。それが一番早いから」

実は、ネイラ様の紅い鳥、炎の神霊さんのご分体である存在に印《いん》をもらってから、わたしの中で何かが変わった。喩えていうなら、今まで何重もの扉の向こう側にいたはずの神霊さんたちが、すぐ近くにいるみたいな感じがするんだ。

試してみたことはないけど、雀《すずめ》を司る神霊さんとも、もっと近づける気がする。お父さんがうなずいてくれたのを確かめてから、わたしは雀《すずめ》の神霊さんがくれた印《いん》を切った。

「雀《すずめ》を司る神霊さん。ご相談したいことがあるので、聞いていただけませんか。対価は必要なだけの魔力と、足りないときは髪をちょっぴり」

周りにいる皆んなには、いつもと同じに見えたと思う。でも、わたしには、はっきりとわかった。印《いん》を通してわたしと神霊さんをつないでいた、微《かす》かで細い〈回路〉が、きゅるきゅると音を立てて、急激に広がっていったんだ！

初めて紅い鳥の存在を感じたときみたいに、背筋がぞわっとして、髪の毛が逆立った気がした。とてつもない力を持った〈何か〉が、ここに現れようとしている。

雀《すずめ》を司る神霊さんの霊力の欠片《かけら》じゃなく、畏《おそ》れ多くもご分体が近づいてくるんだって、はっきりと意識した途端、綺麗な乳白色の光と共に、それは目の前に現れた。

ふくふくと柔らかそうな白い羽毛に包まれた、お父さんの頭くらいの大きさのある巨大な雀《すずめ》が一羽、ふんって不機嫌そうに鼻を鳴らしながら、テーブルの上にいたんだよ。

身体は純白なんだけど、羽の先は可愛い薄茶だし、くちばしとまん丸な目は、濡れたように光る黒曜石みたい。これって雀《すずめ》……なんだよね？

4

突然現れた巨大な雀《すずめ》は、不機嫌そうな顔のまま、わたしをじっと見つめている。わたしは、さっと床に下りると、雀《すずめ》の前で跪《ひざまず》いた。

ふくふくした羽毛とか、真っ黒でまん丸な瞳とか、ジタバタしたくなるくらい可愛いくても、これはただの雀《すずめ》じゃない。いや、もちろん、大きさ的にもただの雀《すずめ》じゃないんだけど、それ以前に、この雀《すずめ》は神霊さんのご分体なんだから、礼を尽くすのは当たり前なんだ。

でも、わたしが学校で習った、ご挨拶の〈祝詞《のりと》〉を口にする前に、雀《すずめ》は強いイメージを送ってきた。ずっと呼び出されるのを待ってたのに、声をかけるのが遅いって。せっかく時が至るより前に、□□□□□□□が道を開いてくれたんだから、さっさと呼びなさいって。

イメージそのものははっきりしているのに、□□□□□□□が何のことかは、まったくわからなかった。あの紅い鳥、炎の神霊さんのお名前じゃないかとは思うんだけど、あまりにも畏《おそ》れ多くて、怖くて、読み解くことを心が拒否するみたいな感じなんだ。

わたしが戸惑っているのがわかったのか、雀《すずめ》はふんすって鼻を鳴らしてから、違うイメージを送ってくれた。別に怒っているわけじゃないから、気にしなくていいって。ただし、今度からは〈紅いの〉と同じくらい、自分も呼び出すようにって。

「はい！　そうさせていただきます！　とってもうれしいです！」

わたしが大きな声で返事をすると、雀《すずめ》はふすーって鼻息を漏らし、羽毛を膨らませた。これは、あれだ。喜んでくれているんだ、多分。

可愛過ぎる神霊さんの反応に、すっかり緊張のほぐれたわたしは、改めてご挨拶をすることにした。

ご分体との遭遇《そうぐう》も二回目だから、ちょっと慣れてきたのもあると思うし、いつもお世話になっているから、お礼をいいたかったんだ。

「雀《すずめ》を司る神霊さん。いつも助けていただいて、ありがとうございます。あ、その前に、印《いん》をくださってありがとうございます。ご存知だとは思いますが、わたしはチェルニ・カペラ、十四歳です。今後とも、よろしくお願いします。あれ？　そういえば、神霊さんって、わたしたちの名前とか、ご存知なんでしょうか？」

白い巨大雀《すずめ》は、わたしの挨拶を聞いて、丸い瞳をもっと丸くした。びっくりしたみたいに見えるのは、どうしてなんだろう？　紅い鳥といい、白い雀《すずめ》といい、鳥系の姿をとる神霊さんって、ちょっと独特の感性の持ち主なのかもしれないね。

わたしが首を傾げていると、気を取り直したらしい雀《すずめ》が、三回目のイメージを送ってくれた。わたしと神霊さんとの回路を、もう少し広げてみるから、心を平静に保って受け入れるようにって。嫌だったら、そういってもいいよって。

迷う間もなく、わたしは、神霊さんの言葉を受け入れた。ほんの少しだけ、畏《おそ》れのようなものを感じたけど、お断りするっていう選択肢はなかった。

雀《すずめ》を司る神霊さんは、絶対にわたしの味方だって知っていたし、わたしはもっと神霊術《しんれいじゅつ》を磨きたい。大好きなお父さんやお母さん、アリアナお姉ちゃんを守りたいし、いろんな人の役に立ちたい。それに、きっとネイラ様が見ているはずの〈世界〉を、少しだけでも覗《のぞ》いてみたかったんだ。

「大丈夫です！　お願いします！」

元気良く答えた途端、わたしは、不思議な空間に浮かんでいた。上も下も、右も左もなくて、狭いのか広いのかもわからない。ただ、ほんのりと暗いだけの何もない空間。そこへ、真っ白な光が差し込んで、わたしの身体を包み込んだんだ。

その瞬間、わたしは号泣した。悲しいような、うれしいような、苦しいような、切ないような、何ともいえない感情が爆発して、泣き叫ばずにはいられなかった。白い光は、そんなわたしを包み込んだまま、ゆらゆらゆらゆら、ゆらゆらゆらゆら、優しく身体を揺すってくれる。まるで、生まれる前の赤ちゃんに戻ったみたい。これが〈救済〉なんだって、よくわからないまま、わたしは思った。

そのうち、白い光は、わたしの魂《たましい》に二つの言葉を刻み始めた。一つは□□□□□□□□で、イメージとしてはわかっているんだけど、言葉としては認識できないし、口に出すこともできないもの。もう一つは、〈スイシャク〉っていうものだった。

白い光に命じられるまま、スイシャクって口にすると同時に、光は何万倍にも強くなって、空間いっぱいにほとばしったんだ。

すごく長い時間、そうしていたみたいな気もするけど、ほんの一瞬だったのかもしれない。その空間には、時間っていうものもなかったから。気がついたときには、わたしは、家の応接室で跪《ひざまず》いたまま、白い巨大な雀《すずめ》を腕に抱いて、ぐずぐずと泣いていた。

しばらくして、ようやく正気に戻ったわたしは、途端に泣き止んだけど、同時に真っ青になった。だって、畏《おそ》れ多くも、神霊さんのご分体を抱きしめちゃってるよ、わたし。

人間が神霊さんのご分体に気安く触れるとか、赦《ゆる》されるはずがない。しかも、ぐずぐず泣いてたから、純白の羽毛に鼻水とかつけちゃったかもしれないし。どうしたらいいの、これ？

わたしがおろおろしていると、腕の中の雀《すずめ》は、ふすーって鼻息を漏らしてから、なだめるみたいなイメージを送ってくれた。

印《いん》を与えるのは簡単だけど、御名《ぎょめい》を許されるのは大変なことだから、わたしの魂《たましい》が耐えやすいように、神霊さんが、自分から抱っこされてくれたんだって。□□□□□□□□の名は、わたしの魂《たましい》ではまだ受け止められないから、刻んだだけで伏せてあるって。

そして、〈スイシャク〉っていうのは、神霊さんの世界でのあだ名っぽいものだから、そちらで呼べばいいって。

本当にいいのかなって、ちょっとだけ不安になったけど、神霊さんがそういってくれるんだから、赦《ゆる》されるんだろう。わたしは、そっと、雀《すずめ》を司る神霊さんのあだ名っぽい名前を呼んだ。

「スイシャク様」

ふすーっ、ふすーっ。雀《すずめ》は、上機嫌で鼻息も荒く、さっきよりももっと羽毛を膨らませた。尊い存在なのはわかってるけど、わかってるけど、可愛いな、巨大雀《すずめ》。

「スイシャク様」

ふすーっ、ふすーっ。

「スイシャク様」

ふすーっ、ふすーっ。

おお、ふっくふくになってるよ、巨大雀《すずめ》。別にお願い事のないときでも、うちにいてくれないかな、可愛いから。お父さんに聞いてみようかな？

そう思って、わたしがお父さんの方を見ると、何だかすごい顔をして、わたしと雀《すずめ》を凝視していた。不思議に思って、お母さんやアリアナお姉ちゃんを見ると、二人はお揃いのエメラルドみたいな瞳を見開いて、青ざめていた。

そして、フェルトさんや総隊長さん、フェルトさんのお母さんを見ると、三人は蒼白になって、椅子の上で硬直していたんだ。

あれ？　さっきから、誰も何にもいわないと思ってたら、皆んな固まってたの？　何だか、わたしの方がびっくりして、慌ててお父さんに聞いてみた。

「お父さん、どうしちゃったの？　お母さんも皆んなも、かちこちになってるよ？」

「……あのな、チェルニ。そのでかい雀《すずめ》は、御神霊の御分体なのか？　ネイラ様の手紙を運んでくださった、炎の御神霊の御分体と同じか？」

「そうだよ。スイシャク様って仰るんだって。さっき、わたしと神霊さんをつなぐ回路を広げてもらったから、今度からはいつでもご分体が現れてくださるみたい。でね、お父さん。スイシャク様に、家にいてもらったらだめかな？　もちろん、スイシャク様がいいよっていってくれたらなんだけど」

わたしがそういうと、腕の中のスイシャク様は、ふすーって上機嫌に膨らんでくれたんだけど、お父さんは両手で頭を掻きむしって、何だか呻《うめ》いているみたい。

お父さんの具合が悪くなっちゃったのかと思って、わたしの心臓がぎゅっと痛くなった。すかさず、スイシャク様が優しいイメージを送ってくれる。お父さんも皆んなも、ご分体の〈神威《しんい》〉に打たれているだけだから、心配しなくていいよって。

スイシャク様は、わたしの腕の中からふわって飛び出すと、もう一度テーブルの上に乗った。次の瞬間には、乳白色の優しい光が、うちの応接室を隅々《すみずみ》まで満たし、すぐに消える。それだけで、皆んなの顔色が良くなったから、きっと神威《しんい》を抑えてくれたんだろう。

最初に動いたのは、お父さんだった。お父さんは、わたしがしたみたいに、床に下りてスイシャク様の前に跪《ひざまず》いた。他の皆んなも、同じように跪《ひざまず》く。お父さんは、それを待ってから、深みのある声で祝詞《のりと》を上げた。

「掛けまくも畏き御神鳥　いとも気高き御方に　畏み畏み物申す　計らずも拝謁の栄に浴し　我ら恐懼の極みにて　身の置き所もなかりければ　只我が娘への御恩寵に　拝跪の感謝を奉らん」

（かけまくもかしこきおんかみどり　いともけだかきおんかたに　かしこみかしこみまもおす　はからずもはいえつのえいによくし　われらきょうくのきわみにて　みのおきどころもなかりければ　ただわがむすめへのごおんちょうに　はいきのかんしゃをたてまつらん）

お父さんに続いて、全員が同じ祝詞《のりと》を繰り返す。わたしが〈娘〉になるのは、お父さんとお母さんだけなんだけど、〈娘〉には女の子っていう意味もあるから、それほどはおかしくないんだ。

わたしたちのルーラ王国では、年の初めとか結婚式とか、何なら入学式や卒業式にも祝詞《のりと》を上げるから、それなりに聞き慣れているし、簡単なものなら自分でも上げられる。そうなるように、学校で教えられるからね。

お父さんたちは、祝詞《のりと》を上げ終わると、深々と額《ぬか》ずいた。皆んなの姿からは、本当に神霊さんへの感謝と敬意がみなぎっていて、とっても立派だった。神霊さんのご分体を抱っこして、鼻水までつけちゃったかもしれないわたしは、自分の無作法が恥ずかしくて、顔が真っ赤になっている気がする。

スイシャク様も、ふすーっとかいわないで、きりっとした澄まし顔で、真っ白な羽を広げた。すると、可愛い薄茶の羽先からは、きらきらした光の粒みたいなものが生み出されて、お父さんたちに柔らかく降り注ぐ。これは、あれだ。畏《おそ》れ多くも、神霊さんの〈言祝《ことほ》ぎ〉を賜《たまわ》ったんだ。

スイシャク様は、またふわって飛んできて、わたしの腕の中に収まった。わたし、自分の無作法を反省しているところなんだけど、気にしなくていいって。お父さんたちのことは、なかなか立派でとっても気に入ったけど、わたしは御名《ぎょめい》を許されたんだから、同じようにしなくていいんだって。

うん。反省は後でするとして、今はスイシャク様のご厚意に甘えさせてもらおう。すっかり忘れかけてたけど、クローゼ子爵家の調査をしなくちゃいけないんだから。スイシャク様も、いろいろとイメージを送ってくれてるしね。

「お父さんも皆んなも、席に座りなさいって、スイシャク様がいってくれてるよ。わたしたちの話を聞いて、問題がなければ助けてもらえるみたい。あ、それから、スイシャク様に言祝《ことほ》ぎを賜《たまわ》ったお礼は、お母さんの蜂蜜クッキーと、お父さんの焼き立てパンのお供《そな》えでいいって」

わたしが元気良くいうと、お父さんはまた変な顔をして、恐る恐るっていう感じで、わたしに聞いた。

「なあ、チェルニ。おまえ、さっきから何といってるんだ？　おまえの言葉の中に、おかしな発音が交じってるんだがな」

「ん？　何のこと？　わたしは普通に話してるよ？」

「ああ。おまえはそうだと思うんだが、おれたちには聞き取れない言葉があるんだ。その、何だ。変なふうに聞こえるんだ」

お父さんってば、どうして口ごもってるんだろう。わたしが首を傾げていると、大好きなアリアナお姉ちゃんが、ちょっとだけ眉毛を下げた可愛い顔で、横からいった。

「あのね、チェルニ。一つの単語だと思うんだけど、わたしたちには、そこだけ違って聞こえるの。チェルニはずっと、チュンチュンっていってるのよ」

「チュンチュン？」

「そう。チュンチュン」

「そうなの？　スイシャク様って聞こえない？」

「ああ、その言葉よ。やっぱりチュンチュンいってる。すごく可愛いわ、チェルニ」

そういって、お姉ちゃんはふんわりと笑ったけど、それどころじゃないよ、お姉ちゃん。

チュンチュンって、何さ？

＊＊＊

それからしばらくして、わたしが衝撃から立ち直った頃に、もう一度話し合いが始まった。スイシャク様がいいってくれたから、皆んなはそれぞれの席に戻ったし、わたしも自分の椅子に座った。で、スイシャク様はというと、わたしの膝の上にいるんだよ。こっちに可愛いお尻を向け、背中をわたしのお腹に預けて、お父さんたちを見渡してる。神霊さんのご分体は霊的な存在だから、体温なんかはないはずなんだけど、ほんのり温かいのはどうしてなんだろう？

もう、自分のことは、ご神体を祀《まつ》る台座だと思うことにしよう。台座なんだから、ご分体を抱っこしても不敬じゃないはずだ。わたしは台座、わたしは台座……。

わたしが神妙な顔で自分にいい聞かせていると、お父さんが皆んなを代表して、質問をしてきた。スイシャク様がそういってくれたから、祝詞《のりと》みたいじゃない、普通の言葉で。

「雀《すずめ》を司る御神霊の御分体については、聞きたいことは山ほどあるが、今はアリアナとフェルトの将来が優先だ。おまえがいうように、御分体に情報収集をお願いできるものなのか、お尋《たず》ねしてみてくれ、チェルニ」

お父さんがいうと、スイシャク様はちょっと胸を張ってから、優しくて頼もしいイメージを送ってくれた。

「大丈夫だって、お父さん。お父さんたちのことも気に入ったから、神霊さんの〈理《ことわり》〉の範囲内だったら、いくらでも協力してあげるって」

そういいながら、わたしはちょっと驚いていた。どうしちゃったんだろう、わたし。スイシャク様の御名《ぎょめい》を許されてから、イメージは益々《ますます》鮮明で、言葉で伝えられるのと同じくらいはっきりと、スイシャク様のいいたいことがわかるんだ。

ちなみに、学校の授業で習ったところによると、神霊さんが、人間と同じ言葉を話すことはないんだって。神霊さんのお言葉には、どうしても〈言霊《ことだま》〉が宿るから、人の身には受け止められないらしい。言葉と同じくらい鮮明なイメージであっても、言霊《ことだま》そのものは、やっぱり全然違うんだろう。

「誠に畏《おそ》れ多いことだが、正直なところ助かる。御分体によくよく感謝を申し上げてくれ、チェルニ」

「了解です！　あとね、王都の雀《すずめ》を通して見ると、ちょうど今、クローゼ子爵家の人たちが集まって、何だか揉《も》めてるんだって。スイシャク様が、会話をそのまま伝えられるようにしてあげようかって、いってくれてるよ」

お父さんは、困った顔で唸《うな》った。わたしの大好きなお父さんは、本当に正しい人だから、いくら事情があっても、そこまではっきりと他のお家を覗《のぞ》き見するなんて、抵抗があるんだろう。

お母さんは、そんなお父さんの顔を見て、優しく微笑んだ。よくお母さんが口にする言葉を再現すると、〈わたしの大事なダーリン、愛しいわ〉っていうやつだ。ダーリンって。今どき、小説の中でもいわないよ、お母さん。

言語感覚は変だけど、豪腕のお母さんは、早速お父さんを説得にかかった。こういうときは、黙ってお母さんに任せておけば間違いないんだ。

「ねえ、あなた。情報収集と会話を盗み聞きすることに、そこまで大きな違いがあるのかしら。他のお家を覗《のぞ》き見するのは、確かに問題のある行為でしょう。でも、今回は仕方ないわよ。ことは〈神去《かんさ》り〉に関わるんですもの。アリアナとフェルトさんを守り切るには、手段を選んでいられないでしょう？　第一、それが理《ことわり》に外れることなら、御分体が提案してくださるはずがないと思うの」

お父さんは、大きな溜息を吐いてから、お母さんを見て、アリアナお姉ちゃんを見て、フェルトさんを見た。うん。人としての礼儀より、お姉ちゃんたちの安全の方が大切だよね、お父さん。

「わかった。今は非常事態なんだから、御分体の御厚意に甘えさせていただこう。おまえも協力してくれるか、チェルニ？」

「もちろんだよ、お父さん。任せて！」

「ありがとうな、チェルニ。御分体、衷心《ちゅうしん》より感謝を奉る《たてまつる》」

そういって、お父さんは深々と頭を下げたし、皆んなも同じ。スイシャク様は、満足げにふすーって鼻息を出してから、柔らかな乳白色の光を顕現《けんげん》させたんだ。

スイシャク様から溢《あふ》れ出た光は、そのままわたしの身体を包み込む。何だろう、この感じ。スイシャク様とのつながりが強くなって、逆に自分の身体とのつながりが希薄になっていく気がする。乳白色の光が支えてくれるから、怖くはないんだけど。

しばらくすると、わたしの視界が、くるりと替わった。いつも依代《よりしろ》である雀《すずめ》が送ってくれる、薄い膜を通したようなイメージじゃなく、まるでわたし自身の目で見ているみたいな確かさ。スイシャク様が、直接、雀《すずめ》の視界につないでくれたんだって、なぜだかすぐに理解できた。

わたしの目は、遠くにお城を捉えていた。何回か王都に遊びに連れて行ってもらったことがあるから、ひと目でわかった。あれは、ルーラ王国の王城だ。真っ白な塔が連なっていて、すごく大きくて、お伽《とぎ》話《ばなし》に出てくるお城みたいに綺麗だった。

雀《すずめ》は、どんどん飛んでいって、立派なお屋敷が建ち並ぶ通りに出た。そして、そのうちの一つ、焦げ茶色の煉瓦《レンガ》を積み上げて建てられた、大きなお屋敷に入っていったんだ。

多分、この焦げ茶のお屋敷が、クローゼ子爵のお家なんだろう。スイシャク様のお力を貸してもらっているから、お屋敷全体に澱《よど》んだ空気が漂っていて、まったく神霊さんの気配がしていないって、すぐに気づいた。

そして、アーチ形の門をくぐって、正面の入り口に着いたところで、わたしははっきりと見てしまった。大きくて重そうな入り口と扉には、びっしりと白い紙が貼られていたんだよ。

百枚近くありそうな紙は、本当は人の目には見えないもので、神霊さんのご分体と、いわば霊的につながっている今だから、わたしにも見えるんだって、スイシャク様が教えてくれた。

気配りのできる雀《すずめ》は、白い紙の側まで近寄ってくれる。書かれていることも、〈只人《ただびと》〉であるわたしには、判読できるはずがないんだけど、今だけは読める。それぞれの紙には、こんな言葉が並んでいたんだ。

〈印剥奪《いんはくだつ》　遺棄《いき》　□□□□□□□□□〉
〈印剥奪《いんはくだつ》　義絶《ぎぜつ》　□□□□□□□〉
〈印剥奪《いんはくだつ》　久離《きゅうり》　□□□□□□□□□□□□□〉
〈印剥奪《いんはくだつ》　必罰《ひつばつ》　□□□□□□〉

怖い、怖い、怖い、怖い。わたしは、ものすごく怖くなって、必死でスイシャク様に縋《すが》りついた。スイシャク様が、乳白色の光をもっと強くして、わたしをぐるぐる巻きに包んでくれたから、すぐに落ち着いたけど。

これって、神霊さんからの〈縁切り状〉みたいなものだよね？　一族分まとめて、本家の入り口に貼ってあるんだよね？

うん。このお屋敷が、クローゼ子爵家で間違いないよ……。

5

クローゼ子爵家のお屋敷にいる雀《すずめ》は、どうやら一羽だけじゃなかったみたい。入り口に張り廻《めぐ》らされている、神霊さんからの〈縁切り状〉を見て、わたしが硬直していると、今度はひょいって視点が上がったんだ。

目に入ってきたのは、大きくて立派な部屋だった。多分、応接室とか居間とか、人が集まる場所なんだろう。そこには十人近い人たちがいて、怖い顔で何かを話し合っていたんだけど、わたしは話の内容どころじゃなかった。だって、その人たち、顔が大変なことになっているんだよ⁉

その人たちの額《ひたい》の真ん中には、灰色の文字がぽっかりと浮かび上がっていた。大きさは、ちょうど親指と人差し指で丸を作ったくらい。文字の種類はそれぞれで、ぱっと見た感じだと、同じ言葉の人はいなかったと思う。

神霊さんの〈縁切り状〉と一緒で、この文字は、本当なら人の目には見えないし、読むこともできないはずのものだ。その人の性格とかじゃなくて、もっと本質的なもの、いってみれば〈魂の形《たましい》〉を表している、特別な神霊さんの文字だから。

神霊さんの恩寵《おんちょう》を受けている間は、額《ひたい》の文字はその人の性格に応じた色をしていて、〈神去り《かんさ》〉になると同時に、薄い灰色になるんだよ……って、わたし、まだ十四歳になったばっかりの少女なのに、こんなことを教えてもらっていいんですか、スイシャク様……。

何だかいろいろと不安になったんだけど、ふすーっ、ふすーって微《かす》かに聞こえてくる、スイシャク様の可愛い鼻息に励まされて、わたしは、部屋にいる人たちを観察してみることにした。

神霊さんをお祀《まつ》りする〈神座《かみざ》〉を背にした席に、どっかりと座っているのは、多分、当主のクローゼ子爵だと思う。すごく堂々としていて、偉そうな感じなんだけど、額《ひたい》にはべったりと灰色の文字が見える。〈瞋恚《しんに》〉って。

すぐにスイシャク様が教えてくれたところによると、瞋恚《しんに》っていうのは、人を妬《ねた》んで、憎んで、いつも怒っている状態をいうんだって。

一番年配の女の人で、きつい感じの目鼻立ちをしている人は、フェルトさんのお母さんを虐《いじ》めていた、先代のクローゼ子爵夫人じゃないのかな？　額《ひたい》には、ひときわ大きく〈毒念《どくねん》〉って書いてあるし。

スイシャク様がイメージを送ってくれるまでもなく、わたしにもわかる。この人は、すごく意地が悪くて、悪意で人と接する人なんだろうな。

それ以外でも、書いてある文字は酷《ひど》い意味のものばっかりで、見ているわたしまで、何だか落ち込みそうになった。

色欲っていうものに執着するらしい〈色貪《しきとん》〉、過剰なうぬぼれを持っている〈増上慢《ぞうじょうまん》〉、いろんなことを怠けてばっかりの〈懶惰《らんだ》〉、人としての倫理に外れている〈乱倫《らんりん》〉……。

うん。本当に嫌な気持ちになりそうだから、もういいや。

ここで一つ、不思議に思ったことがあったので、わたしは声に出さず、心の中でスイシャク様に質問した。額《ひたい》の文字が魂《たましい》の形だっていうのなら、クローゼ子爵家の人たちは、ずっと前から問題があったんじゃないかな。それなのに、〈神去《かんさ》り〉になるまで、たくさんの神霊さんに印《いん》をもらっていたのは、どうしてなんだろう？　そんな人でも、神霊さんによっては、気に入ったりするのかな？

スイシャク様は、〈よく気がついたね〉っていうみたいに、優しく乳白色の光を強くしてくれた。それから、わたしに許される範囲で、理由を教えてくれたんだ。

人は誰でも、あらかじめ決められた条件のもとに生まれてくる。身分とか能力とか美醜とかがそうだし、身体の強さや性格、魂《たましい》の形さえ、やっぱりある程度は決められている。人の一生は、決められた条件から始まって、いろいろな形で自分を磨いて、より良い人になるための、いわば修行の期間なんだって。

ここで〈決められた〉っていうのは、神霊さんの決定を意味するんじゃないらしい。もっと大きな運命の流れとか、世界の成り立ちとか、わたしには理解できないし、まだ理解するべきではないところで、自ずと決まっていくんだって。魂《たましい》が成長したり、逆に劣化したりしたら、ちゃんと書かれている文字も変わるらしい。

でも、神霊さんたちは、人に上下をつけたいわけじゃないいし、あまりにも酷《ひど》い苦労をさせたいわけでもないから、その人がきちんと魂《たましい》を磨けるように、気に入らない人にでも、助けになるような恩寵《おんちょう》を与えてくださる。それが、神霊さんたちの間の決まり事なんだよって。

クローゼ子爵家の人たちは、魂《たましい》が悪質だったから、逆にたくさんの恩寵《おんちょう》を与えられていた。それなのに、神霊さんのお気持ちを無視し、自分たちが優れた人だって傲慢《ごうまん》になって、いくつも罪を犯したらしい。

スイシャク様は、何だかちょっと悲しそうで、わたしまで切ない気持ちになった。もう耳に馴染んじゃった可愛い鼻息も、ふすっ、ふすってとっても弱々しいし。

このとき初めて、わたしは、クローゼ子爵家の人たちに腹が立ったんだ。神霊さんたちの厚意を無にして、許されないほどの罪を重ねて、おまけに可愛くて優しいスイシャク様を、こんなに悲しませてるんだよ？

アリアナお姉ちゃんとフェルトさんを守るのは当然だけど、クローゼ子爵家の罪を暴くために、わたしにできることがあったら、ちゃんと協力したい。お父さんにそういって、ネイラ様にも手紙を書いて、スイシャク様にも、助けてくださいってお願いしよう。わたしは、大人の迷惑にならない形で、やるべきことを考えられる少女なのだ。

わたしがそう思っていると、スイシャク様は、すっかり気を取り直したみたいで、鼻息も荒く、ふすーっ、ふすーって返事をしてくれた。そして、わたしが元気が出るように、特別に家族の分だけ教えてあげるよって、謎のイメージを送ってきてから、一瞬で視点を切り替えたんだ。

スイシャク様の視点を通して、わたしが見たのは、心配そうな顔でわたしを見つめている、お父さんやお母さん、アリアナお姉ちゃんだった。そして、三人の額《ひたい》には、大きな神霊さんの文字が浮かび上がり、煌々《こうこう》と輝いていた。

お父さんの額《ひたい》の文字は、すごく深みのある綺麗な紺色で、〈真誠《しんせい》〉。お母さんは、透き通った真紅の色で、〈熱誠《ねっせい》〉。アリアナお姉ちゃんは、柔らかな薔薇《ばら》色で、〈衣通《そとおり》〉って。

お父さんとお母さんは、すごく正しくて誠意のある人と、すごく情熱的で誠意のある人っていう意味で、いい両親に恵まれたねって、スイシャク様に褒《ほ》めてもらった。

アリアナお姉ちゃんの文字は、とってもめずらしくって、魂《たましい》の形というよりは、存在のあり方を示しているらしい。洋服を通してでも透けて見えるくらい、身も心も綺麗な人なんだって。本当にその通りだと思うから、わたしは、妹として胸を張っておいた。

〈縁切り状〉を見たときの怖さと、クローゼ子爵家の人たちの文字を見たときの悲しさから、わたしが復活できたのがわかったんだろう。スイシャク様は、もう一度クローゼ子爵家の応接室に視点を戻して、今度は声も届けてくれた。

誰が誰かはわからないけど、全員で言い争いをしていたみたい。最初に聞こえてきたのは、クローゼ子爵よりもちょっとだけ若い、でもよく似た面立《おもだ》ちをした、〈懶惰《らんだ》〉の男の人の声だった。

「だから、大切なのはクローゼ子爵家を守ることだと、さっきから申し上げているんですよ、母上。いつまでも同じことを仰るだけなら、部屋に戻られてはいかがですか」

「この母に向かって、よくも生意気な口がきけるわね、ナリス。平民の侍女の産んだ子供など、わたくしの孫とは認めません。まして、由緒あるクローゼ子爵家の後継《あとつぎ》に据《す》えようものなら、わたくしたちは、貴族社会の笑い者になりますよ」

「クルトの息子を後継《あとつぎ》にしようとしまいと、わたしたちは、すでに笑い者ですよ。近衛《このえ》の騎士が、一族揃って神去《かんさ》りになったことなど、ルーラ王国千年の歴史の中でも、一度としてなかったんですから。外聞などより大切なのは、この家の爵位と財産ですよ」

「ナリスのいう通りだ。忌々しいが、わたしが当主を続けることは認めないと、王家に宣告されてしまったのです。我々は、選べる立場にないのですよ、母上」

「ですから、カリナに婿を取ればいいだけでしょう。そうすれば、クローゼ子爵家の直系の血は守れるのだから」

「一族揃って神去《かんさ》りになった家に、まともな縁談があるものですか。実際、どこから聞きつけたのか、決まっていたはずの婚約も流れましたからね。ああ、ナリスの息子との縁組など、論外ですよ。神去《かんさ》り同士の婚姻で、爵位を継承してくれなどと、願い出るだけ無駄というものです」

「では、他家から養子を迎えて、その者にカリナを添わせればいいでしょう。そうすれば、生まれてくる子は直系になるのだから」

「それも却下されますよ、母上。王家の意向は、すでに成人しているクローゼ子爵家の直系で、神去《かんさ》りになっていない者、ということなのですから。該当者を選定できない場合は、爵位は没収です」

「ああ、本当に、何ということなのかしら。あんな下賤《げせん》な女の産んだ子に、このクローゼ子爵家を与えるなんて、耐えられないわ」

「まったく、セレント子爵さえ捕まらなければ、神去《かんさ》りをごまかせたかもしれないのに。威張《いば》っていたわりに、使えない男だったな。何とか魔術を……」

「黙れ、ナリス！　その名前は口にするな。この家の中であっても、何も話すな」

「いいわよ、お祖母様。わたくしがクルト叔父様の息子と結婚してあげるから。名前だけの子爵にして、働かせておけばいいのよ」

「ああ、カリナ。可哀想に。下賤《げせん》の子と、可愛いカリナが結婚だなんて、わたくしの目の黒いうちは、決して認めませんからね」

「カリナのことより、わたしはどうなるんだ。クルト叔父上の息子如《ご》きに、クローゼ子爵位を奪われるなど、我慢できない。わたしは、この家の嫡男《ちゃくなん》なんだぞ」

「だから、わたくしが形だけの結婚をしてあげるから、あなたはその男をこき使ってやればいいじゃないの。わたくしが息子を産んだら、早々にクルト叔父様の息子を追い出して、実権を握ったらどう？」

「それは、誰の子を産むつもりなんですか、カリナ？　あなたの遊びが過ぎたのも、神去《かんさ》りの原因なのではありませんか」

「何ですって！　従兄弟如《ご》きが口出ししないで。あなただって、嫌がる女を……」

言い争いの内容に驚いて、わたしの頭が真っ白になったところで、不意に会話が聞こえなくなった。これ以上、卑しい言葉を聞かせると、わたしの教育上悪いからって、スイシャク様が遮断《しゃだん》してくれたんだ。少女の教育に気を配る雀《すずめ》って、何かすごいな。

スイシャク様は、乳白色の光を薄くして、ゆっくりとわたしとのつながりを解いていった。気がつくと、わたしは家の応接室に戻っていて、スイシャク様を抱っこしたまま、呆然と皆んなの顔を見ていたんだ。

わたしの家族も、フェルトさんたちも、皆んな心配そうにわたしを見つめている。愛情に溢《あふ》れた優しい顔。嫌味をいう人もいないし、汚れた言葉を使う人もいない。スイシャク様がいってくれたみたいに、わたしは、本当に恵まれているんだね。

ありがたいなって、思わず心の中で手を合わせたら、スイシャク様が、ふすーっっ、ふすーっって、勢い良く鼻息を吐いて、ふっくふくに膨らんだ。良くできました、いい子だねって。スイシャク様ってば、わたしの保護者みたいだよね。

ともかく、クローゼ子爵家の雰囲気はわかったし、あの人たちの考えていることもわかったと思う。お父さんたちと今後のことを相談して……って、ここまで考えてから、わたしはぱかんと口を開けた。

え？　待って、待って。ナリスって呼ばれていた〈懶惰《らんだ》〉の男の人は、誰の名前をいってたっけ？聞き間違いじゃなければ、〈セレント子爵〉っていったよね？　一人だけ思い当たる人がいる。それって、わたしがネイラ様と出会った、あの誘拐《ゆうかい》事件のときの犯人、〈シャルル・ド・セレント子爵〉じゃないの？

最悪。クローゼ子爵家、子供たちの誘拐《ゆうかい》事件にも関わっているかもしれないよ！

＊＊＊

アイギス王国の外交官だった、シャルル・ド・セレント子爵は、今、ルーラ王国のどこかに幽閉されて、取り調べを受けているんだと思う。セレント子爵の犯行によって、アイギス王国に連れて行かれ、行方《ゆくえ》のわからなくなっている子供たちが、まだ二十人は残されているし、大きな外交問題にもなっているから、極秘扱いなんだ。

キュレルの街の守備隊を助けて、逮捕に協力してくれたネイラ様は、頻繁《ひんぱん》に送ってくれる手紙には、セレント子爵のことなんて一行も書いていない。でも、わたしが聞いてもいい時期がきたら、きっと教えてくれるだろう。誰にいわれなくても、わたしはそう思っているんだ。

そのセレント子爵、ルーラ王国にとって大罪人である人と関わっているとしたら、本当に大変なことになる。一応、血がつながっているんだから、フェルトさんが罪に問われる可能性だって、絶対にないとはいい切れないんじゃないの？

わたしは、慌てて説明しようとした。

「お父さん、どうしよう。もしかすると、困ったことになるかもしれないよ。あのね……」

お父さんは、少しだけ右手を上げて、わたしの話を遮《さえぎ》った。わたしが興奮し過ぎたとき、たまに出される〈待て〉のポーズだ。何となく犬になった気がするけど、大好きなお父さんの合図だから、わたしはぴたっと口を閉じた。もう条件反射だね、これは。

「大丈夫だ、チェルニ。わかってるから。おまえな、クローゼ子爵家の様子とか、会話の内容とか、ずっとぶつぶつ話し続けていたんだぞ。覚えているか？」

「まったく覚えてない。というか、そんなこと、したつもりもないよ、お父さん」

「おまえは、そうなんだろうな。しかし、おれたちには、ちゃんと聞こえていたから、内容はわかっているんだよ。ありがとうな、チェルニ」

そういうお父さんは、何だか変だった。お母さんやアリアナお姉ちゃんを見ても、お父さんと同じように変だった。寂しくて、切なくて、でもうれしい……そんな顔に見えた。どうして？

不思議に思って、理由を聞こうとしたら、腕の中にいるスイシャク様から、優しいメッセージが送られてきた。皆んなは、わたしの成長を目の当たりにして、少し寂しい気持ちになっているだけだから、心配はないよって。子供が大人に近づくときは、必ず起こることなんだよって。

ほんのちょっとだけ、本当かな？って疑問に思う気持ちもあったけど、あんまりこだわらないようにしよう。もし、スイシャク様が何かを隠していたとしても、それはわたしのために必要なことに決まっているんだから。

神霊さんのお力を借りる以上は、心から神霊さんを信じて、委《ゆだ》ねるべきところは委《ゆだ》ねよう。お互いの信頼関係がなくて、対価と交換に助けてもらうだけなんて、何だか寂しいしね。

わたしが、そんなふうに考えていたら、スイシャク様は、謎の鼻息を漏らした。ふふふっっっす、ふふっっっす、って。よくわからないけど、すごくご機嫌みたいだから、別にいいか。

ともかく、今はクローゼ子爵家のことだ。わたしは元気よく、お父さんに向かって手を挙げた。

「はい！　はい！」

「何だ、チェルニ。いってみろ」

お父さんは、もういつものお父さんに戻っていて、目で笑いながら、話を振ってくれた。

「クローゼ子爵家の人たちが、子供たちの誘拐《ゆうかい》に関わっていたりしたら、大変なことになるよ。フェルトさんは無関係なんだって、しっかりとわかってもらうように、手を打つべきだと思います！」

「ああ。おまえのいう通りだ。よくわかったな、チェルニ。アリアナとフェルトの身の安全が第一だが、フェルトの名誉も重大だ。どうしたらいい、ヴィド？」

そういって、お父さんは総隊長さんに尋《たず》ねた。総隊長さん、ヴィドールさんっていう名前だったもんね。愛称で呼ぶなんて、本当に仲良くなったんだね、二人とも。

総隊長さんは、むずかしい顔をして、重々しい声でいった。

「セレント子爵の事件は、ルーラ王国的には、外患誘《がいかんゆう》致罪《ちざい》に該当する可能性が高いと思う。アイギス王国に対して、王家が〈解決できなければ開戦〉だと宣言したからな。王国法の規定の通りなら、外患誘《がいかんゆう》致罪《ちざい》の犯人は例外なく死刑。一族郎党についても、死刑か収監《しゅうかん》、もっとも軽くて一定期間以上の公民権《こうみんけん》剥奪《はくだつ》だ。その罪を逃れるのは、簡単なことじゃない」

怖っ！　総隊長さんの説明に、わたしたちは真っ青になった。予想していたよりも、もっとずっと深刻だったよ。公民権《こうみんけん》の剥奪《はくだつ》って、公的な仕事にも就けないし、結婚もできないんじゃなかったっけ？　わたしの大好きなアリアナお姉ちゃんは、どうなるのさ？

フェルトさんのお母さんは、わたしが見てもわかるくらい、青い顔をして震えながら、総隊長さんに懇願《こんがん》した。

「何とか、何とかならないのですか？　一族だなんて、フェルトは認知すらされていないんですよ？　クローゼ子爵家のために、この子が罪に問われるなんて、あまりにも理不尽ではありませんか」

「わかってるよ、サリーナさん。おれも、まったく同じ気持ちだ。しかし、大逆罪《たいぎゃく》、内乱罪、外患誘《がいかんゆう》致罪《ちざい》の三罪だけは、血のつながりがある限り、処罰の対象になるんだよ。ルーラ王国だけじゃない。どの国でも同じことだ。フェルトの場合、事情が事情だから、目こぼしをしてもらえる可能性が高いとは思うが、クローゼ子爵家と何らかのつながりがあると判断されたら、むずかしくなるかもしれない」

「そんな……」

フェルトさんのお母さんは、そういって言葉を詰まらせ、綺麗な紅茶色の瞳から涙を溢《こぼ》した。横に座っていたフェルトさんは、お母さんの背中を優しく撫でてあげながら、きっぱりと宣言した。

「皆さん、おれのことでご迷惑をおかけして、本当に申し訳ありません。万が一、おれが公民権《こうみんけん》を剥奪《はくだつ》されたら、即座にアリアナさんの前から消え失せます。でも、どうか、それまでは側にいさせてください。最悪の事態を回避できるように、やれるだけのことをやります」

フェルトさんに答えたのは、やっぱりお父さんだった。お父さんは、厳しくて引き締まった顔をしていたけど、フェルトさんに話す声は優しかった。

「心配するな、フェルト。おまえはもう、おれの息子だ。最悪の場合でも、うちで働いてくれればいい。アリアナは、公民権《こうみんけん》が復活して、正式に結婚できるまで、きっと何年でも待つさ。それよりも、今は、降りかかる火の粉を払うことを考えよう。そうだな、ヴィド？」

「ああ、そうだ。さっきおれが話したのは、原則論だからな。おれたちができる範囲で、根回しをしておこう。御神霊とチェルニちゃんが教えてくれた情報は、普通なら絶対にわからないものだからな。今なら先手が打てるはずだ」

「まず第一に、クローゼ子爵家とのつながりを作らないことだな。どうすればいいと思う、ローズ？」

ローズっていうのは、うちのお母さんの名前だ。薔薇《ばら》の神霊術《しんれいじゅつ》を使うローズって、すごく可愛いよね。

わたしの大好きなお母さんに、本当にぴったり。

豪腕のお母さんは、とにかく先を読むのが得意だから、お父さんはいつも意見を聞いているみたい。

お母さんは、ちょっと目を細めて考えてから、テキパキと話し始めた。

「あなたの仰る通り、クローゼ子爵家とのつながりを断つことが、最優先だと思うわ。関係を持たないっていうだけじゃなく、向こうが一度でも接触してきた時点で、こちらから積極的に動くべきね」

「手があるのか、ローズ？」

「養子縁組と婚姻について、〈不受理申立〉の制度を使いましょう。フェルトさんの意思を無視して、勝手に養子縁組をしたり、カリナとかいう人と婚姻届を出されたりしないように、あらかじめ法理院《ほうりいん》に申し立てをしておくの。今後、養子縁組や婚姻の届が出されても、自分は了承していないので、受理しないでくださいってね。中立書の理由欄に、〈クローゼ子爵家とは一切の交流がなく、血縁かどうかもわからない〉って書いておけば、かなり有利だと思うわ」

「確かに。チェルニの教えてくれた話からすると、勝手に婚姻届くらいは出しそうな相手だからな。どうだ、フェルト？」

「さすがです、ローズさん。いえ、お義母《かあ》さん。もちろん、すぐにそうします」

ここで、ずっと黙って聞いていたアリアナお姉ちゃんが、そっと手を挙げた。真っ白で細くって、爪が桜貝みたいに可憐な手だよ。

「はい。お父さん、お話をしてもいいですか？」

「当然だ。おまえも当事者だからな。何でもいってくれ、アリアナ」

「考えたんですが、不受理の申し立てと合わせて、フェルトさんが、この件に関して功績を上げた方がいいんじゃないかと思うんです。そうすれば、王家や法理院《ほうりいん》の温情を得やすいはずですから」

「具体的な案はあるのか、アリアナ？」

「はい。クローゼ子爵家とセレント子爵がつながっている可能性があるのなら、フェルトさんの手で証拠を掴《つか》んで、先にクローゼ子爵家を王家に告発したらどうでしょうか？」

お姉ちゃんの言葉に、わたしたちは皆んな、ぱきっと固まった。腕の中のスイシャク様まで、ふっっっすっ!? ってむせ込んでるよ。小首を傾げて、優しく微笑むアリアナお姉ちゃんは、内心ではずっと激怒してたんだね。

わが姉ながら、ちょっと怖いよ、お姉ちゃん……。

6

それからも、長い時間をかけて話し合ったわたしたちは、翌日から早速行動を起こすことにした。善は急げっていうし、いろいろと予想していながら、結果的に間に合わなかったりしたら、余計に悔しい思いをするからね。

わたしの最初の役割は、ネイラ様に手紙を書いて、事情をお知らせすることだった。できるだけ正確に情報を伝えて、ネイラ様の指示を仰ぐんだ。

本当にクローゼ子爵家とセレント子爵がつながっているとしたら、ルーラ王国にとって一大事だから、ネイラ様の指示に従うのが一番だって、皆んなで決めたんだよ。

わたしが一生懸命に手紙を書いて、さあ、紅い鳥に来てもらおうと思ったら、スイシャク様に止められた。スイシャク様が、自分が届けてあげるよって。

スイシャク様が送ってくれたメッセージによると、わたしがお世話になっていることだし、何よりも〈神威《しんい》の覡《げき》〉に会ってみたいから、この機会に飛んでいってくれるらしい。

〈神威《しんい》の覡《げき》〉ってどういう意味なのか、スイシャク様に質問したんだけど、答えてはもらえなかった。そのうちにわかるようになるから、自分で正解を探しなさいって。

ただ、神霊さんの世界では、何百年かに一回、〈神威《しんい》の覡《げき》〉を送り出し、〈神託《しんたく》の巫《ふ》〉を見出すっていわれてるんだって、それだけは教えてくれた。

ネイラ様が〈覡《げき》〉だっていうことは、ひと目見てわかったけど、何だかもっと強い存在なのかもしれなかった。本当にすごいんだね、ネイラ様って。

そうそう。スイシャク様は、これからしばらくは、家にいてくれることになった。クローゼ子爵家の問題が決着するまでは、見張りを続けなくっちゃいけないから、こっちの世界に留まって助けてくれるらしい。

神霊さんのご分体による泊まりがけのご助力とか、対価が心配で青くなったんだけど、それは気にしなくてもいいらしい。わたしとスイシャク様の間には、もう回路が開いていて、力を貸すのも簡単だから、特別に〈眷属《けんぞく》扱い〉でお安く?してくれるんだって。

眷属《けんぞく》って、見守るべき相手とかいう意味だったっけ？　スイシャク様の眷属《けんぞく》とか、あまりにも畏《おそ》れ多くて、本当に血の気が引きそうになっちゃった。わたしには、分不相応《ぶんふそうおう》なご厚意だなって思ったしね。

でも、クローゼ子爵家のことを考えると、スイシャク様のお力を借りられることは、本当にありがたかった。

今のわたしは、スイシャク様のご厚意に甘えることしかできない。ただの無力な十四歳だから。その代わり、このお返しは、いつか絶対にさせていただこうと、固く心に誓った。恩を知る少女なのだ、わたしは。

肝心のフェルトさんは、今日にでも、手荷物だけ持って、うちの〈野ばら亭〉に引っ越してくることになった。フェルトさんを一人にしておくのは、何かと心配だって、皆んなの意見が一致したんだ。

もともと、フェルトさんのお母さんは、お兄さんの商会で仕事をしていて、お家も一緒だった。お母さんのご両親とか、皆んなで一緒に住んでいて、フェルトさんも大家族で育ったんだって。それで、キュレルの街の守備隊への就職が決まったときに、詰所へ通いやすい下宿を見つけて、独立したんだ。

今の下宿は静かなところで、とっても住みやすいらしいんだけど、こんなときには用心が良くない。昼間に入り込まれたり、いきなり訪ねてこられたりしても、誰も気づかないかもしれないからね。

〈野ばら亭〉は大きな宿屋だから、いつでもたくさんの人目があるし、夜も警備の人たちがいてくれる。〈野ばら亭〉で騒ぎを起こすなんて、いくらクローゼ子爵家でもやらないだろう。フェルトさんの安全を考えたら、うちに来る方がいいに決まってるよね。

フェルトさんは、これ以上うちに迷惑をかけたくないって、ずっと拒否してたんだけど、最後はお父さんが叱りつけた。息子のくせに余計な遠慮はするな、黙っていう通りにしろ、って。そのときのお父さんは、すごくカッコよくて、優しくて、フェルトさんはちょっと泣いてた。お父さん、大好き。

〈不受理申立〉を勧めてたお母さんは、朝からフェルトさんを連れて出かけて行って、さっさと書類を用意してきた。法律の専門家のところで、正式な〈申立書〉を作ってもらったんだって。

「こういう書類を素人が作ろうとすると、余分な時間がかかってしまうし、後で不備があるっていいがかりをつけられる可能性もあるの。王都で一番の法律家が、キュレルにも事務所を持っているから、そこに頼んだわ。法理院《ほうりいん》を高位で退官した方《かた》だから、その事務所が作成した書類というだけで、法理院《ほうりいん》の分院もすぐに受け付けてくれるわよ」

ごろごろと喉を鳴らす猫みたいな顔で、満足そうに笑うお母さんは、多分、敵にしちゃったらだめな人だと思う。

実は、昨日の話し合いの最後には、クローゼ子爵家がフェルトさんに接触してくるのを待つまでもなく、今日にでも〈不受理申立〉を提出しようっていうことになったんだ。絶対に先手を取りたいし、フェルトさんが、〈お母さんに出生の秘密を聞いたんだけど、顔も知らない血縁に、万が一にも、結婚の邪魔をされたくない〉っていえば、法理院《ほうりいん》の人も、そんなに不自然に思わないだろうって。

正式な書類は用意できているから、フェルトさんが手荷物を持って戻ってきたら、すぐにキュレルの街にある法理院《ほうりいん》の分院に行って、提出してくる予定になっているんだ。

もちろん、お父さんも総隊長さんも、フェルトさんのお母さんも、あらかじめ決めた通りに動き出している。ネイラ様が返事をくれたら、きっとそれが反撃開始の合図になる。アリアナお姉ちゃんとフェルトさんの未来は、絶対にわたしたちが守るんだ！

でね、皆んながそれぞれ、できることを始めていく中、アリアナお姉ちゃんがどうしたかっていうと、しばらくの間、アリオンお兄ちゃんになることにしたらしい。何をいってるのかわからないと思うけど、わたしだってわからないよ……。

「フェルトさんが来たよ、チェルニ。一緒に応接室に行こうね」

そういって、わたしを呼びに来たのは、アリアナお姉ちゃんのはずの、アリオンお兄ちゃんだった。いつも肩のあたりでカールしていた金色の髪は、きっちりと一つにまとめられて、後ろに流してある。当然、リボンも髪飾りもつけていない。

アリアナお姉ちゃんは、女の子らしい清楚で可憐な服を着ることが多くて、それがとてつもなく可愛かったのに、今は黒い細身のズボンに、飾り気のない白いシャツだよ？　上から長めの黒いベストを羽織っていて、女の子らしい体型はしっかりと隠されている。足元はといえば、やっぱり黒のショートブーツだった。

アリアナお姉ちゃんは、普段からほとんどお化粧なんてしていなくて、薄くリップクリームを塗るくらいだったんだけど、当然それもなし。正真正銘のスッピンっていうのかな、これって？

全体的に見ると、ちょっと裕福なお家の少年っていう感じのスタイルなんだけど、元がアリアナお姉ちゃんだからね。アリオンお兄ちゃんらしい人は、何かもう、すごかった。どうでもいいような服装だからこそ、素材の良さが際立ちまくってる。

〈絶世〉とか、〈傾国〉とか、そんな言葉しか浮かんでこない、とんでもない美少年がそこにいて、わたしに向かって微笑んでいるんだよ。

「あのね、アリアナお姉ちゃん」

「アリオンだよ、チェルニ」

「……アリオンお兄ちゃん。別にアリアナお姉ちゃんのままでも、大丈夫じゃないかな。お兄ちゃんになる意味って、どこにあるの？」

「もちろん、相手を油断させるためだよ。それに、アリアナのままだったら、いろいろと動きにくいし、フェルトさんも心配するだろうしね。あとは、気合？」

うん。わかったよ、アリオンお兄ちゃん。そのあたりのことは、あんまり考えていないんだね……。

仕方がないので、わたしはアリオンお兄ちゃんと一緒に、うちの応接室に行った。そこにいたのは、守備隊からお休みをもらって、身の回りのものを運んできたフェルトさんと、お手伝いのために足を運んでくれた総隊長さん。それから、お父さんとお母さんだ。

お父さんは、入ってきたアリオンお兄ちゃんを見て、もう諦めたっていう顔で溜息を吐いた。お母さんは、すごくうれしそうな顔で、にこにこしながらアリオンお兄ちゃんに手を振った。

でね、フェルトさんと総隊長さんは、不審な顔でアリオンお兄ちゃんを見てから、お父さんに聞いたんだ。

「ああ、その、何だ。この美少年は、カペラ家のご親戚か何かなのか、マルーク？　アリアナさんやチェルニちゃんと、ちょっと面立《おもだ》ちが似ているな」

「アリアナさんのご親戚ですか？　まさか、お友達とかじゃないですよね」

二人の言葉を翻訳すると、〈この非常時に、どうして部外者が同席するんだよ〉っていう文句と、〈アリアナさんとどういう関係なのか、さっさと吐け、このヤロー！〉っていう恫喝《どうかつ》だよね。わたし、チェルニ・カペラも十四歳になって、ちょっとだけ言葉の裏を読めるようになったみたいだよ。

本来なら、いくら少年の格好をしていても、アリアナお姉ちゃんだっていうことは、ひと目でわかるはずなんだ。こんな美少年が、そのへんにいるとは思えないし、顔立ちもスタイルも、やっぱりアリアナお姉ちゃんのままだから。

それなのに、フェルトさんも総隊長さんも、アリオンお兄ちゃんのことを、本気で知らない人だって勘違いしている。フェルトさんなんて、あんなに大好きなアリアナお姉ちゃんを、見当違いな嫉妬の目で睨《にら》んでるしね。

アリアナお姉ちゃんに印《いん》をくれた、世にもめずらしい神霊さん。ルーラ王国全体を見回しても、他に印《いん》をもらっている人はいないんじゃないかと思われる、これが〈幻を司る神霊さん〉のお力なんだ。

⚘⚘⚘

わたしたちの暮らすルーラ王国では、〈森羅万象八百万《しんらばんしょうやおよろず》〉、すべてのものに神霊さんが宿ると考えられている。具体的にいうと、〈物質〉〈動植物〉〈状態〉、そして〈自然現象〉に、それぞれの神霊さんが御坐《おわ》します。少なくとも、わたしたちはそう教えられて育つんだ。

神霊さんが印《いん》をくれる確率からいうと、圧倒的に多いのが、何らかの物質を司る神霊さんで、次が動植物を司る神霊さん。この二つで、全体の印《いん》の九割を超えるらしい。

状態の神霊さんについては、印《いん》をもらえる確率がかなり低くて、その分だけ強い神霊術《しんれいじゅつ》を使える。ネイラ様を例に出すと、力を司る神霊さんの印《いん》をもらっているから、〈力が強い〉っていう状態を引き起こせるんだ。

代表的なのは、〈熱・冷・湿・乾〉とかの神霊さんだろう。神霊術を使う人の力が強ければ、火や氷や水の神霊さんにお願いして、同じ状態を起こすこともできるから、ややこしいところではあるけど。このあたりは、町立学校の高学年で、みっちりと習うことになるんだ。

そして、最後の一つ、自然現象を司る神霊さんになると、めったに印《いん》をもらう人がいなくなる。自然現象っていうのは、人間の能力を遥かに超える、圧倒的で強い力だから、当然といえば当然だろう。雨を降らすことができるとか、いいお天気にしてくれるとか、〈雨〉や〈晴〉の神霊術だけは、何年かに一度くらいの割合で、使える人が出てくるらしいんだけど、それ以外の自然現象となると、何十年に一人っていわれるくらい、本当にめずらしいんだよ。

アリアナお姉ちゃんに印《いん》をくれた、〈幻を司る神霊さん〉は、蜃気楼《しんきろう》っていう自然現象の神霊さんだ。騒がれるのが嫌だから、わたしたち家族は、〈鏡を司る神霊さん〉とか、〈光を司る神霊さん〉とか、いつも曖昧に濁している。

お姉ちゃんが生まれてすぐの頃から、お父さんとお母さんは、ものすごく悩んでいたそうだ。赤ちゃんだったアリアナお姉ちゃんが、あまりにも綺麗だったから。

お姉ちゃんを見た人は、皆んな、お姉ちゃんに夢中になって、大変なことになっていたらしい。赤ちゃんなのに貴族の人が求婚してきたり、毎日のように養女にほしいっていう人が出てきたり、しょっちゅう拐《さら》われそうになったり。お父さんとお母さんが、それこそ命がけで守っていなかったら、きっと今、お姉ちゃんはうちにいられなかったと思う。

どんなに強く断っても、しつこくつきまとう人が増える一方で、お父さんとお母さんは、もう守り切れないいんじゃないかって思いつめて、アリアナお姉ちゃんの顔に、大きな傷をつけることまで考えていたんだって。

ところが、アリアナお姉ちゃんが、ちょうど一歳になった誕生日に、信じられない奇跡が起こった。夜中に、お父さんとお母さんが、じっとアリアナお姉ちゃんの寝顔を見ていると、不意に部屋いっぱいに白い霧が立ちこめて、二人の頭の中にメッセージが響いたんだ。

この子が自由に生きていけるように、力を貸してあげる。この子が自分で術を使えるようになるまでは、両親にも力を貸し与える、って。

お父さんとお母さんは、自然に理解していた。印《いん》をくれた神霊さんが、蜃気楼《しんきろう》っていう幻を司っていることも、その力の使い方も、アリアナお姉ちゃんを守る方法も。

お父さんとお母さんは、涙を流して感謝しながら、すぐに神霊術を使ってみた。絶世の美幼女であるアリアナお姉ちゃんが、〈かなりの美幼女〉程度になるように、他の人たちに幻を見せてくださいって。

お父さんとお母さんは、自分たちの命でさえも、対価に差し出すつもりだったんだよ。毎日毎日、一日中、ずっと神霊術をかけ続けるなんて、膨大な対価が必要なはずだから。

実際には、慈悲深い神霊さんは、アリアナお姉ちゃんの魔力をほんの少しと、輝く金色の髪だけしか、対価を求めなかった。アリアナお姉ちゃんの髪が、決して肩を越える長さに伸びないのは、それが理由なんだ。

幻を司る神霊さんのお力のおかげで、カペラ家は、平和に暮らしていけるようになった。お姉ちゃんに執着していた人たちは、憑物《つきもの》が落ちたみたいに落ち着いて、首を傾げながら帰っていったらしい。自分たちが必死になっていたのは、この程度の美しさの赤子だったのかって。ふざけてるよね？

アリアナお姉ちゃんが十歳になった誕生日に、お父さんとお母さんは、蜃気楼《しんきろう》の神霊術《しんれいじゅつ》を使えなくなった。もともと、アリアナお姉ちゃんのためにしか術を使ったことがなかったし、お姉ちゃんは一人で術を使えるようになっていたから何の問題もない。

お父さんとお母さん、アリアナお姉ちゃんの三人は、その夜、〈神座《かみざ》〉の前に額《ぬか》ずいて、長年のご加護に心からの感謝を捧げたんだ。

今のアリアナお姉ちゃんは、〈かなりの美少女〉の擬態だけじゃなく、いろいろな幻を見せることができるようになっている。女性のアリアナお姉ちゃんが、アリオンお兄ちゃんになって、〈かなりの美少年〉だと思わせるのも、簡単なことなんだろう。

わたしたち家族だけが見ている、〈絶世の美少女〉のアリアナお姉ちゃんの上に、皆んなが見ている〈かなりの美少女〉の幻があって、さらにその上にアリオンお兄ちゃんの幻を重ねているみたい。うん。こんな恐ろしい神霊術、他に使える人がいなくて正解だよね。

フェルトさんに、キリキリ睨《にら》まれたアリアナお姉ちゃんは、ふんわりと微笑んでから、アリオンお兄ちゃんに擬態した分だけ、神霊術を解いた。

「は？　アリアナさん？　え？　さっきの少年はどこに？」

「驚かせてしまって、ごめんなさい、フェルトさん。わたしです。わたしが、幻の神霊さんにお願いして、男の子に見えるようにしてもらっていたんです」

フェルトさんも総隊長さんも、驚いて言葉が出ないみたいで、ぱかっと口が開いている。アリアナお姉ちゃんは、幻を司る神霊さんについて、ちゃんとフェルトさんに説明しているんだけど、実際に目の前で術を使ったのは、これが初めてなんだ。

本当は、美少女のランクを落とすために、ずっと使ってるんだけど、その説明はもっと後にするみたい。お父さんに許可をもらって、安全確保のできるアリアナお姉ちゃんの部屋で、いろいろと術を見せるつもりでいたところに、この騒ぎだからね。

「えっと、アリアナさんが話していた、幻の神霊術ですか？　すごいな。おれの知らない美少年がいるんだと、完全に思い込んで、その、不愉快になってました」

「いや、本当にすごいよ、アリアナさん。こんな術、聞いたこともない。チェルニちゃんといい、アリアナさんといい、おまえのうちの姉妹は、どれだけ優秀なんだ、マルーク」

「特殊な術だし、悪用するのも簡単だから、家族だけの秘密なんだ。おまえたちは家族同然だし、心から信頼しているからな。一緒に秘密を守ってくれ、フェルト、ヴィド」

「もちろんです、お義父《とう》さん。命に代えても守ります」

「いわれるまでもなく、おれも秘密を守るさ。おれにとっても、フェルトは息子同然だからな。アリアナさんも、もう娘みたいなもんだ」

お父さんたち三人は、そうやって信頼を確かめ合っていたんだけど、途中でフェルトさんが首を傾げた。ようやく気がついたんだね、フェルトさん。

「あれ？　でも、どうして少年の格好をしてたんですか、アリアナさん？　あの、そういう姿も、その、すごく美しいんですが」

いいながら照れちゃって、赤くなっているフェルトさんに、アリアナお姉ちゃんは、にっこりと微笑んで宣言した。

「だって、男の子になっていた方が、フェルトさんをお守りするのに、都合がいいんですもの。わたしが、フェルトさんの護衛につきます。守備隊にいらっしゃるときも、です。周りの人には、親戚の男の子が騎士見習いになっているんだって、説明してくださいね？」

「はぁ!?」

フェルトさんと総隊長さんの声が、とっても綺麗に重なった。そりゃあ、そうだ。お花の化身みたいに可憐なアリアナお姉ちゃんが、守備隊の精鋭っていわれてるフェルトさんの護衛とか、冗談にしか聞こえないだろう。

フェルトさんは、あっという間に顔色をなくして、アリアナお姉ちゃんに詰め寄った。

「いや、何をいってるんですか、アリアナさん。あなたを危ない目に遭《あ》わせるなんて、できるはずがないでしょう。おれがあなたの護衛につくなら、話はわかりますが」

「フェルトさんがお強くて、自分の身を守れることは知っています。わたしなら、別の形でお役に立てますよ」

そういって、アリアナお姉ちゃんは、エメラルドみたいな瞳を輝かせた。

アリアナお姉ちゃんに印《いん》をくれたのは、幻を司る神霊さんだけじゃないからね。お姉ちゃんなら、確かにフェルトさんを守れるだろう。アリアナお姉ちゃん、いや、アリオンお兄ちゃんは、もう止まりそうにないよ、フェルトさん。

そのとき、急に変化が訪れた。身体がぞわっとして、髪の毛が逆立つような感じ。とっても怖くて、同時にすごく慕わしい感じ。遠いところから、とてつもなく強くて尊いものが、どんどんこっちに近づいてくるんだ。

すっかり馴染んじゃった気配だから、わたしには、すぐにわかった。これは、スイシャク様と紅い鳥だって。神威《しんい》が二倍になってるから、畏《おそ》れ多さも二倍になってる。きっと、ネイラ様からの手紙を持って、一緒に来てくれたんだね。

さあ、わたしたちの反撃の始まりだ！　まぁ、まだ一回も攻撃されてないんだけどね。

7

二つの大きな力は、あっという間に近づいてきて、うちの家に到着した。でも、すぐには入ってこなくて、スイシャク様と紅い鳥は、ゆっくりとうちの家の上を回っている。スイシャク様は右回りに三回、紅い鳥は左回りに三回。

わざと軌道をずらしているみたいで、ご分体が動いた後にできる光の帯が、まるで何かの印《いん》みたいに見える。そう、わたしは家の中にいるのに、なぜか〈視《み》える〉んだ。万事に気のきくスイシャク様が、今だけ視点を共有させてくれたんだろう、きっと。

旋回が終わると、スイシャク様と紅い鳥は、音もなくわたしたちがいる応接室に入ってきた。同時に、二倍になっちゃった圧倒的な神威《しんい》が、目に見えて小さなものになる。そうでないと、わたしたちのようなただの人間には、とても耐えられなかっただろう。

もちろん、神威《しんい》を抑えてくれても、存在の美しさはそのままだった。紅い鳥の、長く尾羽を引いた優美な姿と、パチパチと煌《きら》めく朱色の鱗粉《りんぷん》。スイシャク様の、雪みたいに清らかな純白の羽毛と、内側から溢《あふ》れる優しい輝き。スイシャク様の巨大さを抜きにすると、本当に絵にも描けない美しさだった。

スイシャク様は、ふわっと舞い降りて、わたしの膝の上に着地した。途端に、ふすーっ、ふすーって鼻息を漏らして、満足そうに膨らんだ。

紅い鳥は、わたしの肩にとまって、小さな可愛い頭を、すりすりと頬に押し付けてきた。ほのかに温かで艶やかな羽毛が、とっても気持ちいい。

スイシャク様といい、紅い鳥といい、世にも尊い神霊さんのご分体が、こんなに人懐っこくていいのだろうか？　ものすごく可愛いから、わたしはうれしいんだけどさ。

しばらく、そうしてご挨拶をしてから、スイシャク様と紅い鳥が、それぞれにイメージを送ってくれた。

スイシャク様によると、□□□□□□□と現世《うつしよ》で会ったのは、何百年ぶりかのことだから、一緒に行動するのはとっても楽しかった。神世《かみよ》とは違って、制約だらけの現世《うつしよ》は、逆に息抜きになる。〈神威《しんい》の覡《げき》〉と話した内容は、そのうちに教えてあげるよって。

紅い鳥は、□□□□□□□□□の眷属《けんぞく》になったのなら、自分の眷属《けんぞく》にもなれば良い。神には、人の子のようなこだわりはないので、どちらからも力を借りれば良い。ついては、自分のことは〈アマツ〉と呼ぶように。すでに回路は開いてあるので、あだ名みたいなものなら呼べるからって。

□□□□□□□□は、紅い鳥のアマツ様。□□□□□□□□は、スイシャク様のお名前なんだって、わたしにも自然に理解できたよ。

すごく畏《おそ》れ多くて、ありがたいことだったんだけど、今はネイラ様の手紙が先だ。スイシャク様もアマツ様も、しばらく側にいてくれるそうなので、アマツ様に御名《ぎょめい》を許されたお礼だけいって、先に手紙を読もう。

わたしがそう考えていると、アマツ様が、真紅のルビーみたいに煌《きら》めいているくちばしで、二通の封筒を出してくれた。

わたしは、それぞれに紅い封蝋《ふうろう》の押された手紙を受け取り、丁寧に開封する。一通目、神霊さんの気配の濃い方を開くと、ネイラ様からわたし個人に送ってくれた、いつもの手紙だった。うれしくって、なぜか顔が赤くなった気がしたから、こっちは後で部屋で読もう。そうしよう。

もう一通の手紙は、やっぱりクローゼ子爵家の話で、お父さんたちにも見せてくださいって、丁寧に書かれていた。もちろん、わたしは、すぐにお父さんを呼んだ。

「ネイラ様からの手紙だよ、お父さん。クローゼ子爵家のこととか、これからのこととか、書いてくれてるよ。お父さんたちにも、見せてくださいって」

「よし。ちょうど、皆んなが揃っている。読んでくれるか、チェルニ？」

わたしは、二つ返事でうなずいて、長い手紙を読み上げたんだ。

§

《聡明なるチェルニ・カペラ様

今回は、貴重な情報を伝えてくれて、本当にありがとう。そして、迅速に報告してくれたことに、とても感謝しています。お父上や皆さんにも、わたしがお礼を申し上げていたとお伝えください。

わかってはいたけれど、きみは本当に優秀ですね。将来は、事務官として王国騎士団に入団するか、王城に奉職して文官になりませんか？　きみが来てくれたら、仕事が素晴らしく捗《はかど》りそうなので、期待しています。

さて、肝心のクローゼ子爵家についてです。きみからの情報は、非常に重大なものですから、極秘で宰相閣下にご報告をさせていただきました。

フェルト・ハルキス分隊長が、クローゼ子爵家に加担していないばかりか、情報の提供に協力してくれたということも、わたしから伝えておきましたので、安心してください。万が一の事態になっても、ハルキス分隊長の処遇は、悪いようにはしないと約束します。

きみたちご家族の大切な〈アリアナお姉ちゃん〉と、ハルキス分隊長の未来を守るために、わたしにも協力させてほしいのです。

宰相閣下との相談の結果、今回の問題は、早期に解決を図ろうということになりました。具体的にいうと、明日から最長十日間にわたって、いくつかの罠を仕掛けます。

クローゼ子爵家とセレント子爵の関係性について、あるいは罠の内容については、今の段階ではお教えできません。説明できるときがきたら、必ず情報を開示しますので、少し待っていてください。

ハルキス分隊長が、養子縁組と婚姻の不受理申立をするという案は、大変有効です。ハルキス分隊長の潔白を証明するためにも、今日にでも実行してもらえますか。もし、手続きが滞るようなら、こちらからも後押しをしますので、紅い鳥に伝えてください。

また、ここから先は極秘情報ですので、前回と同じように、きみたちご家族とハルキス分隊長、シーラ総隊長の胸に留めておいてください。

明日、宰相閣下からのご命令で、クローゼ子爵と先代のクローゼ子爵に対して、正式な通達が出されます。明日付けで、クローゼ子爵は当主から外れ、一時的に先代がクローゼ子爵に復位《ふくい》すること。さらに、十日の間に〈神去《かんさ》り〉ではない直系の成人男性を、正式な後継者《こうけいしゃ》として届け出るか、王家が選定した養子を迎えること。それができなければ、クローゼ子爵家の爵位と領地は、すべて没収となります。

王家が選定した養子となると、財産も領地経営も、何一つクローゼ子爵らの自由にはなりませんので、必ずハルキス分隊長に接触しようとするでしょう。

きみたちの身の回りには、くれぐれも注意してください。王城が仕掛ける罠によって、きみたちが危険に晒《さら》されるなど、万が一にもあってはなりませんので、こちらもきみたちを守る手立てを講じています。詳細は別紙にまとめておきました。必ず、お父上にお見せしてください。

紅い鳥も、〈スイシャク様〉と共に、きみたちの護《まも》りについてくれるそうです。勇敢なきみと、きみの大切なご家族は、わたしの誇りに懸《か》けて守ります。どうか、安心してください。

きみの友達である、レフ・ティルグ・ネイラ》

§

わたしが手紙を読み終わると、わあっと歓声が上がった。だって、フェルトさんのことを悪いようにはしないって、あのネイラ様が約束してくれたんだよ？　もう、宰相閣下までお話がいってるんだよ？宰相閣下って、王家の次に偉い人でしょう？　すごい、すごい、すごい！

すごくほっとして、気が抜けそうになっていたら、スイシャク様に怒られちゃった。明日から十日間が勝負なんだから、しっかりするようにって。その言葉を伝えようと思って、お父さんを見ると、もうきりっとしたカッコいいお父さんだった。

「よし。ネイラ様のご厚意に応えるためにも、おれたちは、自分のできることを続けよう。フェルトとローズ、それからアリアナ……アリオンは、今から不受理申立の手続きに行ってくれ。いいな、フェルト？」

「わかりました、お義父《とう》さん！」

「その間、おれとヴィドは、ネイラ様のご指示の詳細を吟味《ぎんみ》して、明日からの計画を立てる。いいな、ローズ？」

「もちろん。わたしたちは、貴方についていくだけよ、愛するダーリン」

「そっ、そうか。チェルニは、御分体にお願いして、フェルトたちを雀《すずめ》で追いかけてくれ。できるな？」

「はい！　わかりました！」

「話が決まり次第、ネイラ様にご連絡をさせていただくかもしれない。そのときは、頼むぞ、チェルニ」

「大丈夫だよ、お父さん。スイシャク様もいてくださるし、アマツ様もいつでも手紙を運んでくださるって。あ、アマツ様って、紅い鳥のあだ名みたいなものなんだって。語感が可愛いよね、アマツ様って」

わたしが、そういって胸を叩くと、皆んなは、またしても変な顔をしている。これって、最近もあったパターンだなって思ったら、すごい美少年のアリオンお兄ちゃんが、可愛く小首を傾げながらいったんだ。

「多分、紅い鳥のお名前だと思うんだけど、わたしたちには聞き取れないんだ。今度はキュルキュルいってるよ、チェルニ」

「キュルキュル？」

「そう、キュルキュル。とっても可愛いよ、チェルニ」

そうだね、アリオンお兄ちゃん。何となく予想してたよ、わたし……。

ともあれ、今から十日後までが勝負だ。わたしたちみたいな素人には、きっと短期決戦の方がいい。最近読んだ戦記物にも、〈短期戦を制するは力と運、長期戦を制するは資金と忍耐〉って書いてあったからね。どんな本でも読む濫読《らんどく》派なんだ、わたしは。

＊＊＊

お母さんは、それからすぐに、〈野ばら亭〉で働いてくれている守衛さんに頼んで、小型馬車を用意してもらった。

貴族の人が乗るような立派な馬車じゃなくて、二頭立ての小さな箱馬車は、〈野ばら亭〉の売りの一つ。一日に何回か、別の街に行くための乗合馬車の停留所まで、お客さんを送迎するし、お客さんの希望があれば、貸切馬車よりも安いお金で、貸し出したりもするんだ。

大人が四人乗ると、いっぱいになるくらいの車体には、可愛い野ばらの飾りが付いていて、ひと目で〈野ばら亭〉の馬車だってわかるくらい。馬車を持つのは、けっこうお金がかかるらしいけど、それを目当てに泊まってくれるお客さんもいるし、うちの宣伝にもなるから、お母さんは〈安い投資〉だっていってるよ。

お母さんとフェルトさん、アリオンお兄ちゃんの三人が乗り込むと、御者《ぎょしゃ》をかねている守衛さんが、馬車を出してくれる。目的地は、キュレルの街の中心地にある、法理院《ほうりいん》の分院っていうところだ。法理《ほうり》院《いん》っていうのは、王都にあるものだけだから、それ以外は分院って呼ぶんだって。

〈野ばら亭〉から離れていく馬車の様子は、わたしには全部はっきりと見えている。スイシャク様のおかげで、街中の雀《すずめ》が協力してくれるからね。

そして、アリオンお兄ちゃんの上着の胸ポケットには、小さな子雀《すずめ》が一羽、すっぽりと潜り込んでいて、可愛い頭だけを出している。

普通に考えると、ものすごく変なんだけど、アリオンお兄ちゃんの幻の神霊術《しんれいじゅつ》で、誰にも雀《すずめ》の存在は認識できなくなっているから、大丈夫なんだろう。それだけ近くに雀《すずめ》がいると、スイシャク様の光でぐるぐるにしてもらわなくても、わたしがそこにいるのと同じくらい、よく見えて、よく聞こえるしね。

胸ポケットから子雀《すずめ》の首だけ出している美少年って、冷静に考えると、何だか不気味な気もするけど、非常時だから仕方ないと思う。多分。

馬車の中では、フェルトさんが必死になって、アリオンお兄ちゃんをアリアナお姉ちゃんに戻そうと、説得していた。自分の護衛なんて危ない真似は、絶対にだめだって。

でも、ふんわりと微笑むアリオンお兄ちゃんは、絶対に引こうとしないし、お母さんも一緒になって、アリオンお兄ちゃんを応援してる。アリアナお姉ちゃんの使える神霊術の一つが、必ず必要になるはずだからって。

そういわれたフェルトさんは、髪の毛を乱暴に掻きむしったけど、反論はしなかった。わたしが聞いても、お母さんのいうことが正しいと思ったからね。

アリアナお姉ちゃんの使える神霊術は、全部で六つ。数はそんなに多くないけど、そのうちの四つは、本当にめずらしくって、使い方によっては物騒なものばかりなんだ。神霊さんってば、お姉ちゃんをどうしたいんだろうって、ちょっと悩んでいるのは、わたしだけの秘密だ。


そうこうするうちに、馬車は目的地に到着した。中に入ったことはないけど、建物だけは見たことがある。キュレルの街の分院は、焦げ茶色の煉瓦《レンガ》造りで、すごく重厚な感じがする。風格があるって、きっとこういうことなんだね。

　万事に用意のいいお母さんは、朝のうちに人に頼んで、予約を取っていたみたい。受付の人に声をかけると、すぐに個室に案内してくれたんだ。受付の人が愛想よく出ていくと、フェルトさんが、お母さんにいった。

「何だか、すごく対応が良いですね。お義母《かあ》さんが、予約をしてくださったからですか？　分院はいつも混んでいるから、長く待たされると聞いていたんですが」

「事前予約をしていても、普通は待たされるわよ。今日は、書類を作ってくださった事務所の方《かた》にお願いして、事務所の名前で予約を入れてもらったから、最優先なのよ」

「さっき行った事務所ですか。確か代表が、王都の法理院《ほうりいん》を退官した方《かた》でしたよね。やっぱり、事務所の名前がものをいうんですね」

「コネもあるけど、一番大きな理由は信頼なのよ。分院の事務官の人って、毎月百件くらいの申請を処理するらしいの。素人が作った書類だと、手直しが山のようにあるから、仕事は少しも減っていかない。その点、専門家が作った書類だと、間違いがないでしょう？　作業量が減ることがわかっているから、ちょっとでも手の空いている人が、最優先で受けてくれるのよ」

　なるほど。よくわかるよ、お母さん。可愛い子雀《すずめ》から、大人の社会事情がイメージとして送られてくるのは、ちょっと微妙な感じだけどね。

　しばらくすると、眼鏡をかけた事務官らしい男の人が入ってきて、丁寧に挨拶してから、書類を受け取ってくれた。

事務官さんは、机の右端にいったん書類を束《たば》ね、一枚ずつ真ん中に置いて、ゆっくりと確認していく。すごく独特なのは、物差しを使うことだね。一行ごとに物差しを置いて、右手の人差し指で文字をなぞりながら読んでいくんだよ。

確認の終わった書類は、机の左端に置いていく。そして、次は左側の書類を一枚ずつ真ん中に置いて、もう一度。本当に丁寧なんだね、事務官さん。

お母さんは平気な顔をしてるけど、フェルトさんとアリオンお兄ちゃんは、どきどきしながら待っているみたいだ。胸ポケットの子雀《すずめ》まで、何だか緊張している感じで、すごく可愛いかった。

合計三回、書類を確認した事務官さんは、満足そうな顔で、お母さんたちに話しかけた。

「さすが、マティアス様の法理《ほうり》事務所が作成された書類ですな。間違いは一つもなく、申し立ての理由も明確、添付書類も万全です。今、この場で受理させていただきましょう」

「助かりますわ。ありがとうございます」

「いえいえ、こちらこそ助かります。すべての書類がこの精度であれば、わたしたちは毎日定時で帰宅できるのですがね」

そういいながら、事務官さんは、持っていた箱から印鑑を出して、全部に印を押してくれた。そして、手のひらくらいの大きさの紙に何かを書き、やっぱり印鑑を押してから、フェルトさんに渡してくれたんだ。

「これは、養子縁組と婚姻の不受理申立書の受領証です。今後は、ご本人が直接窓口にお出でになり、申し立てを取り下げない限り、養子縁組も婚姻もできません。よろしいですね」

「はい。ありがとうございます」

よし！　フェルトさんが知らないうちに、勝手にクローゼ子爵家の女の人と結婚させられたりすることは、これで防げたね。

あれ？　フェルトさんってば、アリアナお姉ちゃんの手を握って、これで安心したとかいってるけど、ちょっと待って。今のアリアナお姉ちゃんは、傍目《はため》には美少年のアリオンお兄ちゃんなんだからね。人から見たら、そういう関係の二人に見えるよ、フェルトさん。

事務官さんは、一瞬、ぎょっとした顔をしたけど、すぐに表情を取り繕《つくろ》って、お母さんに優しく微笑みかけた。これは、あれだ。愛はすべての隔《へだ》たりをも超えられるのですね……っていう意味だね……。

ともあれ、書類は無事に受理されたから、そこは良かった。わたしは、イメージを届けてくれたスイシャク様にお礼をいってから、お父さんと総隊長さんに報告した。

「はい！　はい！」

「どうした、チェルニ？」

「今、書類が受理されました！　これで、クローゼ子爵家も勝手なことはできないよ」

「それは良かった。まずは安心だな」

お父さんと総隊長さんは、ネイラ様の手紙を見ながら、むずかしい顔で話し合ってたんだけど、だいたいの方針は決まったみたい。わたしの報告に、大きくうなずいてから、お父さんが教えてくれた。

「ローズたちが戻ったら、詳しく説明するが、うちと守備隊、それぞれに人が来てくれるぞ、チェルニ」

「人？　どんな人？　ネイラ様がそうしてくれたの？」

「そうだ。うちに一人、守備隊に三人、明日中に到着するように、ネイラ様が手配してくださった。おまえは、すぐに了承の返事とお礼を伝えてくれ」

「了解！　わたしたちを守ってくれる人たちだよね？」

「ああ。守備隊に来てくれるのは、王国騎士団の方々《かたがた》だそうだ。万が一、クローゼ子爵家の人間を捕縛《ほばく》するような場合でも、守備隊には王都の貴族に対する逮捕権限はないからな。それを見越しての、王国騎士団だそうだ」

「ルーラ王国の王国騎士団は、現行犯であれば、貴族を逮捕するか、逮捕を命じる権限を持っているからな。これで、おれたち守備隊でも、クローゼ子爵一族を逮捕することができるんだよ、チェルニちゃん」

おお！　さすが、ネイラ様。子供たちを拐《さら》ったセレント子爵のときも、ネイラ様が来てくれるまで、守備隊は手を出せなかったから、今度は先手を打ってくれたんだね。

「うちに人が来てくれるのも、同じような理由なの、お父さん？」

「そうだ。クローゼ子爵家の人間が正面から来たら、平民のおれたちでは不利だからな。その、なんだ。ネイラ様は、よりにもよって、ご自身の執事を務めておられる方《かた》を、十日間、うちに派遣してくださるそうだ」

そういって、お父さんは何ともいえない複雑な顔をした。総隊長さんも、同じ複雑な顔をして、溜息を吐いていた。

二人の反応はよくわからないけど、執事って、物語とかに出てくる、あの執事さんだよね？　おお！

たいだよ？
すごい！
わたし、チェルニ・カペラは、十四歳の少女にして、執事さんっていう伝説的な存在に遭遇《そうぐう》できるみたいだよ？

8

神去《かんさ》りのクローゼ子爵家から、フェルトさんとアリアナお姉ちゃんを守り、子供たちの誘拐《ゆうかい》事件の真相に迫るために、ネイラ様と王城が罠を仕掛ける一日目……って、長いな。この先は、単に〈作戦一日目〉とかにしよう。

作戦一日目は、とっても気持ちの良い快晴だった。朝起きると、左の肩口にスイシャク様、右の肩口に紅い鳥のアマツ様がいて、わたしの頬にぴったりとくっついて眠っていた。

柔らかくて、温かくて、すごく気持ちがいい。これが本当の羽毛布団だねって、わたしは、軽く現実逃避しながら思った。畏《おそ》れ多いのが限界突破しそうなんだけど、可愛いから、もういいや。

ともかく、今日からスタートなんだから、しっかりしなくっちゃ！

作戦に先駆けて、昨夜、わたしはお父さんと約束をした。この十日間が終わるまで、わたしとアリアナお姉ちゃん、フェルトさんの三人は、絶対に一人にならないように、固くいい含められたんだ。

お父さんとの約束は絶対だし、危険なときに勝手な行動をとるとか、正気の沙汰じゃないからね。わたしたちは、必ずそうするつもりだし、何かの理由があってできなかったときのために、ちゃんと打ち合わせもした。家族に心配をかけるような真似はしないから、大丈夫だよ、お父さん。

もう一つ、スイシャク様のご厚意で、お父さんたちは一人に一枚ずつ、真っ白な羽根をいただいた。スイシャク様が、ふわっと神威《しんい》を溢《あふ》れさせると、何枚かの純白の羽根が、光と共に舞い上がり、お父さんたちの胸元に吸い込まれていったんだ。

その羽根は、スイシャク様の加護の証《あかし》であり、〈身の内に神の御物《ぎょぶつ》を宿したる者〉であれば、いざとなったら助けることもできるから、しばらく貸しておくって。

お父さんたちは、それぞれに自分の胸元を押さえたまま、呆然としていた。それから、スイシャク様のメッセージを伝えると、あまりのありがたさに、全員が涙を浮かべながら、スイシャク様に額《ぬか》ずいた。アリアナお姉ちゃんの蜃気楼《しんきろう》の神霊さんもそうだけど、神霊さんたちの慈悲深さには、ただもう、心からの感謝を捧げるしかないよ……。

感極まったわたしが、お礼をいいながら、べそべそ泣いていると、スイシャク様は可愛い薄茶の羽先で、そっと涙を拭いてくれた。柔らかな羽毛は、くすぐったいほど優しい。

スイシャク様は、ふすーっ、ふすーって膨らんでから、わたしにイメージを送ってくれた。〈其《そ》は我が眷属《けんぞく》にして、□□□□□□□の眷属《けんぞく》也〉〈眷属《けんぞく》を庇護《ひご》したるは、神世《かみよ》の理《ことわり》〉〈其が血肉は、我らが庇護《ひご》の内とならん〉〈現世《うつしよ》の何者も、其《そ》を害すること能《あた》わず〉って。

こうして、いろいろな準備を終えた今朝、フェルトさんとアリオンお兄ちゃんは、守備隊に出勤していった。ネイラ様が手配をしてくれた、王国騎士団の人たちが来てくれるから、総隊長さんも含めて、詳しく打ち合わせをするんだって。

〈野ばら亭〉の看板娘のアリアナお姉ちゃんは、隣街に住んでいるお祖父ちゃんの看病っていう名目で、二週間くらい留守にすることになっている。卒業目前で女学校を休むのは、寂しいんじゃないかと思うけど、フェルトさんには代えられないから。

アリアナお姉ちゃんは、晴々とした顔で、騎士志望のアリオンお兄ちゃんとして、フェルトさんと一緒に出かけて行ったよ。

わたしの方は、王立学院の入学準備っていう理由で、十日間は町立学校を休むことになった。授業はほとんど終わっていて、あとは卒業式の準備くらいだから、先生もすぐに許可してくれた。学校の行き帰りとか、一番襲われやすいし、友達が巻き込まれたりしたら大変だもんね。

この十日間は、本当に家で勉強をしようと思っている。町立学校始まって以来の秀才、なんて呼ばれているわたしだけど、どうせなら王立学院でも上位を狙いたい。せっかく推薦してくれたネイラ様に、恥をかかせてしまうのは、絶対に嫌だった。

神霊術《しんれいじゅつ》だけじゃなく、成績的にも王都の高等学校を勧めていた先生たちは、わたしの決意に大喜びしてくれたらしい。学校まで連絡に行ってくれたお母さんは、先生たちが貸してくれた、たくさんの参考書を持って帰ってきたんだよ。

自分の部屋にこもって、肩にはアマツ様、膝にはスイシャク様っていう状態で、なぜか集中して勉強していると、お母さんがそっと扉を叩いた。

「お客様が来られたわよ、チェルニ。早く応接室にいらっしゃい」

そういいながら、お母さんは、にんまりと笑っている。これは、お母さんが大満足のときにする表情なんだ。大きな子供が二人もいるとは思えない、少女みたいに可憐なお母さんが、何だか悪い顔になっているよ。

「お客様って、誰？　ひょっとして、執事さん？」

「そうなの。すごいわよ、チェルニ。もうね、物語に出てくる執事さんみたいに威厳があって、この人が王様じゃないのって思うくらい。チェルニに会いたいって仰ってるから、早く行きましょう」

おお！　いよいよ伝説の執事さんとの遭遇《そうぐう》だ！　スイシャク様とアマツ様に聞くと、一緒に行くっていうことだから、わたしは両肩に紅白の鳥を乗せて、元気よく応接室に向かったんだ。

わたしの愛読書の一つに、〈騎士と執事の物語〉っていう小説がある。わたしが小さい頃から大好きな、とっても素敵なお話だよ。

昔々、ある国の近衛《このえ》騎士だった人が、王子様を守って戦って、大怪我をする。王子様が無事だった代わりに、騎士は右腕を失くしてしまうんだ。

片腕で騎士はできないから、その人は田舎に帰ろうとするんだけど、王子様が必死で止めにきた。自分は末端の王子で、すぐに〈臣籍降下《しんせきこうか》〉して、伯爵の位と領地をもらうことになっているから、一緒に来てほしい。命をかけて守ってくれた、その人のことだけは信じられるから、自分の執事になってほしいって。

執事っていうのは、領地のことも貴族家のことも含めて、ご主人の片腕になる人のことなんだって。その人は、騎士の道しか知らない自分には無理だって、何回も断ったんだけど、王子様は納得しなかった。でね、根負けしたその人は、元王子様の執事になって、必死にご主人を支えていくんだ。

そこは小説だから、伯爵になった元王子様は、怒涛の展開の末に王様になって、元王子様の片腕だった執事は、宰相として大活躍することになる。物語の最後に、老人になったその人が、〈片腕のわたしが、陛下の片腕と呼ばれる栄誉に恵まれた。幸せな一生だった〉って、微笑んで死んじゃうところで、感動のあまり号泣しちゃったよ、わたし。

その小説の影響で、わたしは、執事さんっていう存在に、すごい憧れがあるんだ。鮮やかに難題を解決したり、ご主人を叱咤激励《しったげきれい》したり、命がけで主家《しゅけ》を守ったりするんだよ？

ちょっと夢見がちなのは認めるけど、とにかく楽しみだ。ネイラ様が信頼している執事さんなら、きっと素晴らしい人に決まってるからね。

どきどきしながら応接室に入っていくと、〈神座《かみざ》〉を背にした席に、一人の男の人が座っていた。五十歳くらいだと思うんだけど、全体的に若々しい活力があって、ものすごく有能そうだ。それに、威厳っていうのか、ちょっと〈神威《しんい》〉に似た気配が漂っているから、この執事さんを怖いと思う人は、きっとたくさんいると思う。

執事さんは、わたしを見た瞬間、目を大きく見開いた。まあ、スイシャク様とアマツ様が一緒なんだから、当然といえば当然だろう。

執事さんの視線は、わたしとスイシャク様、アマツ様を往復してから、わたしのところでピタッと止まった。それから、威厳のある表情を崩さないまま立ち上がって、わたしの前まで歩いてくると、流れるみたいな優雅さで、片膝をついたんだ。

執事さんは、ネイラ様の片腕だけに、スイシャク様とアマツ様のことも知ってるんだろう。神霊さんのご分体を前にしたら、そりゃあ、礼を尽くすのが当たり前なんだけど、この体勢だと、わたしに跪《ひざまず》いているみたいに見えるよ、執事さん。

わたしは困っちゃって、慌てて跪《ひざまず》こうとするのに、紅白の鳥はちっとも動いてくれない。スイシャク様なんて、ふっす、ふっすって、上機嫌に膨らんでるし。どうすればいいの、これ!?

⚜⚜⚜

ネイラ様の執事さんは、片膝をついた姿勢のまま、右手を胸に置いて頭を下げた。威厳に満ちた大人の男の人だから、すごくカッコいい。銀色の髪と口ひげが、まるで物語の登場人物みたいだった。

そのままの体勢で、恭《うやうや》しく礼をした執事さんは、深みのある声でいった。

「いとも尊き御神霊、二柱《ふたはしら》の御神々《おんかみがみ》におかれましては、ご機嫌麗しゅう存じます。我が主人、レフ・ティルグ・ネイラの命により、本日より十日間、御神々《おんかみがみ》に連なる御方《おんかた》の、護衛に当たらせていただきとうございます。ご許可をいただきますよう、希《こいねが》い奉《たてまつ》ります」

ん？　スイシャク様とアマツ様へのご挨拶だけかと思ったら、何だか微妙に変じゃない？〈御神々《おんかみがみ》に連なる御方《おんかた》〉って、まさか、わたしじゃないよね？

びっくりして固まっていると、スイシャク様がイメージを送ってくれた。目の前の執事さんに、〈許す。励め〉って伝えなさいって。アマツ様はアマツ様で、〈至誠《しせい》の者故、頼るが吉〉って。

お父さんたちがそうであるように、執事さんも、スイシャク様やアマツ様のお言葉がわからないみたいだから、ここは仕方がない。何だか生意気な気がするけど、わたしが執事さんに通訳をすることにした。

「あの、ご分体からのメッセージを、お伝えしてもいいでしょうか？　わたしはチェルニ・カペラ、十四歳です。ネイラ様には、いつもお世話になっていて、心から感謝しています。ありがとうございます」

われながら、なかなか丁寧なご挨拶じゃない？　そう思って自画自賛していると、ゆっくりと顔を上げた執事さんが、優しく微笑んでくれた。

「ご丁寧にありがとうございます、お嬢様。御分体のお言葉を感知できるとは、誠に素晴らしいことでございますな。どうぞ、お教えくださいませ」

おお！　本当にカッコいい！　ネイラ様の執事さんともなると、挨拶一つでも品格を感じさせるものなんだね。

「はい。白い雀《すずめ》のスイシャク様は、〈認めるから頑張って〉って仰ってます。それから、紅い鳥のアマツ様は、〈執事さんは信頼できる人だから、頼らせてもらいなさい〉って、わたしに向かって仰ってます」

「それはそれは。身に余る光栄でございます、お嬢様。また、いつもお世話になっておりますのは、我が主人の方でございましょう。仲良くしてくださって、ありがとうございます」

そういって、悪戯《いたずら》っぽく微笑んだ顔を見て、わたしは執事さんのことが大好きになった。ネイラ様を子供扱いするいい方は、きっとわざとだ。わたしを緊張させないように、気を遣《つか》ってくれているんだね。

わたしたちが、にこにこと微笑み合っていると、なぜか眉間をぐりぐりと揉《も》みながら、お父さんがいった。

「チェルニ。御分体へのご挨拶が済んだようなら、椅子に腰掛けていただきなさい。その方《かた》は、ネイラ様の執事を務めておられる、パヴェル・ノア・オルソン子爵閣下だ。くれぐれも失礼のないようにな」

なるほど。ネイラ様の執事さんは、子爵様だったのか。そういえば、高位貴族の執事さんともなると、ご主人より二つか三つくらい下の爵位を持っている人がほとんどだって、〈騎士と執事の物語〉にも書いてあったよ。

あの誘拐《ゆうかい》事件の日、帰り道に、ネイラ様は侯爵家の後継《あとつぎ》なんだって教えてくれたのは、フェルトさんだった。そのことを思い出して、ネイラ様は、本当に住む世界の違う人なんだなって自覚したら、何だか落ち込んじゃって、泣きたくなりそうだったから、わたしはぶんぶん頭を振って、気持ちを切り替えた。

「わかりました！　スイシャク様もアマツ様も、儀礼は必要ないって仰ってるので、椅子におかけになってください、子爵様」

自分でも感心するくらい、大人っぽく話せたはずなのに、執事さんで子爵のオルソン様は、そっとわたしの顔を覗《のぞ》き込んできた。冷たい氷みたいに見える、綺麗なアイスブルーの瞳が、とっても優しい。

「どうかなさいましたか、お嬢様？」

「あの、わたし、ただの平民の少女ですから、チェルニって、呼び捨てにしてください」

「とんでもない。主人の〈お友達〉を、呼び捨てにはできませんよ。お嬢様がお気に召さなければ、チェルニ様と」

「いやいやいや。益々《ますます》無理ですって。チェルニで」

「呼び捨てになどしたら、わたくしが、主人に叱られてしまいます。では、仕方がありませんので、チェルニ嬢では？」

「それって、何か変じゃないですか？　チェルニですね」

「ぎりぎりまで譲って、チェルニさん」

「わたし、まだ十四歳の少女ですから。チェルニと」

「困りましたね。では、失礼して、チェルニちゃんはいかがですか？　親しい感じがして、いいと思うのですが」

「むぅ。わかりました。それで我慢します、オルソン子爵様」

「では、よろしくお願いいたします、チェルニちゃん。わたくしのことは、パヴェルと呼び捨てにしてください」

「まさか。無理です。子爵様を呼び捨てとか、不敬罪でわたしの首が飛びます。そうでなくても、わたしが嫌です。こちらもぎりぎり譲って、パヴェル様で」

「まあ、一理ありますね。ですが、もう少し親しみがほしいので、ヴェルさんでは？」

「すでに馴れ馴れしい気がしますけどね、わたし。思い切って、ヴェル様でどうです？」

「よろしい。手を打ちましょう、チェルニちゃん」

「ありがとうございます、ヴェル様」

後から考えると、すごくおかしな会話だったけど、わたしたちの距離が縮まったのは確かだし、まあ、いいか。

改めて、お父さんとお母さん、わたしとヴェル様の四人は、応接室で向き合った。ヴェル様は、可能な限りっていう限定つきで、ネイラ様と王城の思惑を教えてくれたんだ。

「本日の朝一番に、王城から使者が出され、クローゼ子爵家に向かいました。使者の用向きは、当主の交代を命ずるものです。本日付けでクローゼ子爵は当主から外れ、一時的に先代がクローゼ子爵に復位《ふくい》。十日の間に、〈神去《かんさ》り〉ではない直系の成人男性を、正式な後継者《こうけいしゃ》として届け出るか、王家が選定した養子を迎えなければ、クローゼ子爵家の爵位と領地は、すべて没収となります。ここまでは、ご存知ですね」

「はい。そうした内容の通達が行われることは、ネイラ様が娘に送ってくださったお手紙によって、教えていただきました」

「結構。今は昼前ですから、すでにクローゼ子爵家が動き出している頃でしょう。チェルニちゃんが報告してくださった情報から考えても、即日、ハルキス分隊長に接触を試みるものと思われます。ハルキス分隊長をクローゼ子爵家に戻すか、元クローゼ子爵の令嬢との婚姻を画策するか。ハルキス分隊長は、そうしたクローゼ子爵家の申し出を、すべて拒否するのですね？」

「そうです。クローゼ子爵家とは、いかなる関わりも持ちません。フェルトは、完全に縁を切る決意です」

「そうなったとき、クローゼ子爵家は三つの方法のうちのどれか、あるいはすべてを実行してくるものと予想されます。そのうちの一つは、子供たちの誘拐《ゆうかい》事件につながることであり、国の重要な問題とも関わるため、今はお話しできませんが、罠は完璧に張られています。したがって、カペラ家やハルキス分隊長にとって問題となるのは、残り二つの方法を取られたときです」

そういって、ヴェル様は、厳しい目で宙を見据えた。うん。絶対にろくな話じゃないね、これは。わたしたちが覚悟して身構えていると、ヴェル様は、重々しい声でこういったんだ。

「ハルキス分隊長の実情は、すでにクローゼ子爵家でも調べているでしょう。ですから、協力を断ったとなれば、一気に実力行使に出るものと思われます。一つは、ハルキス分隊長にとって大切な相手、母上やアリアナ嬢を人質にして、要求を呑《の》ませる方法。もう一つは、ハルキス分隊長を殺害して、クローゼ子爵家の協力者とすり替える方法です。後者の場合も、秘密が露見することを防ぐため、ハルキス分隊長に近しい人たちを、道連れにしようとするでしょう。母上もアリアナ嬢も、カペラ家の皆様もすべて。一人残らず」

……わたし、チェルニ・カペラは、十四歳の少女にして、命を狙われてるのかもしれないみたいだよ……。

9

ヴェル様の話が怖過ぎて、思わず硬直していると、腕の中のスイシャク様と、肩にとまったままのアマツ様が、白と紅の光を溢《あふ》れさせて、わたしの身体をぐるぐる巻きにしてくれた。

何も心配することはない。ちゃんと守ってあげるから、自分にできることで立ち向かいなさいって。

そのメッセージが本当に優しくて、心の底からありがたくって……わたしは無意識のうちに、初めてのことをしちゃってた。自分の方から、スイシャク様とアマツ様に、メッセージを送ってみたんだ。

わたしと神霊さんとの交流って、今までは、神霊さんの言葉に代わるメッセージが、一方的に送られてくるだけだからね。こちらから何かを伝えたいときは、言葉に出して話すか、心の中を自動的に読み取ってもらってる感じだった。

それはそれでいいし、文句をいうつもりなんて、あるわけがない。でも、スイシャク様やアマツ様と、メッセージのやり取りができるなら、やっぱりそうしたい。

そんな漠然とした思いがあるだけで、何も深くは考えないまま、わたしはただ、尊い紅白の鳥に向かって思念を送った。ありがとうございます、大好きですって。

そのときの感覚を、どう表現すればいいんだろう。スイシャク様たちからメッセージが送られてくるのは、空から雨が降ってくるみたいに、すごく簡単で自然なこと。口に出した言葉や、心に思ったことをすくい上げてもらうのも、やっぱり簡単で自然なこと。逆に、わたしから意識してメッセージを届けるのは、地面から空に向かって雨を降らせるみたいで、すごくすごくむずかしかった。

何度か試して、失敗したあとで、わたしは突然ひらめいた。地面から空に雨を降らせることはできないけど、水蒸気みたいな気体にすれば、天までだって届くんじゃない？

わたしが読んでいる、昔の英雄の伝記の中には、〈思いついたということは、できる可能性があるということだ。人は、絶対にできないことなど、思いつきもしないのだから〉って書いてあったからね。諦めずに続けていれば、きっとできると思うんだ。

頑張って、〈思念の気化〉とでもいう手順を、試してみようとしたところで、わたしは、周りの視線に気がついた。

お父さんもお母さんもヴェル様も、心配そうにわたしを見ている。スイシャク様とアマツ様は、何だかとってもうれしそう。スイシャク様は、過去最高に膨らんで、ふふふっす、ふふふっす、って鼻息を荒くしているし、アマツ様は、神秘的な銀色の瞳を輝かせて、朱色の鱗粉《りんぷん》を降らせているんだ。

あれ？　思いがけず注目を集めているけど、今って、そんな場合じゃなかったよ。わたしは、慌てて気持ちを切り替えて、お父さんたちに向き合った。

スイシャク様とアマツ様は、どうして途中でやめるんだって、不満そうなメッセージをバンバン送ってきたけど、仕方がないじゃない。わたしは、空気の読める少女なのだ。

わたしと目が合うと、ヴェル様は、申し訳なさそうに謝ってくれた。

「誠に申し訳ありませんでした、チェルニちゃん。すっかり怖がらせてしまいましたね。大丈夫。何があっても、チェルニちゃんたちに危害など加えさせません。そのために、わたくしたちが来たのですから、心配は要《い》りませんよ」

そういって、優しく微笑んだヴェル様は、右手の拳《こぶし》で三回、強く左胸を叩いた。これは、神聖な騎士の誓いなんだって、〈騎士と執事の物語〉の愛読者であるわたしには、すぐにわかった。

「わたくしの命に代えても、貴方をお守りいたしましょう」

ひえぇ。わたしは衝撃のあまり、もうちょっとで叫ぶところだった。だって、ヴェル様、カッコいい！　本当に、物語に出てくる騎士で執事の人みたい。十四歳にして、騎士の誓いをしてもらっちゃったよ、わたし。

びっくりして何もいえずにいると、ヴェル様は悪戯《いたずら》っぽい顔をして、わたしの目を覗《のぞ》き込んできた。

「ふふ。わたくしが、抜け駆けで誓いを捧げたと知ったら、さぞかし主人がお怒りになるでしょうね。そして、尊き御方々《おんかたがた》も、ご立腹であらせられる」

何のことかなって思ったら、紅白の光はもっと強く輝いて、ぐるぐるぐるぐる、わたしを何重にも巻き込んでくれた。人の子の力など借りなくても、われらの眷属《けんぞく》を傷つけさせるものかって。

スイシャク様とアマツ様から送られてくるメッセージは、すごく強くて優しくて、後で絶対に、わたしからもメッセージを届ける練習をしようって、改めて決心したよ。

ともあれ、今はそれどころじゃないから、わたしは深々とヴェル様に頭を下げた。

「ありがとうございます、ヴェル様。怖くって固まっていたわけじゃないんですけど、ヴェル様のお言葉、とってもうれしいです。絶対に、ヴェル様の足を引っ張らないようにしますので、この件が片付くまで、よろしくお願いします」

「おやまあ。主人から聞いていた通り、チェルニちゃんは、本当に聡明ですね。剣を振ることしか脳のない、短慮《たんりょ》な新人騎士たちに、今の言葉を聞かせたいところです。こちらこそ、よろしくお願いいたしますね、チェルニちゃん」

わたしたちが、そういって笑い合っていると、不意にスイシャク様がメッセージを送ってくれた。クローゼ子爵家で、また一族の人たちが揉《も》めてるよって。

お父さんとお母さん、ヴェル様に許可をもらってから、わたしはクローゼ子爵家に張り付いてくれている、雀《すずめ》の視界につないでもらった。神霊さんのご分体なのに、とっても気配り上手なスイシャク様は、自動的に声も拾ってくれるから、情報収集は完璧なんだ。

　クローゼ子爵家のお屋敷では、まだ二日しか経っていないのに、もっと空気が澱《よど》んできた気がする応接室で、前回と同じ人たちが、口々に言い争いをしていた。

「遅い。知らせはまだなのか」

「遅いも何も、王都からキュレルの街までの距離を考えたら、まだ戻ってくるはずがないだろう。無駄に苛立つのはやめてくれ、兄上」

「生意気な口をきくな、弟の分際で。早馬を飛ばせと、あれほど念を押したのだ。風の神霊術《しんれいじゅつ》を使える者を行かせたのだから、戻っても不思議はあるまい。知りもしないで、勝手に決めつけるな、愚か者」

「はっ！　今日からは、そういう態度は改めた方がいいんじゃないか、前クローゼ子爵閣下。わたしと兄上は、もう同じ立場だ。どちらもクローゼ子爵位を持たない、貴族とは名ばかりの厄介者だな」

「おまえ、殺されたいのか！　無礼な口を叩くのなら、剣にかけて思い知らせてやるぞ」

「いい加減になさい！　二人とも、大人気ない。今は兄弟で争っている時間などないでしょう。今日から十日の間に、あの忌々《いまいま》しい平民の産んだ子を、由緒あるクローゼ子爵家の婿として、迎え入れる手筈《てはず》を整えなくては、わたくしたちは破滅なのですよ」

「そうは仰いますが、わたしたちが後手に回ったのは、母上のせいもあるのではありませんか？　母上が強硬に反対なさらなければ、もっと早くクルトの息子を連れてきたかもしれないのですよ？」

「オルト！　この母に、無礼は許しませんよ」

「大丈夫よ、お父様。お祖母様も叔父様も、ご心配には及ばないわ。クルト叔父様の息子だって、クローゼ子爵家の後継者《こうけいしゃ》になれると聞けば、大喜びでやってくるわよ。今日中か、遅くとも明日には、当家まで来るように仰ったんでしょう、お父様？」

「そうだ。早馬だけ先に戻して、本人は後から追いかけさせる。我らの準備は、使者に出した者が戻ってからでいいだろう。問題は、どうやって実権を握るかだが、平民として育った若造など、簡単なものだろう」

「ですが、兄上。調べたところでは、フェルトには交際している女がいるのでしょう。評判の美少女らしいし、カリナとの結婚に関しては、断ってくる可能性があるのではありませんか」

「何てことを！　可愛いカリナが、平民の女に負けるとでもいうの、ナリス！」

「ああ、もう、煩《うるさ》いな。あくまでも可能性の話ですよ、母上」

「心配するな、ナリス。クローゼ子爵家の跡目がかかっているのだ。平民の女一人、まともな知能があれば、あっさりと捨てるだろう。文句をいうようなら、妾《めかけ》にすることを認めてやるといえばいい。かまわないだろう、カリナ？」

「もちろんよ、お父様。相手の女、十七歳の美少女ですって？　わたくし、とっても楽しみよ。腕によりをかけて、遊んであげるわ」

「その遊びには、ぼくも入れてくださいよ、カリナ。ぼくは……」

神霊さんなのに、なぜか教育熱心なスイシャク様は、わたしの教育上良くないからって、ここで一方的に視界を断ち切った。でね、お父さんとお母さんに目を向けると、すごいことになっていたんだ。

お母さんは、狼みたいにギラついた目をして、口元だけで笑ってた。わたし、狼って見たことないんだけど、そう思うくらいの迫力だった。アリアナお姉ちゃんに対する言葉が、お母さんを激怒させたんだろう。

お父さんは、まったくの無表情だった。何もいわないし、怒っている様子もない。でも、十四年も娘をやっているわたしには、何となくわかった。これまで一回も見たことがなかったけど、わたしの大好きなお父さんは、今、本当の本気で怒り狂っているんだって。

お父さんとお母さんが怖過ぎて、ちょっと引き気味になったけど、怒っているのはわたしも同じだからね。どうしてやろうかって思ってたら、スイシャク様が、またメッセージを送ってくれた。フェルトさんとアリオンお兄ちゃんのいる守備隊に、クローゼ子爵家の使者が来たよって。

作戦一日目にして、物事はどんどん動き出しているみたいだった。

＊＊＊

次に、スイシャク様がつなげてくれたのは、アリオンお兄ちゃんの胸ポケットに入ったままの、小さな子雀《すずめ》の視界だった。アリオンお兄ちゃんは、フェルトさんの少し後ろを歩いていて、守備隊の本部を移動しているみたい。

アリオンお兄ちゃんとフェルトさんは、一つの部屋の前に着くと、お互いにうなずき合ってから、ゆっくりドアをノックした。

「第二分隊長、フェルト・ハルキス。お呼びにより参上いたしました」

「入れ」

「はっ！」

アリオンお兄ちゃんたちが部屋に入ると、そこには五人の人たちがいた。総隊長さん、最初の冒険のときに知り合いになった隊員のアランさん、見たことのない男の人。男の人は、守備隊の隊服を着ているから、総隊長さんが呼んだんだろう。

残りの二人は、クローゼ子爵家の使者だって、ひと目でわかった。服装も立派だったけど、とにかく威張っているから。今も、フェルトさんをちらって見ただけで、すごい勢いで、総隊長さんに文句をいい始めたんだ。

「遅い。我らは、名のある貴族家の使いの者。いつまで待たせれば気が済むのだ。守備隊の本部に到着してからでも、相当な時間が経っておるぞ。我らは急いでおるのだ。内密の話があるのだから、部外者は早々に立ち去れ」

わたし、目が飛び出るくらい驚いちゃったよ。フェルトさんにお願いして、クローゼ子爵家に来てもらうために、王都から訪ねてきたはずなのに、この態度は何？　守備隊の人たちに命令する権利とか、どこにあるの？

誘拐犯《ゆうかいはん》だったセレント子爵もそうだったけど、貴族の中には、質《たち》の悪い人もたくさんいるんだね。ネイラ様とかヴェル様とか、立派な貴族がいてくれることはわかっているけど、意外とだめなんじゃないの、ルーラ王国？

わたしが王国の未来を心配しているうちに、さっさと切って捨てたのは、総隊長さんだった。熊みたいに厳《いか》つい風貌《ふうぼう》に、野生のヒグマも負けそうな迫力を漂わせて、一気にいい切ったんだ。

「生憎《あいにく》と、仰る意味がわかりかねますな。フェルト・ハルキスの業務中に、事前の許可もなく押しかけてこられたのは、あなたたちの都合に過ぎない。業務の区切りがつくまで、お待ちいただくのが常識でしょう。事情があるのかとお察しし、特別にフェルト・ハルキスを呼んで差し上げましたが、わたしたちの同席を拒否されるのでしたら、どうかお引き取りを。守備隊を預かる身として、家名を名乗りもしない者たちと一緒に、大事な部下を密室に残すわけにはいきません」

「無礼な口をきくな、平民が。我らを誰だと思っているのだ」

「名乗りもしない者の素性を知っていたら、そちらの方がおかしいでしょうに。不思議なことを仰る方《かた》たちだ。話は平行線のようですので、お引き取りを」

そういって、総隊長はあっさりと立ち上がった。フェルトさんとアリオンお兄ちゃんは、もう部屋を出て行こうとしているし、アランさんたちもそれに続く。

焦ったのはクローゼ子爵家の使者で、黙っていたもう一人、多分身分が上の方の人が、慌てて口を挟んできた。

「いや、待て。連れの者の言葉が過ぎたのは、謝罪しよう。我らは、フェルト・ハルキス殿に、大切な話があるのだ。ここで立ち去って後悔するのは、フェルト殿の方だ」

総隊長さんは、ちょっと考えるような振りをしてから、フェルトさんに聞いた。

「身元不明の使者殿は、こういわれる。話を聞くか、ハルキス分隊長」

「まさか。不審者の話を聞くのは、取り調べのときだけで十分ですよ、総隊長。失礼して、業務に戻ります」

「待て。待ってくれ、フェルト殿。貴殿にとって、大きな出世につながる話だ。聞かないと損をすることになるぞ」

「わたしたちが取り締まった詐欺師は、だいたいが同じようなことをいって、人を騙《だま》していましたね。時間の無駄です」

使者の人たちは、すごく迷っているみたいだったけど、皆んなが、本当に出ていこうとしているのがわかったんだろう。諦めたみたいに話し出した。

「だから、待てというのに。仕方がない。名乗ってやろう。我らは、クローゼ子爵家からの使いだ。クローゼ子爵閣下が、亡き弟君の子息であるフェルト殿に、折りいって相談があるとの仰せなのだ。速やかに王都に来られよ。フェルト殿にとっては、大変に喜ばしい話をしてくださるだろう」

「クローゼ子爵家というと、わたしの母を虐《いじ》め抜き、わたしを認知すらしないまま、母子ともども追い払った家でしたね。わたしの名は、フェルト・ハルキス。クローゼ子爵家とは、いかなる関係もありませんよ」

「いや、そういいたい気持ちもわからないではないが、まずは王都で話を聞かれよ。フェルト殿に、クローゼ子爵家の爵位が回ってくる可能性があるのですぞ」

使者の人たちは、きっとフェルトさんが態度を急変させると思って、爵位のことを口にしたんだろう。嫌な感じのする目で、フェルトさんの顔色を窺《うかが》っていたから。

そういわれたフェルトさんは、ふんって、スイシャク様みたいに鼻息を吐いてから、ばっさりと切り捨てた。

「行かない。関係ない。興味もない」

あ然とする使者を残して、フェルトさんは、そのままさっさと部屋を後にした。使者の人たちは、何か騒いでいたみたいだけど、フェルトさんは、振り返りもしなかったんだ。

部屋を出てから、フェルトさんの後ろを、黙って歩いていたアリオンお兄ちゃんは、周りに人気のないところまで来たとき、そっとフェルトさんの手を握った。

「さっきはカッコよかったですよ、フェルトさん」

フェルトさんは、途端に赤い顔になって、アリオンお兄ちゃんの手を握り返した。

「ありがとう、アリア……アリオン。おれのことで迷惑をかけて、本当にすまない」

「迷惑なんて、一つもかけられてませんよ、フェルトさん。一緒に乗り越えましょうね。フェルトさんのことは、わたしが守るからね」

「ありがとう、アリ……アリオン。おれは世界一の幸せ者だ」

フェルトさんは、感極まったような顔で、もう一度ぎゅっと手に力を入れた。すごく素敵な場面なんだけど、今のアリアナお姉ちゃんは、アリオンお兄ちゃんだからね。妙な噂にならないことを、心から祈っているよ、フェルトさん。

ここで、わたしの視界は、うちの応接室に戻ってきた。自分でも不思議なんだけど、この前みたいに、わたしはずっと、会話の内容を繰り返して喋《しゃべ》っていたみたい。お父さんとお母さんは、満足そうにうなずいているし、ヴェル様は、綺麗なアイスブルーの目をきらきらさせて、わたしを見ていた。

「チェルニちゃんの神霊術《しんれいじゅつ》は、本当に素晴らしいですね。相手方の動きのほとんどが、居ながらにして把握できるとは、とてつもない能力です。チェルニちゃんを助けるつもりでしたが、助けられるのは、わたしたちの方かもしれませんね」

「いえいえ。すごいのはスイシャク様と雀《すずめ》たちで、わたしはスイシャク様を抱っこしているだけですから」

「何を仰ることか。これほどの神霊術を使って、対価となる魔力が尽きないというだけでも、規格外ですよ、チェルニちゃん」

ヴェル様ってば、本当に優しくって、褒《ほ》め上手だな。あれ？　でも、わたし、対価を提供したっけ？　スイシャク様は、〈眷属扱《けんぞく》いでお安く?してあげる〉っていってくれたけど、具体的には何も決まっていなかったよ！

自分の厚かましさに青くなって、わたしは、慌てて膝の上のスイシャク様を覗《のぞ》き込んだ。すると、スイシャク様は、黒曜石みたいな瞳を輝かせて、わたしにメッセージを送ってくれた。

八百万《やおよろず》の神霊が、人の子に対価を求めるのは、それが神霊の世界での約束事だからだって。対価もなしに力を貸すと、人の子が増長してしまって、魂《たましい》を曇らせてしまいやすいからなんだって。

スイシャク様やアマツ様との間に、回路を開いてもらったわたしは、もう眷属《けんぞく》の扱いになっていて、いろいろな面で人の子の約束事から外れるらしい。少しの魔力と、お父さんの焼き立てパンをもらうから、対価は大丈夫。それよりも、決して魂《たましい》を曇らせることなく、人のためになるように力を使いなさいって、スイシャク様は優しく励ましてくれたんだ。

ありがたくって、うれしくって、ちょっと涙ぐみながら、わたしはヴェル様に応えた。

「わたしからの対価なんて、ほんのちょっぴりなんです。スイシャク様とアマツ様に、おまけをしてもらってるんです。スイシャク様もアマツ様も、本当に優しくて、たくさん甘えちゃってるから、人のためになることをして、お返しをするんです、わたし」

「いい子ですね、チェルニちゃん。それに、先ほどはいいませんでしたが、主人から聞いていた通り、御神霊の御名《ぎょめい》のところ、本当にチュンチュン、キュルキュルと聞こえるんですね。とても可愛らしいですね、チェルニちゃん」

ネイラ様ってば、そんなことまで話してるの!? ヴェル様に指摘されて、ひえぇってなったけど、のんびり恥ずかしがっている暇はなかった。ちょうどそのとき、スイシャク様が、新しいメッセージを送ってくれたから。

守備隊を追い出された、クローゼ子爵家の使者たちは、何と〈野ばら亭〉に来るつもりみたいだよ！

10

ネイラ様たちの罠によって、じわじわと追い詰められているらしいクローゼ子爵家は、作戦一日目にして、早くもフェルトさんに接触してきたけど、フェルトさんも総隊長さんも、まったく相手にしなかったからね。クローゼ子爵家からの使者は、すっかり途方に暮れちゃって、何と〈野ばら亭〉に来るみたいなんだ。

あっさり守備隊を追い出された使者の人は、スイシャク様の雀《すずめ》たちが聞いている前で、こそこそと話し合っていた。

「くそ。何という無礼者たちだ。由緒正しきクローゼ子爵家の使者に対して、このような扱いをするとは。あのフェルトという男も、しょせんは平民の血の入った〈紛《まが》い物〉ですな。あれが子爵家の当主になるなど、とんでもない話です」

「いい加減にせよ、ギョーム。今は、そんなことをいっている場合ではないのだ。閣下からは、一刻も早くフェルト殿を連れてくるようにと厳命されているのに、即答で断られたなどといえるものか。下手をしたら、使者に立った我らの首が飛ぶぞ」

「ですから、今から〈野ばら亭〉とかいう店に行って、フェルトの交際相手を連れ出して、王都に向かえばいいのです。女を連れ去られたと知ったら、フェルトも追ってくるでしょう」

「早まるな。それは最後の手段だし、閣下のご指示があってのことだ。先ほどもいった通り、今は相手の様子を探るだけにしよう。万が一、ことが露見したら、すべてが終わるんだからな」

うわぁ。ヴェル様の予想が、ぴったりと当たってるよ。フェルトさんに断られたからって、アリアナお姉ちゃんを拐《さら》おうとするなんて、クローゼ子爵家は敵だね。何があっても許すことのできない、絶対的な敵だ。たった今、わたしは、そう決めたんだ。

わたしが、怒りと決意を新たにしていると、話を聞いていたヴェル様が、すぐに指示を出してくれた。

「クローゼ子爵らを炙《あぶ》り出すためにも、彼奴《あやつ》らは、しばらく泳がせておきましょう。王国騎士団から守備隊へ、わたくしと共に派遣されてきた三人の騎士たちは、我が主人が選《え》りすぐった精鋭揃い。すでに守備隊の人々と連携して、監視の手筈《てはず》を整えているでしょう。カペラ殿と奥様は、〈野ばら亭〉で普段通りにお過ごしください」

「わかりました。チェルニはどういたしましょう？　普段は、決まった時間に食堂を手伝ってくれるんです。人手は足りているんですが、お客さんたちが、アリアナやチェルニの顔を見たいといわれるので」

「チェルニちゃんは、美人姉妹の看板娘だそうですものね。主人も、いつか〈野ばら亭〉にお邪魔して、チェルニちゃんに焼き立てパンを配っていただきたいのだそうです。いつかなどといわず、すぐにお出《で》ましになればよろしいのに、そういう面では倫理観の塊《かたまり》ですからね、あの方《かた》は。道のりは遥か彼方、というところでしょうか」

「はあ……まあ……そうですね……」

「ふふ。まあ、主人のことはさておき、チェルニちゃんは、お手伝いをお休みできますか？　危険を避ける手段は講じておりますし、御神霊の護《まも》りを破れる者など現世《うつしよ》にはおりませんが、チェルニちゃんの美しい天色《あまいろ》の瞳に、醜いものを映したくはありませんので」

「もちろんです、子爵閣下。チェルニは家にいさせます。いいな、チェルニ？」

「了解です、お父さん！」

アリアナお姉ちゃんがいなくて、わたしもいなくて、常連のお客さんたちは、きっと寂しがってくれると思うけど、わたしたちカペラ家では、お父さんの命令は絶対なんだ。お父さんは、めったに命令なんかしないけどね。

わたしが、しっかりと返事をしたので、お父さんとお母さんは、そのまま〈野ばら亭〉に仕事に行った。わたしは、応接室に残ったまま、スイシャク様の雀《すずめ》たちからの連絡を待つ。隣にはヴェル様がいて、わたしから目を離さないようにしてくれるそうなので、ものすごく安心できた。

しばらくすると、ふすふすって、スイシャク様が小さな鼻息を吐いた。クローゼ子爵家の使者の人が、いよいよ〈野ばら亭〉に近づいてきたらしい。

使者の二人……面倒だから、身分が上っぽい人が使者A、ひたすら偉そうな人が使者Bでいいや。

使者AとBは、すぐには〈野ばら亭〉に入らないで、周りをぐるぐる歩いている。二人が乗ってきた馬は、預けるところがないみたいで、くつわを引っ張って連れ回しているよ。主人が馬鹿だと、馬も大変だよね。

うちの宿屋兼食堂が建っている場所は、キュレルの街では一等地とはいえ、やっぱり王都とは人口がちがう。立派な身なりをした見覚えのない人たちが、立派な馬を連れたまま、こそこそとうちの周りを窺《うかが》っている姿は、ものすごく目立っていた。

使者Bは、あっという間に苛立ってきたみたいで、何度も〈野ばら亭〉に突入しようって主張している。使者Aは、ひたすらそれを止めていたんだけど、さすがに面倒になったんだろう。溜息まじりに、こういったんだ。

「仕方がない。これ以上、帰りを遅くするわけにもいかん。多少は疑われたとしても、平民にはどうすることもできないだろう。食堂の方に、入ってみるか」

「そうしましょう。フェルト如《ごと》きのために、これ以上時間を使うのは無駄というものです。さっさと女の顔を確認して、王都に戻りましょう」

「頼むから、不用意な発言は控えてくれ、ギョーム。失敗しようものなら、クローゼ子爵家に連なる者は、ことごとく処刑台に晒《さら》されることになるのだぞ。この店の中では、言動を慎め。わたしのいいつけが聞けないのなら、おまえはここで待っていろ」

「わかっていますよ、それくらい。必ずそのようにいたしますから、一緒に行かせてください。そもそも、わたしたちは昼食も取っていませんしね」

使者Aは、溜息を吐いてから、馬の手綱《たづな》をBに預け、先に食堂に入っていった。大きなお店になると、お客さんが馬に乗ってきた場合、一時的に預かることもできるから、それを頼みに行ったんだろう。

思った通り、食堂からうちの従業員さんが出てきて、二人の馬を預かった。Bは、すごく偉そうに文句をいいながら、自分も食堂に入っていく。スイシャク様の雀《すずめ》は、スーッと飛んでいって、食堂の出窓にとまったから、中の様子も伝えてくれるみたい。

AとBは、空いている席に座って、お給仕に立っている、従業員のお姉さんを呼んだ。

「おい。注文だ」

「はい。いらっしゃいませ。何にいたしましょう？」

「品書きの〈お肉のおすすめセット〉というものを二人分」

「エールも忘れるな」

「おい。帰りも馬に乗るのだぞ」

「エールくらい、大丈夫でしょう。飲まないと、やってられませんよ」

「まったく、おまえは。一杯だけだぞ。その後は水を」

「かしこまりました。パンはサービスですので、別にお持ちしますね。いくつでも召し上がってくださいね」

「ふん。田舎街の食堂らしい、下品なサービスだな」

「この食堂には、美人の看板娘がいると聞いてきたんだ。きみがそうなのか？」

「いやですよ、お客様。わたしなんて、とてもとても。二人のお嬢さんたちは、そりゃあもう、すごく美人で可愛らしいですよ。生憎《あいにく》と、上のお嬢さんは、しばらく留守にされるそうです。お祖父様の具合が悪いので、泊まりがけで看病なんですって」

「それは確かか」

「はい。二、三日前に、出発なさいました。ひと月くらいは、戻られないかもしれません」

「そうか。困ったな」

「いや、おまえも、それなりに悪くないぞ。大して美人とはいえんが、田舎臭いところが、微妙に愛嬌になっている。わたしは、わりと好みだ。どうだ、一度……」

「黙れ、馬鹿者。祖父の家はわかるか？」

「はあ？　さすがにそれは。わかりませんし、お教えできませんよ。あと、そちらのお客様。微妙な褒《ほ》め言葉、ありがとうございます」

「では、妹の方はどうだ。店には出ないのか？」

「下のお嬢さんは、王都の学院を受験されるので、今はお勉強が忙しいみたいですよ。では、お料理をご用意しますね」

「おい。エールは、おまえが注いでくれよ。おまえのやや太めの腹が、また微妙にわたしの好みで……」

すごいな、使者B。完全に仕事を忘れて、いいたい放題だよ。でも、真面目に情報を得ようとしているAは、ものすごく怪しいのに、Bは、ある意味で雰囲気に溶け込んでいる。計算してやっているのならすごいけど、違うな、あれは。

ちなみに、食堂のお姉さんの口が軽いのは、ちゃんと計算の上だ。ヴェル様の指示で、不自然にならない程度に、いろいろ情報を流していいっていわれているんだよ。

お父さんは、むすっとした顔で厨房に入っていて、黙々と料理を作っている。クローゼ子爵家の使者が相手だからって、料理には手を抜かないよ？　いくら怒り狂っていても、それはそれ、これはこれ。

わたしの大好きなお父さんは、そういう人なんだ。

あっという間に料理が完成して、食堂のお姉さんは、エールと一緒に〈お肉のおすすめセット〉を持っていった。うちの名物のモツ煮込みと、お父さんの特製ソースがおいしいチキンカツ。お魚のセットもあるけど、やっぱり人気はお肉なんだ。

「お待たせしました。お肉のセットです。すぐにパンもお持ちしますね」

「何だ、これは。下品な庶民の食べ物だな。ものすごく美味《うま》そうだが」

「美味しいですよ。たんと召し上がれ」

「おっ。いいな、今のいい方。おっ、おっ。何だ、これは。ものすごく美味いぞ！　エールにも、抜群に合うぞ！」

「おい、ギョーム。仕事中だというのに、おまえは」

「どうぞ、パンですよ。いくつお取りしますか？」

「ふん。ありふれたパンだな。ものすごく良い匂いだが」

「うちの自慢のパンですよ。どうぞ召し上がれ」

「やっぱりいいな、そのいい方。とりあえず二つくれ。この田舎臭い料理も、すごく美味いぞ！」

「わたしは、一つでいい……」

「ふふ。パンのお代わりは、いつでも仰ってくださいね」

「おお！　美味い！　これほど美味いパンは、王都でもめったにありませんよ。いい店ですな、ここは。安いし美味いし、店員は愛嬌があるし！」

「本当に自由だな、おまえは。フェルト殿の女がいないとなると、いろいろと困るというのに」

「まあ、あれです。考えてみれば、クローゼ子爵家が潰れたところで、我々は職を失うだけですからな。いいじゃありませんか。正直なところ、居心地のいい職場でもないし。パン、もう一つ頼まれますか？」

「そう簡単な話のわけがなかろうに。そうだな、もう一つ頼もうか。本当に美味いな、料理もパンも」

使者AとBは、何だか毒気の抜けた顔で、おいしそうに料理を食べ出した。いいのかな、あれ。Aなんて、最初はもうちょっと、切れ者っぽい感じだったのに、どうしちゃったんだろう？

わたしが不思議に思っていると、膝の上のスイシャク様と、肩の上のアマツ様が、何だか楽しそうに笑い出した。いや、鳥型のお姿だから、笑い出すっていうのも、単なるイメージなんだけど。

スイシャク様たちがいうには、あっという間にAとBが変わっちゃったのは、うちのお父さんの力なんだって。何それ⁉

＊＊＊

スイシャク様とアマツ様は、それから交互に教えてくれた。わたしの大好きなお父さんは、□□□□□から印《いん》をいただくと同時に、強いご加護を授けられているんだって。

お父さんに印《いん》をくれた神霊さんの中には、料理を司る神霊さんがいて、そのおかげでとってもおいしい料理を作ることができるんだって、わたしたちは思っていた。

もちろん、努力家のお父さんは、普段は神霊さんに頼ったりしないよ？　新しいメニューを開発するときとか、家族の大切な記念日とかに、料理の神霊術《しんれいじゅつ》を使うくらいなんだ。

でも、スイシャク様によれば、この□□□□□という神霊さんは、普通の料理を司っているわけじゃないんだって。□□□□□が司っているのは、神饌《しんせん》。〈みけ〉ともいわれる、神霊さんへの捧げ物としての料理なんだって。

神霊さんが召し上がるものを作れるお父さんが、一生懸命に作った料理なんだから、人の子が喜ばないはずがない。勢いあまって、人の子の〈穢《けが》れ〉さえ、少しは払ってしまえるんだって。

今、うちの家には、スイシャク様とアマツ様がいるし、守護もかけられている。うちの屋根の上を何度も旋回していたのは、守護印《いん》を施すためだったんだ。

そんなふうに、いわば〈霊的に強化された空間〉になっている〈野ばら亭〉で、クローゼ子爵家に対して怒り狂っているお父さんが、全身全霊を込めて、使者に食べさせる料理を用意したからね。スイシャク様たちも驚くくらい、〈穢《けが》れなき饌《せん》〉ができ上がって、使者たちの魂《たましい》を一時的に浄化しちゃったんだって。

もちろん、とっても汚れて曇っていた魂《たましい》は、簡単には綺麗にならない。今回の浄化も、あくまでも一時的なものらしいんだけど……わたしのお父さんって、すごくない？

わたしがそう思って胸を張っていると、話を聞いていたヴェル様も、優しい声で褒《ほ》めてくれたんだ。

「チェルニちゃんのお父上は、素晴らしいですね。神への供物《くもつ》を司る御神霊の加護など、めったなことで授けられるものではありませんよ。お父上が、神霊庁に所属しておられないのは、誠に残念。ルーラ王国にとって、大きな損失ですね」

うれしい！　ヴェル様に、ルーラ王国の損失とまで、いってもらっちゃったよ。まあ、お父さん本人も、料理を司る神霊さんだって思っているし、その勘違いのおかげで、わたしたちはずっとおいしいご飯を食べられるのは、とってもありがたかったけどね。

ちなみに、神霊庁っていうのは、ルーラ王国特有のお役所で、わたしが目指している就職先の一つなんだ。王立学院の特待生として迎えてもらう以上、将来は王国の官公庁とかにお勤めして、ご恩を返そうかなって。

ネイラ様への手紙にそう書いたら、とっても喜んでくれて、王国騎士団も候補先として考えてほしいって、真面目に誘ってもらった。神霊庁か王国騎士団か法理院か、王立学院で勉強する間に、しっかり考えようと思っているんだ。

そんな話をして、ヴェル様からは、官公庁の仕事内容とかを教えてもらっているうちに、使者AとBは食事を終え、クローゼ子爵家に戻ることにしたみたいだ。Bってば、さっきのお姉さんに、「きっと、また来るから」なんていってるよ……。

連れてこられた馬に乗って、キュレルの街の郊外に向かう間、AとBは、いろんな話をしていた。優秀この上ないスイシャク様の雀《すずめ》たちは、しっかりと話を拾ってくれて、わたしは全部、ヴェル様に伝えておいた。まあ、ほとんどがクローゼ子爵家に対する愚痴だったけどね。

しばらくして、郊外に出たAとBは、いったん馬を止めた。そして、Bは、手慣れた仕草で印《いん》を切って、こういったんだ。

「風を司る神霊よ。わたしに力を貸してくれ。わたしと連れを王都まで、風の速さで駆けさせてくれ。対価は、わたしの魔力の必要分と、連れが持参した供物《くもつ》で払う」

Bがそういうと同時に、Aが胸のポケットからハンカチを取り出した。そこに包まれていたのは、小さな水晶が一つ。王都までの距離を、二人の人と馬を運ぶとなると、これくらいの対価は必要なんだろうな。

詠唱が終わってすぐ、小さな水色の光が現れて、Aが捧げている水晶の周りを、くるくると回った。そして、水晶がどこへともなく消えるや否《いな》や、水色の光がぶわっと大きくなって、AとBを包み込む。

「さあ、行くぞ！」

Bのかけ声に応じて、二頭の馬は、ものすごい速度で走り出した。意外なことに、それなりの神霊《しんれい》術《じゅつ》の使い手だったよ、使者B。

わたしが、ちょっと感心して見ていると、スイシャク様が新しいイメージを送ってくれた。めずらしいものを見せてあげるから、注目していなさいって。それから、今後の成長のために、スイシャク様から送られてくるイメージを、ヴェル様に送ってみるようにって、いわれたんだ。

スイシャク様によると、ヴェル様はかなり特殊な能力を持っている人だから、言葉とか詳細な状況とかは無理にしても、短時間のイメージだけなら、受け止められるかもしれないらしい。

ヴェル様にそういうと、氷色の瞳をきらきらさせて、わたしに向かって手を差し出した。ちょっと恥ずかしいけど、身体に触れていた方が、イメージは伝わりやすいからね。さすがに、ヴェル様はよくわかってる。

わたしは、何も考えずに、ヴェル様に手を伸ばしたんだけど、握り合うことはできなかった。アマツ様が、すっと間に入ってきて、小さな真紅の羽先で、ヴェル様の手をぺしっと叩いたんだ。

「これはこれは。いささか熱うございますな、炎の御方《おんかた》。チェルニちゃんのお手に触れることは、やはりなりませんか」

そういって、ヴェル様が、いかにも楽しそうに忍び笑いを漏らしたのは、どうしてなんだろうね？

パチパチと鱗粉《りんぷん》を爆《は》ぜさせているアマツ様に代わって、スイシャク様は、小さな白い羽根を浮かべて、ヴェル様に渡してくれた。この羽根を持っていれば、羽根が触媒《しょくばい》になって、イメージを伝えやすくしてくれるんだって。

わたしたちの準備が整った途端、視界から消えていった使者たちの姿が、もう一度くっきりと見えてきた。頑張って、そのイメージをヴェル様に送ってみると、何とか伝わったみたい。ヴェル様は、「おおっ！」っていう感嘆の声を漏らして、またうれしそうに笑ったんだ。

使者Bは、遠くに王都の影が見えてきたあたりで、少しずつ速度を落とし始めた。あのままの速度で王都に近づくと、周りの人も危険だからね。王都の門が迫ってくる頃には、水色の光は完全に消えていたから、神霊術《しんれいじゅつ》を解いたんだろう。

すると、そのときを待っていたみたいに、AとBに変化が起こった。Bの身体からは水色、Aの身体からは紫色の光が浮かび上がったかと思うと、帯みたいに長く伸びて、印《いん》らしき形を描き出したんだ。

水色の印《いん》と紫色の印《いん》は、あっという間に輝きを失って、薄い灰色に変わっていった。それから、ばらばらになって印《いん》の形さえ失ったかと思うと、そのまま煙みたいに消えちゃったんだ。

スイシャク様に教えてもらうまでもなく、わたしにはわかった。これこそが、〈神去《かんさ》り〉の瞬間なんだって。

AもBも、自分たちが大切なものを失ったことには気がつかないみたいで、そのまま王都の門をくぐっていった。いつの間にか、二人の背中に貼られていた紙には、〈一時停止〉って書かれていたんだよ……。

スイシャク様がいうには、クローゼ子爵家に縁のあるAとBは、すっかり魂《たましい》を穢《けが》してしまっているけど、まだ決定的な罪を犯したわけではないらしい。

だから、今回の〈神去《かんさ》り〉は、警告を込めた一時的なもので、使えなくなった神霊術も、一つずつなんだって。ここで、自分の過ちに気づくことができなければ、本当に神霊さんたちが去っていってしまうんだろう。

使者AとBは、そのままクローゼ子爵家に帰っていった。二人の報告は、当然、クローゼ子爵家の人たちを激怒させて、〈乱倫《らんりん》〉の女の人、フェルトさんと結婚するつもりの、カリナさんの乱入につながっていくんだ。

11

風の神霊術を使って、すごい速さで王都まで帰っていった使者AとBは、そのままクローゼ子爵家のお屋敷に戻っていった。

今は秋の初めだから、気持ちの良い風が吹いているはずなのに、クローゼ子爵家のお屋敷は、そこだけがどんよりと澱《よど》んでいるみたいだった。ベタベタして、重苦しくて、気持ちの悪い気配は、雀《すずめ》たちの目を通してでもわかるくらい。

正門の前に貼られている、神霊さんからの〈縁切り状〉も相変わらずで、わたしは、何だか悲しい気持ちになった。クローゼ子爵家の人たちに、印《いん》を授けていた神霊さんたちも、本当は悲しいんだろうなって、そんな気がしたんだよ。

お屋敷の門をくぐった使者AとBは、重い足取りで中に入っていった。どんよりと暗い顔をしたAは、一言も口をきかないまま、どんどん奥へ歩いていく。Bなんて、〈野ばら亭〉では、あんなに元気でお喋《しゃべ》りだったのに、今は紙みたいに顔が青白いよ。

クローゼ子爵家の人たちに叱られるから、怖いのかなって思っていたら、スイシャク様が、違うよって教えてくれた。

使者たちは、〈場の穢《けが》れ〉を感じて、魂《たましい》が〈軋《きし》んでいる〉んだって。ずっとクローゼ子爵家にいたら、慣れてわからなくなることでも、〈穢《けが》れなき饌《せん》〉を味わった後だから、余計につらくなったらしい。

そういうスイシャク様も、鼻息は弱々しいし、可愛い純白の羽毛も、ちょっぴりへたれているみたいだった。そのとき、スイシャク様から自然に流れてきたイメージは、きっと〈人の子への慈悲〉っていうものだったと思う。クローゼ子爵家の一味だとしても、根っからの悪人ではなさそうな使者AとBを憐れんでいるんだろう。

スイシャク様のお心なんて、知るはずもなく、AとBは、まっすぐに応接室みたいな部屋に入っていった。そこで待っていたのは、額《ひたい》にべったりと灰色の文字を浮かび上がらせた、いつものクローゼ子爵一族だった。

〈瞋恚《しんに》〉のクローゼ子爵は、人を妬《ねた》んで、憎んで、いつも怒っている人。〈毒念《どくねん》〉の前クローゼ子爵夫人は、フェルトさんのお母さんを虐《いじ》めた、すごく意地悪な人。〈懶惰《らんだ》〉のクローゼ子爵の弟は、怠けてばかりの人。〈乱倫《らんりん》〉のカリナさんは、人としての倫理に外れている人。

灰色の文字が、益々《ますます》嫌な感じに毒々しくなっているのは、わたしの気のせいだといいな……。

部屋の中では、使者AとBが、片方の膝をついて、クローゼ子爵に礼をした途端に、いっせいに質問責めが始まった。

「遅いではないか、おまえたち！　風の神霊術《しんれいじゅつ》を使ったにもかかわらず、これほどの時間がかかるなど、あり得ない。剣で試し切りにされたいのか！」

「まあまあ、兄上。此奴《こやつ》らの処罰より先に、報告を聞こうではないか」

「めずらしく、ナリスのいう通りですよ、オルト。叱責は後で存分にするとして、まずは話をさせなさい」

「……。良かろう。さっさと報告せよ。フェルトは、今日中にやってくるのだろうな」

「それが、誠に申し訳なきことながら、即断で拒否をされましてございます」

「拒否だと？　まさか、我々に足を運べとでもいうのか。役立たずの三男が、平民のメイド風情に産ませた婚外子が」

「いえ、そうではなく、ご自分はクローゼ子爵家とは無関係なので、一切の面会や交渉を拒否なさるということでした」

「馬鹿なことをいうな！　平民が、このクローゼ子爵家を足蹴《あしげ》にするというのか」

「へえ。意外だな。平民の意地というやつか。クローゼ子爵家の跡目が、自分に転がり込んでくる可能性があることは、話したのか」

「取りつく島がございませんでしたので、致し方なく匂わせました。フェルト殿にとっては、大きな出世になる、クローゼ子爵家の後継《あとつぎ》となる可能性すらあるのだと、何度も申しましたが、興味がないと……」

「何という無礼な！　だから、あんな平民の女の産んだ子など、役に立たないというのです。本当に腹立たしい。何か手立てはないのですか？」

「虚勢を張っているだけですよ、母上。クルトの息子が、我らの事情を知っているはずはないが、何らかの思惑はあるのかもしれない。自分を高く売るために、勿体《もったい》ぶっているだけでしょう」

「そうなのか、ロマン？」

「いえ、そうではないと思います、閣下。わたくしの目には、本当に一切の興味がなく、今の生活に満足しているように見えました」

「おまえはどう思う、ギョーム」

「ロマン様と同じ意見でございます、閣下。駆け引きではなく、話を聞く気すらないのだと思います」

「おまえたちは、平民の産んだ息子にとって、このクローゼ子爵家が、価値のないものだとでもいうのですか。そんなことで、使者の役目を果たしたと？　この愚か者どもを、切り捨ててしまいなさい、オルト！」

「静かになさってください、母上。それで、おまえたちは、クルトの息子に断られて、すごすごと帰ってきたのか？」

「いえ。わたくしとギョームとで、フェルト殿と交際しているという娘の所在を確かめるため、〈野ばら亭〉とやらいう店に行って参りました」

スイシャク様とアマツ様の光に巻かれながら、じっと話を聞いていたわたしは、思わずびくっとなっちゃった。遂に、クローゼ子爵家で〈野ばら亭〉の名前が出てきたよ！

ロマンっていう名前の使者Aと、ギョームっていう名前の使者Bは、皆んなに叱られながら、自分たちの行動を説明していた。フェルトさんに断られてから、〈野ばら亭〉の様子を見に行ったこと。アリアナお姉ちゃんの顔を確かめようとして、留守にしているのを知ったこと。お姉ちゃんの行き先を調べたら、すぐにはわかりそうもなかったこと……。

使者Aが、切れ者っぽい雰囲気を取り戻していたので、しっかりと調査をしてきた上での報告みたいだった。実際には、うちの従業員のお姉さんと話しただけだし、使者Bなんて、おいしそうにご飯を食べて、お姉さんにかまってもらってただけなのにね。

クローゼ子爵家の人たちは、それぞれに怒りながら、フェルトさんやフェルトさんのお母さん、それに亡くなったお父さんのことまで、盛んに悪口をいっていた。この間読んだ本に書いてあった、〈傲慢《ごうまん》なる怒りに焼かれた者たちは、口を極めて罵《ののし》り合った〉っていう表現が、ぴったりくる感じだったよ。

そして、わたしがうんざりして、スイシャク様のふくふくの羽毛と、アマツ様のつやつやの羽毛に癒されているとき、〈乱倫《らんりん》〉のカリナさんが、自信満々に話に加わったんだ。

「もういいわよ、お父様も叔父様も。フェルトという男が、話に乗ってこないのは、クローゼ子爵家の価値を知らないからよ。わたくしが行くわ。安心なさってね、お祖母様」

「まあ、カリナ。なんて優しいことをいってくれるんでしょう。わたくしの気持ちを考えてくれるのは、この家でカリナだけよ。オルトもナリスも、平気で母親を馬鹿にするし、騎士爵如《ごと》きの家から養子に迎え入れた夫は、何事も知らぬ存ぜぬだし……」

「ですから、母上。そういう愚痴は、お気に入りの小姓《こしょう》を相手に、部屋で存分になさってくださいよ。先日も、新しいペットを買ってこられたのでしょう?」

「下品なことをいうのはやめなさい、ナリス！」

「おまえが行くとは、どういうことなんだ、カリナ？」

「言葉の通りよ、お父様。わたくしがお父様の名代《みょうだい》として、使者の役を引き受けるわ。貴族の価値と、貴族の女の価値を、フェルトに認識させてあげるのよ。そうすれば、大喜びで尻尾を振って、わたくしたちの犬になるわよ」

「……。悪くない手だが、かまわないのか、カリナ？」

「もちろん。わたくしの、名目上の夫となる男のことですもの。行って確かめてくるわ。見目は悪くないのでしょう、フェルトって？」

「貴女は、結局はそれですか。男遊びが過ぎると、身を滅ぼしますよ、カリナ」

「カリナのような立派な淑女に向かって、何という無礼なことをいうの、ミラン！　口を慎みなさい！」

「だから、従兄弟というだけの男に、口を出されるいわれはないというのに。黙っていらっしゃい、ミラン」

「いや、ぼくも一緒に行きますよ。カリナだけでは、道中が心配ですからね」

「必要ないわ。貴方のお目当ての美少女とやらは、留守だというのだから、おとなしく待っていなさい。田舎街の美少女なんて、たかが知れているでしょうけどね」

「わかった。明日、早々に出発してくれ、カリナ」

「よろしいわよ、お父様」

「ロマン、ギョーム。カリナに護衛騎士をつけた上で、おまえたちが案内しろ。良いな？」

「かしこまりました、閣下」

「さあ、そうと決まったら、今夜はこの美貌に磨きをかけなくてはね。フェルトが、ひと目で恋に落ちるように。腕によりをかけて遊んであげるわ」

そういって、カリナさんっていう女の人は、ニタァって笑った。言葉は悪いけど、本当にニタァって笑ったんだ。

その瞬間、額《ひたい》に浮かび上がっていた〈乱倫《らんりん》〉の文字が、一気に変化した。親指と人差し指で、丸を作ったくらいの大きさだったのが、額《ひたい》いっぱいに広がって、灰色の線に細かな亀裂が走ったんだ。

スイシャク様とアマツ様は、わたしを光でぐるぐる巻きにしながら、それぞれにイメージを送ってくれた。カリナさんは、すごく危ないって。〈乱倫《らんりん》〉でも、すごくすごく酷《ひど》い言葉で、魂《たましい》の穢《けが》れを表していたのに、もっと酷《ひど》い言葉に変化しそうなんだって。

〈乱倫《らんりん》〉より酷《ひど》い言葉って、辞書を引いたら出てくるものなんだろうか？　怖いよ、カリナさん……。

＊＊＊

明日には、クローゼ子爵家のカリナさんが、キュレルの街に乗り込んでくるらしい。正直、わたしは絶対に会いたくないし、フェルトさんやアリオンお兄ちゃんにも、会わせたくない。いろんな意味で、怖いんだもん、カリナさん。

でも、逃げ回るわけにはいかないし、だったら少しでも情報を探って、迎え撃つ準備をしたい。わたしは、えいっと気合を入れて、雀《すずめ》たちと意識をつなごうとしたんだけど、スイシャク様は、さっと回路を閉じてしまったんだ。

クローゼ子爵家の明日の行動がわかれば、それで十分。あんまり〈穢《けが》れた魂《たましい》〉に意識を向けると、わたし自身が疲れちゃうから、今日はやめなさいって。町立学校の先生たちより、もっと先生っぽいんだ、スイシャク様は。

お父さんとお母さん、それからずっと一緒にいてくれるヴェル様に、スイシャク様のイメージを伝えると、三人とも大きくうなずいた。

「御神霊の仰せの通り、今日はもうやめておきましょう、チェルニちゃん。今までの情報だけでも、あり得ないほど素晴らしいのですから」

「そうだぞ、チェルニ。ありがとうな」

「わたしは、まだ大丈夫なんだけど、スイシャク様のいいつけに従います。ご飯を食べて、ゆっくり休むよ、お父さん」

「そうよ、ご飯よ。今日は、皆んなでご飯を食べましょう。オルソン子爵様が、我が家にお出でくださった日だもの。お父さんにご馳走を作ってもらって、歓迎会をしましょう！」

「歓迎会は大賛成だけど、ちょっと唐突《とうとつ》じゃない、お母さん？　こんなときだしさぁ」

「わたしの可愛い子雀《すずめ》ちゃんは、何をいっているのかしら？　こんなときだからこそ、美味しいものをたくさん食べて、心を穏やかにして、明日の敵に備えるのよ」

「ローズのいう通りだ。今日は英気を養おう。よろしいですか、オルソン子爵閣下？」

「もちろんですとも、カペラ殿。神饌《しんせん》の担い手にご馳走していただけるとは、身に余る光栄ですな。よろしくお願いします」

そうして、わたしたちは、皆んなで晩ご飯を食べることになった。守備隊から帰ってきた、アリオンお兄ちゃんとフェルトさん。ヴェル様にご挨拶に来てくれた、総隊長さんも一緒にね。

スイシャク様とアマツ様は、〈厄落としに神饌《しんせん》とは剛気《ごうき》〉って、上機嫌なイメージを送ってくれたから、お母さんの提案は、きっと正解だったんだろう。

ヴェル様は、今日来てくれたばっかりだから、ご飯を食べてもらうのは初めてだ。フェルトさんは、昨日から〈野ばら亭〉のお客さんになっていて、昨夜はお店のご飯だった。総隊長さんは、フェルトさんがアリアナお姉ちゃんに求婚した日、皆んなでごちそうを食べてお祝いしたから、二回目になる。

おまけに、今回のご飯には、スイシャク様とアマツ様も参加するんだって。スイシャク様なんて、お父さんの焼き立てパンは、対価の一つだからって、ふっすふっす、可愛い鼻息を立ててたんだよ。

わたしが、スイシャク様とアマツ様の参加を伝えると、全員がびしっと固まった。神霊さんのご分体と、一緒に食卓を囲むなんて、この上もなく畏《おそ》れ多いことらしい。

ネイラ様の執事で、子爵様でもあるヴェル様が、呆然とした口調で〈神人共食《しんじんきょうしょく》〉ってつぶやいていたから、きっと大変なことなんだろう。

わたしはもう、スイシャク様を抱っこしているのが、当たり前になってきちゃったし、アマツ様もずっと肩の上だから、ご飯くらいはどうってことないと思うんだけどな。

しばらく硬直してから、われに返ったお父さんは、ものすごくきりっとした顔になって、応接室を出ていった。

様子を見てきたお母さんによると、〈野ばら亭〉をお店の人に任せてから、まずお風呂場にこもったんだって。神霊さんに接するときは、身を清めるのが礼儀だから、沐浴《もくよく》だね、きっと。

それから、あっという間に準備を終えたお父さんは、順番に料理を運び始めた。いつもなら、作るだけ作っておいて、全員でテーブルにつくんだけど、今日はスイシャク様とアマツ様に捧げる形だから、お父さんは作る方に専念して、一緒には食べないんだって。

スイシャク様とアマツ様に向かって、食前の祝詞《のりと》を上げてから、わたしたちはそれぞれに席についた。

最初に運ばれてきたのは、ものすごく大きなお皿に載った、生の野菜だった。サラダっていうよりは、生の野菜。カブ、にんじん、きゅうり、キャベツ、セロリ、パプリカ、プチトマト、エシャロット……。

ただ盛りつけただけだと、神事のときのお供《そな》えみたいになるところだけど、そこはお父さんの料理だからね。薔薇《ばら》の花みたいに飾り切りされたプチトマトとか、リボンみたいにひらひらのきゅうりとか、紅白のウメにそっくりのにんじんとカブとか、お皿の上はびっくりするくらい綺麗だった。

わたし以外の全員が、緊張しながら待っていると、スイシャク様がにんじん、アマツ様がカブを召し上がった。何種類も添えられたソースとかドレッシングとかはなしで、野菜そのままで。

不思議といえば不思議なんだけど、にんじんとかカブとかが一つずつ、すっと空中に浮き上がったと思ったら、スイシャク様とアマツ様の可愛いくちばしの中に消えていったんだ。

神霊さんは、本当には物を食べたりはしない。対価やお供《そな》えにしても、その霊気を受け取るだけだって、学校では習ったんだけどな。スイシャク様もアマツ様も、しゃくしゃくといい音をさせて、生野菜を食べちゃってるよ。鳥って、歯はないんじゃなかったっけ？

ヴェル様が、驚愕！っていう感じの顔になって、紅白のご神鳥を凝視しているんだけど、いいんだろうか、これ？

その後も、お父さんは、次々に料理を運んで来た。魚介類で出汁をとった金色のスープ、雪みたいに真っ白な塩で包み込んだ蒸し鯛、何回も何回も油を回しかけた揚げ鶏、たくさんの色野菜を固めた宝石みたいなゼリー寄せ、甘酸っぱいオレンジソースの鴨のソテー、巨大なケーキみたいに膨らんだスフレオムレツ……。

神霊さんへの供物《くもつ》には、鶏肉以外のお肉はだめだから、今日の晩ご飯でも遠慮したんだろう。牛肉とかは出てこなかったけど、とっても豪華でおいしそうな料理だった。ちょっとだけ、スイシャク様とアマツ様がいるのに、鶏肉ってどうなのって思ったのは、皆んなには内緒だ。

ルーラ王国では、普段はナイフやフォークでご飯を食べるんだけど、神事のときのために、子供のうちからお箸の使い方も教えられる。人によっては、毎日お箸で食べることもあるみたい。

今日のうちの晩ご飯は、これ以上ないくらいの神事だから、新しいお箸がたくさん、白い紙に包まれてテーブルに並んでいるんだ。

スイシャク様とアマツ様は、最初の一口を食べた後は、わたしにお給仕をさせることに決めたみたいだった。ぱかっと可愛いくちばしを開けて、どんどん食べさせろって、交互にイメージを送ってくるんだよ。

わたしは、すべての料理をひと通り、少しずつお箸で取って、スイシャク様とアマツ様の口に入れていった。本当は、神霊さんへの供物《くもつ》をいただく場合、一品ごとに新しいお箸に替えるべきで、ちゃんと用意もされているんだけど、眷属《けんぞく》だからわたしのお箸でかまわないって。まあ、捧げられている側の神霊さんがいうんだから、問題はないんだろう。

最後に、ほわっと湯気の上がっている焼き立てパンを捧げ持って、お父さんが食堂に戻ってきた。ナイフとフォークで切るべきか、わたしがこっそり悩んでいると、手でちぎってくれたらいいよって、スイシャク様がいってくれた。穢《けが》れがあるかどうかは、結局は魂《たましい》の問題で、それは神事の作法より大切なことだからって。

皆んなは、スイシャク様たちのメッセージがわからないから、わたしが手掴《てづか》みでパンをちぎっているのを、ぎょっとした目で見ていた。ヴェル様なんて、〈寛仁大度《かんじんたいど》〉〈融通無碍《ゆうずうむげ》〉とか、ぶつぶつとむずかしい言葉をつぶやいてたしね。

バターと小麦粉のいい匂いのするパンを、もぐもぐと口にしたスイシャク様は、ふっくふっくに羽毛を膨らませて、ふふふっす、ふふふっすって、勢い良く鼻息を吐いた。〈流石《さすが》、□□□□□の申し子。見事なる神饌《みけ》〉って、強いイメージが送られてきたのは、おいしいってことだよね？

アマツ様には、スイシャク様より小さくちぎって食べてもらったんだけど、やっぱりすごく気に入ってくれたみたい。〈出来《でか》した、□□□□□〉っていって、ぶわって朱色の鱗粉《りんぷん》を振りまいたんだ。

アマツ様の鱗粉《りんぷん》は、火の粉そのものなのに、まったく熱くないんだから、つくづく不思議だよね、神霊さんの御業《みわざ》って。

スイシャク様とアマツ様に捧げた後は、わたしたちがお相伴《しょうばん》に与《あずか》る番だ。無礼講だし、冷めないうちに食べなさいって、強いイメージを送ってくれて、わたしたちもお箸を取った。

皆んなは、やっぱりすごく緊張していて、食べにくいみたいだったから、わたしが率先して食べ始めた。同じお箸でいいらしいので、開き直って甘えさせてもらおう。

瑞々しい生野菜には、アンチョビの入ったソースがぴったりで、食べるだけで身体の中から綺麗になっていくみたい。スフレオムレツは、すぐにぺたんとしてしまうから、ふわふわのうちにスプーンで口に入れて、とろける食感を楽しむんだ。塩で包み焼きにした蒸し鯛は、ふわっとやわらかくて、ほのかな塩味が鯛の身の甘さを引き立てている。カリカリの揚げ鶏を噛み締めると、おいしい肉汁が一気にほとばしるのは、時間をかけて油を回しかけたからこそ。金色のスープは、丁寧に丁寧に下ごしらえして作られていて、一点の雑味もなく、本当に黄金みたいな味だった。

わたしがとっても食いしん坊で、料理にこだわるようになっちゃったのは、仕方ないよね、これは。

スイシャク様とアマツ様は、お供《そな》えの味見じゃなく、本気でご飯を食べるらしく、わたしにお給仕をいいつけた。膝の上のスイシャク様、肩の上のアマツ様、わたし。アマツ様、スイシャク様、わたし。スイシャク様、アマツ様、わたしって、次々に口に料理を入れていく。

スイシャク様とアマツ様の食べっぷりに、最初のうちは、皆んな驚いて呆然としていたけど、途中からは開き直って、自分たちもどんどん食べていった。本当においしいものを食べるときには、儀礼は必要ないんだよ、きっと。

お代わりのパンと一緒に、お父さんが持ってきてくれたのは、今年最後のりんごパンだった。甘酸っぱくて、爽やかで、わたしは大好き。秋のりんごは甘過ぎるから、夏の終わり頃の黄色いりんごのときだけ作ってくれる、期間限定のパンなんだ。

スイシャク様は、今までで一番膨らんで、すごくおいしそうに食べてくれた。アマツ様は、〈小さ過ぎると食べにくい〉っていって、ふた回りくらい大きな鳥になったんだけど、そこは突っ込んじゃいけないんだろう、多分。

アリオンお兄ちゃんは、なぜか胸ポケットに入ったままの子雀《すずめ》に、りんごパンの小っちゃな欠片《かけら》をあげてるし。ヴェル様が、「噂のりんごパンまでいただけるとは、後が怖《こお》おございますな」って、含み笑いをしてたのは、何だったんだろうね。

少しずつ緊張もほぐれて、皆んなでお腹いっぱい、お父さんのご飯を食べた。お話もいっぱいして、楽しくって、全員が笑顔になった。

だから、わたしたちは大丈夫。作戦二日目の明日、〈乱倫《らんりん》〉のカリナさんが登場しても、華麗に立ち向かってみせるよ！

12

作戦二日目の朝、元気いっぱいに朝ご飯を食べたわたしたちは、それぞれの〈持ち場〉についた。まあ、フェルトさんとアリオンお兄ちゃんは守備隊、お父さんとお母さんは〈野ばら亭〉に、それぞれ出勤しただけなんだけど。

わたしは、家の応接室に参考書を持ち込んで、力試しに受けさせてもらうことになった、王立学院の入試に向けて勉強する。実は、入学させてほしいって返事をした後、おじいちゃんの校長先生がかけ合ってくれて、力試しに入学試験も受けさせてもらうことになったんだ。

側にはヴェル様がいてくれるし、相変わらず膝の上にスイシャク様、肩の上にアマツ様がいるから、何の心配もない。クローゼ子爵家に動きがあったら、それを、わたしからヴェル様に伝えて、すぐに〈野ばら亭〉と守備隊に伝言してもらう手筈《てはず》なんだ。

詳しくはわからないけど、ヴェル様の部下の人たちも、変装して〈野ばら亭〉に詰めてくれているらしい。ネイラ様が、どんなことが起こっても、万に一つも、わたしたちが危険な目に遭《あ》わないようにって、たくさんの人を手配してくれたんだ。

ヴェル様に、優しい笑顔でそう教えられたときは、なぜだか顔が真っ赤になっちゃった。とってもうれしくて、でも申し訳なくて、やっぱりとってもうれしかったから。

スイシャク様とアマツ様はといえば、今朝も普通にご飯を食べていた。お父さんも、わたしも、供物《くもつ》とは思っていなかったから、本当に普通のメニューだったんだけど、別にかまわないからって。

トウモロコシのたくさん入った、ちょっと甘めのオムレツと、色とりどりの野菜サラダ。トマト味の酸味のあるスープには、いろんな野菜が入っていて、すごく深い味がする。ベーコンは自家製で、塩味を限界まで薄くして、代わりに燻《いぶ》す時間を長くしてあるから、びっくりするくらい香り高い。ベーコンとは、わざわざチップを変えて作ってある鱒《ます》の燻製は、軽く炙《あぶ》ってあるだけなのに、ほんのりと溶け出した脂が光っていて、目から食欲を刺激される……って、料理の説明はどうでもいいんだった。

わたしたちは、神霊さんのご分体が、当たり前みたいにご飯を食べることに驚いたんだけど、スイシャク様とアマツ様は、まったく気にしていなかった。食べものそのものに、穢れなどあるはずもないから、〈柳多き現世の不自由を楽しむ〉んだって。

スイシャク様なんて、ベーコンのお代わりまでしてたよ。豚肉って、神饌《しんせん》にすることは許されないはずなのにね。

ヴェル様は、何だかすごい顔になって、〈霊肉一致《れいにくいっち》〉〈如是我聞《にょぜがもん》〉とか唸《うな》ってたから、後で意味を教えてもらうことにしよう。

そうこうするうちに、クローゼ子爵家を見張っている雀《すずめ》たちから、スイシャク様に連絡が入った。フェルトさんを訪ねてくる予定のカリナさんが、遂に動き出したんだ。

雀《すずめ》の視点とつなげてもらうと、カリナさんは、使者AとBの二人と、何人かの護衛役に守られながら、クローゼ子爵家の立派な馬車に乗り込むところだった。応接室でいつもけんかをしていた、従兄弟のミランっていう人も同行するみたい。

馬車に乗るのは、カリナさんとミランさん、侍女っぽい女の人の三人だけで、他の人は馬に乗ろうとしている。ただ、フェルトさんに話をしに来るだけのはずなのに、随分な大人数だった。

「お見送り、ありがとうございます、お父様。行って参ります」

「頼んだぞ、カリナ。気をつけて行け。しっかりとカリナを守るのだぞ、ミラン」

「戦地に行くわけでもなし、心配はご無用ですよ、伯父上。フェルトとかいう男の本音を、しっかり見抜いて参りますよ」

「では、行ってこい。風の神霊術《しんれいじゅつ》の対価は持ったのか、ギョーム」

「お預かりしております、閣下」

「よかろう。昨日のような不首尾《ふしゅび》は許されないと思え。行け！」

クローゼ子爵家を出発した一行は、それなりの時間をかけて、王都の通用門に到着した。貴族用らしい立派な門を出て、整備された街道をちょっと外れると、キュレルの街までは一直線なんだ。

カリナさんは、馬車の窓を開けさせると、使者Bに風の神霊術を使うように命令した。使者Bは、すぐに命令の通りにしようとしたんだけど、急に顔色をなくして、馬の上で硬直した。

使者Bに何が起こっているのか、わたしにはよくわかる。だって、風の神霊さんがくれた印《いん》は、昨日のうちにばらばらに解《ほど》けて消えちゃったからね。

神霊さんの文字で〈一時停止〉と書かれた紙も、相変わらずぺったりと背中に貼りついている。使者AとBに課せられた、一時的な〈神去《かんさ》り〉は、本当に起こっているんだよ。

「何をやっているの、ギョーム。早くなさい」

「どうしたんだ、ギョーム。おまえ、自由過ぎて使えないし、口は悪いし、態度は酷《ひど》いし、たいていの相手を怒らせるという特技を持った男だが、神霊術は得意だろう。今日も時間は限られているんだから、すぐに術をかけてくれ」

「ロマン様は、わたしのことを、そんなふうに思っていたんですか？　あんまりですよ。いや、しかし、今はそれどころじゃない。できないんです、ロマン様」

「できないとは、何のことだ。まさか、風の神霊術じゃないだろうな」

「そのまさかです。できません。できないんですよ。わたしの中から、神霊の印《いん》が消えてしまった……」

「馬鹿なことをいうな！　おまえ、昨日も風の神霊術《しんれいじゅつ》を使っていたじゃないか」

「でも、本当にできないんです。印《いん》がなければ、術の行使どころか、神霊に呼びかけることさえできないんですよ！」

「だから、印《いん》が消えるなんてこと、あるはずがないではないか。おまえは、いったい……」

「それって、〈神去り《かんさ》〉だろう？」

「は？　ミラン様、何を……」

「だから、〈神去り《かんさ》〉だって。ある日突然、自分の中から神霊にもらった印《いん》が消えて、神霊術を使えなくなるんだ。クローゼ子爵家の家臣なんだから、おまえたちが〈神去り《かんさ》〉にあっても、不思議ではないだろう？」

ミランっていう、フェルトさんの従兄弟らしい男の人は、そういってニンマリと笑ったんだ。それはそれは、うれしそうに。

多分、美男子なんだろうなって思う顔には、灰色の文字で〈嗜虐《しぎゃく》〉って、でかでかと書かれていた。この言葉の意味は、わたしにもわかる。人を虐《いじ》めて楽しむことだ。クローゼ子爵家って、本当にどうしようもないね。

それからも、クローゼ子爵家の一行は、使者Bを責めたりしていたけど、〈神去り《かんさ》〉になった以上、どうやっても神霊術は使えないからね。カリナさんの命令で、護衛の人が一人、〈風屋《かぜや》〉さんを探すために、通用門の中に戻っていった。

風屋《かぜや》さんっていうのは、大きな街の通用門のところでお店を出している、風の神霊術師のことだ。風の神霊術を、それなりのレベルで使える人は、かなりめずらしいから、十分に商売になるみたいなんだ。

風屋《かぜや》さんを待っている間、使者Bは、いろんな神霊術を試していた。火をおこしたり、土を耕したり、高く飛び上がったり、早く走ったり。使者Bって、やっぱりかなりの神霊術の使い手だったね。

一つ一つ、神霊術が使えるたびに、使者Bは泣きそうな顔をした。ミランさんが、つまらなそうに唇を歪めていたのは、きっと使者Bを虐められないからだろう。使者Aは、Bと一緒になって喜んでいたけど、Aだって〈一時停止〉にされている神霊術があるって、いつになったら気づくんだろうね。

しばらくすると、護衛の人が戻ってきた。一緒に連れてきたのは、綺麗な白髪を一つに結んだ、上品そうなおじいさんだった。おじいさんは、事前に依頼を聞かされていたみたいで、使者Bから小さな布包みを受け取ると、すぐに詠唱を始めた。

「さあさあ、風の神霊様よ。今日も、わたしに力を貸してくだされ。立派な馬車とそこに乗る方々《かたがた》、騎乗した五人の方々《かたがた》と馬たちを、キュレルの街の通用門まで運んでくだされ。風のように速く、安全に。大きな術になりますからな。対価は美しいこの水晶と、わたしの魔力をある程度」

おじいさんの詠唱が終わると同時に、手のひらくらいの水色の光球が現れて、水晶の周りをくるくる回り始めた。そして、水晶が消えたかと思うと、水色の光がぶわっと広がって、おじいさん以外の全員を包み込んだんだ。

風の神霊術を使うときの、それは決まった手順だったんだけど、使者Bだけは、とっても悲しそうな顔をして、おじいさんを見ていたよ。

おじいさんが合図をすると、クローゼ子爵家の一行は、そのままキュレルの街を目指して走り始めた。いよいよ〈乱倫《らんりん》〉のカリナさんと、〈嗜虐《しぎゃく》〉のミランさんの登場だ。どう考えても、ろくなことにならないだろうけど……。

⚘⚘⚘

風屋《かぜや》さんは、さすがに王都の門前にお店を出しているだけあって、とっても優秀だった。王都からキュレルの街の通用門まで、あっという間に到着しちゃったんだ。

そこから速度を緩めて、通用門を通って、一行が目指しているのは、守備隊の本部だった。今日も、フェルトさんは出勤しているから、そこで面談を申し込むんだろう。

カリナさんたちが守備隊に来ることは、ヴェル様から総隊長さんに、もう連絡してもらっている。フェルトさんはもちろん、アリオンお兄ちゃんも総隊長さんも、そのつもりで待っているんだと思う。

ちょうど、お店の仕込みが終わった頃だったから、お父さんとお母さんも、知らせを聞いて家に戻ってきた。応接室に皆んなが集まって、スイシャク様は膝の上、アマツ様は肩の上っていう定位置で、カリナさんたちの到着を待つ。昨日の晩ご飯から、アマツ様が二回りくらい大きくなったままで、いっそう鮮やかな真紅に光り輝いていることは、わたしたちの誰も、あえて突っ込まなかったよ……。

しばらくすると、クローゼ子爵家の馬車が、守備隊の本部に到着した。雀《すずめ》たちの視点を通しているからだと思うけど、お芝居を見に行ったときみたいで、何となく興奮してきちゃった。カリナさんとミランさんなんて、お芝居の悪役そのものじゃない？

護衛役の人が一人、さっと馬を飛び降りて、素早く守備隊の建物の中に入っていった。ヴェル様によると、カリナさんたちの到着を知らせて、待たせないように準備させるための、〈先触《さきぶ》れ〉なんだって。

もう一人の護衛役は、馬車の中に声をかけて、ゆっくりと扉を開けた。一番先に出てきたのが中年の侍女で、次がミランさん。最後に、ミランさんが差し出した手を取って、カリナさんが馬車から降りてきた。

馬車に乗るときには、よく見えなかったんだけど、舞台女優みたいに降り立ったカリナさんは、すごく気合を入れて着飾っていた。つやつやした栗色の髪は、ゆるく結い上げて、宝石のいっぱいついた髪飾りが留められている。ほんの少し、額《ひたい》のあたりに前髪を垂らしているのは、綿密に計算した結果だと思う。

カリナさんのお化粧は、クローゼ子爵家にいるときよりも薄めだった。目立つのはほんのり紅い唇くらいで、とっても清楚な薄化粧に見える。わたしは、少女とはいえ女の端くれだから、〈薄化粧に見えるように全力を挙げた、しっかりこってりのお化粧〉だって、すぐにわかったけどね。

着ているドレスは、深い緑色のシンプルな生地の上に、柔らかい黄色のチュールレースを重ねて、ふんわりと膨らませたもの。ほっそりとして背の高いカリナさんには、とてもよく似合っている。

正直なところ、今の季節にぴったりな装いといい、派手になり過ぎない程度の豪華さといい、真っ白な胸元の適度な露出といい、キュレルの街ではちょっと見ないくらい、綺麗な女の人だった。

一方のミランさんは、ベージュのシャツとズボンの上に、焦げ茶色の貴族っぽい上着を着ていた。これだけだと地味に聞こえるんだけど、襟《えり》や袖にはレースがついてるし、ボタンは宝石っぽく煌《きら》めいているし、焦げ茶色の生地全体に光沢があるから、けっこう派手だった。

ミランさんの髪は、濡れて光ったみたいな漆黒で、ゆるく波打って額《ひたい》にかかっている。男の人なのに、唇がつやつや光っているのは、何か油でも塗っているんだろうか。

これは、あれだ。この間読んだ本に出てきた、〈色悪《いろあく》〉っていう感じだと思う。美男子で色気があって、女の人を弄《もてあそ》ぶ男の人。お母さんには、〈そんな言葉を覚えるんじゃありません。困った子羊ちゃんね〉って怒られたけどね。

カリナさんとミランさんは、使者AとBに先導されて、堂々と守備隊の建物に入っていった。見るからに貴族っぽく着飾った二人は、ものすごく目立っていて、二人もそれを当然だと思っているみたい。

カリナさんなんて、すれ違った守備隊の隊員さんたちにまで、にっこりと微笑みかけてるよ。いきなり美人に微笑まれて、隊員さんたちが赤くなったりするたびに、カリナさんの額《ひたい》に〈乱倫《らんりん》〉の文字が濃く浮かび上がって、表面に走った亀裂が深くなっていく。スイシャク様とアマツ様は、〈程なく変《へん》じるか〉〈十日は保つまいよ〉なんて、不気味なイメージを送ってくるし。本当に怖いよ、カリナさん……。

カリナさんたちは、途中から案内に出てきた隊員さんに連れられて、応接室に入っていった。昨日、使者AとBが来たときに、総隊長さんの後ろにいた人だから、多分、王国騎士団の騎士さんなんだろう。若々しくて、気品があって、とっても美男子だった。

カリナさんは、この騎士さんにも微笑んで、上目遣《づか》いに見つめていたけど、騎士さんは、まったく相手にしていなかった。うん。やっぱり、ネイラ様の部下の人なんだろうな。

応接室には、もう総隊長さんが待っていて、静かにカリナさんたちに頭を下げた。使者AとBのときに見せたみたいな、威圧感はまったくなくて、無表情っていってもいいくらい。わたしは空気の読める少女だから、いつも優しい総隊長さんが、本当に不機嫌になっているんだって、すぐに気がついたよ。

挨拶をして、向かい合って座ったところに、フェルトさんとアリオンお兄ちゃんが登場した。ここで、アリオンお兄ちゃんの胸ポケットの中の子雀《すずめ》へ、さっと視点が切り替わったから、本当の特等席になった。

フェルトさんを目にしたカリナさんが、とろけそうに微笑んだのも、フェルトさんが見ていないところで、ニタァって唇を歪めたのも、ミランさんと目を見交わして、意味深にうなずき合ったのも、全部見えちゃってるよ。

フェルトさんは、そんなカリナさんたちを、ほとんど無視したまま、総隊長さんに話しかけた。

「申し訳ありません、総隊長。どうやら、またしても勤務中に、わたしの身内を名乗る方々《かたがた》が押しかけたようですね」

「まあ、そういうな、フェルト。昨日の客は名乗りもしなかったが、今日はクローゼ子爵家のご令嬢と、ご一門のご令息が、正式に訪問されたからな。わたしには場を取り仕切る責任があり、おまえには話を聞く義務があるようだ」

「面倒なこと、この上ないですね、総隊長。わたしは勤務中なので、用件のみ手短にお願いします、お客様」

「これはまた、話に聞く以上に無礼な対応だな。わたしは、ミラン・セル・クローゼ。クローゼ子爵閣下の弟、ナリス・セル・クローゼ騎士爵の嫡男《ちゃくなん》で、きみの従兄弟ということになる。理解できるかね？」

「ミランたら、失礼な物言いはおやめになって。わたくしは、カリナ・セル・クローゼですわ。クローゼ子爵の長女で、あなたの従姉弟になりますのよ、フェルト様。今後ともよろしくお願いいたしますね」

「わたしは、フェルト・ハルキス。母の婚外子で平民です。クローゼ子爵のご令嬢と、ご一門のご令息が、わざわざキュレルの街までお出でになったのは、何のご用でしょうか。端的にお願いします」

「だから、無礼だというのだ。いくら貴族の血を引いていても、平民育ちは始末に負えないな」

「失礼なことを言わないでちょうだい、ミラン。ごめんなさいね、フェルト様。ミランは、あなたとお目にかかれると思って、楽しみにしていたのよ。どうか、わたくしたちの話を聞いてくださらないかしら。できれば、人払いもお願いしたいの。とても込み入った話になるのですもの」

「わたしには、いかなる話もありませんので、端的に要件を伝えてください。それができないのなら、お引き取りを。まして、わたしにとっては父にも等しく、守備隊の指揮官でもある総隊長に聞かせられないような話なら、聞く必要はありません。お引き取りを」

おお。さすがだね、フェルトさん。カリナさんほどの美人が、ずっと潤んだ上目遣《づか》いで見つめているのに、まったく反応してないよ。

多分、ミランさんがわざと失礼なことをいって、カリナさんがなだめて、〈カリナさんって優しい人〉だと思わせようとしてるんだろうけど、完全に空振りしてる。アリアナお姉ちゃんっていう、本当に心の綺麗な美少女とお付き合いしているフェルトさんが、今さら〈乱倫《らんりん》〉の人に惑わされるはずがないからね。

　カリナさんとミランさんは、あまりにもフェルトさんが冷たいので、次の作戦に出るみたいだ。カリナさんってば、器用にも頬を赤らめて、こういったんだ。

「わかりましたわ、フェルト様。わたくしの口から申し上げるのははしたないことですし、できれば二人でお話をしたかったのですけれど、仕方がありません。今日、わたくしたちが参りましたのは、わたくしとフェルト様の婚約の話をしたかったからですの」

　カリナさんは、そういって、恥ずかしそうにうつむいた。ミランさんは、〈やれやれ、女性からいわせちゃったよ。美女が恥じらってるんだから、おまえが慰めろよ〉っていう感じの小芝居をしながら、フェルトさんの表情を窺《うかが》った。

　アリオンお兄ちゃんの胸ポケットの子雀《すずめ》が、びくって身体を震わせて、わたしの視界まで揺れちゃったのは、気のせいだと思いたい。アリオンお兄ちゃんから殺気が漏れ出したりなんて、絶対にしないはずだ。多分。

「婚約ですか？　わたしと、あなたの？」

「そうですの。事情はご説明しますけれど、わたくしと婚約して、クローゼ子爵家に入っていただきたいのです。わたくしは長女ですし、わたくしの夫が、将来のクローゼ子爵になりますのよ」

「お断りします」

「は？」

「おい。間違えているぞ。即答するなら、お願いします、だろう？」

「お断りします。わたしは、すでに婚約していますし、クローゼ子爵家とは無関係です。興味もありません」

「正気か、おまえは。クローゼ子爵家の家督《かとく》が、手に入るかもしれないんだぞ。しかも、カリナほどの美女との結婚で！」

「クローゼ子爵家には、一切の興味がありません。迷惑です。美女といっても、上辺だけでしょう。腐った性根《しょうね》が隠せていませんよ。わたしの大事な婚約者とは、比べものにもなりませんね」

興奮する素振りもなく、フェルトさんが淡々といい切った瞬間、カリナさんの額《ひたい》の文字がばらばらにひび割れて、どろりと溶け出した。

スイシャク様とアマツ様は、〈来たぞ、変化《へんげ》だ〉って、強いイメージを送ってきたけど、いわれるまでもなく、わたしの目は釘《くぎ》付けだった。わたしが見たのは、世にもめずらしい、〈鬼成《きな》り〉の瞬間だったんだよ。

13

〈鬼成《きな》り〉のことは、町立学校で習った記憶がある。といっても、ちゃんとした神霊術《しんれいじゅつ》の授業じゃなくて、低学年のときに読んでもらった物語の話だけど。

心悪《あ》しき男と女は、神霊様のご恩を踏みにじり、悪行を重ねて人々を苦しめたあげく、人から鬼へと変化《へんげ》してしまいました。これを〈鬼成《きな》り〉というのです——そう書かれていた本の、妙に生々しい挿絵が怖くって、今でも鮮明に覚えているんだ。

優しいスイシャク様とアマツ様が、すぐに紅白の光を強くして、わたしをぐるぐる巻きにしてくれたから、叫んだりすることはなかったものの、怖いものは怖い。

物語の中の話だとばかり思っていた〈鬼成《きな》り〉を、十四歳にして目撃してしまうなんて、想像したこともなかったよ、わたし。

本の挿絵では、口が耳まで裂けている女の人とか、ツノが生えて牙を剥《む》いた男の人が描かれていた。実際の鬼成《きな》りは、かなり違っているみたい。カリナさんの綺麗な顔は、やっぱり綺麗なままだった。ただ、ほどよく露出したカリナさんの胸元が、なんだかボコボコと波打っている気がする。真っ白な肌も、ところどころが濁った緑色になっていって、わたしが不思議に思った瞬間、いきなり何かが飛び出した。

えっ？　と思って目を凝らすと、手首くらいの太さのある、腐った沼みたいな色の蛇が一匹、カリナさんの胸元から生えているんだよ……！

あまりの衝撃に、わたしはスイシャク様に縋《すが》りついた。それから、震えながら見直したんだけど、いくら見ても、〈生えている〉としかいいようがなかった。

もともとの白い肌と腐った緑色がまだらになった、カリナさんの豊かな胸元から、胴体の半分くらいを生やした蛇は、きゃしゃな首の周りを一周してから、艶やかな栗色の髪の上に頭を預けていた。そして、その蛇には頭が三つもあって、それぞれに牙を剥《む》き出しにしていたんだ。

カリナさんの額《ひたい》にあった〈乱倫《らんりん》〉の文字は、跡形もなく消えちゃって、後にくっきりと〈三岐《みまた》〉って書かれていたのは、きっと蛇の頭の数なんだろう。

スイシャク様とアマツ様は、〈初手から三岐《みまた》とは業深きこと〉とか、〈一の蛇は淫奔《いんぽう》、二の蛇は苛虐《かぎゃく》、三の蛇は毒心《どくしん》か〉とか、盛んにイメージを交換していた。アマツ様が、〈業火《ごうか》にて燃やし清めるか〉とかいってるのは、聞かなかったことにしよう。そうしよう。

守備隊の応接室にいる人たちは、当のカリナさんも含めて、誰も変化《へんげ》に気づかないみたいだった。スイシャク様が、すぐに教えてくれたところによると、わたしが見ているのは、神霊さんの視界に近いものだから、人にはわからないんだって。

唯一、蛇が見えているのは子雀《すずめ》で、アリオンお兄ちゃんの胸ポケットの中で、ぶわっと膨らんだまま硬直している。そりゃあ、無理もないって。小さな可愛い子雀《すずめ》なんて、蛇に丸呑《の》みにされちゃうからね。今日の晩ご飯のときには、わたしもパンの欠片《かけら》をあげて、思いっきり慰めるよ、子雀《すずめ》ちゃん。

うちの家でも、言葉だけを伝えていたお父さんとお母さんは、戸惑った顔をして、わたしを見つめていた。ずっと側にいてくれるヴェル様は、スイシャク様の羽根を触媒《しょくばい》にして、だいたいのイメージを視覚化できるものだから、青白い顔をして硬直してる。万能執事のヴェル様でも、鬼成《きな》りの瞬間を見たことなんて、ないんじゃないかな。

カリナさんの変化《へんげ》は、十四歳の少女が目撃するには、あまりにも衝撃的な光景だったと思う。でも、とっても優しくて教育熱心なスイシャク様は、視界を切断してはくれなかった。

ぐるぐる巻きをもっと強くしながら、優しく慰めてくれる気配と一緒に、そっと送られてきたのは、深い意味のあるイメージだったんだ。〈幼《いとけな》き子に酷なれど、衆生《しゅじょう》を救うは我が役目。眷属《けんぞく》たる其《そ》の洗礼に、三岐《みまた》の穢《けが》れを覧あれかし〉って。

正直にいうと、今回のスイシャク様のイメージは、わたしにはむずかし過ぎて、あんまり意味がわからなかった。ただ、スイシャク様もアマツ様も、わたしのことをとっても心配してくれていて、それでもカリナさんの変化《へんげ》から、目をそらさないようにって望んでいることは、よく伝わってきたよ。

そうこうするうちに、最初に動いたのは、アリオンお兄ちゃんだった。カリナさんたちにぐっと近づいて、フェルトさんの真横に移動したんだと思う。その視界が微《かす》かにぶれたのは、きっと子雀《すずめ》が震えちゃってるんだろう。

アリオンお兄ちゃんには、カリナさんの変化《へんげ》は見えていない。それでも、フェルトさんを守るために、本能的に側に寄ったんだって、わたしにはわかった。もう十四年も、大好きなアリアナお姉ちゃんの妹をやってるからね。

スイシャク様とアマツ様は、〈其《そ》の姉たる衣通《そとおり》は剛毅《ごうき》〉って、しっかり褒《ほ》めてくれたよ。

カリナさんは、アリオンお兄ちゃんに視線を向けてから、何にも怒ってないみたいな顔をして、微笑みながら質問した。

「あら。そちらの少年は、どなたなのかしら、フェルト様？」

「騎士見習いとして、わたしの世話をしてくれている者です。わたしの大切な婚約者の親戚で、将来有望な少年です」

「なぜ、急に前に出てきたのかしらね？」

「先ほど、貴女が不穏な気配を発したので、わたしを心配してくれたのでしょう。ありがたいことです」

「不穏だなんて、酷《ひど》いわ。フェルト様が、わたくしの話を少しも聞いてくださらないし、精一杯の告白を簡単にお断りになるから、悲しかっただけですのに」

「いや、悲しいという顔ではありませんでしたよ。何というか、表面は普通にしているのに、後ろに大蛇でも背負っているような感じでした。わたしは、愛する婚約者としか交際した経験がないので、女性を怖いと思ったこともなかったのですが、認識を改めました。怖いですよ、クローゼ子爵令嬢」

おお。フェルトさんってば、すごく鋭い！　さすが、かなりの神霊術《しんれいじゅつ》の使い手だけあって、霊的な気配に敏感なんだね。女性に対する言葉としては、めちゃくちゃ失礼なことをいってる気がするけど、それはまあ、仕方ないだろう。

フェルトさんのあんまりな言葉に、〈嗜虐《しぎゃく》〉のミランさんは、怒った顔で食ってかかった。

「おまえ、いくら何でも無礼だろう。親族として扱ってやれば、いい気になって。カリナは、クローゼ子爵令嬢だぞ。不敬罪で告発されたいのか！」

「どうぞ、そうなさってください。ありがたいことに、我らがルーラ王国では、無礼打ちは許されておりませんからね。わたしを不敬罪に問いたければ、王都の守備隊にでも警ら隊にでも申し出てください。この程度の発言では、大した罰にはなりません。それで貴方たちと縁をつながなくて済むのなら、ありがたいことですよ」

「ミランったら、お願いだから黙っていてちょうだい。ねえ、フェルト様。本当に、何か誤解があるような気がするの。わたくしの祖母が、貴方のお母様につらく当たったことは事実かもしれないけれど、祖母も後悔しているの。貴方のお顔を見せて、謝罪する機会を与えてやってはいただけないかしら」

そういって、悲しそうにまつげを伏せたカリナさんは、すごく綺麗で儚《はかな》げだった。胸から蛇を生やしていなければね。

悲しげなカリナさんの頭の上で、三岐《みまた》の蛇が牙を剥《む》いて頭を起こし、ずっとシャーシャーいってるから、本当は怒り狂ってるんだろうな、カリナさん。

「同じ血を持つ一族ですもの。きっとわかり合えると思うの。どうか王都の屋敷にいらして、祖母や父に会ってください。よろしいでしょう、フェルト様」

「お断りします」

「……。即答なのね。わたくしが、こんなにお願いしてもだめなのかしら」

「貴女のお願いを聞く理由など、わたしにはありません。純然たる迷惑です」

「クローゼ子爵家の当主の座に、本当に関心はないのかしら？　爵位は子爵だけれど、近衛《このえ》騎士団長の座も狙えるほどの名門なのよ」

「無関心です。貴女たちがお帰りにならないのなら、わたしの方が失礼します。総隊長、ご迷惑をおかけして、申し訳ありません。業務に戻ります」

そういって、フェルトさんは立ち上がり、本当にカリナさんたちには挨拶もしないで出て行っちゃった。わたしの義兄になる人は、清々しいくらいぶれないみたいで、とってもカッコいい。よかったね、アリアナお姉ちゃん。

アリオンお兄ちゃんの胸元の子雀《すずめ》が、ほっとしたみたいに身体の力を抜いたのは、きっとカリナさんから離れられたからだろう。子雀《すずめ》が無事で、わたしもほっとしたよ。

その後、残されたミランさんは、フェルトさんを連れ戻すようにって、総隊長さんに命令していたんだけど、総隊長さんは相手にしなかった。本人が拒否している以上、面会を強要するのなら、法理院《ほうりいん》の命令書を持ってくるようにって、毅然と対応していたんだ。

カリナさんとミランさんは、しぶしぶ守備隊の本部を出て行った。馬車に乗るとき、本部の建物を睨《にら》みつけたカリナさんは、まさに〈鬼の形相《ぎょうそう》〉っていう感じだった。

やっぱり綺麗な顔のままだったから、誰にもわからなかったと思うけど、腐った沼みたいな色だった三岐《みまた》の蛇は、なぜだか身体のあちこちを腐らせて、いっそう不気味なまだら模様になっていた。カリナさんってば、この先どうなっちゃうんだろうね……。

❖❖❖

スイシャク様の雀《すずめ》たちは、蛇つきのカリナさんのことが怖いだろうに、近くまで飛んで行って、声を拾ってくれた。本部の建物を睨《にら》みつけていたカリナさんは、しばらくすると気を取り直したみたいで、ニタァって笑いながら使者AとBに命令した。

「わたくしたちを、今から〈野ばら亭〉とかいう店に案内しなさい。おまえたち、場所はわかっているのでしょう?」

「カリナ様が、ご自身で〈野ばら亭〉に足をお運びになるのですか?」

「そうよ。あのフェルトという男は、どうしようもないわ。人の価値も、物の値打ちも、地位や権力の意味さえも理解できない愚鈍《ぐどん》ですもの。こうなったら、〈野ばら亭〉の者たちを使って、いうことを聞かせるまでよ」

「ですが、カリナ様。フェルト殿の婚約者という娘は、しばらく留守にしているそうなのですが……」

「ロマン様の仰る通りなんです、カリナ様。〈野ばら亭〉に行かれましても、フェルト殿の女にはお会いになれません。わたしとロマン様で、確認しております」

「田舎者の婚約者とやらがいなくても、その女の両親がいるのでしょう？　女の居所を聞き出しましょう？　警戒して話さなかったとしても、適当に脅しておけば、自分たちの方から、婚約を破棄するでしょうし、そう仕向ければいいだけのことよ」

「それに、フェルトの婚約者は、美人姉妹の姉の方なんだろう。この機会に、家にいる妹を見ておきたい。十四の美少女なんて、最高の……」

このあたりで、急に言葉が聞き取れなくなって、スイシャク様が強引に視界と声を断ち切った。わたしのことで、何だか不穏な相談をしていたみたいだから、きっと教育的な配慮なんだろう。

そう思って、なにげなく応接室を見回して、わたしは、思わず息を呑《の》んだ。皆んな、何だかすごいことになっていたんだ。

わたしの大好きなお父さんは、見たこともないほど険しい形相《ぎょうそう》で、じっと空を睨《にら》んでいた。お父さんの身体からは、手で掴《つか》めるくらいに濃密な、怒りの気配が立ち上っていて、周りの空気まで色が違って見える。

あんなふうにお父さんを怒らせたのが、もし自分だったとしたら、失禁しちゃうんじゃないかと思う。

十四歳の少女としては、あるまじき感想だけど。

うちの美人のお母さんも、やっぱり激怒していた。三日月形に吊り上がった唇からは、ギリギリと歯《は》軋《ぎし》りの音が聞こえているし、エメラルドみたいにきらきらした瞳は、光を消して空洞になったみたいなんだ。カリナさんの蛇にでも、対抗できるんじゃないかと思うくらい、本気で怖いよ、お母さん。

ヴェル様は、お父さんやお母さんとは正反対だった。とっても冷静で、怒った顔なんてしていなかった。ただ、いつもは優しいアイスブルーの瞳が、凍ったように冷たくて、奥の方で何かがひっそりと燃え上がっていた。

優しくて紳士的なヴェル様は、本当はとっても厳しくて怖い人なんだって、初めてわかった気がする。もちろん、わたしのために怒ってくれているんだから、わたし自身は、少しも怖いなんて思わなかったけどね。

そして、スイシャク様とアマツ様は、とっても危なかった。だって、真っ白な羽毛をふくふくさせた、巨大な雀《すずめ》のスイシャク様も、ルビーみたいに煌《きら》めいている、紅い鳥のアマツ様も、その形を保てなくなってるんじゃない？

紅白の鳥の姿は、ゆらゆらゆらゆら、揺らめいていた。そして、鳥の形が崩れたかと思うと、スイシャク様は純白の光の渦、アマツ様は真紅の光の渦になって、次の瞬間にはまた鳥の姿に戻っていくんだ。

スイシャク様やアマツ様から、教えてもらったわけでもないのに、このとき、なぜかわたしにはわかっていた。優しくて慈悲深い〈和魂《にぎみたま》〉として、現世《うつしよ》に顕現《けんげん》されたご分体が、激しくも荒々しい〈荒魂《あらみたま》〉へと、存在のあり方を変えようとしているんだって。

とにかく、スイシャク様とアマツ様に落ち着いてもらわないと、何が起こるかわからない。アマツ様なんて、今すぐにでも、カリナさんたちを燃やしちゃいそうだし。

わたしは、必死になってスイシャク様とアマツ様に呼びかけるんだけど、まったく聞いてもらえない。きっと神霊さんの方から耳を澄ましてもらえないと、人の子の言葉は届かないんだろう。

途方に暮れていたわたしは、不意に思い出した。昨日、スイシャク様とアマツ様に、お礼の言葉を届けたくて、それができなくて、〈思念の気化〉をしようとしていたなって。

スイシャク様たちからメッセージが送られてくるのは、空から雨が降ってくるみたいに、すごく簡単で自然なこと。口に出した言葉や、心に思ったことをすくい上げてもらうのも、やっぱり簡単で自然なこと。でも、わたしから意識してメッセージを届けるのは、地面から空に向かって雨を降らせるみたいで、すごくすごくむずかしいことだった。

だから、水蒸気みたいな気体にすれば、天までだって届くんじゃないかって、わたしは思ったんじゃなかったっけ？

急がないと、本当に危ない。カリナさんたちに神罰が下っても、正直わたしは気にしないけど、子供たちの誘拐《ゆうかい》事件を解決するために、ネイラ様が罠を張っているんだから、それを邪魔しないように、今は止めるしかないんだ。

わたしは、〈お心を鎮《しず》めてください〉っていうお願いで、心をいっぱいにした。ネイラ様が困るから、子供たちを助けたいから、罪人は国が裁いてくれるから、今はお鎮《しず》まりくださいって、魂《たましい》の底からお願いした。

最初のうちは、全然上手くいかなかった。でも、たまたまたっぷりと雨上がりの水蒸気を含んだ晴れの日に、綺麗な虹がかかる光景を思い浮かべたら、ぱしんって、何かの殻を破った音がしたんだ。

次の瞬間、わたしのお願いは、〈祈祷《きとう》〉になったんだって、教えられるまでもなく理解できた。そして、わたしのちっぽけな祈祷《きとう》は、柔らかなサクラ色の光球になり、ふらふらしながら回路をよじ上って、何とかスイシャク様とアマツ様に届いたんだ!

その途端、鳥の形と光の渦の間で揺らめいていた、スイシャク様とアマツ様が、ぴたっと動きを止めて、すごい勢いでわたしの顔を覗《のぞ》き込んできた。

〈其《そ》の祈祷《きとう》か〉〈出来《でか》した〉〈目出たき桜の祈祷《きとう》とは、重畳《ちょうじょう》〉って、ものすごく強い喜びのメッセージが送られてきたときには、スイシャク様もアマツ様も、もう可愛い鳥の形に定まっていたんだよ。

それからは、何とか皆んなが落ち着いてくれて、本当にほっとした。守備隊の本部から、うちの〈野ばら亭〉までは、馬車だとそんなに時間がかからないから、もうすぐカリナさんたちが到着しちゃうんだ。

「大丈夫よ、チェルニ。わたしとダーリンがお相手するから、わたしの可愛い子猫ちゃんは、お家で待っていてちょうだい」

「そうだ、チェルニ。おまえは、影も見せるな。いいな?」

「はい、お父さん! 約束します!」

「いい子だ。チェルニの側にいてくださいますか、オルソン子爵閣下?」

「もちろんですとも、カペラ殿。二柱《ふたはしら》の御神霊がお護《まも》りくださるのですから、何人《なんびと》たりともチェルニちゃんを害することなどできませんけれど、人の子は人が守るのが筋というもの。身命《しんみょう》を賭《と》して、チェルニちゃんをお守りしましょう」

「ありがとうございます、閣下。よろしくお願い申し上げます」

「あの者どもとの対面には、必ず我が部下を複数人同席させてください。よろしいですね、カペラ殿」

「必ずそういたします、閣下」

お父さんたちが真剣に話し合っている横で、スイシャク様とアマツ様は、ひたすらわたしの祈祷《きとう》を喜んでくれていた。おかげで、うちの応接室は、乳白色の光の明滅と、朱色の鱗粉《りんぷん》の洪水で、〈この世ならぬ光景〉っていう感じになってるよ。お父さんたち、この中でよく普通に話していられるね？

ともあれ、間もなくカリナさんたちが、〈野ばら亭〉にやってくる。まだ作戦二日目なのに、濃密な展開だよ、本当に。

14

守備隊の本部を出発したカリナさんたちは、まっすぐに〈野ばら亭〉を目指しているみたいだった。たくさんの雀《すずめ》たちに、交代で見張ってもらいながら、わたしたちも、カリナさんたちを迎えるための準備を始める。といっても、お父さんとお母さんが〈野ばら亭〉に戻っていって、わたしはヴェル様と一緒にいるだけなんだけどね。

お母さんは、わたしのことをぎゅっと抱きしめてから、気合十分に出て行った。お父さんは、わたしの頭を大きな手で撫でてから、静かに出て行った。

うん。わたしのお父さんとお母さんは、きっと大丈夫。胸元から蛇を生やしたカリナさんにだって、そう簡単には負けないと思う。何となく、そんな気がするんだ。

スイシャク様とアマツ様に急かされて、何度か〈祈祷《きとう》〉の練習をしているうちに、カリナさんたちが乗っている馬車は、すぐ近くまでやってきた。ところが、不思議なことに、〈野ばら亭〉が見えるくらいの距離になってから、馬車がちっとも進まなくなったんだ。

わたしの目には、相変わらず軽快に走っているみたいに見えるのに、馬車は同じところに留まったまま、馬の足だけが動いている。それは、ものすごく不思議で、ものすごく怖い感じのする光景だった。

雀《すずめ》の視界を通して、同じものを見ていたヴェル様は、にんまりと笑いながらいった。

「なるほど。尊き御神霊が御座《ござ》遊ばす〈野ばら亭〉に、〈鬼成《きな》り〉如《ごと》きが近づくことは叶いませんか。誠にもって、道理でございますな」

「それって、スイシャク様とアマツ様が守っていてくださるから、カリナさんたちは来られないっていうことですか、ヴェル様？」

「そうですよ、チェルニちゃん。前クローゼ子爵令嬢の〈鬼成《きな》り〉には、わたくしも肝を冷やしましたが、それはあまりの悍《おぞ》ましさに、生理的な嫌悪感が湧いただけのこと。たかだか三岐《みまた》の蛇如《ごと》き、恐れるには足りません。我が主人には遥かに遠く及ばずとも、わたくしの剣で、穢《けが》れた首を落としてみせましょう。まして、尊き御神霊の御前《おんまえ》に這《は》い寄ることなど、できるはずがないのです」

ヴェル様の言葉に、膝の上でふっすふっす、上機嫌に鼻を鳴らしていたスイシャク様と、相変わらず大きくなったまま、わたしの頬に優しく頭をすり寄せていたアマツ様が、揃って肯定のイメージを送ってきた。

〈是《ぜ》。三岐《みまた》までは戒《かい》、五岐《ごまた》までは惨《さん》、六岐《むまた》よりは滅《めつ》〉って。

スイシャク様とアマツ様の説明によると、鬼成《きな》りには何種類かあって、カリナさんみたいに蛇が生えるのは、自分の強欲さの結果だから、神霊さんたちからも同情してもらえないらしい。

蛇の頭が三つに分かれた三岐《みまた》までは、神威《しんい》に戒められて、神霊さんには近づけない。四岐《よまた》と五岐《ごまた》は、近づこうとすると痛み苦しむ。そして、六岐《むまた》よりたくさんの頭に分かれた蛇を生やしていると、近づいただけで滅ぼされるんだって。

スイシャク様は、優しい乳白色の光でわたしを包み込んで、厳《おごそ》かなイメージを送ってきた。〈蛇は覡《げき》が滅する故《ゆえ》、其《そ》は哀しき鬼哭《きこく》に我が慈悲を伝えよ〉って。鬼哭《きこく》っていうのは、自分はちっとも悪くないのに、あまりにも酷《ひど》い目にあって、鬼成《きな》りをしてしまった人のことらしい。

スイシャク様のいうことは、わたしにも少しだけ想像できる気がするけど、それが正しいのかどうかは、わからない。わたしは、王立学院の入試を控えた、十四歳の少女でしかないから。

ともかく、カリナさんたちと対面するには、通り道を開けてもらうしかない。スイシャク様は、不機嫌そうにふすふすいいながら、可愛い羽をひと振りした。すると、鈍い銀色の光に覆《おお》われた通路が、馬車から〈野ばら亭〉まで、まっすぐに延びていったんだ。

クローゼ子爵家の馬車は、途端に前に進み出した。ヴェル様が、そっと〈裁きの道〉ってつぶやいたのは、きっと本当のことなんだろう。

銀色の光に不気味に照らされながら、カリナさんたちを乗せた馬車は、あっという間に〈野ばら亭〉に到着した。守備隊の本部に着いたときと同じように、中年の侍女、ミランさんの順で馬車を降りて、カリナさんに手を差し出す。

ミランさんの手を取ったカリナさんは、爪の先まで整えられた、真っ白い手をミランさんに預けて、ゆっくりと降りてきた。馬車の中でお化粧を直したのか、唇はさっきよりも赤く塗られていて、〈艶めかしい〉っていう感じ。着ているドレスは変わっていないんだけど、首飾りは豪華なものになっていて、いかにも貴族の令嬢っぽかった。

〈野ばら亭〉に来てくれる、近所のおじさんたちが見たら、ぱかんって口を開けて見惚《みと》れそうなくらい、守備隊のときよりももっと、カリナさんは綺麗だった。胸元から生えている蛇が、うねうねとうごめいていなかったら、だけど。

カリナさんたちが、ゆっくりと馬車を降りている間に、さっきも先触《さきぶ》れに立っていた、護衛っぽい男の人が、〈野ばら亭〉に入っていった。カリナさんたちが来たことを伝えて、場所を準備させるんだろう。

待つまでもなく、護衛っぽい人と一緒に、〈野ばら亭〉の制服を着た男の人が出てきて、カリナさんたちを案内した。わたしが見たことのない職員さんだったから、きっとヴェル様の部下の人なんだと思う。

カリナさんたちは、堂々とした足取りで、〈野ばら亭〉に入っていった。そして、その瞬間、わたしの心の中で、何かがぷちって切れたんだ。

わたしの大好きな〈野ばら亭〉。お父さんとお母さんが、一生懸命に守っている〈野ばら亭〉。アリアナお姉ちゃんが、素敵な看板娘の〈野ばら亭〉。たくさんのお客さんが、大事にしてくれている〈野ばら亭〉。従業員さんたちが、家族みたいに仲がいい〈野ばら亭〉。お父さんがおいしいパンを焼いて、困っている人たちにこっそり差し上げている〈野ばら亭〉。

そんな大切な〈野ばら亭〉に、不気味な蛇たちが、平気な顔をして入り込むなんて、絶対に許せない!!

それまでは、何とも思っていなかったのに、実際にカリナさんたちが入っていくのを見たら、わたしは我慢できなくなっちゃったらしい。

あまりにも激しい怒りに、自分でもどうしたらいいのかわからなかった。家庭環境に恵まれていたから、あんまり怒ったことのない少女なんだ、わたし。

スイシャク様もアマツ様もヴェル様も、びっくりしたみたいにわたしを見て、なだめようとしてくれたんだけど、それよりも早く、あの瞬間が訪れた。二種類の尊い気配が、光の速さで近づいてきて、わたしに印《いん》を授けようとしてくれたんだ。

神霊さんたちの気配は、スイシャク様とアマツ様に向かって、何かの合図を送っているみたいだった。スイシャク様は、過去最高にふっくふっくになって、上機嫌に可愛い羽をばたつかせた。アマツ様は、わたしの肩から飛び上がって、部屋中を朱色の光に染め上げた。神霊さんたちの会話はわからないけど、新しい印《いん》を授かることを、了解し合ってくれたんだろう。

次の瞬間、わたしは一人になって、目に痛いくらいの純白の雪原に立っていた。前を見ても、後ろを見ても、右を見ても、左を見ても、白と白と白と白。ちょっと怖くなるくらい、一点の穢《けが》れもない、純白の広大な雪原だった。

それから、どこからともなく、澄み切った鈴の音が聞こえてきた。はじめは一つだけだった音は、二つになり、三つになり、やがて雪原を満たす音の洪水になったんだ。

あまりの場の清らかさに、息が詰まりそうになったけど、わたしは何とか大丈夫だった。だって、頑張って心を落ち着けてみたら、穢《けが》れなき純白は、何色にでも染まってくれそうな包容力があって、澄み切った鈴の音は、わたしの怒りをなだめようとしてくれていたから。

うれしくなって、心の中でお礼をいって、そっと身を委《ゆだ》ねたときには、わたしの魂《たましい》に新しい印《いん》が刻まれていたんだよ。

ぎゅっと閉じていた目を開けて、家の応接室にいることを確認したわたしは、ほんのちょっとだけ途方に暮れた。自分が今、何の神霊さんから印《いん》をいただいたのか、はっきりと理解していたから。

鈴を司る神霊さんと、塩を司る神霊さん。これって、いったいどういう意味があるんだろうね……。

＊＊＊

鈴を司る神霊さんと、塩を司る神霊さんっていう、正直、よくわからない神霊さんたちから印《いん》をいただいたことで、スイシャク様とアマツ様は、大喜びしてくれた。〈いとも目出たき〉〈よくぞ出来《でか》した〉って。

ヴェル様は、ものすごく不思議な表情で、わたしのことを見つめていた。喜んでいるわけじゃなく、もちろん怒っているわけでもない、何だか張り詰めた表情だった。スイシャク様は〈畏《おそ》れ〉っていうイメージを送ってくれたけど、ヴェル様は、鈴と塩の神霊さんに、畏《おそ》れを感じていたのかな？

でも、わたしの疑問は、あっという間に流れていった。ちょうどそのとき、〈野ばら亭〉で一番上等の応接室に、カリナさんたちが入ってきたから。また、怒りが湧きそうになるのを必死に我慢して、わたしは、窓に張り付いてくれている雀《すずめ》の視点で、じっと中の様子を窺《うかが》った。

神霊さんをお祀《まつ》りするための〈神座《かみざ》〉を背にしたソファには、カリナさんとミランさんが座っていた。その左右には、使者ＡとＢが立っていて、護衛の人たちはドアの外にいるみたい。

向かい側のソファには、お父さんとお母さんが座って、むずかしい顔をしている。お父さんたちの後ろに立って、さりげなく守ってくれているのは、さっきカリナさんたちを出迎えに行った、ヴェル様の部下の人たちだろう。

そして、カリナさんの胸元の蛇は、ちょっと様子が変だった。不気味に生えているのは同じなんだけど、手首くらいあった胴回りが、半分くらいの太さになっている。三岐《みまた》に分かれた頭も、まるで何かを怖がっているみたいに、カリナさんの結い上げた髪の毛の中に潜り込んでいるんだよ。

平然と微笑んでいるカリナさんの顔色が、少し青白く見えるのは、きっと蛇の態度と無関係じゃないんだろう。

ミランさんは、わざとらしくにこにこしながら、お母さんのことを、じっと見つめていた。わたしのお母さんは、子供が二人もいるとは思えないくらい若々しくて、儚《はかな》げな美人で、男の人にとっても人気がある。でも、だからって、お父さんの目の前で、じろじろ見ることはないと思う。本当に失礼な人だよ、ミランさんって。

使者AとBは、貼り付けたみたいな無表情で、黙って立っているだけだった。昨日、〈野ばら亭〉の食堂で、おいしそうにご飯を食べていた二人を思い出したら、なぜだかちょっと悲しくなっちゃったよ、わたし。

そんな、どんよりと重たい雰囲気の中、最低限の自己紹介をしただけで、社交辞令とかを全部すっ飛ばし、すぐに本題に入ったのは、わたしの大好きなお父さんだった。

「それでは、ご用件を伺いましょう。王都の貴族家のご令嬢とご令息が、わざわざキュレルの街の宿屋までお越しとは、どのようなお話でしょうか？」

「田舎街の平民風情が、生意気な口のきき方だな、亭主。貴族たる者に対する礼儀は、この田舎では学べないのか？」

「それはそれは、失礼いたしました。わたしの言葉がご不快でしたら、謝罪をさせていただきます。それで、ご用件は？」

「だから、その態度が無礼だというのだ。不敬罪に問うぞ」

「もう、ミランったら。熱くなるのはやめてちょうだい。ごめんなさいね、ご主人。わたくしたちは、フェルト・ハルキスの身内の者ですの。ご存知でしょう、フェルトのこと？　こちらの娘さんと、親しくしていただいているのですってね」

「ええ。フェルト・ハルキス殿と、我が家の長女は、婚約者の間柄です」

「婚約、ね。フェルトの出生の事情は、聞いていらっしゃる？　クローゼ子爵家のことは、いかがかしら？」

「聞いています。同時に、クローゼ子爵家とはまったく無関係な立場であることも、しっかりと聞いています」

「フェルトの立場が変わったことは、ご存知かしら？　急なことですけれど、王家からの勧めによって、フェルトをクローゼ子爵家に迎え入れることになりましたの。クローゼ子爵家の嫡子である、わたくしの夫になる予定ですわ」

　そういって、カリナさんは恥ずかしそうに微笑んだ。怒るよりも先に、思わず感心しちゃったよ、わたし。一族揃って〈神去《かんさ》り〉になったことで、王家からの厳しい選択を迫られているはずなのに、上手に話をすり替えているんだもん。

　完全な嘘はつかないけど、本当のことも絶対にいわない。蛇を生やしちゃった人らしい、狡猾《こうかつ》さだと思う。もちろん、見習ったりはしないけどね。

「昨日のうちに、きっぱりとお断りしたと、フェルトから聞いています。恐れながら、クローゼ子爵家に入るつもりは欠片《かけら》もないと、断言しておりました」

「今日、カリナとわたしが、直々にフェルトに会ってきたんだ。カリナを見て、気持ちも変わったんじゃないか？　万が一、そちらの娘に義理立てしているとしても、それは今だけのことだ。王都の名門貴族の継嗣《けいし》の座と、田舎街の娘一人、どちらを取るべきかは、いうまでもないだろう？」

「決めるのは、フェルトでしょう。わたしの息子になる男は、貴方様が仰るような価値観では、生きていないと思いますが」

「お気持ちはわかりますわ。でも、フェルトの将来のことを、考えてくださらないかしら。王家の勧めを無下にするなんて、このルーラ王国に生きる臣民として、畏《おそ》れ多いことですわ。それに、今はよろしくても、数年もするうちには、フェルトも後悔すると思いますの。そうなったときに、つらい思いをなさるのは、あなたの娘さんの方ではなくって？　彼女一人のために、貴族家の当主の座を捨ててしまったんだと、一生恨まれるようになりますのよ？」

「その通りだ。立身出世をどぶに捨てた男の恨みは、女の愛情では埋められないものだと思うがな」

「家を継ぐ立場上、正妻はわたくしですけれど、側室として娘さんをお迎えすることは、十分に可能ですのよ。わたくし、姉妹がおりませんし、きっと仲良くできると思うの」

「近衛《このえ》騎士団長を輩出した名門、クローゼ子爵家の第二夫人だ。守備隊勤めの男に嫁ぐのとでは、比べものにもならない出世だろう」

「フェルトの大切な方《かた》ですもの、きっと大切にしますわ。貴族家では、それが正妻の嗜《たしな》みなのですから、ご安心なさって。ご主人からもお話をして、フェルトが安心して当家に入れるよう、後押ししてくださらないかしら？」

可愛らしく首を傾げて、優しく微笑むカリナさん。蛇つきでなかったら、騙《だま》されそうになるくらいの演技力だよ、本当に。

わたしの感覚では、カリナさんたちのいうことは、ものすごく失礼で、ものすごく理不尽なことだと思う。

でも、あんまり身分にうるさくないルーラ王国でも、平民と貴族の身分差っていうのは、やっぱり存在するからね。ほとんどの人たちは、カリナさんたちの主張を、当然だって思うかもしれないんだ。

お父さんは、何て返事をするのかなって見ていたら、黙って座っていたお母さんが、ぐぐっと前に乗り出した。これは、あれだ。お母さんが、いよいよ戦闘態勢に入ったっていうことだろう。

綺麗で儚《はかな》げなお母さんは、カリナさんとミランさんに向かって、にっこりと微笑みかけてから、薔薇《ばら》の花びらみたいな唇を開いた。

「お話を伺っているうちに、少し疑問が出てきてしまいましたの。いくつか質問させていただいても、かまいませんでしょうか？」

うわぁ。お母さんてば、さっきのカリナさんの真似をして、同じ角度、同じ向きで、可愛らしく首を傾げてるよ。カリナさんよりも、ずっと年上の人妻なのに、カリナさんよりも可憐だし……。

〈おまえの演技なんて、お見通しなんだよ。見本を見せてあげるから、やれるものならやってみな〉って、お母さんの高笑いが聞こえる気がする。その証拠に、カリナさんの目尻が微妙に吊り上がってるよ。

お父さんとミランさんは、お母さんの挑発に気づかないみたいで、ミランさんなんて、益々《ますます》熱っぽい目をして、お母さんにうなずきかけてる。帰り道、カリナさんから責められるだろうけど、それはまったくどうでもいい。

「疑問とは、どんなことですの？　どうぞ仰ってくださいな、奥様」

「では、遠慮なく。お嬢様は先ほどから、ご自身がご長女なので、女婿《じょせい》をお迎えになられると仰せです。けれど、クローゼ子爵家には、ご嫡男《ちゃくなん》がおられるのではありませんか？　近衛《このえ》騎士団に奉職されている、お嬢様のお兄様が」

「……。調べましたの？　少し失礼ではなくって？」

「まあ！　お嬢様ったら。昨日のフェルトさんの話を聞いてしまったら、情報を集めるのが当然ではございませんの。情報といっても、貴族名鑑に載っている程度のことですし」

「兄は……全身全霊で陛下をお守りするために、子爵位を継がない決意を固めましたの。そう、だからこその王命ですわ」

「素晴らしいですわ！　本当に高潔な近衛騎士《このえ》でいらっしゃいますのね、お兄様は。あら？　だとしても、こんなにお美しいお嬢様が、お家におられるのですもの。婚外子として扱われているフェルトさんよりも、有力貴族のご子息か、お強い騎士の方《かた》を女婿《じょせい》となさるのが、自然ではありませんの？　そもそも、すでに婚約間近でいらっしゃったのでしょう？　お相手は、ヘルマン伯爵家のご次男なのですから、婿入りが可能ではありませんの、カリナお嬢様？」

うわぁ……。カリナさんのお兄さんの存在なんて、わたしはすっかり忘れてたよ。確か、〈増上慢《ぞうじょうまん》〉の人だっけ？　それに、カリナさんの婚約のこととか、いつの間に調べたの、お母さん？

わたしのお母さんは、基本的に誰にでも親切なんだけど、その気になれば、意地悪もできるみたいだ。〈神去り《かんさ》〉のことを知ってるのに、その素振りも見せず、平気で弱みをついてるもんね。

カリナさんとミランさんは、すっかり表情を強張《こわば》らせている。カリナさんの髪の毛に潜り込んだままの、三つの蛇の頭が、うねうね暴れているから、きっとカリナさんが苛立っているんだろう。

わたし、チェルニ・カペラは、十四歳の少女にして、〈女の戦い〉っていうのを、目撃しているみたいだよ。

クローゼ子爵家には、後継《あとつぎ》になるはずの長男がいること。カリナさん自身にも、婚約者に近い人がいるらしいこと。その二つの事実を突き付けた上で、儚《はかな》げに微笑んだお母さんは、本格的に反撃を開始した。

「貴族様のご事情はわかりませんけれど、不思議には思いますの。生まれてから、ただの一度も顧みられることなく、クローゼ子爵家の籍にも入っていないフェルトさんが、どうして急に必要とされるのでしょう？　よろしければ、教えてくださいませんか、お嬢様？　フェルトさんも、この疑問が解消されない限り、お話には応じないと思いますわ」

「……。フェルトは、確かに即答はしてくれませんでしたけれど、乗り気ではあったようよ。わたくしの目を見て、時間がほしいと話してくれましたもの。ですから、事情はフェルトだけに話しますわ。こちらの娘さんの婚約者だといっても、正式なものではないのでしょう？　ご理解くださらないかしら？」

髪の毛の中の蛇の頭を、うねうねを通り越して、ぐっねぐっねとのたうち回らせながら、困ったような笑顔で、カリナさんが長いまつげを伏せた。

わたしだって、そこは女の端くれだから、ぴんっとひらめいたよ。カリナさんは、正面から敵対してきたお母さんじゃなくて、うちのお父さんを味方にしようとしているんだって。わたしの大好きなお父さんは、平然と無視してたけどね！

後からわかったことによると、わたしより百倍は〈女の戦い〉に精通しているお母さんは、ここで〈女の武器〉を使うカリナさんとは、正反対の手に出ることを決めたらしい。つまり、言葉遊びで挑発するのはやめて、徹底的な〈情報戦〉で、カリナさんに対抗したんだ。

お母さんは、表情と声だけは可憐なまま、いつの間にか手に持っていた手紙を、ひらひらと優雅に振った。

「まあ！　嫌ですわ、お嬢様ったら。少し誤解があるようですわね。この手紙は、フェルトさんに付き添っている、騎士見習いのアリオンが、神霊術《しんれいじゅつ》を使って届けてくれた緊急便ですの。中身は、フェルトさんからの自筆の伝言ですわ。カリナお嬢様のご提案は、その場で完全にお断りしたので、もし何か仰っても、信じないでくれって。アリオンという美少年が、フェルトさんの側におりましたでしょう？　あの可愛い子は、わたくしの甥ですの。手紙、ご覧になられます？」

「……。結構ですわ。わたくしたちとフェルトの間には、まだ少し隔《へだ》たりがあるかもしれませんけれど、それも話し合いで解決できるものですわ」

「そうだとよろしいですわね。それで、こちらの質問には、お答えいただけませんの？　クローゼ子爵家と無関係だったフェルトさんが、急に必要とされた理由は何ですの？　それがわかりませんと、わたくしどもも、ご協力のしようがありませんわ」

「あら。協力してくださる気持ちはおありなのかしら、奥様？」

「もちろんですとも。その理由が正当であり、フェルトさんが本心から希望なされば、そのようにいたします。嘘偽《うそいつわ》りやごまかしがあるといけませんし、いずれにしても、間に人を立てての話し合いにはなりますけれど」

「間に人を立ててとは、どういう意味ですの？　フェルトと婚約しているのだといい張って、金品でも要求なさるおつもりかしら？　さすが、平民はさもしいこと」

「わたくしは下賤《げせん》な平民ですので、いろいろと慎重なのです。フェルトさんとアリアナは、正式に婚約するために、法理《ほうり》事務所に書類作成の依頼をしているところですのよ。それを覆《くつがえ》すとなると、当然、法《ほう》理《り》事務所に話の仲介をお願いすることになりますわ。幸い、キュレルの街には、マティアス様の法理《ほうり》事務所の分室がございますの。王都の法理院《ほうりいん》で主席審理官をお務めになった、マティアス・ド・ロザン卿ですわ」

「有名な方《かた》ですから、存じ上げておりますわ。ロザン卿のお名前を利用なさるおつもりなのかしら、奥様？」

「とんでもございません。ただ、わたくしどもの商売の関係で、マティアス様の事務所とは、懇意にさせていただいておりまして、買収に値する物件の情報なども、よく教えてくださいますのよ。最近ですと、王都の郊外にある貴族様の別荘が、売りに出されているのですって。換金を急がれていて、値も低めになっているから、購入してはどうかと教えてくださって。パレル湖にほど近い、素敵な郊外の別荘らしいですわよ？」

　そういって、お母さんは満面の笑みになった。急に話が変わったから、何のことかわからなくて、わたしが戸惑っていると、ずっと黙って聞いていたヴェル様が、いきなり大声で笑い出した。

「これは、これは。チェルニちゃんの母君は、なかなかの豪腕ですね。パレル湖畔の別荘というのは、クローゼ子爵家が、極秘で売りに出しているものなのです。復位《ふくい》したクローゼ子爵夫人と前子爵令嬢の散財で、支払いに苦慮しているのですよ、クローゼ子爵家は。チェルニちゃんの母君は、どこからそんな情報を手に入れたのでしょうね。誠に素晴らしい。どうやら勝負は決まったようですよ、チェルニちゃん。ここまで追い詰めておけば、彼奴《あやつ》らも、我らの罠に飛び込むしかなくなるでしょう」

えっと。クローゼ子爵家がお金に困っていて、うちのお母さんは、その事実を知っているっていうことだよね？　そういえば、何日か前に話し合いをしたときに、クローゼ子爵家の資産状況とかも、探ってみるっていってたっけ。よくこの短期間に調べられたね、お母さん。

つまりは、〈偉そうに威張《いば》るほどのもんじゃないんだよ、クローゼ子爵家。いろいろと弱味は握ってるんだから、騙《だま》そうとしたって無駄なんだよ〉って、思いっきり脅しちゃってるんじゃないのかな？

カリナさんの髪の毛に潜り込んでいた蛇は、三匹とも外に出てきて、頭を高く持ち上げながら、よだれ混じりにシャーシャーいった。カリナさん自身は、かろうじて表情を取り繕《つくろ》っているんだけど、蛇がすべてを裏切ってる。ものすごく動揺して、怒り狂ってるよ、カリナさん。

ゆったりと微笑むお母さんと、顔を引きつらせたカリナさんの間で、素早く動いたのはミランさんだった。ずっとへらへらして、バカみたいに皆んなを怒らせる発言を繰り返していたミランさんは、ぞっとするほど冷たい顔でいったんだ。

「貴女が何を仰っているのか、我々にはわかりかねるが、どうやら敵対心をお持ちになっているらしい。そうであれば、長居をしても時間の無駄だろう。今日のところは、失礼する。また、何らかの場で会うこともあるだろう」

ミランさんは、どうやら馬鹿でもなかったらしい。今日の軽薄な言動って、演技だったんだね。さすが、〈嗜虐《しぎゃく》〉の人は不気味だな。

さっと立ち上がったミランさんは、無言でカリナさんに手を差し出した。カリナさんは、一瞬、悔しそうに顔を歪めたものの、すぐに何でもない顔になって、ミランさんの手を取った。頭の上の三匹の蛇は、絡《から》まり合って歯を剥き出し、お互いに噛《か》みつき合っていたけどね。

お父さんもお母さんも、二人を止めようとはしなかった。カリナさんとミランさんが、腕を組んで〈野ばら亭〉を出て行く姿を、玄関先まで見送ってから、さっさと中に入っちゃったんだ。

これは、十四歳の少女であるわたしにもわかるくらい、貴族に対する見送りとしては、礼を欠いたやり方だった。お父さんもお母さんも、もう取り繕《つくろ》う気もないんだろう。

わたしの大好きな歴史小説の中に、〈わたしたちは、オーディル川を渡ったのだ。一度切れた縁は二度とつながらず、燃え上がった怒りを消すことは誰にもできない。それが愚かな選択だとしても、この命尽きるまで、ただ戦い続けるのみ〉っていう台詞があるんだけど、そんな感じなんだろう、きっと。

カリナさんとミランさんを乗せた馬車は、あっという間に〈野ばら亭〉を後にしていった。怖くて汚らしい〈鬼成《きな》り〉が出ていってくれて、わたしが安心の溜息を吐いたところで、スイシャク様とアマツ様が、そっと合図を送ってくれた。

ふっすふっす、すりすり、ふっすふっすふっす、すりすりすり。人の子の心の不思議さが見られるかもしれないから、注目してご覧って。

何のことかと思って、もう一度意識を集中させると、厩《うまや》から自分の馬が引かれてくるのを、肩を落として待っていた使者AとBのところへ、ちょうど人影が近づいていくところだったんだ。

❖❖❖

使者AとBのところへ、小さな包みを持ってそっと近寄ってきたのは、〈野ばら亭〉の食堂で働いてくれている、従業員のお姉さんだった。わたしが小さいときには、いつも頭を撫でてくれて、ふっくらした手が気持ち良かった、優しいお姉さん。

わたしの大好きなお姉さんのことは、使者Bも気に入ったみたいで、昨日〈野ばら亭〉に来たときは、上機嫌で絡《から》んでいた。〈おまえのやや太めの腹が、また微妙にわたしの好み〉とか、失礼極まりないことをいってたからね。

使者Bは、お姉さんに気がつくと、びっくりした顔をして、バツが悪そうに下を向いて、それからすごく優しい声で尋《たず》ねた。

「どうした？　何か用があったのか？」

「お客さん、今日は食事をしていかないんですか？〈野ばら亭〉のおすすめメニューは日替わりだから、毎日食べても飽きませんよ？」

使者Bは、情けない感じに目尻を下げて、小さな声で返事をした。

「……食べたいな。この田舎臭い店は、本当に美味《うま》いからな。だが、時間がないんだ。主家《しゅけ》の方々《かたがた》が、我々を置いていってしまったから、すぐに追いかけるしかない。それに……もう、おまえの店には入れないだろう？」

「どうしてですか？」

「おまえの主人たちを怒らせた。事情はわからなくても、その事実は知っているはずだ。だから、来てくれたんだろう？　おまえ、やっぱり優しい女だな」

「そうですか？」

「ああ。昨日、初めて会ったときから、そう思ってた。可愛いしな、おまえ。田舎臭くて、わりと年増で、ちょっと太めなところも、可愛いと思う」

「お客さんは、やっぱり失礼な人ですねぇ。あんまり失礼で、あんまり美味しそうに食べてくれるから、すっかり覚えちゃいましたよ」

「ギョーム」

「え？」

「ギョーム・ド・パルセ。わたしの名前だ。きっと、もう来られないから、名前だけでも覚えていてほしい。くそっ。わたしらしくないな、まったく」

「わたしは、ルルナですよ。ただの平民だから、簡単な名前なんです。待ってますから、また来てくださいよ」

「……」

「それから、これ、途中で食べてください」

「何だ？」

「焼き立てパンに、そのへんの具を適当に挟んだだけの、サンドイッチですよ。わたしの〈賄い《まかな》〉なんです。適当でも、すごく美味しいから、どうぞ。大きいのを二つ入れときましたから、お連れの方《かた》と一緒に召し上がれ。馬に乗ったままでも、ちゃちゃっと食べられますよ」

「おまえの昼食なんだろう？　おまえが、腹を空かすじゃないか」

「……。また作ってもらいますから、大丈夫です。〈野ばら亭〉は、お代わり自由なんですよ」

「そうか。本当にいい店だな。また、来られたらいいな」

「来てくださいよ。待ってますから」

使者Bは、もう何もいえないみたいで、悲しそうな顔をして、じっとお姉さんを見つめていた。お姉さんは、もう一度包みを差し出して、使者Bに手渡してから、〈野ばら亭〉に戻っていった。横にいた使者Aに、軽く頭を下げてからね。

……って、何これ？　え？　急に何が始まったの？　お姉さんと使者B、どうしてそんなに親密なムードになっちゃってるの？　いきなり過ぎない？　使者Aなんて、びっくりして目を見開いたまま、硬直しちゃってるよ？

使者Bとお姉さんは、昨日、〈野ばら亭〉で会っただけのはずなんだ。それも、お客さんと従業員さんとして。話をしていた時間なんて、ほんのちょっぴりだし、使者Bなんて、最初から最後まで、失礼なことしかいってないのに。

お姉さんは、実はけっこう男の人に人気がある。おおらかで優しいいし、見た目だってわたしはすごく可愛いと思う。性格の良さが、滲《にじ》み出ている感じ。

ご両親が早くに亡くなって、ずっと弟さんたちを養っているから、まだ決まった人はいないらしい。お客さんに交際を申し込まれることもあるみたいだけど、お姉さんは、一回も応じたことはないんだ。

それなのに、失礼極まりない使者Bとの、あの親密さ。お姉さんってば、どうしちゃったんだろう？使者Bも、どうしていい人っぽい感じになってるのか、わたしにはまったくわからないよ。

わたしが、困った顔でヴェル様を見ると、ヴェル様は楽しそうに笑ってた。

「ふふ。チェルニちゃんには、あの者たちの心の機微《きび》は、まだわからないかもしれませんね。誠に、人生とはおもしろいものです」

ヴェル様の言葉に、〈人の生〉とは遠くかけ離れた、尊い存在であるはずのスイシャク様とアマツ様が、揃って肯定するイメージを送ってきた。〈衆生《しゅじょう》の営みこそ、いとあわれ〉〈巫《ふ》には巫《ふ》の、覡《げき》には覡《げき》の定《さだめ》があれど、小さき者の行く方《かた》もまた、神に連なる恩寵《おんちょう》の内〉って。

よくわからないけど、お姉さんと使者Bの交流も、神霊さんのお心にかなうものだったのかな？

お姉さんの後ろ姿を見送っていた使者Bは、深い溜息を吐いてから、引き出されてきた馬に乗った。半分口を開けたまま、呆然としていた使者Aも、慌てて馬に飛び乗った。

そして、カリナさんたちに追いつくことを諦めたのか、ゆっくりと馬を歩かせているうちに、使者Bが、お姉さんからもらったサンドイッチを取り出したんだ。

「一つ召し上がりますか、ロマン様？」

「……良いのか？」

「あんまり良くはありませんが、ロマン様にもお渡しするように、女が、いや、ルルナがいってくれましたからね。二人で食べましょうよ。カリナ様たちは、わたしたちのことなど忘れているでしょうから、焦っても仕方ありませんよ」

「そうだな。もらおう。わたしも、腹が減っているみたいだ。カリナ様やミラン様のお側にいると、一向に空腹を感じないんだがな」

「わたしもですよ。反対に、ルルナの顔を見た途端に、腹が減りました。不思議なものですな、人というのは」

「まったくだ。美味《うま》いな、このサンドイッチ。中に入っているベーコンが、ものすごく香り高い。本当に美味い店だ」

「美味いですよね。美味過ぎて、泣けてきそうですよ」

「おまえ、これからどうするんだ？　さっきの話を聞いている限り、フェルト殿を王都に連れていくのは無理だろう。終わりかもしれないぞ、クローゼ子爵家は」

「どうしましょうかね。クローゼ子爵家と縁を切りたい気はしますが、いろいろと知り過ぎているのではありませんか、わたしたち。〈神去《かんさ》り〉になったのは、もう手遅れだっていう証拠かと思うんですがね」

「……ああ。わたしも、聴力を上げる神霊術《しんれいじゅつ》だけ、使えなくなっているようだ。手遅れなんだろうな、我々は」

「カリナ様やクローゼ子爵閣下は、この先、力ずくの手段に出てくると思われますか、ロマン様？」

「必ず。どこまでの力ずくかは、わからないが」

「でしょうね。いくらいい負かされたからって、諦めないでしょう、カリナ様も」

「いっそう意地になるだろうさ。明日からは、じょじょに強硬策に出るんじゃないか？　困ったことだ」

「ですよね。それにしても、本当に美味いな、このサンドイッチ。もっと早くに食べたかったですよ」

「そうだな。もっと早くに食べていたら、何かが変わっていたのかもしれないな」

肩を落とした使者AとBの後ろ姿は、とっても寂しそうで、何だか悲しそうだった。わたしの目には、二人の肩のあたりから、黒い小さな砂粒みたいなものが、少しずつ少しずつ、溢《こぼ》れては消えてるように見えるんだけど、きっと気のせいなんだろう。

敵の一味である使者AとBのせいで、わたしまで、気持ちが暗くなっちゃったよ。AとBが、クローゼ子爵家に見切りをつけてくれるように、ちょっと祈ってみたいと思い始めたことは、お父さんとお母さんには内緒にしておこう……。

16

わたしの大好きなお母さんに、あっさりいい負かされたカリナさんたちは、キュレルの街の通用門のところで、〈風屋《かぜや》〉さんを頼むと、さっさと王都に帰っていった。

使者AとBは、少し遅れて通用門に到着して、風屋《かぜや》さんを待っている間に合流できたから、やっぱり一緒に王都に帰っていった。

二人の表情は、雀《すずめ》たちの視界で見ても暗いままで、何だか売られていく子牛みたいだった。売られていく子牛って、実際は見たことがないんだけど、つまりは、そういうイメージが浮かんでくるぐらい、悲しそうだったんだ。

カリナさんたちが、クローゼ子爵家のお屋敷に着いたのは、そろそろ夕方になるくらいの時間だった。もう見慣れちゃった応接室には、いつもの人たちが集まっていて、カリナさんたちの帰りを待ち構えていたらしい。

この間は姿の見えなかった、カリナさんのお兄さん、もともとはクローゼ子爵家の後継《あとつぎ》だった、〈増《ぞう》上慢《じょうまん》〉の人も、不機嫌そうな顔をして、ソファに腰かけてる。額《ひたい》の〈増上慢《ぞうじょうまん》〉の文字が、薄《うっす》らとひび割れし始めているように見えるのは、きっとわたしの気のせいだろう。

また〈鬼成《きな》り〉とか、本当にやめてもらいたいので、気のせいだったら気のせいだから！

カリナさんの顔を見て、最初に口を開いたのは、〈毒念《どくねん》〉の文字を不気味に歪ませた、前のクローゼ子爵夫人だった。

「ああ、カリナ。帰りを待っていたのよ。さぞ疲れたでしょう？　貴女につまらない用を頼んでしまって、本当にごめんなさいね。湯あみの用意はさせているから、くつろいでちょうだい。今日の晩餐《ばんさん》にも、貴女の好みのものを出すように命じてありますからね」

「そんなことより、報告が先ですよ、母上。少し黙っていただけませんか？」

「本当に相変わらず、おまえには母に対する敬意はないようね、ナリス。報告など、ミランにさせればよろしいでしょう？　そのために同行させたようなものなのですから」

「まあ、ミランの報告であれば、カリナよりもよっぽど正確ではありますがね。そうしますか、兄上？」

「わたしはかまわない。下がっているか、カリナ？　先ほどから、一言も口をきかないくらいだ。よほど疲れたのだろう」

「カリナを甘やかすのは、たいがいになさったらいかがですか、父上。おまえもおまえだ、カリナ。父上から重大な用件を任されておきながら、不機嫌な顔を晒《さら》すだけで、報告一つできないのなら、黙って屋敷にこもっているのだな」

「まあまあ、そんなふうに仰らないでくださいよ、アレン。今回は、思いもかけない成り行きで、カリナはとても傷ついているんです。兄君なら、ここは優しく慰めてあげてくれませんか？」

「なるほど。ということは、失敗したのか。それも、いつもの減らず口さえ叩けないのだから、よほど無様な失敗なんだろうな」

「下賤《げせん》な平民の血を引く者を相手に、カリナが失敗などするはずがないでしょう。わたくしのカリナは、社交界の華と謳《うた》われた、このわたくしに生き写しなのですよ？　妹を馬鹿にするような言葉は慎みなさい、アレン」

「はいはい。お祖母様の仰せの通りですよ。それで、ミラン。首尾《しゅび》はどうだったんだ？　カリナの報告を待っていたら、夜が明けてしまう。おまえから、経過を教えてくれ」

「ぼくはかまいませんがね。そうしますか、伯父上？」

「本当に失敗したのか、カリナ？　これ以上、わたしの質問を無視するつもりなら、すぐにこの場から出ていくのだな」

うわぁ。カリナさんってば、ものすごく不機嫌で、ものすごく怒ってるよ。青白い顔は、もう綺麗だとは思えないくらい、禍々《まがまが》しく歪んでいるんだ。

それに、カリナさんの胸元から生えている蛇は、クローゼ子爵家に近づくにつれて、どんどん元気になっていった。今なんて、〈野ばら亭〉にいたときの倍くらいの太さになって、部屋にいる全員に向かって、勢い良くシャーシャー威嚇《いかく》しているしね。

まだらになって腐った胴体も、いよいよ腐敗が進んでいるみたいで、ちょっと骨っぽいものまで見え始めている。それなのに、元気にシャーシャーいってるから、余計に気味が悪いんだよ、蛇ってば。

カリナさんは、さすがに父親であるクローゼ子爵には反抗できないみたいで、しぶしぶ今日の結果を報告した。

フェルトさんには、まったく相手にされず、ろくに話もしないうちに追い返されたこと。クローゼ子爵家の後継《あとつぎ》になることも、カリナさんと結婚することも、完璧に拒否されたこと。その後、わたしたちを利用するつもりで〈野ばら亭〉に行って、お母さんにあっさりと負けちゃったこと……。

カリナさんは、自分のプライドを守りたいみたいで、何度も事実を曖昧《あいまい》にしようとしたのに、にやにや笑ったミランさんが、ずっと横から訂正していた。

ミランさんは、〈正確にお伝えしないと、今後の判断に誤りが生じるでしょう？〉なんていってたけど、単にカリナさんに恥をかかせて楽しんでいたんだろうな。額《ひたい》に書かれた〈嗜虐《しぎゃく》〉の文字が、笑ってるみたいにぐねぐねしてたから。

「ということは、フェルトが我らに協力する可能性は、極めて低いということか。少なくとも、数日のうちに話をまとめ、王家に返事をすることは無理か」

「お父様ったら、そんなふうに決めつけないでくださいませ。あの愚鈍《ぐどん》な男は、クローゼ子爵家やわたくしの価値が、理解できないだけなのです。明日にでも、もう一度出向いて説得します。わたくしが本気で説得すれば、あの程度の男、いいなりにできるはずですわ」

「おまえも同じ意見か、ミラン？」

「無理ですね。今日のカリナは、なかなか上手くやっていたと思いますが、まったく相手にされませんでしたからね。よほどクローゼ子爵家を恨んでいるか、婚約者を愛しているか、あるいはその両方でしょう。フェルトが気持ちを変える可能性は、まったくありませんね。少なくとも短期的には、皆無だと思いますよ、伯父上」

「大口を叩いたわりには、相手にされなかったのか、カリナ。無様なことだな」

「お兄様ったら、失礼ですわ。あのフェルトという男が、見る目がないだけなのです」

「その婚約者の家の方から、フェルトを動かすことも不可能か、ミラン？」

「普通の手段では無理でしょう。あの〈野ばら亭〉の夫婦は、ただの平民とは思えないほど手強いですね。特に、母親の方は、妙に手慣れていました。可憐で美しい女でしたが、あの大店を切り盛りしているのは、女の方なんでしょう。どこを嗅ぎ回ったのか、ある程度はこちらの事情を知っているようでした。〈神去り《かんさ》〉のことも、知られている可能性があると思います。というか、暗に匂わせていましたからね」

「あまりにも早過ぎないか、ミラン？　こちらが接触したのは、昨日、使者を立ててからだぞ。一日と経たずに我らを探ることなど、田舎街の平民に可能とは思えない」

「その通りではありますが、実際、明確に威嚇《いかく》されましたしね。カリナとは、少々役者が違っていました。王都の有力者に、強い伝手《つて》があると考えた方が、現実的だと思いますよ、アレン」

「わたくしは、あんな女に負けてなどいないわ。失礼な口をきかないでちょうだい。貴方こそ、あの女をいやらしい目で見ていたじゃないの。二人も大きな娘のいる、年増の平民を相手に！」

「まあ、めったにいないくらいの美女だったし、頭の出来も上等のようだし、男なら無関心ではいられないだろう？　あの女の娘なら、フェルトが惚れ込むのも理解できるさ」

「確かに、ミランのいう通りだな。わたしも見てみたいものだ。その〈野ばら亭〉とやらの美人女将を」

「貴方たちは誰の味方なの、ミラン、叔父様！」

「煩《うるさ》い。静かにしろ、カリナ。おまえの八つ当たりに付き合う暇はないんだ。ミランの見立てが確かだとして、これからどういたしますか、父上？」

アレンさんっていう〈増上慢《ぞうじょうまん》〉の人の質問に、部屋中の人たちが静かになって、クローゼ子爵に注目した。石の像みたいに、ひたすら沈黙を守って立っていた使者AとBも、じっとクローゼ子爵を見つめている。

近衛《このえ》騎士団の幹部だっていう、〈瞋恚《しんに》〉のクローゼ子爵は、しばらく目をつぶって考えてから、こういった。

「時間がない。フェルトの説得は諦めよう。もちろん、自主的に協力させるのを諦めるということであって、我々の方針は変わらない。明日、法理院《ほうりいん》に出向いて、フェルトの養子縁組を行う。もしくは、カリナとの婚姻届を出してしまおう」

「本人の意向は無視するのですね、父上」

「そうだ。養子縁組も婚姻届も、必ずしも本人が届け出をする必要はない。我らは親族なのだから、代理人として認められる。多少強引にでも届け出てしまえば、覆《くつがえ》すのは簡単ではないからな。フェルトが気づいて訴えたとしても、その間にことはすべて終わっているだろう。今回の王城の追及さえ逃れられれば、わたしたちには強い味方がいるのだから、王家といえども手出しはしなくなるはずだ」

おお！　うちのお母さんの予測は、ぴったりと当たったみたいだ。すごいすごい。さすが、豪腕のお母さんだね！

それから、最後の方でクローゼ子爵が何をいっていたのか、わたしには意味がわからなかったんだけど、ヴェル様には、思い当たることがあるみたいだった。表情はそのままに、唇の端だけ吊り上げた微笑みは、優しいヴェル様とは思えないくらい、底冷えがするほど怖かったんだ。

ヴェル様は、冷たい瞳で宙を睨《にら》んだまま、静かにいった。

「さあ、チェルニちゃん。穢《けが》れた溝鼠《どぶねずみ》どもが逃げ込もうとする巣穴が、ようやく見つかるかもしれませんよ。そうとなれば、今夜のうちに、こちらも用心を重ねなくては。御神霊の護《まも》りには遠く及ばないまでも、チェルニちゃんの騎士の一人として、わたくしも動き始めることにいたしましょう」

＊＊＊

作戦二日目の夕方、フェルトさんたちの帰りを待って、わたしたちは改めて作戦会議を開くことになった。王都から派遣されてきた人たちとも、ちゃんと顔合わせをした方がいいだろうって、ヴェル様が勧めてくれたんだ。

うちの家の応接室で始まった、作戦会議に参加したのは、実はけっこうな大人数だった。お父さんとお母さん、わたしとヴェル様、フェルトさんとアリオンお兄ちゃん、総隊長さんと三人の男の人。そして、わたしが会ったことのない男の人がもう三人、〈野ばら亭〉の制服を着て参加していたんだ。

総隊長さんが連れてきた三人は、予想していた通り、王国騎士団の騎士さんたちだった。二十代くらいの人が一人と、三十代くらいの人が二人。カリナさんに見つめられていた美青年も、やっぱり騎士さんだったよ。

騎士さんたちは、応接室に入ってきた途端、目を見開いて硬直した。その視線をたどっていくと……やっぱり、スイシャク様とアマツ様の存在に驚いたみたい。まあ、そうなるだろうな、普通は。

そのときのスイシャク様はというと、もう完全に定位置になっているわたしの膝の上に、ふくふくの可愛いお尻を預けて、先端だけ薄茶色の羽をちょこっと広げていた。ふっすふっすと鼻息が荒かったから、スイシャク様なりに歓迎の挨拶をしてくれたんだろう。

一方のアマツ様は、相変わらず大きくなったままで、わたしの肩にとまっていた。朱色の鱗粉《りんぷん》をパチパチさせているのも、アマツ様のご挨拶だったみたいで、わたしのサクラブロンドの髪が、照り返しで薄《うっす》らと朱く染まるくらいの勢いだった。

スイシャク様もアマツ様も、神霊さんのご分体としての神威《しんい》は、ものすごく抑えてくれているんだけど、普通の鳥じゃないことくらい、王国騎士団の精鋭っていわれる人たちなら、すぐにわかったんだろう。もしかすると、ネイラ様から、何か聞いていたのかもしれないしね。

三人の騎士さんは、しばらく硬直した後、急に姿勢を正して、スイシャク様とアマツ様の前に跪《ひざまず》いた。角度によっては、わたしに跪《ひざまず》いているみたいに見えるのが、すごくつらい。わたしは台座、わたしは台座……。

「いとも尊き御神々《おんかみがみ》に、拝謁《はいえつ》の栄《えい》を賜《たまわ》りましたこと、身に余る誉《ほま》れにございます。我らが騎士団の長、ルーラ王国の柱石《ちゅうせき》たる御方《おんかた》の命により、御神々《おんかみがみ》に連なる御令嬢を御護《まも》り致すべく、かく参上仕りました。我らには過ぎたる重責ではございますが、身命《しんみょう》を賭《と》して務めさせていただきたく、御願い奉《たてまつ》ります」

一番年長らしい男の人が、代表してご挨拶をしてくれて、スイシャク様とアマツ様も、上機嫌に応えていた。〈この者たちは見知り故《ゆえ》、安堵するが良かろう〉〈神威《しんい》の覡《げき》の使いなれば、間違いはあるまい〉〈許す故《ゆえ》、励めと伝えよ〉って。

スイシャク様とアマツ様のいうことがわかるのは、この場ではわたしだけだから、自分よりずっと年長の立派な騎士さんを相手に、わたしが答えるしかないんだよ。わたしは通訳、わたしは通訳……。

「ご丁寧なご挨拶を、どうもありがとうございます。スイシャク様とアマツ様のお返事を、お伝えしてもいいですか？」

助けてくれるはずのヴェル様は、楽しそうに微笑んでいるだけだったので、わたしは思い切って、一番年長らしい騎士さんに話しかけた。騎士さんは、ちょっと驚いた顔をしてわたしを見て、すぐに優しく笑ってくれたんだ。

「もちろんですとも、お嬢様。どうかよろしくお願い申し上げます」

「アマツ様は、皆さんのことはご存知で、安心して頼らせていただける方々《かたがた》だと仰ってます。スイシャク様も、ネイラ様が選ばれた方々《かたがた》に間違いはないから、頑張ってくださいって、喜んでおられます」

「ありがとうございます、お嬢様。重ね重ね、身に余る栄誉にございます。お嬢様とご家族様は、我らの命に代えてもお守りいたします。どうか、ご安心くださいませ」

「あの、わたしは、チェルニ・カペラ、十四歳です。ただの平民の少女なので、そんなにご丁寧にしていただくと、どうしていいのかわからなくなっちゃいます。こちらこそ、面倒なことに巻き込んでしまって、申し訳ありません。ありがとうございます」

スイシャク様とアマツ様が退《ど》いてくれないので、わたしは椅子に座ったままだったんだけど、精一杯の気持ちを込めて、騎士さんたちに頭を下げた。いくらネイラ様の命令とはいえ、王国騎士団の騎士さんたちが、わたしたちのために力を貸してくれていることは、確かだったからね。

騎士さんたちは、〈とんでもない〉とか〈これはまた〉とか、ごにょごにょとつぶやいてから、皆んなでヴェル様の方を振り向いた。そして、わたしにははっきりと聞こえないくらいの小声で、こそこそと話し始めたんだ。

「まったくもって、安心いたしました、オルソン子爵閣下。先が長そうなことは、致し方ございますまい」

「大隊長の仰る通りです。実は、少しばかり団長のお心を疑っていたのですが、取り越し苦労でした。いや、良かった」

「我が王国が、ある意味で危機に晒《さら》されたのかと、肝が冷えておりました。これで納得がいきました」

「さすが、ルーラ王国の英雄たる団長です。〈覡《げき》〉のなさることに、やはり間違いはありませんな」

「そうでしょうとも。我らの方も、胸を撫でおろしているところです。まあ、先は長いので、別の心配はありますが」

「チュンチュン、キュルキュルというのは、本当なのですね。閣下の仰る通り、誠に可愛いらしいですね」

「閣下の部署でも、少々は動かれるのでしょう？」

「当然です。少々どころか、総力を傾けますよ」

「それは頼もしい。よろしくお願い申し上げます」

何を話しているのかわからなくて、思わずお父さんたちを見ると、お母さんはにやにや、アリオンお兄ちゃんはにこにこと微笑んでいた。

わたしの大好きなお父さんは、今日も髪の毛を掻きむしって、むずかしい顔で唸《うな》っている。隣にいる総隊長さんが、肩を叩いて慰めているみたいなんだけど、本当にどうしちゃったんだろうね、お父さん。

最後に応接室に入ってきたのは、〈野ばら亭〉の制服を着た、三人の男の人たちだった。この人たちは、やっぱりヴェル様の部下で、王国騎士団とは別に、わたしたちの手助けをしに来てくれたんだって。

でも、この部下さんたちは、何となく雰囲気が独特な気がする。もちろん、悪い意味じゃなくて、本当に独特な感じ。普通に生活して、普通に生きているっていう気配が、あんまりしないんだ。

今も、応接室に入ってきた瞬間から、流れるような動作で膝をつき、そのままスイシャク様とアマツ様に平伏しているしね。

部下さんのうちの一人で、カリナさんが来たときに、お父さんの後ろに立って守ってくれていた人が、ゆっくりとした抑揚《よくよう》をつけて、わたしが聞いてもわかるくらい、本格的な祝詞《のりと》を上げ始めた。

「掛けまくも畏き御神々　現世を救い給ひし和魂　いとも尊き御二柱　我ら御神々の僕にて　御神命の定め給ひし道程に　拝跪の誓いを奉らん　浅学非才の身命賭して　衆生のために尽くさせ給へと　畏み畏み物申す」

（かけまくもかしこきおんかみがみ　うつしよをすくいたまいしにぎみたま　いともとうときおんふたはしら　われらおんかみがみのしもべにて　ごしんめいのさだめたまいしどうていに　はいきのちかいをたてまつらん　せんがくひさいのしんみょうとして　しゅじょうのためにつくさせたまえと　かしこみかしこみまもうす）

うん。わかっちゃったよ、わたし。この部下さんたちって、神霊さんに仕える仕事をしているんじゃないかな。普通の人にしては、神霊さんに対する言動が、身に備わり過ぎているんだもん。

ネイラ様は、何百年に一度しか現れない〈神威《しんい》の覡《げき》〉で、ヴェル様は、そのネイラ様の執事さんなんだから、当たり前といえば、当たり前かもしれないけど。

王国騎士団の精鋭、神霊さんに仕えるご神職、王国騎士団長の執事を務める子爵様、キュレルの街の守備隊総隊長、同じく分隊長。そして、紅白の鳥の姿を取った神霊さんのご分体……。

わたしの家って、いつの間に、こんなにすごい人たちが集まる場所になっちゃったんだろう？　わたし、チェルニ・カペラは、十四歳にして、思わず遠い目をしたんだよ。

17

ヴェル様の部下の人たちは、スイシャク様とアマツ様に向かって、流れるように自然に祝詞《のりと》を上げ、そのまま敬虔《けいけん》に額《ぬか》ずいた。うん。これって、わたしが通訳しないと、ずっとこのままっていう流れだよね？

諦め半分に困っていると、スイシャク様とアマツ様が、さっきよりもずっと複雑なメッセージを送ってきた。〈巫覡《ふげき》に仕えるは神使《しんし》の誉《ほま》れ、神使《しんし》に連なるは神徒《しんと》の嘉名《かめい》〉〈神命下りし時に生《うま》るるは、神使《しんし》、神徒《しんと》の福徳《ふくとく》也〉〈我らが眷属《けんぞく》の守護たる光輝《こうき》、能《よ》く能《よ》く勤め身を捧げよ〉って。

正式な祝詞《のりと》を上げたからなのか、相手が神職の人たちだからなのか、スイシャク様とアマツ様のイメージは、いつにもまして〈古語《こご》〉だった。

〈古語《こご》〉っていうのは、今は神事や神霊術《しんれいじゅつ》の関係でしか使われなくなった、ルーラ王国の古い言葉のことをいう。神霊術の授業では、この古語《こご》の読み書きを教えられるから、わたしにも、ほとんどの意味は理解できるんだけどね。

ヴェル様は、やっぱり微笑んでいるだけで、助けてくれる気配がない。わたしは仕方なく、お父さんの後ろで守ってくれていた部下の人に、自分から声をかけた。

「あの、もう頭を上げていただけませんか？　生意気なんですけど、スイシャク様とアマツ様からのお言葉を、お伝えした方がいいでしょうか？」

　部下の人は、すごく折り目正しい感じで頭を上げると、両手をついて視線を床に向けたまま、優しい声でこういった。

「ありがとうございます、お嬢様。かくも尊き御神々《おんかみがみ》からお言葉を賜《たまわ》りますこと、身に余る栄誉にございます。何卒《なにとぞ》、よろしく御願い申し上げます」

「はい、やってみます。えっと……。巫覡《ふげき》にお仕えするのは、神使《しんし》の方《かた》の名誉で、神使《しんし》の方《かた》と一緒に働くのは、神徒《しんと》の方《かた》の名声につながるそうです。ご神霊からの使命のある時代に生まれるのは、神使《しんし》や神《しん》徒《と》の方《かた》にとっては幸運だから、頑張って働いてくださいって、仰ってます」

　あれ？　わたしの通訳って、どうなんだろう？　古語《こご》には複雑で深い意味があるから、正確に意図が伝わったのかどうか、今回はけっこう不安な気がするよ。

　わたしが悩んでいると、膝の上のスイシャク様が、ふっっす、ふっっすって、勢い良く鼻息を吹いた。アマツ様は、ちょっと大きくなった頭で、頬に頭突きをしてくるしね。

　言葉を変えずに、そのまま口にしてご覧。心を無にして、ありのままを伝えればいいって。そういう意味の強いメッセージを、スイシャク様からもアマツ様からも送ってこられたから、わたしは紅白の尊い鳥にいわれるがまま、やってみることにしたんだ。

「あの、今の通訳だけだと、十分じゃないみたいなんです。スイシャク様とアマツ様が、お言葉をそのまま伝えるように仰っているので、やってみてもいいですか？　失敗しちゃったら、ごめんなさい。いいですか、ヴェル様？」

「もちろんですとも、チェルニちゃん。是非、お願いします」

「了解です！」

わたしは、目をつぶって、できるだけ頭と心を空っぽにしようとした。何となく思い出したのは、ちょっとだけ成功した〈祈祷《きとう》〉のときのことだった。自分の存在を空気みたいに薄くして、スイシャク様とアマツ様に委《ゆだ》ねる感じ……。

すると、スイシャク様とアマツ様との間にそれぞれつながっている回路が、ゆっくりと広がっていく気がしたんだ。きゅるきゅる、きゅるきゅるって音を立てて。

それは、とっても不思議な感覚だった。お父さんとお母さんとお姉ちゃんが大好きで、〈野ばら亭〉も大好きで、町立学校の卒業を控えた、十四歳のチェルニ・カペラの存在が、どんどん薄くなって、空気みたいに解《ほど》けて、現世《うつしよ》から離れていっちゃいそうになったんだ。

このままだと、自分が誰なのかわからなくなりそうで、ちょっと怖いなって思った瞬間に、強い光が差し込んできた。ものすごく強いのに、目に優しい柔らかな光。この光は大丈夫だって、自然と理解できたから、思い切って目を開けてみると、夜空に浮かぶお月様みたいな、ものすごく綺麗な銀色の光に包まれていた。

まるで、一度だけ見たことのあるネイラ様の瞳みたい……。そう思った瞬間、わたしはちゃんとチェルニ・カペラの形に収まって、何かを話していたみたいなんだ。

どれくらいの時間が経ったのか、はっきりとはわからない。気がついたら、わたしは両手でスイシャク様とアマツ様を抱っこしたまま、ぐすぐすと泣いていた。スイシャク様に、初めて〈御名《ぎょめい》〉を許されたときみたいにね。

慌てて周りを見回すと、三人の神職の人たちは、うずくまったままますすり泣いていた。王国騎士団から来てくれた、三人の騎士さんたちも、なぜだか一緒になって跪《ひざまず》いて、やっぱり泣いているみたい。ヴェル様まで、澄んだアイスブルーの瞳を赤くして、わたしに微笑みかけているんだけど、いったいどうしちゃったの、皆んな？

スイシャク様とアマツ様の、ふくふく、つやつやの羽毛に、鼻水なんかつけないように、ブラウスの袖で涙を拭《ぬぐ》っていたら、ヴェル様がいった。

「ありがとうございました、チェルニちゃん。今、御神々《おんかみがみ》からお与えいただいた御言葉は、我ら一同、死するその瞬間まで、決して忘れはいたしません。誠に畏《おそ》れ多く、ありがたいことでございました」

「わたし、何が起こったのか、よくわからないんですけど、大丈夫だったんでしょうか？　変なことをいったりしませんでしたか？」

「とんでもない。チェルニちゃんは、御神々《おんかみがみ》のお言葉を、言霊《ことだま》として伝えてくださったのですよ。神職にもあらぬ少女が、御神々《おんかみがみ》の依代《よりしろ》となるとは、この上もなく目出たきことでございますな。チェルニちゃんやご家族にとってではなく、我らルーラ王国の民にとって」

ヴェル様ってば、何だか話が大きくなってない？　スイシャク様とアマツ様は、とっても尊いご分体だけど、すごく優しくて親しみやすいんだよ？　今朝だって、目が覚めたらわたしの枕元だったしね。わたしなんて、たまたま紅白の鳥さんに気に入ってもらっただけの、平民の少女なんだよ？　ルーラ王国がどうとか、あまりにも分不相応《ぶんふそうおう》なことをいわれている気がして、背中がぞわぞわしちゃうよ。

わたしが返事に困っているのを見て、すかさず助け舟を出してくれたのは、大好きなお母さんだった。

お母さんは、ちょっと怖い目でヴェル様を見て、にっこりと笑ったんだ。

「嫌ですわ、オルソン子爵様。わたしの可愛い小鳥ちゃんが、戸惑っているではありませんか。お約束までには、まだ猶予《ゆうよ》がございますわよ？」

「仰る通りですな、奥様。誠に申し訳ございません。わたくしとしたことが、心震えるあまり、口が過ぎました。お許しあれ」

「おわかりいただければ、けっこうですわ。さあ、お話し合いをする前に、全員でご飯を食べましょう。今日は人数が多いので、〈野ばら亭〉からも材料を運んできますわ。いいでしょう、ダーリン？」

「もちろんだ。腹が減っては戦ができないからな。皆さん、どうか召し上がってくださいませんか？　わたしたち一家のために、お力を貸していただいているんですから、せめてものお礼をさせていただきたいんです」

「大人数になりますのに、よろしいのですか、カペラ殿？　こちらに伺ってからは、食生活に恵まれ過ぎて、王都に帰るのが嫌になりそうですな。皆も、謹んで御相伴《ごしょうばん》に与《あずか》りなさい」

「はい！　はい！」

「どうした、チェルニ？」

「わたし、お塩の神霊さんに印《いん》をいただいたから、お手伝いしようか？　〈塩釜蒸し〉とかも、作れると思うよ。昨日は鯛だったから、お肉の塩釜」

「……。塩って、そういう解釈でいいのか、チェルニ？　まあ、今日のところは大丈夫だ。それよりも、御分体方《がた》もお召し上がりになられるのか、お尋《たず》ねしてくれ」

「うん。お父さんが聞くと同時に、イメージが送られてきたよ。食べるに決まってるって。スイシャク様は、ベーコンがお気に入りなんだけど、新しい料理が出るんなら、そっちも食べてみたいって。アマツ様は、何でもおいしく食べるけど、焼き立てパンが何種類かほしいって。あ、スイシャク様もパンは絶対だって」

「……。わかった。すぐに用意するから、お待ちいただくよう、申し上げてくれ」

「了解です！」

お父さんやお母さんが、ちょっと強引にでも、わたしの気持ちを逸らそうとしていることは、実はちゃんとわかっている。わたしは、意外と気配りのできる少女なのだ。

でもね、今はまだ、気づかない顔をしていようと思う。スイシャク様も、〈時至《いた》るまでは微睡《まどろみ》て吉〉って、優しいメッセージを送ってくれるしね。一日一日と近づいてくる、〈変化の予感〉みたいなものは、まだ不確かなままなんだから……。

⁂

王国騎士団の騎士さんと、神職の人たちは、スイシャク様やアマツ様と一緒にご飯を食べるんだって聞いて、愕然《がくぜん》としていた。驚いたんじゃなくて、本当にもう、愕然《がくぜん》！っていう感じ。

特に、神職の人たちは、いろいろとショックを受けていたみたいで、ヴェル様に軽く叱られていた。〈神職の常識に囚《とら》われるな〉〈ありのままの御神霊に畏《かしこ》みて仕えよ〉って。そういうヴェル様も、昨日の晩ご飯のときには、混乱して唸《うな》ってたと思うんだけど、そこは内緒にしてあげよう。わたしとヴェル様の仲だからね。

あっという間に用意してもらった、お父さんのご飯は、今日もとってもすごかった。スイシャク様とアマツ様の要望で、特に供物《くもつ》にこだわらず、普通の晩ご飯だったんだけど、風が少し冷たくなってきたからか、食卓にはおいしい秋の食材がいっぱいだったんだ。

甘酸っぱい季節の果物をソースにした、たっぷりの野菜サラダ。秋らしい色合いの前菜が数種類。シャキシャキした歯応えが楽しい、野菜とベーコンの炒め物。わたしの大好物の、ジャガイモとチーズのグラタン。しっかりと食べ応えのある、骨つき豚バラ肉の炙《あぶ》り焼き。カブと白いマッシュルーム、牛乳を使った真っ白なスープ。皮目をカリカリに焼いた秋鮭のムニエルは、金色のバターソースで。大きな牡蠣は、から付きのまま生で食べてもらうのと、絶妙な揚げ方のカキフライの二種類。きのことニンニクを炒めたオリーブオイルは、ピリッと辛めの味付けで、パンをひたして食べると、手が止まらなくなっちゃうやつ。湯気の立っている焼き立てパンは、シンプルな定番のものと、クルミを交ぜ込んだものと、きのことチーズの具が入ったものと、バターたっぷりのクロワッサンと、ガーリックバターを塗って焼いたもの……。

うん。わたしって、やっぱりすごい食いしん坊みたいだ。お父さんの料理で育ったんだから、当たり前なんだけどね。

スイシャク様とアマツ様は、今日もまったくこだわりなく、おいしそうに食べてくれた。最初の一口目だけ、わたしが新しいお箸で口に運ばせてもらったのは、神事っていうよりは、騎士さんや神職さんたちの緊張をほぐすための、手順みたいな意味合いがあったんだと思う。

それからは、わたしにお給仕させながら、左右で可愛いくちばしを開いてた。ぱかっぱかって。きのこのオイルにひたしたパンは、特にお気に入りみたいで、何回もお口に入れたんだよ。

騎士さんたちは、最初は緊張して硬直していたけど、しばらくすると慣れてきたみたいで、おいしいおいしいっていいながら、どんどん食べてくれた。

神職さんたちは、さすがにしばらく混乱したままだったみたい。でも、スイシャク様とアマツ様が満足そうだから、自分たちの常識を乗り越えたんだろう。にこにことうれしそうに微笑みながら、ご飯を食べてくれるようになったんだ。ときどきはヴェル様みたいに、〈神機妙算《しんきみょうさん》〉とか〈行雲流水《こううんりゅうすい》〉とか、ぶつぶついってたけどね。

皆んなでお腹いっぱいに食べて、たくさん話をして、食後のお菓子が出たあたりで、今日の会議が始まった。

昨日は使者AとB、今日はカリナさんとミランさんが、守備隊の本部と〈野ばら亭〉を訪ねてきたこと。クローゼ子爵家は、フェルトさんとカリナさんを、結婚させようとしていること。フェルトさんに拒絶され、〈野ばら亭〉でお母さんに追い返されて、フェルトさんの説得を諦めたこと。明日になったら、勝手にカリナさんとフェルトさんの婚姻届を出そうとしていること。どうやら、背後に何らかの黒幕がいるのかもしれないこと……。

王国騎士団の騎士さんたちにいわせると、こうしたことはすべて、ネイラ様と宰相閣下の読み通りに動いているんだって。

「我ら三名、守備隊員に偽装して同席させていただきましたところ、クローゼ子爵家は、かなり焦っているように見受けました。何しろ、あのカリナ・セル・クローゼを前にして、フェルト殿は一顧《いっこ》だにせず拒絶したのですから」

「あら。カリナ嬢のことを、何か知っておられますの？」

「わたくしが知っているというよりも、社交界ではそれなりに有名な存在なのですよ、カリナ・セル・クローゼは」

「そうそう。人目を惹く美貌で、男たちに人気があるものの、癖がよろしくないのです。令嬢たちから恋人や婚約者を奪ったり、同時に何人もの男と交際したり、次々に金品を貢がせたり。カリナ・セル・クローゼと関わることで、身を誤った男は、五人や十人では収まらないのではありませんかね」

「悪名高いとわかっていても、断り切れない男は多いので、フェルト殿の対応は予想外だったと思いますよ」

「わたしの大切な婚約者とカリナ・セル・クローゼでは、雪と泥です。比べるのも嫌です。問題外です。それなのに、勝手に婚姻届だなんて、冗談じゃない」

「明日、クローゼ子爵家が王都の法理院《ほうりいん》に行けば、婚姻の不受理申立書を出していることがわかりますね。それ以後は、どうなりますの？」

「実力行使に移るものと思われます。密かに人質をとって、フェルト殿に要求を呑《の》ませようとするのではないでしょうか」

「うちのアリアナは、完全に身を隠した形になっていますからね。次に狙われるのは、フェルトの母上か。サリーナさんは大丈夫なんだろうな、ヴィド？」

「ああ。すでにキュレルの街にはいない。絶対に安全な場所にいるので、心配ないぞ。サリーナさんの兄上の商会にも、王国騎士団の精鋭が警備に入ってくださっているそうだ」

「アリアナもサリーナさんも不在となると、次に狙われるのは……」

お父さんが言葉を濁《にご》した途端に、食堂にいた全員の視線が、わたしに集まった。うん。やっぱりそうだよね？　自分でも、同じように思ってたよ……。

「この数日、チェルニちゃんは、一歩も家の外に出ていません。向こうとしても、簡単には手を出せないでしょう」

「わたし、ずっと引きこもったままでいる方がいいんですよね、ヴェル様？」

「もちろんですよ、チェルニちゃん。御神霊が守護しておられる以上、チェルニちゃんを傷つけることができる者など、この現世《うつしよ》にはおりませんが、チェルニちゃんが狙われる可能性があるというだけで、我を忘れる方々《かたがた》が大勢おられますからね。特に、御二柱《おんふたはしら》と〈神威《しんい》の覡《げき》〉に暴走されては、大変なことになりますので」

「そうなんです。ここへ参る直前にも、宰相閣下の補佐官の一人が、〈野ばら亭〉の方々《かたがた》を〈餌〉にする手もあるなどと口を滑らせて、団長を激怒させてしまいまして……」

「とてつもなく怖かったですよ、団長。普段は穏やかな方《かた》なのに」

「あれは、あの官吏《かんり》が悪いですよ。善良な一般市民を、王城の勝手で利用しようとするなど、許されることではありません」

「まあ、官吏《かんり》どもが考えそうなことではありますね。その者は、どうなったのですか？」

「その場で謹慎となりました。それよりも、団長のお怒りに呼応して、力を司る御神霊が荒ぶってしまわれまして、一瞬、王城が揺れました。比喩ではなく、物理的に。その者は、いくつかの御神霊に与えられていた印《いん》が、ことごとく消え去り、瞬《またた》く間に〈神去《かんさ》り〉となりました」

「……そうですか。まあ、その者の処遇については、しばらく時間をおいて検討しましょう。〈神去《かんさ》り〉のことも含めて」

「チェルニは、一歩も外に出しません。誰かの名前を騙《かた》って、誘い出そうとしたところで、それに騙《だま》されるような、うかつな娘でもありません。わたしもローズも、同じことです。そうなると、向こうから入り込もうとするでしょうか？」

「恐らくは〈野ばら亭〉の客を装って、穢《けが》れた者どもが入ろうとするでしょう。まだ数日は先になるとしても、我々は、今夜のうちに仕掛けましょう」

ヴェル様は、ゆっくりと立ち上がった。三人の神職さんたちも、無言でそれに続く。綺麗なアイスブルーの瞳を輝かせ、ヴェル様は宣言した。

「さあ。御神霊のお慈悲にお縋《すが》りするのみでは、我らの名折れとなりましょう。現世《うつしょ》の宝珠を守護するは、我らの役目。数ならぬ身の力を尽くし、術を使ってご覧に入れましょう。千年の安寧を誇る神霊王国、我らがルーラ王国神霊庁が神使《しんし》、パヴェル・ノア・オルソン。この〈鏡のパヴェル〉の名に懸《か》けて」

18

氷みたいに透き通ったアイスブルーの瞳を輝かせて、ヴェル様は、神霊術《しんれいじゅつ》の行使を宣言した。すごく堂々としていて、素敵なヴェル様なんだけど、ちょっと待って。ヴェル様ってば、今〈神使《しんし》〉っていった？　嘘でしょう⁉

わたしたちの暮らすルーラ王国には、絶対に他の国にはない、とっても特殊なお役所がある。王城の敷地の奥まったところにそびえ立っている、その名も神霊庁だ。

神霊術に関係する法令を整備したり、神霊術が原因になって起こった犯罪を審議《しんぎ》したり、神霊さんをお祀《まつ》りする神事を取り仕切ったり、ルーラ王国民に与えられる印《いん》について研究したり……。つまり、神霊さんと神霊術にまつわるすべてのことを、神霊庁が管轄《かんかつ》しているんだ。

学校で習った話によると、宗教的な側面も持っている神霊庁は、他のお役所とは全くちがう存在らしい。

神霊術の授業を受け持っている、優しいおじいちゃんの校長先生が、しみじみといってたことがある。〈世俗の権力を離れ、一心に御神霊にお仕えするための組織でありながら、神霊王国と呼ばれるルーラ王国であればこそ、世俗の権力は並びないものとなる。神霊庁の内包するこの矛盾こそが、ルーラ王国の特殊性を体現しているのではなかろうか〉って。

まあ、どう考えても、当時十歳くらいだった、子供たちに聞かせる話じゃないな。聞いていた同級生たちは、全員、何をいわれているのかわからなかったみたい。もちろん、わたしも理解できなかったんだけど、おじいちゃんの校長先生の言葉だけは、今でもなぜかはっきりと覚えているんだ。

ヴェル様が名乗った〈神使《しんし》〉っていうのは、神霊庁全体で七人までって決まっている、最上位の神職のことだと思う。神霊庁には、神職の人と事務職の人がいて、神職は下から順番に〈神僕《しんぼく》〉〈神侍《しんじ》〉〈神徒《しんと》〉〈神使《しんし》〉。神霊庁で一番えらいのは、〈大神使《だいしんし》〉なんだけど、これは七人の神使《しんし》の間で、合議制で選ばれるんだって。

神霊庁の神使《しんし》は、国王陛下の前に出ても、絶対に跪《ひざまず》いてご挨拶をしないらしい。大神使《だいしんし》ともなると、序列的には国王陛下と同等だっていうんだから、すごいよね。何がすごいって、そんな規格外の存在がお役所にいるのに、千年も平和にやってきたルーラ王国がすごい。普通の国だったら、絶対にどろどろの権力闘争になると思うんだけどな。

こういう神霊庁のあり方っていうのは、王立学院の入試では、かなりの確率で出題される問題なんだ。わたしは、受験勉強のために、けっこうしっかりと復習しているから、ヴェル様の宣言がとんでもないものだって、すぐにわかったよ。

すっかり混乱したまま、ヴェル様の顔を見ると、わたしの視線に気づいたヴェル様が、優しい笑顔で聞いてくれた。

「美しい瞳が、溢《こぼ》れ落ちそうになっていますよ、チェルニちゃん。どうかなさいましたか？」

「今、神使《しんし》っていいました？　ヴェル様って、神霊庁の神使《しんし》様なんですか？　ネイラ様の執事さんじゃないんですか？」

「わたくしは、神霊庁において、神使《しんし》の官位を与えられております。そして、八年前からは、レフ・ティルグ・ネイラ様の執事でもあります。我が主人が王立学院をご卒業になると同時に、神霊庁から執事として派遣されたのです。〈覡《げき》〉たる御方《おんかた》にお仕えするのは、神霊庁の至上の職務でございますので。それまでは、わたくしの師に当たります、エミール・パレ・コンラッド様が、傅役《もりやく》としてお仕えになっておられました」

ヴェル様の説明は、すごく納得できるものだった。高位貴族で、王国騎士団長のネイラ様は、〈神威《しんい》の覡《げき》〉でもあるんだから、そりゃあ普通の執事さんだけだったら、いろいろと無理があるだろう。

それよりも、わたしは、ヴェル様の口にした名前に引っかかりを感じた。ヴェル様の前に、ネイラ様のところに派遣されていた、エミール・パレ・コンラッド様って、どこかで聞いた気がする。キュレルの街の十四歳の少女が、神霊庁の神職さんの名前なんて、知っているはずがないんだけど。

わたしが、〈コンラッド様、コンラッド様？〉って、小声で唱えていると、ネイラ様の部下の人が、そっと教えてくれた。

「コンラッド猊下《げいか》は、神霊庁の大神使《だいしんし》であらせられます。新聞などにご尊名が載ることもありますので、お嬢様もお聞き覚えがおありなのでしょう」

うん。ネイラ様の部下の人は、声も口調も優しかったけど、話の内容はちっとも優しくなかったよ……。

ヴェル様は、舞台に出ている役者さんみたいにカッコよく、わたしに向かって片目をつむった。

「さあ、クローゼ子爵家の手の者から、この〈野ばら亭〉を守護するために、神霊術《しんれいじゅつ》を行使しましょう。

一緒に行きますか、チェルニちゃん？」

「わたしが行ってもいいんですか、ヴェル様？」

「この家の外に出るだけですし、王国騎士団の精鋭も、我が部下もおりますので、チェルニちゃんに危険はありません。あまり時間もかかりませんよ」

「行きたいです。見たいです。勉強させてほしいです。行ってもいい、お父さん？」

「さすがに、危険はないだろう。いいぞ、チェルニ。よろしくお願いいたします、オルソン子爵閣下」

「承知いたしました。少し離れたところからご覧になるのであれば、皆さんもおいでになってもかまいませんよ。いろいろと気になるでしょうし」

「ありがとうございます。そうさせていただきます、閣下」

そうして、ヴェル様の指示に従って、わたしたちは家の外に出ることになった。お父さんとお母さん、アリオンお兄ちゃん、フェルトさん、総隊長さんの五人は、ネイラ様の部下の人たちと一緒に、通りの端くらいまで離れて、〈野ばら亭〉とうちの家の全体を見るんだって。

わたしは、ヴェル様や神職の人たちと一緒に、目の前の通りに立った。馬車が行き交いできるくらいの、広々とした通りのちょうど中央。右手に〈野ばら亭〉、左手にうちの家が建っている、ちょうど中間地点だ。

わたしの腕の中には、巨大さのわりにまったく重さを感じない、ふっくふくのスイシャク様がいて、右肩の上には、ぱちぱちと朱色の鱗粉《りんぷん》を舞い上がらせるアマツ様がいる。完全に危険がなくなるまでは、家の中でも外でも、絶対にわたしの側を離れないでいてくれるんだって。

ヴェル様は、わたしから何歩か前に進んで、道の上に片膝をついた。三人の神職さんたちは、わたしから何歩か後ろに下がって、やっぱりそれぞれに片膝をついた。

わたしは、どうしたらいいのかわからなくて、スイシャク様を抱っこする腕に、ちょっとだけ力を入れて、ただ立っていた。ヴェル様や神職の人たちの様子から、とっても大きな神霊術《しんれいじゅつ》を使うんだってわかったから、邪魔にならないように、じっと息を潜めていたんだ。

少し肌寒さの増してきた秋の夜空には、大きな月が輝いていた。今はもう、ネイラ様の瞳の色にしか思えなくなった、鏡みたいな銀色のお月様。あまりにも綺麗で、静かで、気高くって、思わず視線を奪われていたら、ヴェル様の朗々とした声が響いてきた。

「尊み奉る御一柱　真偽善悪を遍く照らす　御神鏡を司らるる御神霊に希う　神使たる証にと与え給ひし印を以て　御神鏡を顕現あれかし　穢れた蛇を遠ざけ　仇なす暴徒を虜囚と為す　守護の鏡界を結び給へと　畏み畏み物申す　対価は我らが宿したる身の力　神使神徒の連帯にて　尊き御神霊に捧げるもの也」

（とうとみたてまつるおんひとはしら　しんぎぜんあくをあまねくてらす　ごしんきょうをつかさどらるるごしんれいにこいねがう　しんとたるあかしにとあたえたまいしいんをもって　ごしんきょうをけんげんあれかし　けがれたへびをとおざけ　あだなすぼうとをりょしゅうとなす　しゅごのきょうかいをむすびたまえと　かしこみかしこみまもうす　たいかはわれらがやどしたるみのちから　しんししん

とのれんたいにて　とうときごしんれいにささげるものなり〉

ヴェル様は、祝詞《のりと》の形をとった詠唱を終えると、素早く印《いん》を切った。ものすごく複雑でむずかしそうな印《いん》を、目にも留まらないくらいの速さで切っていく。

部下の人たちは、ヴェル様の印《いん》とは別の印《いん》を、三人揃って切っていた。ヴェル様ほどではないにしても、こちらも複雑でむずかしそうな印《いん》だった。

そうして、ヴェル様たちが印《いん》を切り終わったとき、わたしたちの前に忽然《こつぜん》と現れたのは、大小さまざまな形をとって、神秘的な光を放って輝き渡る、何十枚もの鏡だったんだ。

＊＊＊

すっかり暗くなった秋の夜、〈野ばら亭〉とうちの家を囲むように、何十枚もの鏡が浮かんでいる光景は、ものすごく不思議で、ものすごく綺麗だった。大小の鏡は、どれも縁飾《ふちかざ》りのない真円《しんえん》のものばかりで、普通に家で使うものとは違う、神事用の〈御神鏡《ごしんきょう》〉なんだって、すぐにわかった。

片膝をついたままのヴェル様が、右手を左胸の上に置いて、深々と頭を下げると、全部の鏡が煌《きら》めいた。ちかちか、ちかちかって、合図をするみたいに。

そして、次の瞬間には、また忽然《こつぜん》と消えていったんだけど、それは人の目には見えなくなっただけだったと思う。何となく、〈依然としてそこに在《あ》る〉っていう気がしたから。

ヴェル様は、ゆっくりと立ち上がると、わたしを振り返って、こういった。

「さあ、チェルニちゃん。術の行使は終わりました。これでもう、クローゼ子爵家の手の者がやってきても、皆さんに手出しなどさせませんよ」

「はい！　はい！」

「何ですか、チェルニちゃん？」

「今のって、鏡を司る神霊さんの術じゃなくって、ご神鏡《しんきょう》を司る神霊さんですよね？　どんな神霊術《しんれいじゅつ》を使ったのか、教えてもらえますか？」

わたしがいうと、ヴェル様は、ちょっとだけ目を見開いた。そして、近くに控えていた、部下の神職さんたちに向かって、にやって笑ったんだ。

「聞きましたか、そなたたち。チェルニちゃんの素晴らしいこと。今の一幕だけで、御神鏡《ごしんきょう》の神霊術だと看破《かんぱ》することのできる術者など、そうそういるはずがないというのに。まだ幼《いとけな》い少女でありながら、すでに神霊術の深淵《しんえん》に迫っているのでしょうね。鵬程万里《ほうていばんり》、曠世之才《こうせいのさい》。誠に末恐ろしい才能ですよ」

「御意にございます、猊下《げいか》。さすが、御神霊の眷属《けんぞく》たる御方《おんかた》と、恐懼《きょうく》いたしました」

「今のわたくしは、あの御方《おんかた》の執事なのですから、神使《しんし》としての呼び名は控えるように。さて、チェルニちゃん。先ほど、貴女が仰ったように、わたくしが行使したのは、御神鏡《ごしんきょう》の神霊術です。パヴェル・ノア・オルソンに与えられた印《いん》ではなく、七名いる神使《しんし》の一人に賜《たまわ》る、神霊庁の秘術なのです。我が力であって我が力ではなく、代々の神使《しんし》が受け継いでいくものだからこそ、その対価もまた、神職が連帯して支払うことができます。部下たちが、わたくしと共に術を行使したのは、御神鏡《ごしんきょう》を司る御神霊から、術を補佐することのできる〈輔翼《ほよく》の印《いん》〉を賜《たまわ》っているからなのです」

なるほど。神霊庁の神使《しんし》には、階位によって与えられる特別な印《いん》があって、神職さんがそれを補佐することができるんだね。さっき、ヴェル様が使ってくれた神霊術は、多分、ものすごく大きなものだから、何人もの神職さんの力を借りないと、維持できないんだろう。

でもね、ヴェル様。そんな神霊庁の〈秘術〉のことなんて、学校では習わなかったよ？　ということは、重要な秘密なんじゃないだろうか？　何しろ、神霊庁の〈秘術〉っていうくらいなんだから。

「あの、そんな大切なこと、わたしが聞いてもよかったんですか、ヴェル様？　もちろん、人に話したりはしませんけど」

「ふふ。チェルニちゃんは、つくづく賢明ですね。もちろん、貴女にならかまいませんよ。先ほどのご質問についても、喜んでお答えします。論より証拠といいますから、一緒に体験してみませんか？　ルーラ王国神霊庁が秘術の一つ、〈鏡渡《かがみわたり》〉を」

「いいんですか？　体験したいです！　ありがとうございます。お父さんに、許可をもらってきてもいいですか？」

「世の中の娘という存在が、揃ってチェルニちゃんのようであれば、誠に平穏な世界が築かれることでしょう。さあ、チェルニちゃん。カペラ殿が来られたので、お聞きしてみましょうね」

ヴェル様が後ろを指差すと、ちょうどお父さんたちが近づいてくるところだった。お父さんは、わたしに秘術を体験させたいっていう、ヴェル様の申し出に、大きくうなずいてくれた。

「畏《おそ》れ多いことです、オルソン子爵閣下。どうかよろしくお願い申し上げます」

「承りました。しばし、この場にてお待ちください。万に一つも危険はありませんし、そもそも、チェルニちゃんの行くところには、必ず御二柱《おんふたはしら》の神々《かみがみ》もお渡りになるでしょう。チェルニちゃん、お手を」

ヴェル様は、そういって手を差し出してくれた。〈鏡渡《かがみわたり》〉のときは、現世《うつしよ》とは異なる場所を通るから、迷子にならないようにって。

わたしは、うきうきして手を握ろうとしたんだけど、肩に乗ったままのアマツ様が、瞬時に飛んできて、ヴェル様の手を叩いた。ルビーみたいに美しい真紅の羽先で、ぺしって。朱色の鱗粉《りんぷん》が勢い良く舞ってたから、ちょっとは熱いんじゃないだろうか……。

アマツ様は、いつもわたしをぐるぐる巻きにしてくれる、紅い光を顕現《けんげん》させた。髪の毛をくくる、リボンみたいな感じに。そして、その端と端を、わたしとヴェル様が握るようにって、イメージを送ってきたんだ。〈神鏡《しんきょう》の領域は、すべからく我らが内。寄《よ》る辺《べ》などこれで十二分〉なんだって。

ヴェル様は、含み笑いを漏らしながら、紅い光のリボンを握り、わたしも反対側の端を握った。もう片方の腕には、相変わらずスイシャク様がいる。アマツ様は、すっと肩の上に戻ってきて、頬にすりすりと可愛い頭を擦り付けてきた。つやつやの羽毛が、今日もとっても気持ちいい。

「では、行きましょうか、チェルニちゃん。現世《うつしよ》と表裏一体に重なり合った、神秘の〈鏡界《きょうかい》〉へ」

紅い光のリボンを握っていない方の手で、ヴェル様は素早く印《いん》を切った。三人の神職さんたちも、同時に別の印《いん》を切る。そして、ヴェル様が一言、〈鏡渡《かがみわたり》〉って口にすると同時に、目の前に巨大な鏡が現れたんだ。

その鏡は、ヴェル様の身長よりも大きくって、鏡面をお月様の銀色に光らせていた。あまりにも綺麗で、神々しくて、ちょっと怖くなったんだけど、ずっとスイシャク様とアマツ様の気配を感じていられたから、大丈夫だった。

ヴェル様は、わたしに向かって、優しく微笑んでから、鏡に向かって足を進めた。光のリボンに引っ張られて、わたしも自然についていく。巨大な鏡は、一瞬強く光り輝いて、その銀色の光が、わたしたちを包み込んだと思ったときには、もう鏡の中に吸い込まれていた。

そこは、とっても不思議な場所だった。広さの見当もつかないほど広くて、仄《ほの》暗い空間の中に、無数の鏡が浮かんでいるんだ。まるで、夜空の星みたいに。わたしが、呆然と見惚《みと》れていると、ヴェル様の優しい声が聞こえた。

「ようこそ、チェルニちゃん。ここは、御神鏡《ごしんきょう》の境界《けいかい》の内。現世《うつしよ》とは、鏡合わせの世界なのです。チェルニちゃんをお迎えして、御神鏡《ごしんきょう》もお喜びですよ」

そういって、わたしの顔を覗《のぞ》き込んできたヴェル様の瞳は、いつものアイスブルーじゃなかった。氷を思わせる薄青の中に、ちかちか、ちかちかって、小さな銀色の砂粒みたいな光が瞬《またた》いていたんだ。

〈覡《げき》〉ではないけど、神霊さんから強い力を与えられた人の瞳なんだって、すぐにわかった。スイシャク様が、〈瞳に銀の星降るは、人の子の誉《ほま》れ也。それを以《もっ》て神使《しんし》の証《あかし》と為《な》す〉って、イメージを送ってくれたから、そういうことなんだろう。

「あの黒い鏡が見えますか、チェルニちゃん？」

ヴェル様が指差したのは、美しく輝く無数の鏡の中に、ところどころ浮かんでいる黒い鏡だった。明るい光の影になって、ほとんどわからないくらいなんだけど、じっと目を凝らしていると、くすんだ黒い鏡面の中で、何かが動いているのが見える。

怖くって、気味が悪くって、思わずスイシャク様を抱っこする腕に力を入れたら、純白の優しい光が現れて、わたしをぐるぐる巻きにしてくれた。いつもわたしを守ってくれる、優しいスイシャク様の光なんだ。

「ああ、怖がらせてしまいましたか。申し訳ありません、チェルニちゃん。あの黒い鏡は、罪ある者を捕らえている、〈虜囚《りょしゅう》の鏡〉なのです。身体は現世《うつしよ》に残したまま、魂《たましい》だけを閉じ込めています。千年を超すルーラ王国の繁栄の陰で、許されざる罪を犯した者たちの魂《たましい》を捕らえ、浄化のときを過ごさせているのです。そして、もう一つ。新たなる檻《おり》よ、ここへ」

ヴェル様ってば、さりげなく重大な秘密を暴露するのは、本当にやめてもらえないだろうか？　黒いご神鏡《しんきょう》とか、魂《たましい》の虜囚《りょしゅう》とか、平民の十四歳の少女が知っていたら、絶対にだめなやつじゃないの？　ヴェル様のことだから、確信犯だとは思うんだけど。

ともあれ、ヴェル様の言葉と同時に、小さな黒い鏡が一枚、わたしたちの目の前にすっと現れた。アリアナお姉ちゃんが使っている、縁《ふち》に薔薇《ばら》の飾りのついた手鏡くらいの大きさかな？

わたしがそう思った途端、鏡はぐねぐねと形を変えて、本当にお姉ちゃんの手鏡とそっくりになった。薔薇《ばら》の縁飾《ふちかざ》りまで、本当にそっくり。ほのかに光る鏡面は、怖い黒色のままだったけどね！

「これはこれは。チェルニちゃんのお気に召すように、御神鏡《ごしんきょう》が自ら形を変えてくださったようですね。この黒い鏡は、クローゼ子爵家に所縁《ゆかり》のある者の魂《たましい》を閉じ込めるための、新たなる檻《おり》です。〈野ばら亭〉と、チェルニちゃんのご自宅を襲おうとした者がいたら、その魂《たましい》は、鏡の虜囚《りょしゅう》となるでしょう」

いよ、ヴェル様は、瞳の中の銀色の光の粒を煌《きら》めかせて、そう教えてくれた。控えめにいっても、本当に怖いよ、ヴェル様が……。

19

ヴェル様は、わたしを安心させるように、優しく微笑みながらいった。

「この場にある〈虜囚《りょしゅう》の鏡〉は、罪なき者には害がありません。何も怖がることはありませんよ、チェルニちゃん。我がルーラ王国は、御神霊の守護を賜《たまわ》る神霊王国であり、他国とは比べものにならないほど平和で、治安も保たれています。悪《あ》しきことを行えば、〈神去《かんさ》り〉となって、御神霊の印《いん》を失うかもしれないのですからね。〈虜囚《りょしゅう》の鏡〉を怖れなくてはならない者は、決して多くはありません」

うん。それは、ヴェル様のいう通りだと思う。わたしたち、ルーラ王国の国民は、ほんの小さな子供の頃から、繰り返し繰り返し、何度も教えられるんだ。〈神霊さんに去られるような人間になっちゃいけない。誰が見ていなくても、神霊さんは見ているよ〉って。だから〈正しく生きなさい〉って。

町立学校の教科書には、昔の人が作ったらしい詩歌が、必ず太い文字で書かれていて、わたしたちは、これを暗唱しながら育つんだよ。

『神去《かんさ》りて捨てらるる身の寄《よ》る辺《べ》なき　天《あめ》にも地にも生きる瀬もなし』

大抵のルーラ王国民は、神霊さんに見捨てられないように、自分から罪を犯そうとはしない。他の国から見たら、奇跡的だっていわれるくらい、悪いことをする人が少ないのは、わたしたちがいつも神霊さんに見られているって、知っているからなんだろう。

「とはいえ、人が人である限り、悪《あ》しき心に囚《とら》われる者は存在します。自分だけは、神去《かんさ》りになどならないのだと思い込んで、悪行を為《な》すのです。この〈鏡界《きょうかい》〉に浮かぶ黒い鏡の中には、人の法では裁けないほどの罪を犯した者の魂《たましい》が、それぞれに閉じ込められているのです。たとえば、このように」

そういって、ヴェル様が小さく印《いん》を切ると、両手で抱えるくらいの大きさのある鏡が、音もなく降ってきた。立派な縁飾《ふちかざ》りが彫られていて、宝石っぽい石までついている、ものすごく高そうな鏡だった。

黒い鏡面を見ると、うねうねうねうね、何かがのたうち回っている。もっと、じっと目を凝らして見ると、ほのかに黒い光を放つ鏡面に、人の顔みたいなものが、ぼんやりと浮かび上がってきた。すごく苦しそうで、とっても怒っている、男の人の顔だったと思う。

びっくりして、怖くって、思わず叫び出しそうになって、腕の中のスイシャク様をぎゅっと抱きしめると、途端に厳《おごそ》かなイメージが送られてきた。〈其《そ》は我らが眷属《けんぞく》にして、八百万《やおよろず》の守護の内。現世《うつしよ》神世《かみのよ》の何方《いずかた》にても、害すること能《あた》わず〉〈これなる鏡に閉じ込められしは、《妄執《もうしゅう》の簒奪者《さんだつしゃ》》の魂《たましい》にして、八百余年の禊《みそぎ》と為《な》す〉って。

ヴェル様は、怖がるわたしをなだめるみたいに、穏やかな口調で、ちっとも穏やかじゃないことをいった。

「驚かせてしまって、申し訳ありません、チェルニちゃん。この鏡には、六百年ほど前に、兄である国王陛下の毒殺を行った、王弟の魂《たましい》が囚《とら》われているのです。もう定まった過去の遺物ですので、我々に害をなす力はありませんよ。ルーラ王国の正史では、何一つ触れられておらず、国王陛下は病没なさったことになっていますが、国の中枢《ちゅうすう》にいる者にとっては、よく真相を知られた重大事件です。この王弟は、兄である国王への妄執《もうしゅう》ともいえる嫉妬心に囚《とら》われ、王位を簒奪《さんだつ》するために、毒を飼ったのだといわれています」

ひぃぃ。だから、ヴェル様ってば、十四歳になったばっかりの平民の少女に、王国の重要機密を漏らさないでほしいんですって。

さすがにちょっとだけ腹が立ったから、わたしの目を覗《のぞ》き込んできたヴェル様を、思わず睨《にら》んじゃったんだけど、心の中では、ちょっと気づいていたことがあった。

わたしたちの暮らすルーラ王国は、立派な王家が治める国で、優しい人ばっかりで、いつでも平和で、神霊さんに守られているんだって、ずっとそう思っていた。わたしは、わりと神霊術《しんれいじゅつ》が得意で、勉強ができるだけの少女で、愛情いっぱいの家族に恵まれて、元気に毎日を過ごしていた。これから先も、そんな生活が続いていくんだって、何の根拠もなく信じていたんだ。

でも、もしかしたら、この世界は、わたしが見ているだけのものじゃないのかもしれない。

クローゼ子爵家の人たちは、一族のほとんどが神去《かんさ》りになった。若くて美人のカリナさんは、胸元から三岐《みまた》の蛇を生やしているのに、それに気づきもしない。たくさんの子供たちは、外国の貴族に拐《さら》われて、まだ助けられていない。わたしの目に映らないだけで、悪いことをしている人も、悲しみに囚《とら》われている人も、怒りにわれを忘れている人も、きっとたくさんいるんだろう。

大好きなお父さんとお母さんは、わたしの目に美しいものばかり見せてくれたけど、これからわたしが大人になって、もっと広い世界に出て行ったら、美しくないものも、悲しいものも、たくさん見ていくことになるんだろうか。

夜空の星みたいに瞬《またた》いている、満天の鏡を見上げて、わたしは、やっぱりネイラ様の瞳を思い出した。

自分でいうのも何だけど、無邪気な少女だったチェルニ・カペラは、ここ最近、激流に呑《の》み込まれた木の葉みたいに、きりきり振り回される毎日を送っている。わたしは、ネイラ様の役に立つ人になるって決めたから、このとんでもない経験も、そのための道筋だったらいいのにな……。

そんなふうに、わたしがしんみりしていると、スイシャク様が、ひときわ勢い良く鼻息を吹いて、強いイメージを送ってきた。ふふふっっす、ふふふっっす。ヴェル様に、古い〈鬼哭《きこく》の鏡〉を一枚、召喚させなさいって。

「今、スイシャク様からヴェル様へ、ご伝言が伝わってきました。お話ししてもいいですか、ヴェル様？」

「もちろんですよ、チェルニちゃん。尊き御神鳥は、何と仰せなのでございますか？」

「古い〈鬼哭《きこく》の鏡〉を一枚、召喚しなさいって仰ってます」

ヴェル様は、一瞬だけ目を見開いて、すぐに大きくうなずいた。そして、指先を振って、〈妄執《もうしゅう》の簒《さん》奪《だつ》者の鏡〉を空の彼方に消し飛ばすと、今度は丁寧に印《いん》を切って、新しい鏡を呼び出したんだ。

鏡の夜空から静かに降ってきたのは、縁《ふち》が欠けてぼろぼろになった、古ぼけた鏡だった。正直なところ、すぐにごみに出したいくらい汚くて、みすぼらしかったけど、問題はそんなことじゃなかった。

両手に載るくらいの大きさの鏡は、もう真っ黒じゃなくて、濃い灰色に煤《すす》けて、一切の輝きを失っていた。そして、その鏡からは、ぽたりぽたりと、真っ赤な血が滴《したた》っていたんだよ。

煤《すす》けた灰色の鏡面から滲《にじ》み出る、痛いほどに紅い鮮血は、欠けた縁を伝って溢《こぼ》れ落ちると、紅い霧になって消えていく。

どこからどう見ても、怖くて不気味な光景のはずなのに、わたしが感じたのは哀しみだった。見ていて苦しくなるくらい、ぼろぼろになった〈鬼哭《きこく》の鏡〉が、可哀想で可哀想でしょうがなかった。

自然に涙が浮かんで、目の前が滲《にじ》んできちゃったわたしに、ヴェル様がそっと教えてくれた。

「御神鏡《ごしんきょう》の印《いん》をいただいたわたくしには、一枚一枚の鏡の意味が、おのずと理解されるのですよ、チェルニちゃん。これは、愛娘《まなむすめ》を失った母の魂《たましい》を、数百年にわたって封じた鏡です。どのようにして娘を失ったのか、チェルニちゃんにお話しするのは控えましょう。ただ、あまりにも悲惨な運命に見舞われた娘を悼《いた》み、犯人たちを憎み尽くした母親が、血の涙を流しながら〈鬼成《きな》り〉してしまったのです。母親は、娘の仇を討ちました。けれど、復讐の後も、激しい憎しみに囚《とら》われ続けた魂《たましい》は、自身も穢《けが》れに堕ち、鏡の虜囚《りょしゅう》となったのです」

〈鬼哭《きこく》の鏡〉は、二度三度、ゆっくりと揺らめいた。まるで、ヴェル様の言葉に呼応するみたいに。わたしが、それを見つめていると、スイシャク様とアマツ様が、またしても強いイメージを送ってきた。〈定めし禊《みそぎ》の刻を越えても、哀しき鬼哭《きこく》の痛苦は癒えず〉〈彼《か》の鏡に我が慈悲を伝えよ〉〈掬《すく》ひ、援《すく》ひ、救へ〉って。

スイシャク様とアマツ様は、わたしに〈鬼哭《きこく》の鏡〉を助けさせたいんだね……って、ちょっと待って。どう考えたって無理でしょう、そんなこと？

＊＊＊

スイシャク様とアマツ様は、とってもわたしに優しいけど、一面ではけっこう厳しいと思う。ただの十四歳の少女に、〈鬼哭《きこく》の鏡〉を助けるなんてこと、できるはずがないのに、腕の中と肩の上から、どんどん圧力をかけてくるんだよ。

〈鬼哭《きこく》の鏡〉は、もう何百年も苦しんできて、罪は償っているんだから、自分が赦《ゆる》され、救われていることを教えてあげなさい。〈鬼哭《きこく》の鏡〉が、自分の怨みと哀しみから、少しでも目をそらしてくれれば、それで十分だからって。

本当に仕方なく、〈鬼哭《きこく》の鏡〉に目を向けると、ぼろぼろのみすぼらしい鏡は、ぽたりぽたりと血の涙を流しながら、じっとわたしを見ていた。変なことをいってるって、自分でも思うけど、それは〈見ている〉としかいいようのない感覚だった。

わたしが少女で、誰かの娘っていわれる存在だから、気になったのかもしれない。そして、そう考えた途端に、まるで心臓をぎゅっと掴《つか》まれたみたいに、苦しくて苦しくてたまらなくなったんだ。

だって、もしも、わたしやアリアナお姉ちゃんが死んじゃったら、わたしの大好きなお母さんは、気が狂うくらい悲しむだろう。それが、誰かに酷《ひど》い目に遭《あ》わされて、殺されたんだとしたら、わたしのお母さんも鬼になる。わたしやアリアナお姉ちゃんが、どんなにやめてほしいと思っても、お母さんは必ず鬼になるだろう。

〈鬼哭《きこく》の鏡〉は、まるでわたしの心を読んだみたいに、ひっそりと揺れていた。鏡の中の魂《たましい》は、きっと優しいお母さんで、〈鬼成《きな》り〉してしまうくらい、娘さんのことが大切だったんだろう。わたしにできることだったら、そんな人を、ほんの一瞬でも慰めたい……。

そう思った瞬間、印《いん》をもらったばかりの神霊さんのことが、ふいに頭に浮かんで、わたしの口は、勝手に詠唱を始めていたんだ。

「鈴を司る神霊さん。哀しみに心を閉ざしている〈鬼哭《きこく》の鏡〉に、救済の音《おと》を響かせてほしいんです。嫌でも耳に入るくらいに、大きな音を鳴らしましょうよ。対価は、わたしの魔力を必要なだけ。足りなかったら、わたしの髪を好きなだけ」

そうして、わたしは新しい印《いん》を切った。初めて使う印《いん》だけど、まったく戸惑いはなかった。ただ、何となく、鈴の神霊術《しんれいじゅつ》だけだと届かないかもしれないなって思ったら、わたしの口はまたしても、勝手に詠唱を続けていた。

「塩を司る神霊さん。救済の鈴の音《ね》が、大きく大きく響くように、この場を清めてほしいんです。空から落ちる雪みたいに、浄《きよ》めの塩を降らせましょうよ。わたしの魔力を対価にして、足りなかったら髪をどうぞ」

もう一度、今度は塩の神霊さんにもらった印《いん》を切った。鈴の神霊さんの印《いん》と同じく、初めて使う印《いん》だったけど、生まれたときから身に備わっていたみたいに、自由に使うことができた。

わたしが印《いん》を切り終わると同時に、無数の鏡が輝く空から、純白の雪みたいな塩が降り始めた。きらきらきら、きらきらきらきらきら、輝きながら降ってくる。広大な〈鏡界《きょうかい》〉の隅々《すみずみ》まで届くくらいの、それはそれは圧倒的な白だった。

何て綺麗なんだろうって、感動して言葉を失っていると、今度はどこからともなく、鈴の音《ね》が聞こえてきた。ちりんちりんって、可愛いはずの音《おと》なのに、何重にも重なり合う音色は、鏡の世界を満たすくらいの音量で響き渡った。これが荘厳《そうごん》っていうことなんだって、自然に思ったよ。

〈鬼哭《きこく》の鏡〉は、最初は何の反応もなく、血の涙を流し続けていた。でも、雪みたいに降る塩が、灰色の鏡面にかかると、そこがきらきらって光って、一粒の分だけずつ白くなっていくんだ。

鈴の音《ね》も、〈鬼哭《きこく》の鏡〉の鏡面が、音《おと》を遮断《しゃだん》しているみたいな感じだったのに、いつの間にか共鳴するようになっていた。塩一粒の分だけ、白くなったところから、次々に音が吸い込まれていったから、きっと鏡面の中で浄めの音を響かせていたんだろう。

どのくらいの時間が経ったのか、気がついたときには、塩も鈴の音《ね》も消えていて、鏡から滲《にじ》み出る血も止まっていた。まだまだ、鏡面のほとんどはくすんだ灰色のままだったけど、胸が苦しくなるほどの哀しみは、もう〈鬼哭《きこく》の鏡〉からは拭《ぬぐ》い去られていた。少なくとも、わたしにはそう思えた。

スイシャク様とアマツ様は、おめでたい紅白の光でわたしをぐるぐる巻きにしながら、大喜びのイメージを送ってくれた。〈重畳《ちょうじょう》、重畳《ちょうじょう》〉〈我らが□□□□の得難きこと〉〈哀しき《鬼哭《きこく》の鏡》に、慰めが訪れん〉って。

〈鬼哭《きこく》の鏡〉に閉じ込められたお母さんが、ほんのちょっぴりでも慰められたのであれば、わたしも本当にうれしい。

それにしても、鈴を司る神霊さんと、塩を司る神霊さんって、大きな浄《きよ》めの力を持っていたんだね。

鈴と塩の神霊術《しんれいじゅつ》とか、わりと意味がわからないって思っていて、ごめんなさい。わたしってば、塩の神霊さんにお願いして、豚肉の塩釜蒸しを作ろうとか思ってたよ……。

皆んなに内緒で、こっそり反省していると、わたしの名前を優しく呼ぶ声がした。振り向くと、目を赤く潤ませたヴェル様が、わたしに微笑みかけていたんだ。

そして、国王陛下にも膝をつかないはずの、神霊庁の神使《しんし》であるヴェル様は、流れるみたいに優雅な動作で、わたしに向かって片膝をついた。胸に抱っこしたスイシャク様や、頬にすりすりしてくるアマツ様じゃなく、キュレルの街の十四歳の平民の少女である、わたし、チェルニ・カペラ一人に向かって。

「ありがとうございます、チェルニちゃん。あの〈鬼哭《きこく》の鏡〉は、わたくしの胸にも痛いほどに、苦しみ悶えていたのです。お救いいただきましたこと、心より御礼申し上げます」

「うわぁ！　やめてください、ヴェル様！　どうして跪《ひざまず》いたりしてるんですか！」

わたしは、大慌てで悲鳴を上げた。スイシャク様とアマツ様が離れてくれないから、引っ張って立ってもらうわけにもいかなくて、どうしようもなかったんだ。

「わたくしに力をお貸しくださっている〈御神鏡《ごしんきょう》〉も、ことの他お喜びでございます。彼《か》の鏡の他にも、浄化の慈悲を受けた鏡はございましょう。誠にありがたいことでございます」

「わたしなんて、鈴を司る神霊さんと、塩を司る神霊さんに、お願いしただけですから！　スイシャク様とアマツ様の、いう通りにしただけですから！　とにかく、立ってくださいってば、ヴェル様！」

「そうは仰いますが、我が師が跪《ひざまず》いておられるものを、弟子であるわたくしが、立っているわけにはいかないのですよ、チェルニちゃん」

「は？　何のことですか、ヴェル様？」

「どうぞ、後ろをご覧ください。わたくしの師が、チェルニちゃんにご挨拶をさせていただきたいそうですので」

ヴェル様にいわれて、急いで振り返ると、いったいいつの間に現れたのか、そこには巨大な鏡が煌々《こうこう》と輝いていた。わたしの身長を超えるくらいの、とっても大きくて、とっても立派な鏡だった。

鏡の中に映っていたのは、どこかのお屋敷の部屋みたいで、わたしの目でも明らかなくらい、上品で高級そうに見えた。そして、綺麗な銀色の髪をした高齢の男の人が、わたしに向かって、鏡の中で片膝をついていたんだよ。

その男の人は、おじいちゃんっていうにはちょっとだけ若くて、思わず頭を下げたくなるくらいの威厳と、甘えて近寄りたくなるような優しさを併せ持っていた。わたしみたいな少女にも、ちゃんとわかる。きっとこういう人のことを、〈徳が高い〉っていうんだろう。

「その大きな鏡は、神霊庁の一室にかけられた鏡と、表裏一体をなすもの。鏡を通して、遥か離れた場所とつながり合うことも、〈鏡渡《かがみわたり》〉の能力の一つなのです。そこにおられるのは、エミール・パレ・コンラッド猊下《げいか》ですよ、チェルニちゃん」

ヴェル様が、平然と紹介してくれた言葉を聞いて、わたしは血の気が引くのを感じた。比喩ではなく、本当に。だって、エミール・パレ・コンラッド猊下《げいか》って、さっき教えてもらったばっかりの、神霊庁の大神使《だいしんし》様じゃないの！

コンラッド猊下《げいか》は、ぱかっと口を開けたままのわたしに、柔らかく微笑みかけて、鏡の中からこう仰った。

「お初にお目にかかります、お嬢様。拝謁《はいえつ》の栄《えい》に浴《よく》しましたこと、恐悦至極《きょうえつしごく》に存じます。パヴェルの招きにより、先ほどの浄《きよ》めの儀を拝見させていただきました。誠にありがたく、喜ばしきことでございました」

優しい笑顔に、ようやく正気に返ったわたしは、即座に跪《ひざまず》いた。慌てていたから、腕にすごい力が入ったみたいで、スイシャク様はふすふす怒ってるし、振り落としそうになったアマツ様からは、強めに頭突きをされたけど、それどころじゃないんだってば。

「あの、初めてお目にかかります。チェルニ・カペラ、十四歳です。お会いできて、とっても光栄です。ヴェル様には、大変お世話になっています。ありがとうございます、コンラッド猊下《げいか》」

「ほほ。御二柱《おんふたはしら》の眷属《けんぞく》たる御方《おんかた》は、何ともお可愛らしいことですね。パヴェルのことは、ヴェル様と呼んでくださっているそうですね。わたくしのことは、ミルとお呼びくださいませ。わたくしも、パヴェルにならって、チェルニちゃんとお呼びすることを、お許しくださいませんか？」

「……。畏《かしこ》まりました、ミル猊下《げいか》」

「ミルですよ、チェルニちゃん」

「……ミル様」

「ありがとうございます、チェルニちゃん。今後とも、どうぞよろしくお願いいたします」

うん。コンラッド猊下《げいか》ってば、さすがにヴェル様のお師匠様だね。優しいところも、部分的に押しが強いところも、そっくりだよ。

ご神鏡《しんきょう》の神秘的な〈鏡界《きょうかい》〉の中で、二柱《ふたはしら》の神霊さんのご分体と、神霊庁の大神使様《だいしんし》と神使様《しんし》に囲まれて、わたしがちょっとだけ呆然としちゃったのは、仕方がないことだったと思うんだ。

クローゼ子爵家に罠を張って二日目の夜は、十四歳の少女には濃密過ぎる出会いをもたらして、ようやく、ようやく終わりを告げようとしていた。

20

次から次へと、大変なことが起こり続けた作戦二日目。最後には、神霊庁の大神使《だいしんし》である、コンラッド猊下《げいか》まで登場しちゃって、まるで嵐みたいな一日だった。

でも、その翌日には、わたしは元気いっぱいに目を覚ました。寝起きに感じたのは、ほんのり温かくて、とっても気持ちが良くて、ものすごく安心できてる気配。左の肩口にスイシャク様、右の肩口にアマツ様がくっついて、わたしを守ってくれていたんだ。

スイシャク様は、柔らかな吐息でふすふすいって、わたしを優しく起こしてくれた。いとも尊い神霊さんのご分体なんだけど、巨大な雀《すずめ》なんだけど、なんだかお母さんみたいっって思ったのは、わたしだけの秘密だ。

アマツ様は、真紅に輝く可愛い頭を、わたしの頬にすりすりこすりつけて、朝のご挨拶をしてくれる。こんなに長い間、ネイラ様のところに帰らなくって大丈夫なのか、ちょっと心配していたんだけど、まったく問題ないらしい。〈一《いっ》にして多、多にして一《いっ》〉である、同じアマツ様が、ネイラ様の側にもいるんだって。
このアマツ様の説明って、おじいちゃんの校長先生が教えてくれた、〈御神霊の多元存在論〉っていう学説に近い気がする。校長先生は、〈御神霊の存在は、研究して論じるものではなく、ありのままを畏《かしこ》みて受け入れるもの。学者どもは、熱心に学ぶことによって、真理から遠ざかっておる〉って、悲しそうに怒っていたけどね。

そして、三日目の朝ご飯は、すごい大人数だった。わたしたち家族の他に、フェルトさんとヴェル様、王国騎士団の三人の騎士さん、ヴェル様の部下の神職さんたち三人で、なんと合計十二人！

うちの家は部屋数に余裕があるし、万が一のときに動きやすいから、昨夜から全員、家に泊まってもらうことになったんだ。その方が夜間も安心できるって、お父さんとお母さんも喜んでいたし、わたしもうれしい。

今朝、お父さんが作ってくれたのは、わたしとアリアナお姉ちゃんの大好物ばかりだった。いっぱい食べて頑張りなさいって、励ましてくれているんだって、口に出されなくてもちゃんとわかったよ、お父さん。

お父さんの自家製ソーセージは、時間をかけてこんがりと焼いてあるから、噛んだ瞬間に、肉汁がぶわっと溢《あふ》れ出すくらい。オリーブオイルでソテーしたジャガイモを、たくさん入れて焼き上げた、金色の分厚いホットケーキみたいな卵焼き。なすときのことトマトソースを、繰り返し何層にも重ね、仕上げにチーズをいっぱいのせたオーブン焼き。緑の野菜を何種類も大皿に盛って、カリカリに焦げ目をつけたチキンソテーを合わせた、ボリューム満点のサラダ。栗ときのこと牛肉のスープは、澄み切った琥琥珀色の中に、透明のおいしい脂が溶け込んで、きらきらと光っている。自家製の帆立貝と秋鮭の燻製を、軽く炙《あぶ》ったものを食べたら、ヴェル様たちが〈朝からワインが飲みたくなる〉って唸《うな》っていた。焼き立てパンは、今朝も五種類も作ってくれていて、定番の田舎パンの他に、くるみとレーズンの入ったもの、バジルの入ったもの、イチジクのジャムの入った甘いもの、バターがたっぷりのクロワッサン……。

うん。確かに大好物ばっかりだけど、そもそもお父さんの作ってくれる料理で、嫌いなものなんてなかったよ、わたし。

もちろん、スイシャク様もアマツ様も、ぱかっぱかっと可愛くくちばしを開けて、おいしそうに食べてくれた。

鶏肉とか卵とか牛肉とか、鳥の姿を取る神霊さんにお供《そな》えする神饌《しんせん》としては、どうなのかなって思うところもあったんだけど、当のご分体が、全然気にしていないからね。神職さんたちも、必死で視線を外しながら、平静を装っていた。〈虚気平心《きょきへいしん》〉とか〈神色自若《しんしょくじじゃく》〉とか、何度もつぶやいていたのは、気づかなかったことにしておこう。

おいしくご飯を食べ終わったら、ヴェル様たちが、今後の見通しを教えてくれた。クローゼ子爵家の動きについては、もうかなりの精度で予測できているんだって。

昨日と一昨日の二日間、クローゼ子爵家からの接触を、フェルトさんはきっぱりと断った。誰が見ても、簡単に気持ちを変えさせることなんてできないと思うくらいの、完全な拒絶だった。その結果、クローゼ子爵家は、第二段階の手に移るだろうって、ヴェル様はいうんだ。

「王家から、十日以内に後継《あとつぎ》を決めるように厳命されている以上、クローゼ子爵家には、もう時間的な余裕がありません。今日にでも、フェルト殿の意志を無視して、後継《あとつぎ》選定の手続きを取ろうとするでしょう」

「その手続きとは、どのようなものなのでしょうか、オルソン子爵閣下。お義母《かあ》さんのご指示で、養子縁組と婚姻の不受理申立書は、正式に提出しているのですが」

「それは、大変に素晴らしい判断だったと思いますよ、フェルト殿。貴族家の後継《あとつぎ》選定に際しては、所定の申請書と共に、養子縁組届か婚姻届を提出しなくてはなりません。フェルト殿が、クローゼ子爵家を拒絶するだろうことは、チェルニちゃんが、我が主人に伝えてくださった情報でわかっておりましたので、仮に申請書が出されても、差し止めをする予定だったのです。それが、養子縁組も婚姻もできないとなると、申請書そのものを提出できなくなりますからね。自動的に、第三段階に移行せざるを得ないでしょう。我々も、追い詰める手間が省けるというものです」

「第三段階というと、フェルトやわたしたちに、直接的な危害を加えようとするということでしたね」

「その通りです、カペラ殿。まず、フェルト殿の母上やアリアナ嬢を拐《さら》おうとし、それができなければ、チェルニちゃんが狙われるでしょう」

「わたしの母は、完全に身を隠しています。アリアナさんのことも、絶対に見つけ出せないでしょう」

「そして、チェルニちゃんは、この現世《うつしよ》で最も厳重に護《まも》られています。神と人とが手を携えて、十重《とえ》二十重《はたえ》に」

「お嬢様に怪我の一つも負わせたら、我らが王国騎士団長のお怒りに触れて、王城が瓦礫《がれき》の山にされてしまいましょう」

「御二柱《おんふたはしら》におかれましても、容赦なく〈荒魂《あらみたま》〉と変《へん》じ、浄化の業火《ごうか》で王都を火の海になさいますでしょう」

「もちろん、そんなことにならないように、チェルニちゃんの影でさえ、あの者たちに踏ませはいたしません。したがって、これからの数日で、無理を悟ったクローゼ子爵家は、最終手段を取ろうとするでしょうね」

「フェルトさんやわたしたちを殺害して、フェルトさんの替え玉を立てようとするのでしたね、オルソン子爵閣下」

「そうです、奥様。ただし、奥様のご慧眼《けいがん》で、すでに正式な不受理申立書が出されている以上、替え玉を立てただけでは、書類は整えられません。不受理申立書の取り下げには、本人証明が必要なのですから。それを覆《くつがえ》すとなると、法理院《ほうりいん》に無理を通すだけの〈権力〉が必要となるでしょうね」

そういって、ヴェル様はにっこりと微笑んだ。顔は優しく笑っているんだけど、綺麗なアイスブルーの瞳の奥で、吹雪が舞っているみたいな、冷たくて怖い笑顔だった。何となくだけど、ヴェル様は、その〈権力〉のことも、予測しているんだなって思ったよ。

豪腕のお母さんも、同じように思ったみたいで、ヴェル様の目を見つめて、こういったんだ。

「宰相閣下とネイラ様が、クローゼ子爵家に仕掛けておられる罠というのは、その〈権力〉を炙《あぶ》り出すためのものでしたのね、オルソン子爵閣下」

「仰る通りです、奥様。自分たちの力だけでは、王家の追及を逃れられないと確信した時点で、あの者たちは〈権力〉に縋《すが》ろうとするでしょうからね。穢《けが》らわしい鼠《ねずみ》どもが、必死になって逃げ込む巣穴を見つけるために、王国騎士団の精鋭と〈黒夜《こくや》〉が、手分けをして監視を続けているのです」

「はい！」

「何でしょう、チェルニちゃん？」

「こくやって何ですか、ヴェル様？」

「ルーラ王国で、諜報《ちょうほう》活動に携わる者たちのことですよ、チェルニちゃん。月の出ない、暗い夜を意味する言葉です。誰にも姿を見せないまま、情報収集や警護、戦闘、国外での工作など、さまざまな活動を行います」

「……あの、ヴェル様。それって、十四歳の少女が聞いていいことじゃないですよね、絶対に」

「よろしいのではありませんか、チェルニちゃんなら。この〈野ばら亭〉の周りにも、かなりの数の〈黒夜《こくや》〉が待機しておりますし」

本当にもう、ヴェル様ってば。平和なキュレルの街の、人気の宿屋兼食堂の〈野ばら亭〉に〈黒夜《こくや》〉って、似合わないにもほどがあるよ。

ヴェル様の、なぜか晴々とした笑顔に、わたしが深い溜息を吐いたとき、スイシャク様が教えてくれた。クローゼ子爵家の人たちが、今日もそろそろ動き出すよって。

✣ ✣ ✣

わたしは、背筋を伸ばして片手を挙げ、さっきよりももっと大きな声で、ヴェル様に話しかけた。

「はい！　はい！」

「ふふ。そうやって元気よく手を挙げてくれる様子が、誠に可愛らしいですね。何ですか、チェルニちゃん？」

「今、スイシャク様が教えてくれました。クローゼ子爵家が、そろそろ動き出そうとしているみたいです。今日も、スイシャク様の雀《すずめ》たちが、交代で見張ってくれているんですけど、話を伝えてもらっていいですか？」

「もちろんですとも。安全確実で正確無比、僅かな時差もない情報提供など、諜報《ちょうほう》に携わる者の夢であり、これほどありがたいことはありません。〈黒夜《こくや》〉の者たちが、羨望《せんぼう》のあまり涎《よだれ》をたらしますよ、チェルニちゃん」

ヴェル様が、微妙に裏のある笑顔でいうと、神職の人たちと王国騎士団の人たちが、ぎょっとした様子で、口々にヴェル様に何かをささやいた。わたしには聞こえにくいくらいの声で、ひそひそって。

「今、気づきました。これは大変な危機ではございませんか、閣下」

「〈黒夜《こくや》〉の者たちであれば、お嬢様を諜報《ちょうほう》の手駒にしようなどと、思わないとも限らないのではないかと、不安でございます」

「何とかなりませんか、オルソン子爵閣下。〈黒夜《こくや》〉がお嬢様に無礼を働けば、団長がどれほどお怒りになることか」

「比喩ではなく、本当に王城が瓦礫《がれき》にされかねません。穏やかな方《かた》ではありますが、そのご気質は覡《げき》で在《あ》られます。しかも、〈神威《しんい》の覡《げき》〉なのですから、何らかのことが起これば、人の法ではなく、御神霊の〈理《ことわり》〉によって動かれましょう」

「神職の立場といたしましては、〈神威《しんい》の覡《げき》〉のお怒り以前に、炎の御方《おんかた》が恐ろしゅうございます。紅き業火《ごうか》は、人の魂《たましい》までも焼き尽くすのですから。白き御神鳥にしても、お可愛らしい見かけ通りの御神霊では、在《あ》らせられないのでございましょう、猊下《げいか》？」

「そうですね。レフ様のお話では、とても特殊な御神霊で在《あ》られるそうです。雀《すずめ》を司っておられるわけではなく、数ある御使《みつか》いの一つが雀《すずめ》であるだけだと。白き御方《おんかた》の御威光は、四方《しほう》、万里に轟《とどろ》くとの仰せです」

「それはまた、恐ろしい。早々に先手をお打ちくださいませ、閣下」

「彼《か》の〈黒夜《こくや》〉の者たちは、身を捨てて国家に尽くしております。多少、行き過ぎるときもございますが、御神霊と〈神威《しんい》の覡《げき》〉に疎《うと》まれては、哀れでございます」

「確かに。わたくしからも、〈黒夜《こくや》〉の長にきつくいい聞かせておきましょう。あの者は、愚かな真似はしないでしょうが、部下どもが先走らないとは限りませんからね」

しばらくすると、ようやく話が終わったみたいで、ヴェル様がわたしの顔を見て、にっこりと笑いかけてきた。うん。やっぱり、ちょっとだけ胡散臭《うさんくさ》い笑顔に見えますよ、ヴェル様。

「お待たせしました、チェルニちゃん。御神鳥にお願いして、クローゼ子爵家の様子を教えてくださいませんか？　予測の通りに物事が運ぶのかどうか、確認させていただきたいですからね」

「わかりました。えっと、ヴェル様は、スイシャク様からいただいた、白い羽根を持っていてくださいね。イメージで伝えられないところは、いつもみたいに、わたしの口が勝手に話し始めると思います」

わたしがいうと、気配りの塊《かたまり》みたいなスイシャク様が、すぐに雀《すずめ》の視界につないでくれた。今朝は、いつもの応接室みたいなところじゃなくて、誰かが住んでる部屋みたいだった。

部屋の中にいたのは、〈瞋恚《しんに》〉のクローゼ子爵と、息子で〈増上慢《ぞうじょうまん》〉のアレンさん、クローゼ子爵の弟で、〈懶惰《らんだ》〉のナリスさんの三人だけだった。

クローゼ子爵とナリスさん、アレンさんは、すぐに怒っていい争うような印象があったんだけど、今日はちょっと違うみたい。三人とも落ち着いていて、いつもより賢そうなのは、どうしてなんだろうね？　だからこそ、本物の〈悪人〉に見えるんだけど。

太い葉巻をゆっくりと燻《くゆ》らせ、ナリスさんにも勧めながら、クローゼ子爵がこういった。

「カリナとミランは、そろそろ法理院《ほうりいん》に着く頃か。首尾《しゅび》はどうだろうな。ミランはどういっていた、ナリス？」

「失敗する可能性の方が、高いそうですよ、兄上。ミランがいうには、〈野ばら亭〉の女将という女は、法理院《ほうりいん》にも伝手《つて》があるようだと。その女将であれば、養子縁組や婚姻の届け出を出されることを想定して、すでに先手を打っていても不思議はないでしょう」

「そうか。ミランの見立ては、確かだろうな。カリナはどうだった、アレン？」

「あれは、物事を見たいようにしか見ない女ですから。婚姻届を出してから、フェルトを籠絡《ろうらく》すればいいだけだと、機嫌良く出かけて行きましたよ」

「我が娘ながら、頭の軽いことだ。あれがもう少し思慮深ければ、美しい見た目に似合った嫁ぎ先を得られたろうにな」

「母上の血が濃く出たのですから、仕方がありませんよ、兄上。カリナの愚かさは、我らの母上と同じです。金をどぶに捨てることと、男を侍らせることにしか興味がないのだから、どうしようもない」

「ミランの見込みが外れれば、話は前に進んでくれますが、先手を打たれていた場合は、やはり実力行使ですか、父上？」

「そうするしかあるまい。我らの依頼を請け負う者たちとは、連絡がついたのだろう、ナリス？」

「連絡はつけたし、協力も取り付けてありますよ。問題は、いくら要求されるかでしょう。フェルトとその母親、〈野ばら亭〉の一家、母親の親族。最低限、ここまでの者たちを消すとすると、かなりの金額になりますよ。足下も見てくるだろうし、払えますか、兄上？　カリナと母上の浪費で、資産もそれなりに目減りしているのに」

「問題ない。パレル湖畔の別邸に、何とか買い手がついたからな。明日にでも契約して、現金化できる」

「それは良かった。あの別邸には思い入れがあるので、わたしも残念ですが、背に腹は代えられませんな」

「カリナとお祖母様は、そろそろ見切りどきではありませんか？　まあ、フェルトの替え玉に嫁がせる以上、どうしようもないか」

「今日、手続きが失敗したら、すぐに依頼先の者たちとお会いになりますか、兄上？」

「いや、わたしは、宰相の手の者に見張られている可能性がある。ロマンとギヨームは、その者たちに会ったことがあるのか？」

「昨日、同席させました」

「では、今後はあの二人に指示を出させよう。おまえも大事を取って、今日以降、その者たちには会うな。いいな、ナリス？」

「もちろん。その方が安全ですからな」

「明日から、襲撃を前提にして、フェルトとフェルトの実家、〈野ばら亭〉の三箇所に、見張りを出させてくれ。人数は多めに。襲撃の際、こちらからはロマンとギョームを参加させる」

「裏切りませんか、あの二人？　いくつかの神霊術《しんれいじゅつ》が〈神去《かんさ》り〉になったと、暗い顔をしていましたよ、父上」

「だからこそ、逃げ場をなくしてやろうというのだ。殺害の場に居合わせれば、今さら逃げることなどできなくなる。いっそ、その方が親切だろう、アレン？」

そういって、クローゼ子爵は笑った。ナリスさんもアレンさんも、同じように笑った。文学少女であるわたしは、ちゃんと知っている。これが、〈嗤《わら》う〉っていうことなんだって。

ちょっと前に、わたしが読んでいた推理小説では、犯人が動機を告白するところで、こんなふうに叫んでいた。〈だって、彼はわたしのことを嗤《わら》ったのです。見下して、馬鹿にして、嗤《わら》ったのです。人を殺そうとする動機なんて、それだけで十分でしょう！〉って。今後は、十四歳の少女らしい本だけを、選んで読むようにした方がいいのかな、わたし……。

ともあれ、わたしは、〈野ばら亭〉からの帰り道、哀しそうに、寂しそうに、馬に揺られていた使者AとBを思い出していたんだ。

あのとき、二人の肩口からは、黒い小さな砂粒みたいなものが、ほんの少しずつ溢《こぼ》れ落ちていた。あの黒い砂粒は、二人の魂《たましい》の穢《けが》れなんだって、わたしはもう気づいているけど、今はどうなっているんだろうね。

　賢そうなのに要領の悪い使者Aも、偉そうで感じの悪い使者Bも、どうか立ち直ってほしい。神霊さんからのメッセージは、完全な〈神去《かんさ》り〉じゃなくて、あくまでも〈一時停止〉なんだから、自分たちが見守られていることに気づいてほしい。いつの間にか、わたしは、そんなふうに祈っていたんだよ。

　それからしばらくして、スイシャク様が、新しい視界とつないでくれた。茶色い煉瓦《レンガ》造りの、ものすごく大きくて、ものすごく重厚な建物の入り口。以前、王都を観光したときに、お母さんが連れて行ってくれた、法理院《ほうりいん》の本院だった。

　待つほどのこともなく、護衛の人たちを従えて、カリナさんとミランさんが出てきた。ミランさんは、冷たい顔で沈黙していたけど、カリナさんは目を吊り上げて、ぶつぶつと何かをつぶやいていた。もう綺麗だとは思えないくらい、険しく歪んだ表情で。

　カリナさんの胸元が、ぼこぼこぼこぼこ波打っていたから、思わず凝視していると、やっぱりその瞬間が訪れた。真っ白な肌と、腐った沼の色がまだらになった胸元から、蛇の頭がもう一つ、飛び出してきたんだ。

　三岐《みまた》から四岐《よまた》に増えた蛇たちは、お互いに身体をこすりつけて、ぐねぐねと絡《から》まり合っていた。四匹目の蛇がもたらした言葉は、〈報復〉。その灰色の文字を見ながら、わたしが益々《ますます》暗い気持ちになったのは、仕方のないことだったと思うんだ。

21

法理院《ほうりいん》を出たカリナさんは、新しく胸元から生えた四岐目《よまた》の蛇を、うねうね、ぐねぐねとのたうち回らせながら、クローゼ子爵家のお屋敷に帰っていった。

馬車に乗っている間も、カリナさんはずっと怒っていたようだけど、何をいっていたのかはわからない。教育熱心というより、すでに教育者っていっていいくらい、少女への配慮が行き届いたスイシャク様が、カリナさんの言葉を全部聞こえなくしちゃったからね。

目を吊り上げたカリナさんが、馬車の中で暴力的に荒れ狂うたびに、〈報復〉の蛇が牙を剥《む》く。足を踏み鳴らして、シャーシャー。持っていた扇子で馬車の壁を叩いて、シャーシャー。扇子を壁に投げつけて、シャーシャー。止めようとするミランさんの腕を殴って、シャーシャー。もうね、淑女の面影なんて、どこにもないよ、カリナさん。

しばらくして、クローゼ子爵家に帰り着いたときも、カリナさんは怒ったままだった。先に馬車を降りたミランさんが、礼儀の通りに差し出した手を、爪を立てて握りしめていたくらい。赤く塗られた長い爪が、ミランさんの手に食い込むのを、雀《すずめ》たちは、しっかり目撃していたんだよ。

人を虐《しいた》げることに喜びを見出す、〈嗜虐《しぎゃく》〉のミランさんは、まったく表情を変えなかった。ただ、薄緑の瞳が益々《ますます》色を薄くして、微《かす》かに眉をひそめていたのが、すごく怖かった。人が人を〈見切る〉瞬間って、きっとあんな顔になるんじゃないかな。

お屋敷の中に入ると、カリナさんとミランさんは、すぐにいつもの応接室に向かったみたい。雀《すずめ》の視点が切り替わって、次に目に入ったのは、クローゼ子爵と弟のナリスさん、息子のアレンさん、〈毒《どく》念《ねん》〉の先代子爵夫人の姿だった。どの人も、不機嫌そうな顔で黙って座っている。

そこへ、ミランさんと一緒に現れたカリナさんは、クローゼ子爵に縋《すが》りつくようにして、苛立たしげにいったんだ。

「わたくし、酷《ひど》い恥をかかされましたわ、お父様。あのフェルトという男は、どうしようもない愚か者です。養子縁組も婚姻も、拒否の届け出が出されているというのです。こんな無礼な真似をしたのは、あの女の差し金に違いありません。〈野ばら亭〉とかいう店の、生意気な平民の女ですわ」

「届け出は受け付けられなかったのか、カリナ？　養子縁組、婚姻のいずれもか？　書類の不備などではないのだな」

「本人が手続きをしなければ、もう何の届も受け付けないといわれましたの。あの担当者の生意気なこと！　法理院《ほうりいん》の官吏《かんり》風情が、子爵令嬢であるわたくしに、不審者を見るような視線を向けましたのよ。許せないわ！　法理院《ほうりいん》に抗議してくださいませ、お父様！」

「可哀想なカリナ。そんな恥をかかされるなんて。おまえは、何をしていたの、ミラン？　わたくしの可愛いカリナが、下級官吏如《かんりごと》きに侮辱されるのを、黙って見ていたわけではないんでしょうね？」

ミランさんは、何も答えなかった。先代子爵夫人をするっと無視すると、クローゼ子爵に向かって、首を横に振っただけだった。

それを見たクローゼ子爵は、テーブルの上に載せてあった鈴を鳴らして、廊下に待機していたらしい、護衛騎士って呼ばれる人たちを呼んだ。

「お呼びでございますか、閣下」

「カリナと母上を、それぞれの部屋へ連れて行け。一緒にどちらかの部屋にいてもかまわないが、部屋からは出すな。わたしが許可するまで、おまえたちが部屋の前で見張っていろ」

「何を仰るの、お父様！　わたくしも、話し合いに参加します。当然のことではありませんか」

「おまえは、この母を蔑《ないがし》ろにするつもりなの？　許しませんよ、そんなこと。わたくしとカリナは、すべてを知る権利があるのよ！」

「おまえたちに、母上とカリナの身体に触れる許可を与える。力ずくで押し込めろ。二人が退屈しないように、母上の小姓でも一緒に放り込んでおけ。それから、ロマンとギョームをこの部屋へ。急げ」

カリナさんと先代子爵夫人は、必死に抵抗していたけど、屈強な護衛騎士の人たちに、勝てるはずがないからね。腕を押さえられて、本当に引きずるようにして連れて行かれたんだ。

カリナさんの蛇は、四岐《よまた》ともシャーシャーシャーシャーいって、護衛騎士の人たちの腕に噛みついたり、首に巻きついたりしていた。騎士の人たちは、何も気がついていなかったから、〈鬼成《きな》り〉の蛇は、やっぱり現実の世界には影響しないものなのかな？

ついつい、わたしが、そんなふうに考え込んでいると、スイシャク様とアマツ様が、強いメッセージを送ってきた。〈魂《こん》と体《たい》とは表裏一体〉〈心身一如《しんしんいちにょ》〉〈不離一体《ふりいったい》〉って。魂《たましい》と身体は一つのものだから、影響がないなんてことは、やっぱりあり得ないらしい。

肩口にとまったままのアマツ様が、わたしのこめかみを、紅い羽先で撫でてくれたら、はっきりと見えた。騎士さんたちの身体を、薄《うっす》らと光る透明の膜《まく》みたいなものが覆《おお》っているんだよ。そして、蛇たちが暴れ、噛みつき、首を絞めるたびに、その膜《まく》みたいなものに、腐った沼の色をした穢《けが》れを擦りつけているんだ。

怖くって、気味が悪くって、腕の中のスイシャク様を抱きしめたら、優しくなだめるみたいにして教えてくれた。〈魂《こん》清き者は、神霊の守護の光に守られて、蛇の穢《けが》れを受け付けず〉〈魂《こん》に穢《けが》れあり、心弱き者は、蛇の毒に抗《あらが》うこと能《あた》わず〉って。

わたしが見ている間にも、騎士さんたちの光の膜《まく》が輝きを減らし、少しずつぽろぽろと剥《は》がれて、汚らしい蛇の穢《けが》れを中に入れちゃってる。クローゼ子爵家で働く人たちって、やっぱりそうなっちゃうのかな……。

一方、カリナさんたちが部屋から連れ出されて、叫び声も聞こえなくなったところで、クローゼ子爵がミランさんにいった。

「カリナの報告では、正確なところがわからない。説明してくれ、ミラン」

「承知いたしました、伯父上。ご指示の通り、朝一番で法理院《ほうりいん》に予約を取り、まず養子縁組の届を出そうとしました。すると、キュレルの街の法理院《ほうりいん》分院で、フェルト本人から、不受理申立書が提出されていることが発覚し、受付を拒否されました。次に、婚姻の届出窓口に行き、念のために用意していた、カリナとフェルトの婚姻届を提出いたしましたら、こちらもまったく同じ理由で、受付を拒否されました」

「不受理申立書が、いつ提出されたのか、日付はわかるか？」

「尋《たず》ねましたが、教えてもらえませんでした」

「おまえの予想した通りになったな、ミラン。〈野ばら亭〉とかいう店の女が、先手を打ったのだろうな」

「守備隊の騎士に過ぎないフェルトでは、不受理申立書の存在自体を知りませんよ、伯父上。あの女と面会したとき、法理院《ほうりいん》本院の主席審理官だった、ロザン卿の名前を出していましたし、その筋で動いたのだと思います。それだけに、あまり窓口で騒いでは、噂が王城に届かないとも限りませんので、早々に立ち去りました」

「フェルトめが、厄介な家の者と関わりを持ってくれたものだ。こうなると、計画の通り、次の段階に進むしかないだろう。アレン」

「何でしょう、父上？」

「おまえとミランは、この件からいったん手を引け。わたしとナリスも、表面上は顔を出さない。今後は、ロマンとギョームにやらせる。わたしたちは、自分の身を守らなくてはならないからな」

「仰せの通りにいたします、父上」

「畏《かしこ》まりました、伯父上」

「実際に手を汚すのは、金で雇った者たち。その依頼主として、万が一のときに罪をかぶるのは、ロマンとギョームだ。そら、今後の主役となる者たちがやってきたぞ」

クローゼ子爵が、唇を歪めて冷笑したところに、さっきとは別の護衛騎士たちが入ってきた。暗い顔をして後ろに続いているのは、使者AとBだった。護衛騎士が出ていくと、クローゼ子爵は、Aに紙を差し出した。

「さあ、ロマン。ここに依頼書を用意しておいたので、おまえとギョームの名前を記入するのだ。今からこれを持って、ナリスと共に会いにいった者たちのところへ向かえ。手つけの金は、同行する護衛騎士に持たせる。おまえたちは、我がクローゼ子爵家を裏切るような、愚か者ではないと信じて、大役を任せてやるのだ」

嬉しいだろう？　そういって、クローゼ子爵に微笑みかけられた使者AとBは、わたしの目には、まるで罠にかかった動物みたいに見えたんだ。

＊＊＊

クローゼ子爵に呼び出されて、命令を受けた使者AとBは、暗い顔のまま身支度を整えて、お屋敷を出発した。乗っていったのは、二人乗りの箱型馬車。馬一頭で引いていく、小さな馬車だった。

箱型馬車の周りには、馬に乗った護衛騎士らしい人たちが五人いて、馬車を取り囲むみたいにして移動している。ヴェル様によると、〈確実に前金を届けると同時に、二人を監視するための人数〉なんだって。

クローゼ子爵家のお屋敷を出て、立派な邸宅の建ち並ぶ区画を抜けると、馬車はどんどん王都の中心地に近づいていった。

わたしも、お母さんに連れて行ってもらったことのある、王都一の商店街の通りに、馬車はゆっくりと乗り入れる。最初に停車したのは、大きなお菓子屋さんの前だった。

　AとBは、護衛騎士を一人だけ従えて、お菓子屋さんの中に入った。それなりの時間が経ってから、二人が出てきたときには、護衛騎士の手に、大きなお菓子の箱が抱えられていた。それから、文房具屋さんに行って、酒屋さんに行って、花屋さんに行って……。

　AとBってば、相変わらず悲壮な顔をしているくせに、どうしてのんびりお買い物をしているんだろう？　早く用事を済まさないと、クローゼ子爵に叱られるんじゃないの？　わたしが首を捻《ひね》っていると、ヴェル様が優しく教えてくれたんだ。

「ふふ。あの者たちの行動に、納得がいかないのですね、チェルニちゃん？」

「だって、不自然な感じがしませんか、ヴェル様？　AとBの二人は、今から悪い人に会いに行くんですよね？　それなのに、どうしてお菓子屋さんとか花屋さんに寄るんですか？　緊張感がないっていうか、無理に寄り道をしているっていうか……」

「チェルニちゃんの洞察力は、まったくもって素晴らしいですね。そう、あれはまさに、無理な寄り道をしているのです。犯罪行為を引き受ける者たちの拠点に行く前に、誰かに尾行されていないか、寄り道をして確かめているのでしょう。あるいは、何箇所も訪れることで、本当の目的地をわからなくしているという可能性もありますね」

　ひえぇ。ちょっと前に読んでいた、探偵小説みたいな話だったよ！　そういえば、AとBがお店に入っていっても、ついていく護衛騎士は一人だけで、残りの人たちは、さり気ない顔で周りを見回しているみたいだった。そうか、あんなふうにして尾行を確認しているんだね……って、そんな知識、十四歳の少女には必要ないです、ヴェル様。

わたしたちが話しているうちに、AとBを乗せた馬車は、葉巻とかを扱っているお店の前に停車した。入り口のところには、黒大理石の上に白い文字で〈白夜《びゃくや》〉って、店名らしい文字の書かれた、すごく上品な看板が上がっていたんだ。

スイシャク様から渡してもらった、白い羽根に助けられて、雀《すずめ》の視点を共有しているヴェル様は、この店名を目にした途端に、眉間にしわを寄せて、重い声でいった。

「多分、この店が目的地ですよ、チェルニちゃん。店名の〈白夜《びゃくや》〉は、ルーラ王国の諜報《ちょうほう》活動を受け持つ〈黒夜《こくや》〉を、揶揄《やゆ》するつもりでつけたのでしょう。わかる者にはわかる、皮肉な店名です。尾行している〈黒夜《こくや》〉も、内心はさぞかし怒り狂っていることでしょう」

「え？　ヴェル様のいう〈黒夜《こくや》〉の人って、AとBを尾行していたんですか？　二人の護衛騎士たちは、何も気づいていませんよ？」

「我が国の精鋭部隊である〈黒夜《こくや》〉が、クローゼ子爵家の護衛騎士如《ごと》きに、尾行を気取《けど》らせるものですか。ちゃんと追っていますよ。ああ、彼奴《あやつ》らが店に入っていきますよ、チェルニちゃん」

ヴェル様にいわれて、〈白夜《びゃくや》〉っていうお店に注目すると、ちょうどAとBが、お店に入っていくところだった。今回は、護衛騎士が三人、AとBの後に続いていく。ヴェル様のいう通り、この店が目的地なんだろう。

でも、ここって、王都の表通りだよ？　たくさんのお客さんで賑わっている、高級店だよ？　そんな店が、犯罪行為を引き受けたりするんだろうか？　わたしが読んだ探偵小説では、〈悪の拠点〉って、怪しい裏通りにあるって決まってたんだけど？

小説よりも衝撃的な現実に、すっかり青くなっちゃったわたしに向かって、ヴェル様がなだめるみたいにいった。

「いかにも怪しい場所で悪事を働くのは、二流の犯罪者です。一流の者たちは、善良な市民の皮をかぶって、表通りで堂々と犯罪に手を染めるのです。犯罪者に一流といういい方をするのも、おかしな話ではありますが。いずれにしろ、これで王都に巣食う犯罪組織の一つを、摘発できるでしょう。クローゼ子爵家のお陰ですね」

ヴェル様が、冷たい顔で微笑んでいる間に、AとBは、護衛騎士たちと一緒に、別室に移動していった。ガラス窓の外から、二人がお店の奥に通されるところが見えている。やっぱり、この店が二人の目的地なんだろう。

別室には、雀《すずめ》がとまれる窓がなかったみたいで、会話の内容はわからない。本当に必要な情報なら、スイシャク様が何とかしてくれると思うから、そのままにしているっていうことは、きっと大丈夫なんだろう。さっきヴェル様が、ちゃんと〈黒夜《こくや》〉が尾行しているっていってたしね。

二人が出てくるのを待ちながら、わたしは、AとBのことが気になって仕方なかった。今日、AとBの肩口からは、黒い砂粒みたいな穢《けが》れが、溢《こぼ》れ落ちてはいなかったから。それって、穢《けが》れが減ってきたからなのか、黒く戻っちゃったからか、どっちなんだろう……。

しばらく、二人はお店から出てこなかった。犯罪の打ち合わせをするには短くて、葉巻を買うには長い時間が経った頃、ようやく外に出てきたとき、AとBの顔は、大理石みたいに真っ白だった。

足取りまで重そうに、二人は馬車に乗り込んだ。護衛騎士たちは、お互いにうなずき合うと、そのまま馬に飛び乗る。それからは、もうどこへも寄らず、まっすぐにクローゼ子爵家に帰っていったんだ。

スイシャク様の雀《すずめ》は、AとBが馬車に乗ってすぐに、すいっと飛んでいって、窓にとまった。馬車が走るときの風圧で、雀《すずめ》が飛ばされたりしないのかって、今さらながら不思議に思ったけど、そこは気がつかなかったことにしよう。

やがて、王都の繁華街を抜けたところで、ひたすら沈黙していた使者Aが、小さく印《いん》を切って、ささやくみたいに詠唱した。神去《かんさ》りにならずに残っている、神霊術《しんれいじゅつ》の一つを使ったんだ。

「音を司る神霊よ。まだ、わたしを見捨てずにいてくれるなら、どうか力を貸してほしい。この馬車の中での話が、御者《ぎょしゃ》の耳に入らないように、どうか助けてほしい。対価は、わたしの魔力を存分に持っていってくれ」

Aがそういうと、小さな紫色の光球が現れて、くるくるっと馬車の中を回ると、あっさりと消えていった。どことなくよそよそしい感じはするけど、音を司る神霊さんは、ちゃんとAのお願いに応えてくれたんだろう。

Aは、安心したみたいに大きく息を吐いてから、やっぱり無言のまま座っているBに、こういった。

「さあ、これで話ができるぞ、ギョーム。防音をしたから、御者《ぎょしゃ》にはわたしたちの声は聞こえない。まだ、この術が使えてよかった」

「助かりますよ、ロマン様。できれば、屋敷に着くまでの間に、ロマン様と話をしておきたかったんです」

「わたしたちは、見張られているからな。いつ、防音の神霊術《しんれいじゅつ》が使えなくなるかわからない以上、この機会は逃せない。単刀直入に聞くが、おまえはどうするつもりなんだ？」

「さっき、〈白夜《びゃくや》〉の者たちと打ち合わせをした内容について、ですね？」

「もちろん。フェルト殿の婚約者か母親、それが無理なら婚約者の妹を拐《さら》う。誘拐《ゆうかい》が失敗したら、フェルト殿と母親、その家族、〈野ばら亭〉の者たちを残らず殺害する。わたしたちの名で、あの者たちに依頼したことだ」

「確かに、わたしたちの名で、依頼書に署名しましたね。忌々《いまいま》しいことに」

「このまま、流れに任せていたら、わたしたちは犯罪者だ。前クローゼ子爵に加担したという意味では、すでに犯罪者かもしれないが、今度は罪のない者を害した殺人犯にされるだろう。仮に発覚しなかったとしても、罪を犯したことに変わりはない」

「かといって、命令に逆らえば、わたしたちの方が、馬車を取り囲んでいる者たちに殺されるでしょうね。でも、まあ、わたしの気持ちは決まっていますよ」

「もう一度聞こう。どうするつもりだ、ギョーム？」

「前クローゼ子爵のいいなりにはなりません。何とかして、〈野ばら亭〉の者たちを助けますよ。あの店は、ルルナの大事な職場で、きっとルルナを大切に扱ってくれている者たちでしょうから」

「……そうか。そんな気はしていた。普段のおまえを知る者なら、あり得ないというだろうが、わたしはそうは思わない。発覚すれば、前クローゼ子爵に殺される。それでもいいんだな？」

「ええ。一昨日、ルルナがサンドイッチをくれたとき、自分の賄《まかな》いだといっていたでしょう？　お代わりを作ってくれるから、平気だともいっていました。わたしは、あれは嘘だと思うんです。いえば、〈野ばら亭〉は、お代わりを作ってくれるでしょうが、ルルナはきっと黙っている。自分の勝手で人にやった賄《まかな》いを、もう一度要求することなど、しない女だと思うんです」

「そうか。そうだな」

「だから、わたしは、殺されてもいいから、ルルナの大切なものを守るために動くと決めました。頼みもしないのに、自分の飯をくれるような女を、傷つけてたまるか！」

小さな声で、でも、叩きつける勢いで、Bがいった。そのとき、Bの身体からは、まるで爆発でもしたみたいに、黒い砂粒が舞い上がり、きらきらと煌《きら》めきながら、空気に溶《と》けていったんだ。

大きくうなずいて、Bの肩を叩いたAも、きっと覚悟はできているんだろう。痩せた身体からは、後から後から、たくさんの黒い砂粒が溢《こぼ》れ落ちて、きらきらきらきら、光っては消えていったんだよ。

22

クローゼ子爵の指示で、悪い人たちのところへ訪ねていった、使者AとB。わたしたちを拐《さら》ったり、殺したりする相談をしてきたはずの二人は、帰りの馬車の中で、クローゼ子爵のいいなりにはならないって、固く誓い合っていた。

「わたしも、おまえと同じ気持ちだよ、ギョーム。我が家は、祖父の代から、先代のクローゼ子爵閣下にお世話になっていた。その縁で、今もクローゼ子爵家に仕えている。それだけだ。自分が選んだわけでも、認めたわけでもない主君のために、善良な人々を殺す手伝いをすることなど、できるものか」

「わたしは、ロマン様のような善人ではないので、ルルナがいなかったら、嫌々流されていたかもしれませんけどね」

「いや、そんなことはないさ。ギョーム・ド・パルセという男は、傲慢《ごうまん》で生意気で、人を人とも思わなくて、いつも失礼な態度で、権力者には媚びて、あまり頭が良さそうにも見えないが、実際はそうじゃない。おまえは、本当は優しい奴《やつ》だし、見た目よりも遥かに聡明だ。罪なき者の殺害になど、決して手を貸さない、誇り高い男だよ」

「……。それって、褒《ほ》めていただいてるんですかね、ロマン様？」

「もちろんだ、ギョーム。わたしは、おまえを信じている」

「まあ、いいでしょう。それで、どういたします？　わたしたちが殺されるのは仕方がないとして、上手く立ち回らないと、助けられるものも助けられませんからね」

「わたしたちの力だけでは、むずかしいだろう。巻き込むしかないぞ、閣下を」

「先代の、いや、復位《ふくい》なされたので今代ですか。今代のクローゼ子爵閣下のことですか？」

「そうだ。王都の片隅に部屋を借りて、世捨て人のように引きこもっておられる、今のクローゼ子爵閣下だ。あの奥方では無理もないが、現実から逃げ回るのも、大概にしていただこう」

「わたしは、数回しかお目にかかっておりませんので、確かなことはわかりませんが、頼りになる方《かた》なのですか？」

「なるものか。いや、元々は、近衛《このえ》でも並ぶ者がいないと謳《うた》われたほど、強い騎士だったし、人格者でもあられた。それが、奥方やお子たちに迫害され続けて、嫌気が差してしまわれたんだろうな。フェルト殿の父上である、クルト様が亡くなってからは、屋敷にもお帰りにならない。クルト様は、唯一、閣下に懐いておられるお子様だったからな」

「そうであれば、勝手に巻き込ませていただきましょう。どの道、現クローゼ子爵閣下なのですから、無関係では通りませんよ。ルルナの安全のために、どんどん利用する方向でいきましょう。それがいいです」

「……。おまえは、そういう奴《やつ》だよな。優しいとか誇り高いとか、いい過ぎだったかもしれんな」

「あ、もう屋敷だ。防音の神霊術《しんれいじゅつ》を解除してくださいよ、ロマン様。この先は、何とか隙《すき》を見て話を詰めましょう」

うん。使者Bは、やっぱり使者Bだったね。ルルナお姉さんのためなら、死んでもいいって宣言したときには、思わず感動して、わたしもちょっと泣いちゃったんだけど、早まったかもしれないよ……。

ともあれ、クローゼ子爵側の動きはわかったし、使者AとBの気持ちもわかった。スイシャク様の雀《すずめ》たちってば、本当にびっくりするくらい優秀だと思う。ヴェル様も、〈情報戦のあり方が根底から変わる〉って、唸《うな》っていたからね。

使者AとBの会話を聞いたヴェル様は、すぐに一通の手紙を書くと、〈野ばら亭〉にいる部下の人を呼び出した。風の神霊術を使って、守備隊の本部にいる王国騎士団の騎士さんに、手紙を届けるようにって。

興味津々の顔をして、成り行きを見ていたわたしに、ヴェル様が教えてくれた。先代のクローゼ子爵が、どこで何をしているのか、情報収集を頼んだんだって。すぐにわかるから、少し待っていようって、片目をつむったヴェル様は、本当にカッコよかったよ。

どうせ待つのなら、時間を有意義に使いたいから、わたしは、さっきからずっと疑問に思っていたことを、質問することにした。

「はい！　はい！」

「はい、どうぞ。何ですか、チェルニちゃん？」

「使者Aのいっていた、先代のクローゼ子爵のこと、ヴェル様は知っていますか？　今まで、まったく出てこなかったので、変だなって思っていたんです」

「そうですね。それなりに知っています。というか、なかなかの有名人なのですよ。父親の方のクローゼ子爵は。話題の一つは、近衛《このえ》騎士としての華々しい活躍と、突出した実力。もう一つは、それなりに悲惨な婚姻関係です。チェルニちゃんに、お聞かせしたい話でもありませんが、名前が出た以上、知っていた方がいいでしょうね」

ヴェル様は、ちょっと悲しそうな顔をして、先代のクローゼ子爵の話をしてくれた。お父さんが、秋りんごのタルトをおやつに出してくれるまで、ずっと続いていたくらい、長い長い話だった。

先代のクローゼ子爵は、もともとは騎士爵の家に生まれた、三男だったんだって。騎士爵っていうのは、優れた騎士だって認められた人に贈られる、一代限りの爵位のことだから、その家の三男だったクローゼ子爵は、最初から平民になることが決まっていた。クローゼ子爵が、貴族であり続けるためには、自分の実力で騎士爵になるしかなかったんだ。

ヴェル様によると、先代のクローゼ子爵は、それはもう、〈騎士になるために生まれてきたような男〉だったらしい。強くて立派な身体を持っていて、剣の才能があって、すごい神霊術《しんれいじゅつ》の使い手で、頭も良くて、高潔な魂《たましい》を持った人。

ヴェル様が、そこまで絶賛するんだから、先代のクローゼ子爵は、本当に立派な、騎士らしい騎士だったんだろうな。

ちなみに、ルーラ王国には、二つの騎士団がある。国王陛下と王族を護衛し、王城を守るのが近衛《このえ》騎士団。王都の治安を維持し、王国の〈盾と剣〉として戦うのが王国騎士団。実際には、嫡男《ちゃくなん》じゃない貴族家の子が近衛《このえ》騎士団に入り、腕に覚えのある人が王国騎士団を目指すことが多いんだって。

「我が主のように、高位貴族の嫡男《ちゃくなん》でありながら、王国騎士団に籍を置くのは、とてもめずらしいのですよ、チェルニちゃん。逆に、クローゼ子爵、混乱するのでお名前でマチアス殿と呼びますが、マチアス殿のように騎士爵の家であれば、王国騎士団に入るのが順当なのです。我が主は、〈覡《げき》〉として王国全体を守護するという意味で、王国騎士団長となられました。マチアス殿は、下級貴族でありながら見目麗しく、神霊術の使い手でもありましたので、何人かの王族方に請《こ》われて、近衛《このえ》騎士となったのです」

近衛《このえ》騎士になったマチアスさんは、すごく活躍した。王妃様の食事に入れられていた毒に気づいたり、暴れ馬から王弟殿下を守ったり、溺れている王子様を助けたり。まるで物語みたいな実績を積み重ね、あっという間に騎士爵になって、近衛《このえ》騎士団の中で出世していったらしい。

王族ともあろう者が、そんなに危ない目にばっかり遭《あ》うなんて、本当はかなりおかしい。よっぽど不注意なのか、作為的なのか、何なんだろう？　ルーラ王国は、平和な国のはずなのにね。わたしが、ちょっと疑いながら話を聞いていたのは、ヴェル様には悟られていたと思う。純真無垢《じゅんしんむく》なわりに、現実的なところもある少女なのだ、わたしは。

とはいえ、ここまでなら、とっても素敵な出世物語なんだけど、マチアスさんに好きな人ができたあたりから、次々と不幸が訪れたらしい。

「マチアス殿は、それはそれは、女性に人気がありました。美青年の近衛《このえ》騎士で、優秀な人材で、騎士爵にもなったのですから、当然でしょうな。そんなマチアス殿が、密かに心を通わせたのが、王弟殿下の姫君でした。美しく優しい姫君と、高潔な近衛《このえ》騎士は、物語の主人公のようで、わたくしの目から見てもお似合いでした。身分の差だけであれば、何とか乗り越えられたかもしれません。我が国は、神霊至上主義の王国であり、他国よりはずっと、人の定めた身分差に寛容ですから。しかし、姫君は、すでに他国の王族と、婚約しておられたのです」

ああ……。だったら、好きな人ができたから、婚約を破棄してくださいなんて、簡単にいえるはずがないな。十四歳の少女が考えても、国際問題だよ。

ヴェル様によると、お姫様は、マチアスさんと結婚したいって、何度も何度も、王弟殿下や国王陛下にお願いしたらしいんだけど、それが認められることはなかったんだって。

「婚約の相手が、ヨアニヤ王国の王族でなければ、一縷《いちる》の望みはありました。表面上は、仮病でも使って婚約を破棄し、内々《うちうち》に謝罪して、賠償を願い出ればよかったのです。十年ほどの間、闘病と称して身を謹んでいれば、その後ひっそりと結婚することもできたでしょう。けれども、ヨアニヤ王国には、そうした交渉を持ちかけることは不可能だったのです」

ヴェル様は、そういって、不愉快そうに眉をひそめた。そして、静かにヴェル様の話を聞いていた、スイシャク様とアマツ様が、同時に反応したんだ。

スイシャク様は、ふすっふすっ、ふふふっすふふっすって、すごい勢いで鼻息を吐いたかと思うと、わたしの腕の中でぶわっと膨らんだ。これは、あれだ。うれしいときの膨らみ方じゃなくて、怒っちゃってるんだと思う。

アマツ様はアマツ様で、朱色の鱗粉《りんぷん》を撒き散らしながら、わたしの肩口で燃え上がった。比喩ではなく、本当に赤い炎をまとって燃え上がったんだ。わたし自身は、別に熱くも怖くもないんだけど、燃え上がる鳥が肩にとまっているのって、なかなかに刺激的な光景ではないだろうか。

優しいご分体に、ここまでの反応をさせるなんて、ヨアニヤ王国って、いったい何をやったのさ？

＊＊＊

スイシャク様とアマツ様が、ヨアニヤ王国の名前に反応したのを見て、ヴェル様は冷たい目をして微笑みながら、こういった。

「尊き御二柱《おんふたはしら》におかれましても、お怒りであられるようですね。ヨアニヤ王国は、御神霊の存在を認めず、その恩寵《おんちょう》たる神霊術《しんれいじゅつ》を、〈怪しい異端の術〉だと罵倒《ばとう》する、魔術至上主義の国なのです」

「そんなこと、学校で教わりませんでしたよ、ヴェル様？」

「一応、国交もありますし、ヨアニヤ王国の側も、外交の場で批判してくるほど、愚かではありませんからね。表面上は〈距離的に遠く、疎遠な国〉として、極力関わらないようにしているだけなのです」

「でも、お姫様は、ヨアニヤ王国の王族と婚約していたんですね？」

「当時のヨアニヤ国王は、外交に積極的で、我が国とも関係の改善を図ろうとしていたのです。姫君の婚姻は、そのための布石でしたから、好きな男ができたからといって、破棄などできるはずがなかったのです」

ヴェル様によると、マチアスさんのことを諦め切れなかったお姫様は、マチアスさんに向かって、駆け落ちするように迫ったんだって。

正しい近衛《このえ》騎士だったマチアスさんは、国を裏切るような真似はできないっていって、この申し出を断った。それでも、お姫様は諦めてくれない。困ったマチアスさんは、どうしようもなくって、当時の近衛《このえ》騎士団長に相談した。その結果がどうなるかなんて、わかっていたと思うけど。

「当時の近衛《このえ》騎士団長は、内々《うちうち》に王弟殿下と姫君を訪ね、厳しい態度で説得しました。マチアス殿のことを諦め、姫君がヨアニヤ王国に嫁がないのであれば、国家反逆罪として告発する、と。実際、近衛《このえ》騎士団長の判断は、正しいものだったと思います。当時のルーラ王国には、〈神威《しんい》の覡《げき》〉は御坐《おわしま》せず、ヨアニヤ王国と戦にでもなれば、恐らく勝てはしませんでした」

そして、お姫様の婚約そのものが、ヨアニヤ王国の陰謀だった可能性もあるって、ヴェル様はいった。ルーラ王国の王家は、他の国に王族を出すことを嫌うから、わざと断らせて、開戦の口実を作りたかったのかもしれないんだって。

それがわかっていて、お姫様の心を優先させるなんて、やっぱりできないだろうね。お姫様以外のすべての人は、きっと諦めるしかないっていったんだろう。

昨日、ヴェル様が使ってくれたご神鏡《しんきょう》の神霊術《しんれいじゅつ》で、たくさんの〈虜囚《りょしゅう》の鏡〉を見たときにも思ったけど、平和で、善良で、美しいばかりのルーラ王国にだって、暗い歴史もあれば、不穏な陰謀や理不尽な運命もあるんだね。

そういう事実を知っていくのが、大人になるっていうことなんだったら、わたしはちょっと悲しい。だからといって、幼い少女のままでいたいとは、少しも思わないんだけど。

結局、お姫様のお父さんである王弟殿下は、近衛《このえ》騎士団長と相談して、お姫様を諦めさせるために、強引な手を使うことにした。その場で書類に署名させて、近衛《このえ》騎士団長の令嬢とマチアスさんを、正式に結婚させてしまったんだって。

「マチアス殿と姫君の関係は、ほとんどの貴族の知るところでした。そんな中、その日のうちに婚姻することに同意する家など、あるはずがありません。それを承知の上で、一人娘を嫁がせ、マチアス殿を後継《あとつぎ》としました。近衛《このえ》騎士団長は、先々代のクローゼ子爵であり、マチアス殿の妻となったのは、当時は社交界の華と呼ばれていた、エリナ・セル・クローゼでした」

ここまできて、ようやく話がつながった。先代のクローゼ子爵夫人だったエリナさんって、あの〈毒《どく》念《ねん》〉の人だよね？　お姫様と引き離されて、〈毒念《どくねん》〉の人と強引に結婚させられたのか、マチアスさん……。

その後、さすがに心の折れたお姫様は、黙ってヨアニヤ王国にお嫁に行き、マチアスさんは次の近衛《このえ》騎士団長になり、クローゼ子爵にもなった。すごい出世ではあるんだけど、相手は〈毒念《どくねん》〉のエリナさんだからね。マチアスさんの家庭生活は最悪で、三人の子供たちも、誰が父親かわからないっていわれているんだって。

このあたりの話は、何だか簡単で適当だった。ヴェル様ってば、わたしには不純なことを聞かせたくないから、いろいろと省略していたみたいだけど、それはまあ、いいだろう。

長い時間をかけて、ようやくヴェル様の話が終わったところで、わたしの大好きなお父さんが、おやつに秋りんごのタルトを出してくれた。お父さんのりんごのタルトは、カスタードクリームやアーモンドクリームを使わず、飴色に煮た半透明のりんごだけを、ぎっちぎちに並べて焼き上げている。

素朴といえば素朴なんだけど、表面のカリカリしたキャラメルがおいしくて、濃い紅茶と一緒に食べると、しみじみ秋だなって思うんだ。

甘いものは好きじゃないっていうヴェル様も、おいしいおいしいって、二切れも食べてくれた。スイシャク様もアマツ様も、ものすごく気に入ったみたいで、やっぱり二切れずつ食べてくれた。

そして、わたしたちが、最後の一口を堪能しているとき、王国騎士団から守備隊に来てくれた騎士さんの一人で、美青年のリオネルさんが、応接室に入ってきたんだ。

「ああ、戻ってきてくれたのですか、リオネル殿。何かわかりましたか？」

「はい。閣下からお手紙をいただいてから、すぐに〈黒夜《こくや》〉に依頼し、情報を収集いたしました。ご質問もあろうから、神霊術《しんれいじゅつ》を使わず、お目にかかってご報告するようにと、マルティノ大隊長から指示されております」

「さすが、マルティノ殿。誠に行き届いたご配慮です。それで、マチアス殿は、今、どこにいるのですか？」

「前近衛《このえ》騎士団長閣下は、王都の下町に下宿しておられましたが、昨日、そこを引き払いました。クローゼ子爵に復位《ふくい》することは、国王陛下のご命令でございますので、引きこもってもいられなかったのでございましょう。昨夜からは、王城に近い宿に宿泊なさっておられます。宿泊予約は明朝までですので、明日、クローゼ子爵家の屋敷にお帰りになるだろうというのが、〈黒夜《こくや》〉の見立てでございます」

「誰かと接触した形跡はありますか？」

「ございません。と、申しましても、クローゼ子爵への復位《ふくい》を命じられ、〈黒夜《こくや》〉が監視を始めてからのことですが」

「マチアス殿は、神去《かんさ》りにはなっていないのですね」

「はい。現在も、問題なく神霊術をお使いになっているそうです」

ヴェル様とリオネルさんは、そのまま何かを話し合っていたんだけど、わたしは別のことで頭がいっぱいになった。今までずっと出てこなくて、不思議に思っていたマチアスさんが、いよいよ登場するんだよ？　明日、マチアスさんがクローゼ子爵家のお屋敷に帰るのなら、使者AとBにとって、とっても好都合なんじゃないの？

そして、何よりも。お姫様と結ばれることができなくて、不幸な結婚をするしかなかったマチアスさんは、クローゼ子爵たちの計画を知ったとき、どう動くんだろう？

正しい心を持っていたマチアスさんが、今でも正しい人でいてくれたらいいのに。積み重なった不運に負けず、もう一度、立ち上がってくれたらいいのに。スイシャク様の柔らかい体を抱っこしながら、わたしは、強く強く、そう願っていたんだよ。

23

クローゼ子爵家を追い詰めるために、ネイラ様と宰相閣下が罠を張っているらしい、作戦の三日目。

すっかり秋っぽくなった肌寒い夜は、何事もなく静かに更《ふ》けていった。

静かっていっても、夜は大勢で集まって、お父さんのおいしいご飯を食べたし、王都の話もたくさん聞かせてもらった。王国騎士団の日常とか、神霊庁の仕事内容とか、宰相閣下のお人柄とか、コンラッド猊下《げいか》の武勇伝とか、〈黒夜《こくや》〉の人たちの活躍とか……。

平民の十四歳の少女が耳にするには、問題のある内容ばっかりだったような気もするけど、とっても楽しい夜だったんだ。

わたしが一番知りたかった、ネイラ様のことも、いろいろと教えてもらった。貴族同士の付き合いが嫌いで、王国騎士団の人には優しくて、神霊庁の人との関係も良好で、趣味は読書と乗馬で、婚約者や恋人はいなくて、動物が大好きなんだって。

話を聞いているうちに、わたしが唇をむにむにしていたら、皆んなが楽しそうに笑ってたのは、どうしてなんだろう？　いつものように、わたしの大好きなお父さんだけは、深刻な顔で髪の毛を掻きむしってたけどね。

夕食後のデザートに、お父さんの自信作のマロングラッセが出された頃には、ヴェル様と王国騎士団の人たちが、わたしには聞こえないくらいの声で、こそこそと話していた。

「しかし、こんな毎日を送っていて、よろしいのでしょうか。少々待遇が良過ぎて、彼《か》の方《かた》のお怒りが恐ろしゅうございます」

「リオネルのいう通りです。何か仰っておられませんでしたか、オルソン子爵閣下？　閣下も毎日、ご報告を入れておられるのでしょう？」

「鏡を通してではありますが、我が主人にも、コンラッド猊下《げいか》にも、ご報告申し上げておりますよ。そうでなくては、それこそ叱られてしまいますので」

「お怒りではございませんか？　そもそも閣下など、お嬢様と愛称で呼び合っておられるのですから」

「いや、穏やかに微笑んで聞いておられますので、大丈夫でしょう。お手に触れようとしたときは、炎の御方《おんかた》の尊き翼にて、諫《いさ》められてしまいましたが」

「そう、それです。お嬢様のお側の御二柱《おんふたはしら》が、我らにお怒りではないのですから、心配は要《い》らないでしょう」

「さすが、マルティノ大隊長。そうですね。そう考えれば、何とか気持ちが落ち着くというものです」

よく聞き取れなかったから、会話に入っていけなかったけど、ヴェル様がいたずらっぽく片目をつむってくれたから、きっと大丈夫なんだろう。

そして、秋晴れの青空が清々しい四日目のお昼頃。わたしが勉強をしていたら、スイシャク様が教えてくれた。クローゼ子爵として復帰したマチアスさんが、クローゼ子爵家のお屋敷に到着したよって。

ヴェル様とわたしは、早速、雀《すずめ》たちの視界につないでもらった。スイシャク様の羽根のおかげで、今はヴェル様も、薄《うっす》らと視界を共有できるから、本当に助かるよ。

わたしたちが見たのは、マチアスさんが、お屋敷の正門前に立ったときで、そこにいたのは、当のマチアスさん一人だった。貴族の人だったら、従者とかお付きの人を連れているのが当たり前なのに、一人っきり。艶々した黒毛の馬の鞍《くら》に載せた、小さな包みだけが、マチアスさんの持ち物のすべてだったんだ。

わたしは、前に読んだことのある小説の文章を、不意に思い出した。戦争に行く前に、荷造りをしていた主人公が、友達に打ち明けるんだ。〈困ったな。荷物は最小限にしたいのに、何を置いていけばいいのかわからない。生きることに未練があるから、荷物も捨てられないんだな〉って。

だったら、お供の人も連れず、小さな包み一つを持って、家族がいるはずの家に戻ってきたマチアスさんは、生きることに未練があるんだろうか……。

マチアスさんは、フェルトさんのお祖父さんだから、もうかなりの年配になる。それなのに、長身でがっしりとした身体も、すっと伸びた背中も、フェルトさんと同じ栗色の髪の毛も、すごく若々しい。顔も整っていて、フェルトさんにとっても似ている。

いろいろいわれてるけど、亡くなったクルトさんは、確かにマチアスさんの息子で、フェルトさんは孫なんだろう。

正門前のマチアスさんは、すぐには人を呼ばなかった。門番の人は、さすがにマチアスさんが誰かわかるみたいで、いろいろと話しかけるんだけど、マチアスさんはまったく返事をしようとしない。無視するとかじゃなくて、厳しい顔をしてじっと門を見つめているんだ。神霊さんからの〈縁切り状〉が、相変わらず門扉《もんぴ》いっぱいに貼られている、〈神去《かんさ》り〉の扉を。

神霊さんからの〈縁切り状〉は、人の目では見ることはできない。マチアスさんも、視点が定まっていないから、〈縁切り状〉そのものが見えているわけじゃないんだろう。

ただ、何となく、神霊さんの怒りや悲しみを感じて、マチアスさん自身も悲しんでいるような気がする。マチアスさんが、すごい神霊術《しんれいじゅつ》の使い手だっていうのは、きっと本当のことなんだと思う。

そして、ほんの数日、わたしたちが見ていない間に、扉の〈縁切り状〉はすっかり様変《さまが》わりしていた。

以前は、百枚くらいの白い紙が貼られていて、〈印剥奪《いんはくだつ》　遺棄〉とか、〈印剥奪《いんはくだつ》　義絶〉とか書かれていた。それが今、三倍以上の大きさで、灰色の縁取《ふちど》りのある白い紙が二枚、さらにその上から貼られているんだ。

気配りのできる雀《すずめ》が、門に近づいてくれたから、わたしにも白い紙に書かれた文字が見えた。ヴェル様は、何か書いてあるのはわかるんだけど、文字として認識できないから、当然、読み取ることもできないらしい。

うん。読めなくっても、ちっとも困らないと思うし、わたしも読みたくなかったよ、ヴェル様。大きな白い紙には、こんなふうに書かれていたんだ。

〈三岐四岐《みまたよまた》の鬼成《きな》りにして　乱倫《らんりん》の罪深き没義道《もぎどう》の者　徒刑《とけい》相当　□□□□□□□〉

〈瞋恚《しんに》　懶惰《らんだ》　増上慢《ぞうじょうまん》　嗜虐《しぎゃく》　己《おの》が罪業《ざいごう》の深さを知らず　非道を謀《はか》りし悪逆《あくぎゃく》の者　流刑《るけい》相当　□□

文字としては読めるし、だいたいの意味はわかるんだけど、わたしにはやっぱりむずかしい。必死で解読していたら、スイシャク様がそっと教えてくれた。

〈鬼成《きな》り〉になっても反省せず、胸元から生えた頭の数まで増やしちゃったカリナさんは、強制的に働かされる〈徒刑《とけい》〉っていう罰に相当する。わたしたちの殺害まで計画しているクローゼ子爵たちは、罪人の土地に流される〈流刑《るけい》〉に相当するって、神霊さんたちが判断したんだって。

今はまだ、刑罰は確定していないから、〈相当〉っていう文字が入っているらしい。そして、〈徒刑《とけい》〉も〈流刑《るけい》〉も、人が考える刑罰と同じものじゃないらしい。

もしも、神霊さんたちの与える刑罰が確定したら、カリナさんは、どんなことをして働かされて、クローゼ子爵たちは、どこへ流されていくのか。少しだけ知りたい気もするけど、あまりにも怖過ぎるから、考えないようにしよう。そうしよう。

わたしが、スイシャク様をぎゅうぎゅうに抱っこし、アマツ様に頬ずりしてもらって、怖さをまぎらわせている間に、厳しい顔をしていたマチアスさんは、ようやく門番の人に返事をした。そして、黒毛の馬に乗ったまま、クローゼ子爵家に入っていく。

フェルトさんとアリアナお姉ちゃんの婚約話から始まった、クローゼ子爵家の騒動は、これでやっと、ほとんどの登場人物が揃ったのかもしれないんだ。

＊＊＊

クローゼ子爵家のお屋敷に入ったマチアスさんを、真っ先に出迎えたのは、急いでやってきた使者Aだった。使者Aは、右手を胸に当て、とっても丁寧に頭を下げてから、マチアスさんにいった。

「お帰りなさいませ、クローゼ子爵閣下。お待ち申し上げておりました」

「ロマンか。久しいな。変わりはないか？」

「お陰様で、何とか。その、前クローゼ子爵閣下からは、何もご指示をいただいておりませんので、まだ閣下のお部屋のご用意が整っておりません。どの部屋をお使いになられますか？　この屋敷にお戻りいただいたと考えて、よろしいのでございましょう？」

「クローゼ子爵位に復帰した以上、屋敷に戻って家長の任を果たせと、宰相閣下から直々にお叱りを賜《たまわ》った。今さら、処罰など恐ろしくはないが、あの御方には、いろいろとお気遣《きづか》いいただいたのでな。仕方なく、最後の義務を果たしに戻った」

「それは、ようございました。もう何十年も、死んだように生きてこられた旦那様ですから、最後くらいは、多少の気概《きがい》を見せていただきたいものですな」

使者Aの言葉に、マチアスさんは、目を見開いて固まった。当然だよね。わたしが聞いてもわかるくらい、使者Aのいい分は、ものすごく失礼だったから。大丈夫かな、使者A？　不敬罪とかになったりしないかな？

わたしは、ちょっとだけ心配になったんだけど、マチアスさんは怒らなかった。むしろ、フェルトさんと同じ濃紺色の瞳を輝かせて、おもしろそうに笑ったんだ。さっきまでの暗くくすんだ顔色じゃなくて、一気に二十歳くらい若くなったみたいな、明るい声だった。

「はは。こんなに笑ったのは、随分と久しぶりだぞ、ロマン。いったいどうしたんだ？　それほどはっきりとものをいう男だったか、おまえ？」

「閣下が、最後にまともに話を聞いてくださったのは、クルト様がお亡くなりになる直前でした。あれから二十年以上経っておりますので、前途洋々《ぜんとようよう》たる青年も、恐れを知らない古狸になりましょう。それに……」

そこで口をつぐんで、使者Aは、さり気なくマチアスさんに近づいた。そして、手に持ったままの小さな荷物を預かる仕草をしながら、素早くささやいたんだ。〈わたしはもう、命を捨てる覚悟ですので〉って。

マチアスさんの反応は、さすがだった。ちょっと離れたところに立っている護衛騎士たちが、聞き耳を立てているって、すぐにわかったんだろう。顔色一つ変えずに、使者Aの肩を叩くと、こういったんだ。

「昔馴染みの相手は、やはり気が楽だな。おまえの父親も、気のおけない男だった。よろしい。ここは、親子二代で侍従を務めてもらうとしよう。まずは、愚息《ぐそく》のもとへ案内してくれ。このクローゼ子爵家の家内《かない》でも、当主の交代をせねばならんのでな」

マチアスさんは、使者Aに先導されるまま、いつもクローゼ子爵たちが使っている、あの応接室に入っていった。現在の当主で、自分たちの父親が戻ってきたのに、誰も出迎えもせず、応接室で待っているって、どういうこと？

でも、応接室にずらりと勢揃いしている、クローゼ子爵家の人たちの顔を見たら、そうだろうなって思ったんだ。

もう先代になったクローゼ子爵、名前はオルトさんだったから、もうオルトさんでいいや。そのオルトさんは、〈神座《かみざ》〉を背にしたひじ掛け椅子に座ったまま、蔑《さげす》みのこもった視線で、マチアスさんを睨《にら》んでいた。オルトさんの弟のナリスさんは、片方の唇を吊り上げた、嫌味な笑顔を浮かべながら、冷たい目でマチアスさんを見ていた。オルトさんの息子のアレンさんは、軽蔑の気持ちを隠しもせずに、祖父であるマチアスさんを威嚇《いかく》していた。ミランさんは、表面上は友好的な笑顔になっていたけど、目は全然笑っていなかった。

胸元から生えた四岐《よまた》の蛇を、うねうねうねうね、すごい勢いでのたうち回らせたカリナさんは、鬼みたいな顔になって、マチアスさんを見つめていた。そして、奥さんである〈毒念《どくねん》〉のエリナさんは、マチアスさんが部屋に入ってくるや否《いな》や、すごい勢いで罵倒《ばとう》し始めたんだ。

「よくも、おめおめとこの屋敷に足を踏み入れたものね。下賤《げせん》な成り上がり者が。おまえ如《ご》きが、クローゼ子爵を名乗るなんて、許されるものですか。オルトが成人するまでは、仕方なく譲歩しただけなのに、息子の地位を……」

このあたりで、わたしの耳には、何も聞こえなくなった。エリナさんは、ずっと叫び続けてるんだけど、教育熱心なスイシャク様は、少女の成長のためにならない言葉は、さっさと切り捨ててくれるんだよ。

横で聞いているヴェル様は、うんざりした顔で眉間を指で揉《も》んでいるから、後で濃い紅茶と一緒に、お父さんのマロングラッセを持ってきてあげよう。

そうして、しばらくの間、黙ってエリナさんの罵倒《ばとう》を聞いていたマチアスさんは、自分の両手を大きく打ち鳴らして、エリナさんを黙らせたみたい。スイシャク様が、もう一度声を聞かせてくれたのは、ちょうどマチアスさんが話し始めたところだった。

「おまえの戯言《ざれごと》など、聞くだけ時間の無駄だ。まともに話し合う気がないのなら、わたしはこの足で王城に出向き、クローゼ子爵家の血筋の断絶を伝える。今の当主はわたしなのだから、簡単な話だ。早速、代わりの当主を王城で選んでくださるよう、宰相閣下に願い出るとしよう。それでいいか、オルト？」

そういわれたオルトさんは、益々《ますます》激しく父親であるはずのマチアスさんを睨《にら》みつけたんだけど、さすがに理性が働いたらしい。部屋の隅に待機していた、護衛っぽい人たちに向かって、何日か前と同じ命令を出したんだ。

「母上とカリナを、部屋に下がらせろ」

「ちょっと、お父様。どうして、わたくしまで、出されなくてはいけませんの？」

「オルト、この親不孝者！　下賤《げせん》な男のいうままに、この母に無礼を働くなんて、許しませんよ！」

「煩《うるさ》い！　今は、この男が当主だと、王城が決めたのだ。おまえたちのように喚《わめ》いているだけでは、何も先に進まない。部屋にこもって、小姓でも侍女でも、好きに弄《もてあそ》んでいるんだな。それが嫌なら、煩《うるさ》い口を閉じていろ。これ以上、くだらない手間をかけさせるのなら、わたしにも考えがあるからな、母上、カリナ」

オルトさんのあまりの剣幕に、エリナさんもカリナさんも、さすがに怖くなったみたい。二人が、ぴたっと口を閉じたのを見て、オルトさんは、マチアスさんにいった。

「さあ、これでいいでしょう。進めるべき話とは、何ですかな、クローゼ子爵閣下？」

「一族揃って〈神去《かんさ》り〉になったというのは、事実なのか、オルト？」

「まあ、そうですね」

「何をやった？　一族揃って〈神去《かんさ》り〉など、そうそう起こることではないぞ。心当たりがあるんだろう？」

「さあ、別に。神霊など、気まぐれなものですからね。何か気に障ることがあったのでしょう。それだけですよ」

「……。宰相閣下は、わたしを当主に復帰させ、十日のうちに今後の方針を決めるようにとの仰せだった。〈神去《かんさ》り〉でない直系の者を後継《あとつぎ》に選ぶか、王城の選定した者を養子に迎えるか。おまえたちは、どうするつもりだ？」

「仕方がないので、クルトの息子を呼び戻して、カリナと婚姻を結ばせますよ。簡単な話なので、閣下はお気になさらず、お好きなところで、気楽に暮らしてくださって結構ですよ。今までと同じように」

「しかし、フェルトには、はっきりと断られたのだろう？　法理院《ほうりいん》から、わたしのもとに確認が入った。不審な養子縁組と婚姻の届が出されたことを、現当主は把握しているのか、とな。ルーラ王国の法理院《ほうりいん》は、なかなかに周到だな。クローゼ子爵家が、目をつけられているだけかもしれんが」

おお！　すごいな、法理院《ほうりいん》。マチアスさんの言葉に、オルトさんは、ものすごく不機嫌な顔をして黙り込んだ。もっとも、すぐに気を取り直したみたいで、薄《うす》ら笑いを浮かべながら、マチアスさんに反論したけどね。

「心配には及びませんよ、閣下。いや、父上とお呼びしてもかまいませんけれど。フェルトは、降って湧いた幸運に、気後れしているだけのことです。数日のうちには、わたしたちの指示通りに動くようになりますすよ、父上」

「クルトとサリーナの息子が、そんな軟弱者とは思えないがな。まあ、いい。今後、わたしはこの屋敷に留まるので、逐一《ちくいち》報告するように」

そういわれたオルトさんは、冷たい蛇みたいな笑顔になった。ナリスさんやアレンさん、ミランさんも、同じような表情で笑った。そして、オルトさんは、こういったんだ。

「これはこれは。宰相に何をいわれたのかは存じませんが、あまり増長なさらない方がいいのではありませんか、父上？　今までがそうであったように、あなたは、黙って命令を聞いていればいいのです。誓文《せいもん》をお忘れではないでしょう。口出しが過ぎると、あの方《かた》がお怒りになりますよ？　前王弟殿下のご子息、ルーラ王国で唯一の大公殿下にして、わたしとナリスの本当の父君が」

大公殿下。その言葉が出た瞬間の、ヴェル様の表情は、十四歳の少女が直視していいものじゃなかったと思う。ネイラ様たちが罠にかけようとしている、本当の相手って、もしかして大公殿下のことなんだろうか？　そして、前王弟殿下って、まさか、気の毒なお姫様のお父さんだった、あの王弟殿下のこと？

クローゼ子爵家の騒動は、こうして、すごい勢いで物事が動き出しているみたいだった。

24

クローゼ子爵だったオルトさんの、あまりにも衝撃的な言葉に、わたしは彫刻みたいに固まってしまった。

だって、前王弟殿下って、ヨアニヤ王国にお嫁に行った、気の毒なお姫様のお父さんでしょう？　その息子の大公殿下って、お姫様のお兄さんか弟でしょう？　そんな人たちが、マチアスさんを酷《ひど》い目に遭《あ》わせるの？　しかも、オルトさんとナリスさんの父親が大公殿下って、そんな馬鹿な！

わたしの頭は大混乱で、ちっとも整理ができなかった。正確にいうと、話の内容そのものは、ちゃんとわかっている。けっこう理解力のある少女なのだ、わたしは。

でも、今、オルトさんの話したことが事実だとすれば、マチアスさんは、周りの人たち全部に裏切られていたことになる。それって、いくら何でも、マチアスさんが気の毒過ぎるじゃないか。

気の毒なお姫様と、気の毒なマチアスさん。そんなふうに考えると、可哀想で悲しくて、わたしは、絶対にわかりたくないと思ったんだよ。

わたしが、ちっとも納得できなくて、ぐるぐるしている横で、ヴェル様は笑っていた。一見、穏やかで紳士的な微笑だったけど、これは、あれだ。まさに〈血に飢えた猟犬〉っていう感じの表情だろう。血に飢えた猟犬とか、わたしは、一度も見たことはないけどね。

そして、わたしが落ち込んでいる間にも、クローゼ子爵家のお屋敷では、ちっとも心の温まらない親子の会話が続いていた。

「下品だな、オルト」

「下品。たかだか騎士爵家に生まれた男が、わたしを下品だと仰るのですか。父から王家の血を引き、母も由緒ある子爵令嬢である、このわたしを」

「そういうところだ、オルト。おまえは、戸籍上は、わたしの息子だろう。母の不貞《ふてい》を恥じることなく口にするなど、下品というしかあるまい？」

「相変わらず、口だけは減らない方《かた》ですね、父上。唯一、あなたの子であるクルトが死んでからは、その口も錆《さ》びついたと思っていましたが、どういう風の吹き回しですか？」

「今は、わたしがクローゼ子爵らしいので、最低限の体裁《ていさい》は整えたいと思ってな。まあ、わたしのことは良い。それよりも、わたしは、明日から王城に参上して、養子候補となっている方々《かたがた》にお目にかかってくるので、そのつもりで」

「どういう意味です、父上？」

「言葉の通りだ、オルト。クローゼ子爵家の直系の中から、〈神去《かんさ》り〉でない者を次期当主に選べないのであれば、王城がお決めになった方《かた》を当主に迎える。そう聞いているのだろう？　何人か候補がおられ、わたしにも事前に会わせてくださるそうだ。宰相閣下のお心配りは、誠にありがたいものだな」

「あなたは、このクローゼ子爵家の血筋を絶やすおつもりか、父上！」

「唯一の対象者であるフェルトが、養子縁組も婚姻も承知しないのだから、仕方あるまい。残念だよ、わたしも」

マチアスさんは、そういって爽やかに笑った。オルトさんやナリスさん、アレンさんは、今にも叫び出しそうな顔をして、じっとマチアスさんを睨《にら》みつけた。

ずっと黙っていた〈毒念《どくねん》〉のエリナさんは、さすがに我慢できなかったみたいで、すっごい声で絶叫したかと思うと、本当にマチアスさんに掴《つか》みかかった。まったく相手にされず、ひらっと避けられてたけどね。

ともあれ、もうぐだぐだになった話し合いの場から、マチアスさんは、さっさと退場することにしたみたい。使者Aに案内を頼んで、どさくさ紛《まぎ》れに応接室を出て行っちゃったんだ。

残された人たちのうち、エリナさんとカリナさんは、そりゃあもう、すごかった。エリナさんの額《ひたい》に書かれた〈毒念《どくねん》〉の文字は、生き物みたいにのたうって、みるみるうちにひび割れていった。

スイシャク様とアマツ様が、〈またしても《鬼成《きな》り》とは〉とか、〈業深き心の闇路〉とか、呆れ果てたっていうイメージを送ってきたから、エリナさんも、近いうちに鬼成《きな》りしてしまうんだろう。

カリナさんだけでなく、胸から生えた四岐《よまた》の蛇も、もう直立不動っていう感じの棒立ちになって、怒りを露わにしていた。いつものシャーシャーを通り越して、ジャーッジャーッって。

スイシャク様が、さっと視界を切り離したのは、わたしの教育のためにならないからじゃなく、〈目〉になってくれる雀《すずめ》が怖がっていて、可哀想だからじゃないだろうか。

一方のマチアスさんは、クローゼ子爵家のお屋敷を出て、庭園の隅っこに建てられた、小ぢんまりした邸宅に入っていった。ヴェル様によると、〈格下の親戚や知り合い〉を泊めるための離れだろうって。

マチアスさんてば、今のクローゼ子爵なのに、どうやら本館には留まりたくないらしい。

マチアスさんは、迷う素振りも見せず、離れの一室に腰を下ろした。ついてきたのは、マチアスさんに指名された使者Aと、護衛騎士っぽい人が二人。多分、オルトさんの命令で、マチアスさんと使者Aを見張っているんだろう。

マチアスさんは、多分わざとだろう無表情で、使者Aにいった。

「おまえ一人では、わたしも不便だ。従者と侍女をよこしてくれ、ロマン」

「畏《かしこ》まりました、閣下。人選にご希望はございますか?」

「おまえが決めてくれれば良い。ああ、侍女だけは、落ち着いていて口数の少ない者にしてくれ。エリナといいカリナといい、わずかな時間、顔を合わせているだけでも、頭痛がしてくるからな。せめて離れでは、静かに過ごしたい」

「そのようにいたします。他にご用はございますか? お部屋やお食事などは、すぐに手配を申しつけますが」

「それでいい。明日、王城に参る。供をしてくれ」

「……。オルト様のご許可をいただきましたら、お供させていただきます」

「今の当主は、わたしなのだがな。まあ、良い。オルトに確かめよ。それから、そこに立っているおまえたち」

そういって、マチアスさんは、部屋の隅に立って聞き耳を立てている護衛に向かって、にっこりと笑いかけた。

「おまえたちは、存在そのものが、少々暑苦しいな。邪魔になるから、館の外に出ておれ。わたしには、護衛などは無用だ」

護衛の一人は、むすっとした表情のまま、マチアスさんに反論した。

「そうは申されましても、先代様のお側から離れずにお守りせよと、クローゼ子爵閣下からご命令を受けております。申し訳ございませんが、離れることはできません」

「今のクローゼ子爵は、このわたしだ。王城の決定は、おまえたちも耳にしているんだろう？　それとも、おまえたちの耳は飾りか？」

「……。オルト様に伺って参りますので、お待ちくださいませ。その間は、部屋の外に出ております。それでよろしいのでございましょう？」

「わかった。それで良い」

護衛たちが出ていくと、部屋に残った使者Aは、即座に印《いん》を切って、防音の神霊術《しんれいじゅつ》を使った。うん。Aの神霊術は、今日も問題なく使えてるんだね。

「閣下。あまり時間がございませんので、用件のみ、お話しさせていただきます」

「いいだろう。話せ」

「オルト様たちは、ご自分たちのいいなりにならないフェルト殿に業を煮やし、フェルト殿を殺害しようと計画しています。フェルト殿の親しい者たちと共に処分し、替え玉を立てるつもりなのです。すでに、その手の犯罪を請け負う者たちにも、依頼をしております。わたしとギョームは、依頼主として名を使われておりますが、何とかオルト様の裏をかき、フェルト殿たちを助けるよう動くつもりでおります」

「何とまあ、わたしの息子だということになっている者たちは、底なしの愚か者だな。そのような入れ替わりが、上手く行くはずがないだろうに」

「オルト様たちは、悪知恵が働きます。そんな杜撰《ずさん》な計画を立てるということは、それを押し切るだけの切り札を用意しているのでしょう」

「……。なるほど。そうかもしれんな」

「ご協力ください、閣下。フェルト殿もそうですが、善良な者たちを、一緒に殺させたりなど、絶対にできません。あなた様が嫌だと申されても、勝手に巻き込ませていただきます。同じ覚悟でいるギョームと話して、そう決めました」

「はは。本当に、いつの間にか肝の据《す》わった男になったな、ロマン。とはいってもな」

「まだ、生きながら死んでいるような、腑抜《ふぬ》けた男のままでおられるおつもりですか？」

「そうだよ。先ほど、オルトがほのめかしておっただろう？　わたしは、誓文《せいもん》で縛られている身なのだ」

そういって、マチアスさんは笑った。わたしが、生まれて初めて見るような笑顔だった。絶望とか憤《ふん》怒《ど》とか虚無とか諦観《ていかん》とか、そんな言葉で表現するしかない笑顔……。

ところで、誓文《せいもん》って、何さ？

⚜⚜⚜

いや、誓文《せいもん》っていう言葉自体は、わたしも知っているよ？　町立学校でも習ったし、王立学院の入試問題にも、しょっちゅう出てくるくらいだから。

わたしの大好きな、おじいちゃんの校長先生は、こう教えてくれた。〈誓文《せいもん》とは、御神霊に対する誓いのことなのでな。徒《あだ》や疎《おろそ》かに捧げてはならん。人との誓いは破れても、神との誓いは破れぬからな〉って。

でも、マチアスさんがいう誓文《せいもん》って、何を意味するんだろう。死んだみたいに生きるって、神霊さんに誓うの？　そんな誓いって、あるんだろうか？

わたしが、疑問を感じて首を捻《ひね》っていると、同じように疑問を持った使者Aが、マチアスさんに質問してくれた。

「どういうことですか、閣下？　御神霊に対して、何を誓われたのですか？」

「おまえは、わたしが契約を司る御神霊から、印《いん》をいただいていることを知っているだろう？　わたしがエリナと婚姻させられた夜、この契約の御神霊を仲立ちとして、四人で誓文《せいもん》を交わしたんだ。王弟殿下と大公殿下、先々代のクローゼ子爵だった近衛《このえ》騎士団長。そして、わたしとの四人で」

「そんなことがあったとは。その誓文《せいもん》の内容は、わたしがお伺いしても良いことなのでしょうか、閣下？」

「以前は、何一つ話せなかった。わたしが沈黙することも、誓文《せいもん》に定めた誓いのうちだったからな。しかし、今はいえる。わたしたちは、それぞれが交換条件に縛られることを選んだんだよ、ロマン」

そこからのマチアスさんの話は、とっても複雑で、陰湿で、残酷だった。少なくとも、わたしには、すごく不公平に思えたんだ。

四人の契約は、お姫様の処遇についてだった。お姫様の結婚相手は、ヨアニヤ王国の高位の王族ではあるけど、かなり病弱な人だったみたいで、お姫様、未亡人になっちゃう可能性が高かったんだって。

そうとわかっていて結婚させるなんて、とか。人の寿命を勝手に計算するなんて、とか。いろいろどうなのって思ったけど、国同士の政略結婚なんだから、そこはとりあえず無視することにしよう。

国益っていうもののために、お姫様の結婚は避けられないって、悲しい覚悟を決めたマチアスさんは、お姫様が未亡人になった後のことを考えていた。相手の王族との間に子供ができないままだったら、ルーラ王国が要請し、お姫様が望めば、ヨアニヤ王族の籍から抜けて、ルーラ王国に帰国することができるらしい。結婚前の話し合いで、そう決まっているんだって。

マチアスさんは、夫との死別後に、お姫様をルーラ王国に呼び戻してほしいって、王弟殿下にお願いしたんだ。お姫様が、王族としての責任を果たしてから、ルーラ王国に帰国して、お姫様自身が希望したら、自分と結婚させてほしい。身分的に結婚が無理なら、側にいるだけでもいいからって。

悲しくて、可哀想で、わたしまで胸が痛くなったけど、マチアスさんは、それだけお姫様が好きだったんだね。

マチアスさんの要求を、王弟殿下は了承した。マチアスさんを説得できなければ、お姫様も、絶対に結婚を了承しないって、わかっていたから。その代わりに、王弟殿下は条件を出した。とっても悪辣《あくらつ》な条件を。

王弟殿下は、大公殿下や先々代のクローゼ子爵と相談してから、マチアスさんに、〈毒念《どくねん》〉のエリナさんとの結婚を提案したんだ。普通に説得しても、お姫様は納得しないから、マチアスさんが先に結婚することで、諦めさせるようにって。

当時、エリナさんのお腹の中には、大公殿下の子供がいたんだけど、結婚はできなかったらしい。身分に差があるし、それ以上に、大公殿下には公爵家から嫁いできた奥さんがいたから。

マチアスさんとエリナさんが結婚して、生まれてくる子供を、マチアスさんの子供だってことにすれば、大公殿下は責任から逃れられる。先々代のクローゼ子爵は、娘の不始末で家名に傷がつくことを避けられるし、エリナさんの子供を正統な後継《あとつぎ》にできる。それって、好都合なんじゃないか？

まったく馬鹿げたことに、このときの大人たちは、皆んなそう考えたみたいなんだ。十四歳の少女が聞いても、ほぼ全員が不幸にしかならない提案なのにね。

当然、マチアスさんは悩んだんだけど、結果的には提案を受け入れた。大公殿下とエリナさんは、結婚後も関係を続けるから、マチアスさんが夫婦として生活する必要はないって、明言されたこと。そして、お姫様が未亡人になった時点で、エリナさんと離婚してもいいっていわれたことで、首を縦に振ったんだ。

近衛《このえ》騎士団長の地位とか、クローゼ子爵家の爵位とか、マチアスさんは、そんなものがほしかったわけじゃない。それだけは、わたしにも信じられたよ。

ここまで、黙って話を聞いていた使者Aは、指先でこめかみをぐりぐりと押しながら、呆れた声でいった。

「何と、愚かな。閣下ともあろう方《かた》が、本当にそのようなくだらない提案に乗ったのですか。信じられませんな」

「わたしも、そう思うさ、ロマン。自分でも信じられない。藁《わら》をも掴《つか》む気持ちというか、あのときのわたしは、正気ではなかったんだろうな」

「まあ、無理はないのかもしれませんな。それほどに、おつらかったのでございましょう。しかし、誓《せい》文《もん》の誓いは果たされていないのではありませんか？　閣下は、今も誓文《せいもん》に縛られているかのようなお話でしたが」

「そう。誓いは果たされないまま、わたしだけが誓文《せいもん》に縛られ続けた。大公殿下と呼ばれる男が、卑劣な罠を張ったからな。姫君の弟であるはずの男が考えた、誓文《せいもん》の文言《もんごん》は、こうだったんだ、ロマン」

瞳に暗い炎を燃やしたマチアスさんは、契約を司る神霊さんに捧げた長い誓文《せいもん》の文言《もんごん》を、ゆっくりと正確に口にした。


《契約を司る御神霊に、四者の誓文《せいもん》を奉《たてまつ》る。

ルーラ王国王弟、アルセイウス・ティグネルト・ルーラは、ヨアニヤ王国王弟に嫁ぎし長女オディールが、夫と死別したる後、これをルーラ王国に帰国せしめ、マチアス・ド・ブランの妻とする。

マチアスは、エリナ・セル・クローゼと婚姻を結び、エリナの子らを嫡子と認める。マチアスからの離縁は認められず、エリナが求めた場合においてのみ、夫婦としての形式上の義務を果たさなくてはならない。ただし、オディールの帰国後は、マチアス・ド・ブランの婚姻は破棄されるものとする。

ルーラ王国王弟が嫡男《ちゃくなん》、アレクサンス・ティグネルト・ルーラは、誓文《せいもん》の果たされぬままアルセイウスが死亡した場合、父の誓いを受け継ぐものとする。

ルーラ王国子爵、ガエタン・セル・クローゼは、この誓文《せいもん》の誓いを認め、その履行《りこう》に尽力するものとする。

誓文《せいもん》の誓いを破りし場合、その身は業火《ごうか》に焼かれ、その魂《たましい》は永遠の虜囚《りょしゅう》になることに、異論なきものとする。

四者は、各人の同意なき場合、何人《なんびと》に対しても、この誓文《せいもん》を公にしてはならない。また、この誓文《せいもん》の破棄及び修正は、四者の合意によってのみ可能となる》

わたしには、正直、むずかし過ぎる内容だった。でも、何だか落ち着かなくて、すごく嫌な気持ちになったから、誓文《せいもん》は正当なものじゃなかったんじゃないかと思うんだ。勘の鋭い少女なのだ、わたしは。

ヴェル様は、誓文《せいもん》の内容を聞いて、すぐに大きく息を吸い込んだ。そして、怒りのあまりか、顔を薄《うっす》ら赤くして、つぶやいた。〈内容を聞いてはいたが、当人の言葉で聞くと、なおさら惨《むご》い。何と愚劣で、幼稚な罠を張るのだ。騎士の中の騎士たる者に〉って。

使者Aは、じっと考え込んでから、何かに気づいたみたいで、大きく目を見開いて、マチアスさんにいった。

「お名前が、お名前が違います、閣下。奥方様とご成婚後、閣下のお名前は、マチアス・セル・クローゼ様ではありませんか」

「そうだ。忌々《いまいま》しいことに、わたしはマチアス・セル・クローゼであり、マチアス・ド・ブランという男は、戸籍上すでに存在しない。したがって、誓文《せいもん》は果たされず、罰も下らない。しかも、大公は、わたしを縛りたい文言《もんごん》においては、マチアス・ド・ブランではなく、ただ単にマチアスと名乗らせて、誓《せい》文《もん》を有効にしていたのだ。まったく、町立学校の子供らにも笑われるほどの、幼稚な罠だよ。その罠に、まんまとはめられた男がいっても、説得力はないだろうがな」

あまりにもマチアスさんが気の毒で、大公っていう人に腹が立って、わたしは言葉を失ってしまった。お姫様の弟のくせに、酷《ひど》過ぎる！　しかも、マチアスさんは、今も誓文《せいもん》に縛られたまま苦しんで……。

あれ？　でも、今、誓文《せいもん》の内容を話しちゃってるよね、マチアスさん？　誓文《せいもん》に縛られているのなら、どうしてそんなことができるんだろう？

疑問に思ってヴェル様を見ると、ヴェル様は、優しくうなずいてくれた。今まで黙っていたけど、何か知ってるよね、ヴェル様ってば。

「いや、お待ちください、閣下。閣下は今、誓文《せいもん》の内容を教えてくださったではありませんか。なぜ、そんなことができたのですか？」

わたしと同じ疑問を、使者Aも感じたんだろう。すぐにそう聞いた使者Aに向かって、マチアスさんは微笑んだ。喉を鳴らす獅子みたいな、すごく堂々として、迫力いっぱいの笑顔だった。

マチアスさんは、こういった。

「数ヵ月前、わたしはようやく自由になったのだ、ロマン。わたしが、不当な誓文《せいもん》の虜囚《りょしゅう》であることに、現在の宰相であるロドニカ公爵閣下がお気づきになり、助けを呼んでくださったから。畏《おそ》れ多くも、ルーラ王国の至尊《しそん》たる〈神威《しんい》の覡《げき》〉、王国騎士団長レフ・ティルグ・ネイラ様を」

25

マチアスさんは、宰相閣下が助けを呼んでくれたから、不当な誓文《せいもん》から解放されたって説明した。そして、その〈助け〉っていうのが、〈ルーラ王国の至尊《しそん》たる《神威《しんい》の覡《げき》》、王国騎士団長レフ・ティルグ・ネイラ様〉だっていうんだよ。

ネイラ様ってば、何をしたの⁉

わたしが疑問でいっぱいになっていると、アマツ様がすぐにイメージを送ってくれた。ネイラ様とマチアスさんが会ったとき、アマツ様も顕現《けんげん》していたから、その記憶を見せてあげるよって。

え？　と思った瞬間、わたしは、とんでもなく豪華な部屋を覗《のぞ》いていた。床に貼られた大理石とか、淡い色合いの壁紙とか、内側から光っているような家具だとか、どれもが最高級品だってひと目でわかる、本当の意味で立派な部屋だった。

肩にとまって、わたしの頬にすりすりってしていたアマツ様が、〈王城の奥の奥、ルーラ王国宰相の執務室〉だって教えてくれた。でしょうね……。

部屋の中にいたのは、十人を超える人たちだった。長椅子にゆったりと座っている、とっても威厳のある壮年の男の人が、宰相閣下なんじゃないかな。

その横の肘掛《ひじかけ》椅子には、真っ黒な軍服みたいな服を着た、ネイラ様がいた。ネイラ様の上着には、あちこちに銀糸の刺繍《ししゅう》がしてあって、中でも一番目立っているのは、襟元《えりもと》の五つの星だろう。

向かい側に座っているのは、顔を強張《こわば》らせたマチアスさんと、まったく特徴のない貴族っぽい男の人。そして、今、わたしの目の前で澄ました顔をしているヴェル様だった。優しくてカッコよくて素敵なヴェル様は、平気で知らない振りができる大人で、ちょっと腹黒なのかもしれない。わたしは、別に気にしないけどね。

この五人の他には、宰相閣下の部下らしい人が五人と、ネイラ様と同じ軍服を着た人が五人いて、部屋の壁側に並んで、背もたれのない椅子に座っていた。

ネイラ様と同じ軍服で、銀糸の刺繍《ししゅう》が少ないものを着ているのは、王国騎士団の騎士さんだからだろう。五人のうちの二人は、〈野ばら亭〉に詰めてくれているマルティノさんとリオネルさんだし。ネイラ様ったら、本当に王国騎士団の精鋭を派遣してくれたんだね。

正直にいうと、部屋の光景が映った瞬間から、わたしの目はネイラ様に吸い寄せられていた。だって、ネイラ様だよ？　何ヵ月も前に一回、ほんのちょっと会っただけで、後はお手紙ばっかりの、あのネイラ様だよ？

すっごくうれしくて、でも、とてつもなく恥ずかしくて、顔が真っ赤になるのが、自分でもわかった。胸がどきどきして、少しだけ手が震えてるんだけど、どうしちゃったんだろう、わたし？

肩の上のアマツ様と、腕の中のスイシャク様が、おもしろそうに笑って肩を揺らしている。鳥の肩がどこなのか、いまいちよくわからないし、スイシャク様なんて、ふくふくのまん丸だけどね！

ともかく、今はマチアスさんのことが先だから、わたしは何とかネイラ様から視線を引きはがして、話に耳を傾けた。マチアスさんと宰相閣下は、もう何度か話し合った後みたいで、今は、ネイラ様に事情を説明しているところだった。

「アイギス王国の外交官であったシャルル・ド・セレントが、ルーラ王国内の協力者として、クローゼ子爵家の名を出したことは、すでに話した通りだよ、レフ。もちろん、マチアス卿が無実であることは、〈黒夜《こくや》〉の尋問によって確かめられた。間違いなかろう、ポール？」

「御意《ぎょい》にございます、宰相閣下。強力な自白剤を用いて尋問いたしましても、シャルル・ド・セレントは、マチアス卿のお名前を出しませんでした。長く隠棲《いんせい》しておられたので、卿の存在そのものに関心を払っていなかったのでしょう。我ら〈黒夜《こくや》〉といたしましても、先の近衛《このえ》騎士団長であり、〈騎士の中の騎士〉と謳《うた》われた方《かた》が、子供らの誘拐《ゆうかい》に加担しているなどとは、元々考えてもおりませんでしたが」

「とはいえ、クローゼ子爵家の家内《かない》のことではあるので、極秘にマチアス卿を呼び出して、何度か尋問はさせてもらった。結果的には、二十年も前からクローゼ子爵家の屋敷を去り、ほぼ関わりを絶っていたため、何一つ知らぬということが、知れただけだったのだがな。それよりも、わたしは、気になったことがあるのだよ、レフ」

そういって、宰相閣下は、ネイラ様の顔を覗《のぞ》き込んだ。あれ？　何だろう？　宰相閣下とネイラ様って、すごく親しいのかな？　宰相閣下は、ネイラ様を名前で呼んでいるし、ネイラ様はネイラ様で、優しく微笑んでいるしね。

「わたしは、騎士の道には進まなかったが、やはり若い頃には、騎士の中の騎士たるマチアス卿に憧れていたものだよ。そのマチアス卿が、貞淑《ていしゅく》とはいえぬ奥方と離縁することもなく、二十年も引きこもって過ごしてこられたという事実が、どうにも腑《ふ》に落ちなくてね。尋問後の世間話に、失礼を承知で真意を尋《たず》ねてしまったのだ。すると、マチアス卿は喉を押さえ、不自然に沈黙されたので、もしやと思い至った」

「誓文《せいもん》ですか、閣下？」

「さすがだね、レフ。そうなのだ。黒夜《こくや》の傀儡《かいらい》とするために、誓文《せいもん》で縛られた者たちと、同じ反応をしているように見えたのだよ。同席したポールは、わたしよりも早く、その事実に気づいていたらしい」

「誓文《せいもん》の扱いは、我ら黒夜《こくや》の領分《りょうぶん》でもございますので。マチアス卿の婚姻には、誓文《せいもん》が捧げられているのだと、すぐにわかりましてございます」

「マチアス卿ほどの人物を縛る誓文《せいもん》など、普通ではどうしようもあるまいが、そなたであれば、不可能ではないであろう？　力を貸してはもらえないか、レフ？」

「畏《かしこ》まりました、閣下。マチアス卿も、それでよろしいのですか？」

「御意《ぎょい》にございます、王国騎士団長閣下。ルーラ王国の至尊《しそん》たる御方《おんかた》に、お気遣《きづか》いを賜《たまわ》るとは、身に余る光栄でございます」

「では、視《み》てみましょう」

ネイラ様は、ほんの少しの間だけ、マチアスさんを見つめた。ご神鏡《しんきょう》の世界で見た月みたいに、綺麗な銀色に輝く瞳が、ちかちかって瞬《またた》いたような気がしたら、それだけでネイラ様は何かを理解したらしい。

「わかりましたよ、宰相閣下。マチアス卿は、不当な契約に基づく誓文《せいもん》によって、深くその身を縛られているようです。恐らくは、誓文《せいもん》の相手方が、故意に不正を為《な》したのでしょう。沈黙も約束されていますので、マチアス卿からは何も話せません」

「やはり、そうか。何とかならないかね、レフ？」

「マチアス卿さえよろしければ、契約を破棄して、誓文《せいもん》を無効にしてしまいましょうか？」

「そのようなことが、可能なのでございますか、王国騎士団長閣下？」

「はい。そうなさいますか、マチアス卿？」

「是非、是非お願い申し上げます。誓文《せいもん》からの解放は、わたくしと、ある御方との悲願でございます」

椅子から身を乗り出し、必死の眼差しで見つめるマチアスさんに、ネイラ様は大きくうなずいた。その仕草《しぐさ》だけで、宰相閣下は部屋にいる人たちに声をかけた。〈マチアス卿は、そのままに。後の者は、神威《しんい》に備えなさい〉って。

宰相閣下がいうと、部屋にいた人たちは、すぐに動いた。部屋の一角に集まって、両膝をついて床に座り、軽く握った両手までも床について、軽く目を伏せる。ルーラ王国の国民なら見慣れているだろう、神事のときの座礼《ざれい》っていう形だった。

皆んなが座礼《ざれい》を取るのを待って、椅子から身を起こし、背筋を伸ばしたネイラ様は、ほんの一言だけ口を開いた。

「神問《かんとわす》」

その瞬間、ネイラ様の身体から真紅の炎が吹き上がった。すべてを焼き尽くすくらいに紅い炎は、そこからさらに温度を増し、朱色になり、純白になり、あっという間に青白くなった。

壮絶に美しくて、比べるものがないくらい力強くて、ひと目で魂《たましい》に焼き付いてしまいそうな炎は、高い天井を焦がすくらいの勢いで、轟々《ごうごう》と燃え盛っていたんだ。

アマツ様やスイシャク様が顕現《けんげん》したときみたいに、震えるほど畏《おそ》れ多いんだけど、わたしは、ちっとも怖くなかった。ネイラ様の炎は、絶対にわたしを傷つけず、優しく温めてくれるものだって、どうしてか知っていたからね。

わたしが呆然と眺めていると、スイシャク様とアマツ様が、交互にイメージを送ってきた。〈其《そ》が瞳に映したる炎は、神を招きたる《迎火《むかえび》》也〉〈世の常の人の子の目には映らず、何人《なんびと》も見ること能《あた》わず〉って。

またしても、ネイラ様に視線を吸い寄せられながら、わたしは、ちょっとだけ心配になった。こんなとんでもない術を、いとも簡単に使ってるネイラ様って、本当に〈人〉の範疇《はんちゅう》にいる……んだよね……？

＊＊＊

ネイラ様の炎が燃え上がった途端に、変化は訪れた。遥かな天空から、ものすごい神威《しんい》を備えた何かが、光の速さで近づいてきていたんだ。

部屋にいる人たちが、身体を強張《こわば》らせて、苦しそうな顔をしているのは、きっと神威《しんい》に打たれているんだろう。アマツ様の記憶を覗《のぞ》いているだけのわたしだって、息苦しくなるくらいの〈力〉だったからね。

ネイラ様から吹き出した炎は、すぐに部屋中に燃え広がって、部屋中を青白く輝かせた。あり得ない高温のはずなのに、じんわりと温かくて、静かに寄り添ってくれるような、優しい炎。部屋中の人たちが、ほっと息を吐いたのは、炎が神威《しんい》を和らげてくれたおかげだと思うんだ。

そして、青白く燃え上がる部屋の中に、いつの間にか現れたのは、ふわりと浮かんでいる、巨大な純白の〈水引《みずひき》〉だった。

うん。自分でも変なことをいってるなって思うけど、あれは水引《みずひき》としかいえないよ。両手で持ち上げるくらいの大きさで、複雑な形に結び合わされた純白の飾り紐《ひも》が、雪の結晶みたいに、きらきらきらきら、煌《きら》めいているんだ。

綺麗なんだけど、とっても畏《おそ》れ多いんだけど、かなり可愛い。震えるくらいカッコよかったネイラ様が、きらきらの水引《みずひき》を呼び出したのかと思うと、もっと可愛い。あの水引《みずひき》って、ご神霊のご分体なんだよね？

そんなことを考えて、わたしがにまにましていると、腕の中のスイシャク様が、呆れたようなイメージを送ってきた。ご分体が水引《みずひき》に見えるのは、わたしが〈そう見たい〉って思った結果なんだって。

ご分体の姿形は、〈あってなきが如《ごと》きもの〉だから、顕現《けんげん》するときに側にいた人の思考に、けっこう引っ張られちゃうらしい。スイシャク様ってば、〈其《そ》は恍《とぼ》け者也〉〈其《そ》の面白《おもしろ》き嗜好《しこう》により、我が姿は斯《か》くあるらん〉だって。

あれ？　もしかして、スイシャク様が巨大でまん丸な雀《すずめ》なのは、わたしのせい？　そうなの？　慌てて、腕の中のスイシャク様を覗《のぞ》き込んだら、ふっすすすっ、ふっすすすって、鼻息を吹きかけられちゃったよ。

ともあれ、気を取り直して部屋の中に視線を戻すと、ネイラ様が水引《みずひき》に話しかけるところだった。

「これなるマチアス・セル・クローゼが誓文《せいもん》は、正当なものか否《いな》か」

ネイラ様の声は、わたしの記憶にあるものよりも、ずっと冷たかった。ネイラ様は、マチアスさんが不当な誓文《せいもん》に縛られてきたことに、すごく怒っていたんだと思う。

わたしの目には、巨大なきらきらの水引《みずひき》に見えているけど、本来、相手は尊いご分体なのに、ネイラ様はまったく気にしていないみたいだった。平伏することもなく、敬語を使うことさえなく、ご挨拶の一つもせず、いきなり詰め寄っちゃってるよ……。

ネイラ様の質問に対して、声は返ってこなかった。ただ、ぼんやりとしたイメージだけが伝えられてくる。わたしが、ぎゅっと眉間に力を入れて、イメージを言葉にしようと考えていたら、アマツ様が〈通訳〉をしてくれた。もう完全に慣れたから、アマツ様から送られてくるイメージは、かなり言葉に近い形で理解できるんだ、わたし。

ネイラ様の言葉の中にも、聞き取れないものがあったんだけど、それは、わたしの魂《たましい》では器が足りないんだろう。ネイラ様と、水引《みずひき》のご分体の会話は、だいたいこんな感じだった。

「……〈正当とは覚えず〉」

「では、何故《なにゆえ》に契約と為《な》す」

「……〈自ら誓文《せいもん》を捧げし故《ゆえ》〉」

「ならば、現世《うつしよ》の名をレフヴォレフ・ティルグ・ネイラ、□□、□□□□□□□□□□たる我が、神問《かんとわす》。

誓文《せいもん》の破棄は、是か非か」

「……〈是〉〈理《ことわり》の内《うち》也〉」

「破棄の対価を問う」

「……〈不要。偽りを為《な》したる者にこそ、我が報いを下さん〉」

「承知。では、為《な》し給《たま》え」

「……〈是〉」

水引《みずひき》のご分体が答えると同時に、複雑に結ばれていた形が、するすると解《ほど》けていった。間もなく、純白の長い長い紐《ひも》になった水引《みずひき》は、今度はもっと複雑な形に結び合わさっていき、やがて真っ白な〈龍〉になったんだ！

物語に出てくるような、細長い真っ白な龍は、雪の結晶みたいな鱗粉《りんぷん》を振り撒き、マチアスさんの頭の上を何度か回ってから、ネイラ様にいった。

「……〈誓文《せいもん》は破棄された。神威《しんい》の覡《げき》よ。我が印《いん》を与えし者に、我が思いを伝え給《たま》え〉」

「承知。□□□□□、感謝を奉《たてまつ》らん」

ネイラ様が答えると、水引《みずひき》の龍は、部屋の中をうれしそうに泳ぎ回り、部屋中の人たちの頭上に、雪の結晶みたいなものを降らせながら、天に上って消えていったんだ。

ネイラ様は、呆然とした顔をしたマチアスさんに向かって、優しい笑顔を浮かべてから、口を開いた。

「さあ、マチアス卿を縛っていた、不当な誓文《せいもん》は取り消され、契約は破棄されました。契約を司る神霊は、長い年月、マチアス卿が苦しんでいたことを知っており、哀しく思っていたそうですよ。罪なきマチアス卿には、契約の神霊の加護が与えられ、偽りの契約を仕掛けた者には、相応《ふさわ》しき神罰が下されるでしょう」

　そして、ネイラ様は、部屋にいる他の人たちにも、こういった。

「どうか席におつきください、宰相閣下。皆も、元の席に。契約を司る神霊は、マチアス卿の誓文《せいもん》を破棄するきっかけになったからと、ここにいる全員に印《いん》をくださいました。何とも豪奢《ごうしゃ》な〈返礼〉ですが、それだけ不当な契約が遺憾だったのでしょう。我らも誓文《せいもん》の破棄を寿《ことほ》ぎ、自由を得たマチアス卿から、事情を聞きましょう」

　その言葉を最後に、宰相閣下の部屋から、今のマチアスさんがいるクローゼ子爵家の離れへ、わたしの視界が、ゆっくりと切り替わった。


　一方通行だけど、やっと会えたネイラ様を、もっと見ていたくて、腕の中のスイシャク様をぎゅっと抱っこしたら、軽くくちばしで突かれちゃったよ。可愛いし痛くないから、別にいいんだけど。

　離れのマチアスさんは、ちょうど使者Aに、わたしが見せてもらったような事情を、説明したところだったみたい。使者Aってば、目に涙をいっぱい溜めて喜んでいるよ。

「そうだったんですね、閣下。良かった。本当に良かった。もっと早く助けていただければ、もっと良かったのですが、そこは仕方がないでしょう。それにしても、良かった。これまで心の中で、腑《ふ》抜けだの、腰抜けだの、偏屈の頑固者だの、根暗の軟弱者だのと罵《ののし》っていて、本当に申し訳ございませんでした」

「……。おまえには、そんなふうに思われていたのか。というか、少し性格が変わったのではないか、ロマン？」

「ギョームの横柄《おうへい》さが移ったんですよ、きっと。ギョームも喜びます。あいつは、〈野ばら亭〉のルルナという女に惚れてしまって、命懸《が》けで守るつもりなんです。力を貸してくださるんでしょう、閣下？」

「もちろん。というか、わたしがこの屋敷に戻ったのも、宰相閣下とネイラ様の罠のうちだ。ある御方に、約束してもきたからな。クローゼ子爵家を終わらせるぞ、ロマン」

そういって、大きく笑ったマチアスさんは、迫力があって、すごくカッコよかった。わたしの目の前で、優雅に微笑むヴェル様は、カッコいいっていうよりも、腹黒な感じだったけどね。

マチアスさんと使者Aの会話は、護衛騎士たちが戻ってきたことで中断された。護衛騎士がいうには、部屋には入らないけど、部屋の外で護衛をする。使者Aは、王城について行ってもいいけど、やっぱり護衛騎士たちも一緒に行く。それが、前クローゼ子爵だったオルトさんの命令なんだって。

マチアスさんは、特に反対はしなかった。使者Aも、澄ました顔をして受け入れている。クローゼ子爵家のお屋敷にいる間は、二人とも、何でもない振りをするんだろうな、きっと。

それからは、受験勉強をして、休憩時間にはヴェル様とお話しして、皆んなでお父さんのおいしい晩ご飯を食べた。すごく楽しくて、でも、そろそろお風呂に入ってこようかなって思ったとき、不意にヴェル様が笑ったんだ。前にも見たことのある、冷たい嗤《わら》いだった。

「来ましたよ、皆」

「何が来たんですか、ヴェル様？」

「穢《けが》れた害虫ですよ、チェルニちゃん。御神鏡《ごしんきょう》が知らせてくださいました。わたくしが張った〈鏡の結界〉に、クローゼ子爵家の手の者が囚われたようです。恐らくは、恥知らずにも王都の表通りに店を構えた、あの〈白夜《びゃくや》〉の者たちでしょう」

26

フェルトさんや、わたしたちを襲撃するために、クローゼ子爵が依頼を出したのは、王都の表通りにお店を出している、〈白夜《びゃくや》〉っていう組織の人たちらしい。

ルーラ王国で、諜報《ちょうほう》活動を担っている部隊が、〈黒夜《こくや》〉っていうから、それを皮肉った名前をつけたんだろう。とっても怖い笑みを浮かべて、ヴェル様がそう教えてくれた。

そして、クローゼ子爵家を追い詰めるために、ネイラ様たちが罠を張ってから四日目、使者AとBが、〈白夜《びゃくや》〉に接触した最初の日に、早速〈野ばら亭〉に忍び込もうとした不審者がいたんだ。

ヴェル様は、途端に緊張した空気の中で、ゆっくりと胸元から鏡を取り出した。〈鏡渡《かがみわたり》〉を体験させてもらったときに見た、〈虜囚《りょしゅう》の鏡〉。アリアナお姉ちゃんの持っている、可愛い薔薇《ばら》の縁飾《ふちかざ》りのある手鏡とそっくりな、黒い鏡面の鏡だった。

ヴェル様ってば、こんな物騒な鏡を、ずっと胸元に隠していたんだ……っていう戸惑いは、今はとりあえずなかったことにしよう。そうしよう。

冷たい微笑を浮かべたヴェル様は、〈虜囚《りょしゅう》の鏡〉を右手に捧げ持ち、食堂の窓を大きく開けて、鏡面を外に向けた。すると、真っ黒な鏡面が強い銀色に輝くや否《いな》や、そこから細い光の帯が五本、すごい勢いで外へと伸びていったんだ。

間もなく、光の帯のうちの一本が、するすると鏡へと戻ってきた。光の帯の先の方には、汚らしい泥の色をした、卵くらいの大きさの〈何か〉を、ぐるぐる巻きにして縛っている。

怖くって、汚らしくって、気持ちが悪くって、わたしが思わず後退《あとずさ》りしようとしたら、肩の上のアマツ様が、勇気づけるみたいに、私を温めてくれた。さっき見せてくれた記憶の中のネイラ様とは、比べものにならないくらい穏やかで、とっても優しい、赤々とした炎をまとわせて。

人からは、わたしが炎に燃やされているようにしか見えないけど、当のわたしは、炎のおかげで心が清々としたんだから、いいんじゃないかな、多分。

光の帯は、汚らしい〈何か〉を縛ったまま、〈虜囚の鏡《りょしゅう》〉に吸い込まれていった。そして、残りの四本の光の帯も、少しずつ大きさと色の違う、でも揃って汚らしい〈何か〉を縛ったまま、次々に鏡の中に吸い込まれていったんだ。

じっと鏡を掲げたまま、光の帯が戻ってくるのを待っていたヴェル様は、五本全部が吸い込まれたのを確認してから、わたしたちに向かって、〈虜囚の鏡《りょしゅう》〉の真っ黒な鏡面を見せてくれた。

「この黒い鏡の中に、許されざる襲撃者どもの魂《たましい》が閉じ込められています。見えますでしょうか、皆さん？　チェルニちゃんは、どうですか？」

ヴェル様にいわれるまでもなく、わたしの視線は、とっくに黒い鏡面に釘付《くぎ》けになっていた。だって、真っ黒な鏡面の中で、ぼんやりした灰色の、小さな人影らしきものが、盛んに動き回っているんだから。

鏡からは、すごく不穏な気配が立ち昇っていて、きっとこういう光景を〈禍々しい《まがまが》〉っていうんだと思う。十四歳の少女が直視するには、怖過ぎますって、ヴェル様……。

人影のうちの一つは、鏡面を両手の拳《こぶし》で叩いて、必死に鏡の外へ出ようとしているみたいだった。もう一つは、鏡面に体当たりをしては弾き返され、髪の毛を掻きむしり、また体当たりを繰り返していた。残りの何体かの人影は、うずくまったり、地面を這《は》いずり回ったりしながら、泣き叫んでいるように見えた。

わたしの周りに集まってきた、お父さんたちや騎士さんたちも、ちょっと青い顔をしていたから、大人が見ても怖かったんだろう。

ヴェル様は、なぜだかとっても楽しそうな笑顔で、わたしたちに教えてくれた。

「今、この〈虜囚《りょしゅう》の鏡〉の中には、五人分の魂《たましい》が閉じ込められています。正確にいいますと、魂《たましい》のすべてではなく、人の精神を司る〈魂《こん》〉、人の肉体を司る〈魄《はく》〉のうち、〈魂《こん》〉の部分だけですね」

「はい！　はい！」

「ふふ。こんな不気味なものを目にしても、元気いっぱいで可愛らしいですね。何ですか、チェルニちゃん？」

「不気味だと思うんなら、少女の目に触れないようにしてほしかったんですけど、まぁ、今はいいです。それよりも、〈魂《こん》〉だけを閉じ込めたっていうことは、五人の身体は、どうなっているんですか？」

「良い質問ですね、チェルニちゃん。もちろん、身体は現世《うつしよ》にあって、元気に生きていますよ。半ば自我を失ったような状態で、呆然としたまま座り込んだり、立ち尽くしたりしていることでしょう」

「その人たちって、やっぱり〈野ばら亭〉を襲撃しに来たんですか?」

「今夜のところは、偵察と下準備だろうと思いますが、害を為《な》そうとしたという意味では、すでに同罪ですね。五人の〈白夜《びゃくや》〉どもの身体は、今頃〈黒夜《こくや》〉が回収していることでしょう。チェルニちゃんの情報提供のお陰で、〈白夜《びゃくや》〉は、完全に〈黒夜《こくや》〉の監視下に置かれていますからね」

「五人の人たちが行方《ゆくえ》不明になったりしたら、その〈白夜《びゃくや》〉っていう人たちに、疑われたりしないんですか?」

「大丈夫ですよ、チェルニちゃん。〈黒夜《こくや》〉が腕によりをかけて、今夜中には、五人の者たちを、我らの〈手駒《てごま》〉にいたしますので」

そういって、ヴェル様はにっこりと笑った。氷みたいに澄んだアイスブルーの瞳が、きらきらと輝いて、すごく綺麗なんだけど、本当に綺麗なんだけど……やっぱり怖いよ、ヴェル様ってば。

ヴェル様が、不気味な〈虜囚《りょしゅう》の鏡〉を、平気な顔で胸元に戻していると、開けたままの窓の外から、ひっそりとした声がかかった。どこといって特徴のない、中年の男の人の声。でも、わざとそうしているような、油断のならない声だった。

こんなときだから、そう思っただけかもしれないけど、けっこう勘の鋭い少女なのだ、わたしは。

声は、ヴェル様に向かって、小さくいった。

「オルソン子爵閣下。ご助力、忝《かたじけの》うございます。誠に恐縮ではございますが、少々お出《で》ましいただけませんでしょうか?」

おぉ! 何だか、前に読んだ冒険小説の中に出てきた、〈諜報《ちょうほう》活動部隊〉の人たちの登場シーンみたいだよ。わたしが、わくわくした顔をしているのを見て、優しく笑ったヴェル様は、お父さんに声をかけた。

「今の声は、陰ながら〈野ばら亭〉を警護している、〈黒夜《こくや》〉の長のものなのです。この軒下《のきした》をお借りして、少し打ち合わせをさせていただいてもよろしいでしょうか、カペラ殿？」

「もちろんです、オルソン子爵閣下。わたしたちを守護してくださいますこと、言葉には尽くせないほど、ありがたく思っております。できますことなら、お上がりいただき、何か召し上がっていただきたく存じます」

「ありがとうございます、カペラ殿。そうさせていただきますか、ポール？」

「いえ、任務の途中でございますので、お言葉だけをいただいていきます。ありがとうございます、カペラ殿」

あれ？　あれれ？　何かが記憶に引っかかる気がする。この平凡で特徴のない声って、どこかで耳にしたことがなかったっけ？　そして、ヴェル様が呼んだ、ポールっていう名前は、どこかで聞いた気がするんだけど。

そう考えて、不意に思い当たったとき、わたしは〈あっ！〉って大きな声を出して、皆んなの注目を集めていたんだ。

「どうしました、チェルニちゃん？」

「その声と、ポールさんっていうお名前で、わかっちゃいました。お話ししていいのかどうか、よくわからないんですけど」

「ほう。それはおもしろい。かまわないので、教えてください」

「ポールさんって、ネイラ様が、マチアスさんの誓文《せいもん》を破棄したときに、一緒にいた方《かた》ですよね？　あっ、貴族の方《かた》だから、ポール様とマチアス様でした。ヴェル様とマルティノ様、リオネル様も、ご一緒でしたよね？」

わたしがいうと、食堂がしんと静まり返った。あれ、どうして？

「……。なぜ、ご存知なのですか、チェルニちゃん？　我が主人が、お手紙に書いたわけでもありませんでしょう？」

「あ、はい。さっき、マチアス様の話をしていたときに、アマツ様がご自分の記憶を見せてくれたんです。あのときは、アマツ様も顕現《けんげん》していたから、見せてあげるよって。きらきらの水引《みずひき》の形をとった、契約の神霊さんのご分体が、すごく綺麗でしたね」

「……。チェルニちゃんは、こういうお嬢さんなのです。顔を見せて、拝謁《はいえつ》の栄《えい》に浴《よく》してはどうですか、ポール？　ルーラ王国の闇を支配する、〈黒夜《こくや》〉の長よ」

ヴェル様の、よくわからない呼びかけに応えるように、中年の男の人が、窓からそっと顔を見せた。まったく特徴のない顔をした、貴族っぽい男性は、アマツ様に見せてもらったままの、あの〈黒夜《こくや》〉の人だったんだ。

⚘⚘⚘

ポールって呼ばれていた〈黒夜《こくや》〉の男の人は、わたしの顔を見た途端に、目を見開いて硬直した。ポールさんの視線が、わたしを見て、腕の中のスイシャク様を見て、肩の上のアマツ様を見て、もう一度わたしを見た。

明らかに普通じゃない、でっかい鳥の姿をしているのが、神霊さんのご分体だっていうことは、事前に知っていたんだろう。ポールさんは、ぎゅっと目を閉じたかと思ったら、そのまま深く頭を下げた。

「数ならぬ身のわたくしが、世にも尊き御二柱《おんふたはしら》の、御前《おんまえ》に罷《まか》り越しましたる不遜《ふそん》を、何卒《なにとぞ》御容赦くださいませ。また、御眷属《ごけんぞく》で在《あ》られるお嬢様に、拝謁《はいえつ》の栄《えい》に浴《よく》しましたること、恐悦至極《きょうえつしごく》に存じます。わたくしは、ルーラ王国にて男爵位を賜《たまわ》っております、ポール・ヌ・バランと申します」

古語《こご》じゃないのって思うくらい、堅苦しい言葉だったけど、要は、スイシャク様とアマツ様、それからわたしにも挨拶をしてくれたらしい。わたしは、これでも礼節を知る少女なので、すぐにポールさんに向かって頭を下げた。

「初めてお目にかかります。チェルニ・カペラ、十四歳です。今回は、わたしたちをお守りいただき、本当にありがとうございます。わたしは、ただの平民の少女ですので、チェルニって呼んでください」

ポールさんは、ちょっと驚いた表情で頭を上げ、わたしに微笑んでくれた。何となく恥ずかしそうで、うれしそうな、優しい笑顔だった。

スイシャク様とアマツ様が、すかさずイメージを送ってくれた。〈彼《か》の者の心根は、複雑怪奇《ふくざつかいき》にして一意専心《いちいせんしん》〉〈身を捨てて、神威《しんい》の覡《げき》に仕えし者也〉〈心を開きて頼るが吉〉って。

何となく、スイシャク様とアマツ様からのメッセージに、気がついたらしいヴェル様が、楽しそうな顔をして、わたしに尋《たず》ねた。

「もしや、尊き御二柱《おんふたはしら》より、お言葉を賜《たまわ》ったのですか、チェルニちゃん？」

「はい。ポール様について、メッセージを送ってもらいました」

「聞かせていただいても、よろしいですか？　あなたも、それを望むでしょう、ポール？」

「もちろんでございます、オルソン子爵閣下。どのようなお言葉であれ、身に余る光栄にございます。よろしくお願い申し上げます、お嬢様」

「チェルニでお願いします、ポール様。えっと、ポール様は、一心《いっしん》にネイラ様にお仕えしている人だから、心を開いて頼らせてもらいなさいって、仰ってます。複雑な性格だけど、気にしなくてもいいそうです」

「ふふ。良かったですね、ポール。ありがたいお言葉を賜《たまわ》りましたよ」

「まったくでございますな、閣下。ありがとうございます、お嬢様。我ら〈黒夜《こくや》〉一同、何が起こりましても、何者からも、お嬢様とご家族様をお護《まも》り申し上げます」

「いや、お嬢様とかいわずに、チェルニって呼んでください、ポール様。わたし、ただの平民の少女ですから」

「畏《かしこ》まりました、チェルニ様」

「余計、悪化してますって。チェルニでお願いします」

「とんでもないことでございます。我が魂《たましい》の主人たる〈神威《しんい》の覡《げき》〉の〈お友達〉を、呼び捨てになどいたしかねます。わたくしのことこそ、ポールと呼び捨てになさってください」

「この会話、前にもしたような気がします。笑ってないで、助けてください、ヴェル様」

「確かに、懐かしい会話ですね。わたくしは、〈チェルニちゃん〉〈ヴェル様〉と呼び合っているのですよ、ポール。羨《うらや》ましいでしょう？　先例に倣《なら》ってはいかがですか？」

「では、わたくしも、チェルニちゃんと呼ばせていただいて、かまいませんでしょうか？　わたくしのことは、ルーとお呼びくださいませ」

「わかりました、ルー様」

「ありがとうございます、チェルニちゃん」

「王家の支配すら、無条件では許さぬ〈黒夜《こくや》〉の長と、そうやって名を呼び合うことの意味を、いつかお教えいたしますよ、チェルニちゃん。ともあれ、今は作戦の遂行が先です。状況を報告してくれますか、ポール？」

「畏《かしこ》まりました、閣下」

すっと表情を消して、軽く頭を下げたポールさん、じゃなくてルー様は、淡々とした穏やかな口調で、ちっとも穏やかじゃない話をしてくれた。

「本日、〈白夜《びゃくや》〉の者どもは、〈野ばら亭〉とフェルト殿の実家に対し、複数名の偵察者を放っております。フェルト殿の実家に、家族がいないことは、彼奴《あやつ》らも知っておりましょうから、そのことを確認した上で、行方《ゆくえ》を捜《さが》し出すつもりでしょう。〈野ばら亭〉に対しては、数日後の決行に備えて、〈下準備〉を始めようとしていたようです」

「ほう。気分の悪くなる話ではありましょうが、一応聞いておきましょう。何の〈下準備〉ですか、ポール？」

「放火でございます、閣下。閣下が虜囚《りょしゅう》としてくださった男の一人が、このようなものを持っておりました」

そういって、ルー様が差し出したのは、一枚の図面だった。〈野ばら亭〉の見取り図と、わたしたちの自宅周辺の地図。そして、その見取り図と地図のあちこちに、点々と赤い印が書き込まれていたんだ。

ルー様は、続けてもう一つ、ポケットから小さな石みたいなものを取り出して、わたしたちにかざして見せた。何色ともつかずに色を変える、不思議で不気味な石だった。

「こちらは、わたくしたち〈黒夜《こくや》〉が、〈罪の火種〉と呼んでいるものでございます。極めて発火性の高い油を練り固めた、特殊な発火剤で、この小さな塊《かたまり》一つで、大きな民家を焼き尽くすほどの火災を引き起こします。過去、いくつもの犯罪に使用されており、〈黒夜《こくや》〉でも、常に摘発対象としている、曰《いわ》く付きの品なのです」

ルー様がいい切った瞬間、あたりは一面の炎に包まれた。炎であって現実の炎ではない、真紅の業火《ごうか》。わたしの肩にいるアマツ様が、轟々《ごうごう》と炎を吹き出していたんだよ。

アマツ様は、激怒の気配を立ち上らせながら、強い強いメッセージを送ってきた。〈我が眷属《けんぞく》を傷つけるに、よりにもよって炎とは〉〈我が司る浄《きよ》めの炎を愚弄《ぐろう》するか、愚か者が〉〈許すまじ〉〈斯《か》くも穢《けが》れた者どもを、我が業火《ごうか》にて燃やし尽くさん〉って。

アマツ様が、朱色の鱗粉《りんぷん》をまとった羽を揺らめかすと、ヴェル様の胸元から、勝手に〈虜囚《りょしゅう》の鏡〉が滑り出た。そして、アマツ様から吹き出していた炎が、激しく渦を巻きながら、真っ黒な鏡面に吸い込まれていったんだ。

アマツ様の神威《しんい》に打たれたわたしたちは、しばらくの間、呆然と立ち尽くしていたんだと思う。気がついたときには、まるで何事もなかったみたいに、部屋は静寂に包まれていて、ただ、ヴェル様の右手に握られた〈虜囚《りょしゅう》の鏡〉だけが、紅い光を放っていたんだよ。

ヴェル様は、〈虜囚《りょしゅう》の鏡〉を覗《のぞ》き込んで、微《かす》かに身体を震わせた。そりゃあ、そうだろう。差し出して見せてくれた、〈虜囚《りょしゅう》の鏡〉の中では、灰色の人影らしきものが、真紅の業火《ごうか》に燃やされて、苦しそうにのたうち回っていたんだから……。

作戦四日目の夜は、こうしてゆっくりと更《ふ》けていった。少しずつ少しずつ、わたしたちも、クローゼ子爵家の人たちも知らないまま、周到に張り廻《めぐ》らされた罠は、この夜を境に、一気に状況を加速させていくことになるんだ。

27

作戦五日目の朝、おいしい朝ご飯を食べ終わったところで、スイシャク様が合図をしてくれた。クローゼ子爵家で動きがありそうだから、見せてあげるよって。スイシャク様ってば、パンの食べ過ぎで、お腹をぽっこり膨らませているんだけど、可愛いからいいよね。

クローゼ子爵家では、オルトさんと息子のアレンさんが、マチアスさんと向き合っていた。いつもの応接室じゃなくて、マチアスさんのいる別邸の一室なんだろう。こぢんまりとした部屋には、マチアスさんたちの他に、使者ＡＢと、数人の護衛騎士の姿があった。

不機嫌な顔をしたオルトさんに対して、余裕の笑みを浮かべたマチアスさんが、からかうような口調でいった。

「これはこれは。おまえの方からわたしに会いに来るとは、めずらしいこともあったものだ。どういう風の吹き回しだ、オルト？」

「本邸の方で会っていると、母上やカリナが乱入してこないとも限りませんからね。あなたと話す意味はないので、要件のみ伝えます。本日の登城は、ご遠慮ください」

「ほう？　宰相閣下との面談が予定されていると、伝えてあったと思うのだがな。おまえは、臣下の頂点であり、王家のお血筋でもある御方《おんかた》との約束を、反故《ほご》にしろとでもいうのか？」

「そうです。あなたは、クローゼ子爵家に養子に入る候補者と面談するために、王城に行くのでしょう？　クローゼ子爵家の後継《こうけい》は、フェルトとなります。そう決定している以上、余分なことをされては迷惑だ。フェルトは、あなたの血を分けた息子だった、クルトの子なのですから、文句はないでしょう？」

「おまえは、愉快なことをいうのだな。フェルトは、きっぱりと断ったと聞いているぞ。クルトの息子が、そうやすやすと気持ちを変えはしないだろう」

「そんなことはありませんよ、父上。あなたがそうだったように、クローゼ子爵家の地位と財産は、意地を捨ててでも獲得したいものなのでしょう。フェルトは、今日明日にでも、屋敷を訪ねてくることになっています」

「そうであっても、宰相閣下とのお約束を違《たが》えることなど、許されるはずがないだろう。候補者との面談はともかく、王城には出向くぞ」

「不要です。もうすでに、大公殿下からの使いが、ロドニカ公爵に断りを入れています。いくら宰相とはいえ、大公殿下のご意向に逆らうことなどできませんよ」

そういって、オルトさんは、マチアスさんを嘲笑《あざわら》った。息子のアレンさんも、片方の唇を吊り上げて、自分のお祖父さんであるはずのマチアスさんに、冷たい目を向けている。

すっごく感じが悪くって、わたしが、思わずへの字の口になっていたら、くるっと目の前が回転して、視界が切り替わった。次に目にしたのは、豪華で上品で洗練されていて、最高級のものだけが置かれた広い部屋。アマツ様が、記憶を通して見せてくれた、宰相閣下の執務室だった。

執務室には、くつろいだ様子の宰相閣下がいて、ゆっくりと紅茶を飲んでいた。それだけで、名画の一枚に見えるくらいカッコいい。絵の題名は、〈優雅なる大貴族の朝〉とかってどうだろう？

わたしが馬鹿なことを考えていると、執務室に入ってきた人がいた。どこにでもいるような顔をした、平凡で特徴のない男の人。昨夜、〈黒夜《こくや》〉の長だって紹介された、ポールさんことルー様。

宰相閣下は、ルー様を長椅子に座らせると、にこやかに微笑みかけた。

「お早う、ポール。朝早くから呼び出して、すまなかったな」

「とんでもございません。閣下こそ、昨夜は王城にお泊まりでございましたか？」

「そう。そなたからの報告によって、そろそろ物事が動く頃合いかと思ってな。王城に近いとはいえ、屋敷まで帰るのが面倒になったのだよ。早速だが、パヴェルの〈虜囚《りょしゅう》の鏡〉が捕らえた者たちは、どんな様子なのだ？〈白夜《びゃくや》〉の者どもに、疑われてはおらぬのか？」

「我が息子の術によって傀儡《くぐつ》と致しましたので、問題はございせん。今朝も、命じておいた通りの方法で、こちらに連絡をして参りました」

「そなたの息子は、実に優秀だな、ポール。人形を司る御神霊の印《いん》とは、次代の〈黒夜《こくや》〉の長となるに、これ以上の人材はおるまいよ」

「思い通りに動かせる〈人形〉の中に、正気を失った〈人間〉まで含まれるのだとわかるまでは、己《おのれ》に自信が持てず、屈折しておりましたけども。息子が使いものになりましたのは、〈神威《しんい》の覡《げき》〉たる御方《おんかた》のご助言の賜物《たまもの》でございます」

「まったくであるな。レフのお陰で、〈黒夜《こくや》〉は先々まで安泰というものだ。して、もたらされた情報とは、どのようなものなのだね？」

「クローゼ子爵家と〈白夜《びゃくや》〉の者どもは、本日、誘拐《ゆうかい》を企《くわだ》てるそうでございます。フェルト殿の家族も婚約者も、いまだに所在が知れずということになっておりますので、標的となるのは、婚約者の妹だとか。白昼堂々、お嬢様を自宅から拐《さら》い、その身柄を盾にして、フェルト殿を連行するつもりだそうでございます」

「予想の通りとはいえ、気分の悪い計画であるな。まったく、愚かにもほどがある」

「御意《ぎょい》にございます、閣下。しかし、そもそもチェルニちゃんから、フェルト殿の婚約を知らされていなければ、成功した可能性のある愚行でございます」

「そう考えれば、レフと令嬢の文通とやらに、皆が助けられたか。それにしても、ポール。そなたが〈チェルニちゃん〉呼びとは、驚いたことであるな」

「わたくしのことは、ルー様とお呼びくださるそうでございますよ、閣下。お羨《うらや》ましゅうございましょう？」

ルー様が、そういって笑うと、宰相閣下も楽しそうに笑った。余裕のある大人っていう感じで、とっても素敵だったけど、待って、待って！　わたしってば、今日、家から拐《さら》われる計画になってるの？

びっくりして、ヴェル様を見ると、優しくうなずいてくれた。マルティノさんたちも、わたしを勇気づけるみたいに、右の拳《こぶし》で胸を叩いてくれた。これは、あれだ。ヴェル様たちは、今朝のうちに計画を把握していて、もうしっかりと対策を立ててくれているんだろう。

わたしが、お礼と質問のために口を開こうとしたら、くるりって、またまた視界が切り替わった。今度は、まったく知らない部屋で、まったく知らない人たちが、何か相談をしているみたいだった。

スイシャク様の羽根の力で、視界を共有しているヴェル様が、ひっそりとした冷たい声でささやいた。

〈ここが王都の表通り、忌まわしき《白夜《びゃくや》》の根城《ねじろ》ですよ〉って。

部屋の中にいたのは、五人の男の人だった。悪者のはずなのに、わりと上品な感じで、服装とかも高級で、きちんとした商会の人に見えた。本当の悪人って、見た目には善良そうなのかもしれないね。

一番上品で身なりのいい、銀髪のおじいちゃんぽい人が、葉巻を燻《くゆ》らせながら、淡々とした口調でいった。

「それで、〈野ばら亭〉の下の娘は、間違いなく家にいるんだな？」

「〈野ばら亭〉の従業員に確かめましたので、間違いありません。王立学院の入試が近いので、家に引きこもって勉強だそうですよ。ご苦労なことだ」

「手筈《てはず》はついたのか？」

「昼食どきは、大人は食堂にかかりきりで、家には手伝いの女くらいしか残らないそうです。あの店の従業員は、どうも口が軽いらしく、ぺらぺらと喋《しゃべ》ってくれましたよ。今日、荷物配達の馬車を装って家を訪ね、家から下の娘を拐《さら》います」

「足はつかないのか？」

「急ぎの仕事ですから、ある程度は仕方ありません。娘はすぐに別の馬車に乗せ替え、偽装した馬車は街の外で乗り捨てにします。親が騒ぎ出す前に、店ごと燃やしてしまえば、うやむやになりますよ」

「ということは、放火も昼間か？」

「はい。人目を避けるのは、〈仕込み〉のときだけです。犯行そのものは、白昼堂々、人目のあるところで実行する方が、何かと安全ですからね。〈罪の火種〉と炎の神霊術《しんれいじゅつ》は、我ら〈白夜《びゃくや》〉の得意技ですし、しくじりはしませんよ」

「いいだろう。〈野ばら亭〉の店も客も、娘の不在で騒ぎそうな親も、まとめて焼き殺してしまえ。抜かるなよ」

「もちろんです。ところで、用済みになった娘は、どうなるんですか？」

「あのミラン様が噛んでいるんだ。おまえたちまで、回ってはこないだろうさ。なんだ、興味があるのか、おまえたち？」

「そりゃあ……」

〈白夜《びゃくや》〉を見ていた視界は、ここで強引に断ち切られた。多分、わたしの教育上良くないことを、話していたんだろう。アマツ様が怒ると怖いから、わたしもそうしてもらった方がうれしいよ。

それにしても、〈白夜《びゃくや》〉の人たちって、何て悪人なんだろう。わたしを拐《さら》っていうだけでも、とんでもない犯罪者なのに、お店やお客さんやお父さんやお母さんを、物みたいに焼き殺そうとするなんて！

さすがに驚いて、落ち込んで、それ以上に腹を立てているわたしに、ヴェル様がにこにこ笑いながらいった。

「何一つ、心配は要《い》りませんよ、チェルニちゃん。すべて罠のうちです。口の軽い従業員だと嘲笑《ちょうしょう》された、我が部下たちの言動も含めて。御二柱《おんふたはしら》のお怒りに触れ、王都が火の海になる前に、我らが一網打尽《いちもうだじん》にいたします。チェルニちゃんはもちろん、〈野ばら亭〉にもご家族にも、指一本触れさせるものですか」

⁂

そして、ヴェル様の笑顔を怖いと思う間もなく、わたしの視界は、くるくるくるりと、あっさり切り替わった。次に目にしたのは、またしてもクローゼ子爵家の別邸で、さっきと同じ部屋だった。オルトさんとアレンさんは、もう出ていったんだろう。部屋には、マチアスさんと使者ABだけが残って、真剣な顔で話そうとしているところだった。

「まず、防音の神霊術《しんれいじゅつ》を使ってくれ、ロマン」

「畏《かしこ》まりました」

「本日の登城を止められてしまいましたが、よろしかったのですか、閣下？」

「かまわないさ、ギョーム」

「防音が完了いたしました」

「今日も神霊術が使えて、良かったですね、ロマン様」

「ありがとう、ギョーム。先ほど、ギョームも申し上げましたが、登城しなくてもよろしいのですか、閣下？　お打ち合わせがあるのではありませんか？　何か理由をつけて、屋敷の外に出ますか？」

「いや、こういう事態も想定していたので、問題はない。というよりも、わたしが登城すること自体が、オルトを焦らせるための方便だからな。宰相閣下とは、簡単に連絡がつくようになっているのだ」

「それを聞いて、安心いたしました」

「それで、わたしたちは何をしたらいいんですか、閣下？　のんびりしているうちに、ルルナたちに危険が迫っていたら、どうしてくれるんですか」

「おい、ギョーム。無礼だぞ。まあ、おまえは常に無礼なんだが」

「はは。存外、面白い男だな、ギョームも。〈野ばら亭〉は、厳重に護《まも》られているので、何の心配もないぞ。それこそ、国王陛下の御座所《ござしょ》よりも、王城の奥の奥の宝物殿よりも、厳重な護《まも》りだろうさ。あちらはお任せして、我らは宰相閣下の御命令に従おう。結果的に、それがルルナ嬢の安全にもつながるからな」

「仕方がない。信じますよ、閣下。それで、わたしたちは何をすればいいのですか？」

「我らは、屋敷の中で〈探し物〉をする。そのために、わたしがこの屋敷に戻ったのだからな。おまえたちも協力してくれ」

「もちろん、仰せに従いますが、何をお探しするのですか、閣下？」

「決定的な証拠だよ、ギョーム。証拠隠滅のために破棄されては困るもの、絶対に確保しておきたいもの。クローゼ子爵家とヨアニヤ王国とのつながりを裏付ける、〈外患誘致罪《がいかんゆうちざい》〉の証拠が、この屋敷にあるはずなのだ」

おお！　マチアスさんが、クローゼ子爵家のお屋敷に戻ったのは、そういう理由だったんだね。でも、証拠を探すだけだったら、〈黒夜《こくや》〉のルー様たちが、忍び込んで探したりできなかったんだろうか？

「なるほど。〈外患誘致罪《がいかんゆうちざい》〉でございますか」

「おまえたちも関わっていたのか、ロマン、ギョーム？」

「関わってはおりませんが、見て見ぬ振りをしておりましたので、同罪でございましょうな。せめて、若いギョームだけは、助けてやりたいのですが」

「仕方ありませんよ、ロマン様。不穏な気配を感じてはいても、それを探って告発するような勇気は、わたしたちにはなかったのですから。第一、そんなに年齢は違わないじゃないですか、わたしたち。十歳くらいでしょう、せいぜい」

「いや、問題にするのはそこではないだろう、ギョーム」

「やはり愉快な男だな、おまえたちは。ともかく、今は証拠を探し出して、少しでも罪を償おう。見て見ぬ振りは、わたしも同じだったからな」

「お心当たりがあるのですか、閣下？」

「ある。クローゼ子爵家には、鉄壁の隠し場所があるのだ。クローゼ子爵家の初代は、神霊術《しんれいじゅつ》の使い手でな。契約を司る御神霊と、〈影〉を司る御神霊から印《いん》を授けられ、その神霊術を二重に駆使して、重要書類の隠し場所を作ったのだ。クローゼ子爵の爵位を継いだ者にしか、触れることのできない隠し場所を。今日、護衛騎士やオルトたちは、それぞれに出かけて行くはずだ。そのときがきたら、一気に仕掛けるぞ。そのためだけに、わたしは、クローゼ子爵位に戻ったのだから」

そういって、マチアスさんは笑った。昨日と同じ、〈獰猛《どうもう》〉っていう言葉がぴったりな、猛々しくて楽しそうな顔だった。

わたしも、今の話を聞いて、なるほどって、すごく納得できたよ。〈外患誘致罪《がいかんゆうちざい》〉って、絶対に死刑になることが確定している大罪だから、普通なら証拠を残したりしないはずなんだけど、クローゼ子爵にしか取り出せない隠し場所があるのなら、保存されている可能性が高いんじゃないかな。

宰相閣下とネイラ様は、クローゼ子爵たちを捕まえることよりも、証拠を探し出したり、支援している〈権力者〉を特定するために、罠を張ったんだよ、きっと。確認するつもりでヴェル様を見ると、優しくうなずきながら、こういった。

「捕らえるだけであれば、いつでもできたのです。しかし、拐《さら》われた子らの行方《ゆくえ》を捜《さが》すにも、犯人を罰するにも、公式には他国を巻き込まねばなりませんからね。わたくしたちは、絶対的な証拠を必要としていました。アイギス王国に対しては、我が主人が揺さぶりをかけてくださいましたので、後は確たる証拠さえあれば、すべて我らの思惑通りとなるでしょう」

「現行犯で捕まえた、セレント子爵の証言ではだめなんですか、ヴェル様？」

「むずかしいですね。もちろん、シャルル・ド・セレントを含め、犯人どもを処罰することはできます。しかし、我らが目的とするのは、そこではありませんので」

にんまり。そうとしか表現のしようのない顔で、ヴェル様が微笑んだ。すごく深刻で、わたしが想像もつかないことが、近い将来に起こる気がする。ヴェル様の笑顔を見て、わたしはそう思った。だって、わたしの背筋が、ぞわぞわしているんだから。

スイシャク様とアマツ様は、楽しそうな気配をまとわせて、交互にメッセージを送ってきた。〈改朝《かいちょう》換代《かんだい》と相なろうか〉〈我らは見守るのみ〉〈全ては《神威《しんい》の覡《げき》》の手の内也〉〈神世《かみよ》の再来となるや否《いな》や〉って。さすがにむずかし過ぎて、意味がわからないよ。

ちょっとだけ腹が立って、ふっくふくのスイシャク様と、大きくなったままのアマツ様を、まとめて抱っこして、ぎゅうぎゅうしているうちに、食堂にいた皆んなが、それぞれに出かけていった。

王国騎士団の三人の騎士さんたちは、フェルトさんやアリオンお兄ちゃんと一緒に、守備隊の本部へ。お父さんお母さんと、ヴェル様の部下の人たちは、いったん〈野ばら亭〉へ。ヴェル様は、うちの家に残って、〈黒夜《こくや》〉の人たちと一緒に、襲撃してくる〈白夜《びゃくや》〉の人たちを捕まえるんだって。

ヴェル様に、〈ヴェル様は、危なくないんですか？〉って聞いたら、皆んなが笑った。ヴェル様ってば、ものすごく強いんだって。ヴェル様に戦闘で勝てる人は、ルーラ王国中を探しても、十人といないらしい。すごいね。

わたしはというと、今やルーラ王国で一番安全らしい。何といっても、スイシャク様とアマツ様がいてくれるんだから。本来なら〈白夜《びゃくや》〉なんて、うちの家の近くにも寄れないんだけど、そこはわざと〈穴〉を開けてあるんだって。

それでも、念には念を入れて、襲撃が予想される午後の間だけ、わたしは自分の部屋に引きこもることになった。スイシャク様とアマツ様が、わたしの部屋を〈現世《うつしよ》から一時的に切り離す〉から、誰も何も、わたしを害することはできなくなるんだ。

話し合いの後は、食堂でそのまま勉強した。ヴェル様が、いろいろと教えてくれて、太鼓判を押してくれた。わたしの学力だったら、入学試験に相当上位で合格するのは間違いないって、褒《ほ》めてくれたんだ。えっへん。

お昼ご飯は、田舎パンのサンドイッチとスープで、簡単に済ませた。お父さんの作ってくれたサンドイッチだから、もちろんすごくおいしかった。

厚切りの香ばしいベーコンと、シャキシャキした生野菜と、目玉焼きを挟んだものが一つ。白身魚のフライと、ピクルスの酸っぱさがおいしいタルタルソースと、ふんわりした千切りキャベツを挟んだものが一つ。スープは、わたしの大好きな、きのこのクリームスープだった。

ヴェル様は、わたしと同じサンドイッチに追加して、お父さん特製のローストビーフと玉ねぎだけを、ぎっしりと挟んだものが一つ。自家製のスモークサーモンと、黒胡椒を振ったクリームチーズと、辛味のある生野菜を挟んだものが一つ。

おいしそうに食べてくれて、このまま〈野ばら亭〉に下宿したいっていうヴェル様に、ヴェル様と同じだけ食べている、スイシャク様とアマツ様まで、しっかりうなずいていたよ。

食事を終えて、ゆっくりと紅茶を飲んだところで、ヴェル様がいった。

「では、そろそろお部屋に行ってもらえますか、チェルニちゃん？　もうしばらくすれば、愚かにして悪辣《あくらつ》極まりない者どもが、神聖なるこの場に乱入してくるでしょう。何一つ心配は要《い》りませんし、すぐに終わります。良い子にして、待っていてくれますね？」

「はい！　わかっています！　ヴェル様が呼んでくれるまで、何があっても部屋からは出ません！」

「本当に良い子ですね、チェルニちゃん。よろしくお願いします」

元気よく返事をして、わたしは自分の部屋に閉じこもった。わたしが一緒にいたって、ヴェル様の足手纏《まと》いになるだけだからね。正しい命令には、全力で従う少女なのだ、わたしは。

部屋に入ってからは、さすがに落ち着かなくて、勉強をする気持ちにもなれなくて、スイシャク様とアマツ様を抱っこしながら、ネイラ様に手紙を書いた。書きたいことも、お礼をいいたいことも、いくらでもあったからね。

やがて、一枚目の便箋《びんせん》が、わたしの汚い字で埋まった頃、スイシャク様とアマツ様が、ぶわっと気配を膨らませた。

秋晴れの爽やかな午後、わたしの大切な〈野ばら亭〉と、わたしの大好きなお家に、遂に襲撃者が現れたんだ！

28

襲撃者の登場を感知した、スイシャク様とアマツ様は、次の瞬間には、わたしを紅白の光の帯で包んでくれた。ぐるぐるを通り越して、ぐるんぐるんに。

そして、わたしを包み込んだものと同じ、紅白の眩《まばゆ》い光の帯が、薄い幕みたいに広がって、部屋中を覆《おお》った。王都の家具屋さんで見つけて、素敵だなって憧れていた、天蓋《てんがい》付きのベッドみたいな感じに。

スイシャク様とアマツ様からは、わたしを励ますみたいなメッセージが、次々に送られてきた。〈其《そ》の身柄は、現世《うつしよ》の理《ことわり》の外に在《あ》り〉〈刹那《せつな》の業《わざ》也〉〈今に限りて、現世《うつしよ》の何人《なんぴと》たりとも、其《そ》に近づくこと能《あた》わず〉〈其《そ》が気に掛けし者たちも、我らが守護の内也〉〈《神威《しんい》の覡《げき》》の威光によりて、やがては神罰の刻とならん〉って。

わたしのことを、ぐるんぐるんに包み込んでいる紅白の光の帯は、ちっとも窮屈じゃなかった。自由に動くことができて、でも、ふんわりと支えてくれて、まるでお母さんに抱きしめられているみたいだった。

うれしくって、頼もしくって、わたしが、思わず笑みを溢《こぼ》したら、スイシャク様が顔を覗《のぞ》き込んできた。ふっす、ふっす？って。スイシャク様ってば、本当にお母さんみたい。

わたしがそう思っていたら、スイシャク様がびっくりした顔をして、ばたばたと白い羽を動かした。

鳥のびっくりした顔って、すごく可愛いんだね。

次の瞬間、わたしの手を、可愛い羽先でぺちぺちと叩きながら、スイシャク様が、素早く視界を切り替えてくれた。

最初に目に映ったのは、どこかの部屋の一室だった。開け放った窓から見える景色には、見覚えがあるから、わりと〈野ばら亭〉の近くなんだろう。

部屋にいたのは、三人の男の人だった。そのうちの一人は、今朝、〈白夜《びゃくや》〉で〈野ばら亭〉への襲撃の話をしていた、とっても悪い人……面倒だから、悪人1でいいや。

もう一人の男の人、こっちも面倒だから悪人2は、窓の方に顔を向けているのに、固く目をつむったままで、両手の指を複雑な形に組み合わせている。多分、何かの神霊術《しんれいじゅつ》を使っている最中だと思う。

悪人1は、横柄《おうへい》な口調で、悪人2に問いかけた。

「どうだ、見えるか？」

「ええ。大丈夫です。わたしの〈目〉の神霊術は、弟と視界を共有できますからね。こちらが偽装した郵便馬車は、もう目的地の目の前です」

「相変わらず、便利な術だな」

「他人の視界とも接続できるようなら、最高だったんですがね。まあ、他にも使い道が多い術なので、助かってはいますが。ああ、着きました。仲間たちが、四人がかりで大きな荷物を持って、家の門をくぐろうとしています。弟は、郵便局員の制服を着て、相手に扉を開けさせる係ですね」

「中身は空の荷物だがな。しばらくしたら、十四の娘を箱詰めにして、馬車に運び込むだけだ。郵便馬車が出発したら、間を置かずに火をつけるぞ。いいな？」

悪人1の言葉に、冷酷な顔でうなずいたのは、その場にいた残りの一人、悪人3だった。悪人3は、指先で印《いん》を切る真似をしながら、ざらざらする声でいった。

「問題ない。昨夜、〈下準備〉に行った奴《やつ》らが、おれの指示した通りの場所に、〈罪の火種〉を隠してきたんなら、あの店は一瞬で火の海だ」

「奴《やつ》らからは、確実に仕込んだと聞いている。奴《やつ》らにとっては、慣れた仕事だからな。貴族の屋敷ならともかく、人の出入りの激しい宿屋や、ただの民家に仕掛けるのは、簡単な仕事だろうさ」

「今、あの店と宿屋には、何十人もの人間がいるな。おれの炎も、さぞかし赤々と燃えるだろう。おれは、見物に行くぞ」

「足がつく危険性があるんだ。今回は控えられないのか？」

「嫌なこった。自分が燃やした炎を見たいというのが、おれが仕事を受けるときの条件だと、あんたも知っているだろう？　おれは……」

スイシャク様は、ここで強引に視界を断ち切った。うん。アマツ様が怒っちゃって、轟々《ごうごう》と炎が吹き上がっているから、場面を替えてもらって正解だと思うよ。

次に見えたのは、わたしの家の玄関で、郵便局員の制服を着た男の人が、お人好しっぽい顔をして、呼び鈴を鳴らしているところだった。その後ろには、四人の男の人たちが、大きな木箱を持って控えている。わたしってば、あの木箱に入れられて、誘拐《ゆうかい》される予定だったんだね……。

玄関から見えている馬車は、本物の郵便馬車にそっくりな色と形で、郵便局の紋章まで掲げている。事前に計画を知っていなかったら、誰も疑わないいんじゃないかな。

呼び鈴に応えて、家の中から出てきたのは、中年の優しそうな女の人だった。わたしには見覚えがないんだけど、ちゃんと〈野ばら亭〉の制服を着ているから、ルー様の部下の人なんだろう、多分。

女の人は、まったく疑ってなんかいない、のんびりした口調で、郵便局員風の男の人に応対した。

「はぁい。ご用ですか？」

「あ、どうも。こんにちは。郵便局から、お届けものにきました。チェルニ・カペラ様は、ご在宅ですか？」

「はい。部屋にいらっしゃいますけど、お嬢さんにご用ですか？」

「王都のルシエラ家具店から、チェルニ・カペラ様へ、本棚のお届けです」

「あら、聞いていないんだけど。ちょっと、お店で確かめてきますね。お嬢さんよりも、奥様に確認しないと」

「そうしてください。ただ、このまま持っているのは無理だし、地面には置けないので、玄関までは搬入させていただけませんか？　伝票をお渡ししますので、それを持って確認していただければ、話が早いですよ？」

「そうね。わかりました。じゃあ、とりあえず入れてください。サインは、確認してからでお願いします。心当たりのない品物を受け取ったりしたら、奥様に叱られちゃうから。もう一人、手伝いの者がいるので、聞きに行かせますね」

そういって、女の人は、うちの玄関を開けて、男の人たちを招き入れた。その瞬間、男の人たちは、目を見交わして嫌らしく笑った。すっごく悪人ぽいし、実際に悪人なんだろう。子供たちを拐《さら》っていったのも、きっとこんな悪人たちだから、絶対に取り返さないとだめだ。絶対に！

わたしが、決意を新たにしていると、郵便局員に偽装した男の人……うん、もう悪人45678でいいや。悪人4は、木箱を持った5678と一緒に、うちの玄関に入ってきた。大好きな家を汚された気がして、すごく気分が悪いけど、今回ばかりは仕方がない。全部終わったら、塩と鈴の神霊さんにお願いして、清めてもらおう。そうしよう。

木箱を運び込んで、玄関に置いた途端、悪人たちが豹変《ひょうへん》した。悪人6が、あっという間に女の人を羽《は》交《が》い締《じ》めにし、ポケットからナイフを取り出して、頬に押し当てたんだ。

「声を出すな。出したら殺す。脅しだと思うなよ。おまえは、黙って娘の部屋に案内しろ。下の娘だ。家にいるといっただろう？　わかったら、うなずくんだ。声を出したら、その場で殺すぞ」

にやにやと笑いながら、女の人にささやく悪人6。女の人は、震えながら、何度も何度もうなずいた。悪人たちは、満足そうに笑って、そのまま家に上がろうとしたんだけど、静かな声が、悪人たちを押し留めた。〈待て〉って。

静かなんだけど、そこに冷たい殺意を秘めた、背筋が凍るほど恐ろしい、鞭《むち》みたいな声。思わず動きを止めた悪人たちの前に、ゆっくりと現れたのは、両手に銀色の短杖《たんじょう》を持ったヴェル様だった。

「穢《けが》れた溝鼠《どぶねずみ》が、現世《うつしよ》の神域にも等しき場所に入り込むなど、万死に値する大罪であると知れ」

悪人たちは、いっせいにナイフを取り出して、油断なく身構えた。悪人6は、女の人の頬に当てていたナイフを、喉元に移動させて、蛇みたいな声でいった。

「動くな。女を殺すぞ。武器を置いて跪《ひざまず》け」

ヴェル様は、少しも動揺した様子を見せず、6を嘲笑《ちょうしょう》すると、女の人に向かって、一言だけ命令した。

〈やれ〉って。

そこからは、本当に一瞬だったと思う。怖がって震えていたはずの女の人は、悪人6のお腹に肘打《ひじう》ちを叩き込み、体勢を崩させたところで、今度は目にも見えない速度で首筋に手刀を入れたんだ。

6は、呻《うめ》き声一つ上げずに倒れ込み、そのまま身動きもしなかった。女の人は、ナイフを握ったままの6の右手首を、踵《かかと》で踏み抜いてから、ナイフを取り上げた。どこからどう見ても、6は戦闘不能になったと思うんだけど、女の人は容赦しなかった。

流れるみたいに自然に、踏みしめたままの右手首を、曲がっちゃいけない方向に勢い良く曲げた。べきって、怖い音が響いて、6の手首はぶらぶらになった。そして、今度は左の膝を踏みつけたかと思ったら、左の足首を掴《つか》んで捻《ひね》り上げ、べきべきって、身の毛のよだつような音を立てて、左足もぶらぶらにしちゃったんだ。うん。あれだったら、絶対に反撃とかできないね、悪人6……。

一方、ヴェル様はというと、踊ってるみたいに優雅な足取りで、残った悪人たちに近づいていった。右手に握った短杖《たんじょう》が、ヒュンって唸《うな》りを上げたかと思うと、悪人5の喉元に叩き込まれる。たったそれだけで、5は硬直したまま後ろに倒れた。

それを見た悪人7と8は、叫び声を上げながら、同時にヴェル様に襲いかかった。ヴェル様は、特に身構えることもないまま、右手と左手の短杖《たんじょう》を交互に振るった。ヒュンって音がして、右手の短杖《たんじょう》が7のこめかみに。もう一回、ヒュンって音がして、左手の短杖《たんじょう》が8の首筋に、吸い込まれるみたいに叩き込まれたんだ。

7と8も、そのまま崩れ落ちて、身動きもしなくなった。さっきから急所しか狙ってないよね、ヴェル様ってば。あれって大丈夫なのかな？　誰も死んでないよね？

残された悪人4は、さっと身を翻《ひるがえ》して、家の外に逃げようとしたんだけど、優しい顔をした女の人が、いつの間にか玄関の扉の前に立ち塞《ふさ》がっていた。〈そこを退《ど》け！〉って、4が叫ぶ。右手に握ったナイフを、大きく振り上げながら。

でも、そのときには、もうヴェル様が迫っていた。一言も口をきかないまま、右手で振るわれた短杖《たんじょう》は、ヒュンって唸《うな》りを上げて、4の後頭部を一撃した。4は、壊れた人形みたいに、膝から崩れ落ちて……本当に死んでないよね、ヴェル様？

「神聖なるこの場を、下衆《げす》の血で汚さずに済みましたね。けっこう。この者たちも、動けないようにしておきなさい」

ヴェル様の言葉に従って、穏やかな微笑を浮かべたままの女の人が、悪人4578にそろりと近寄っていったのは、べきべきっと骨を折っちゃうためなんだろう。十四歳の少女には、本当に刺激の強過ぎる光景だよ……。

✣✣✣

ヴェル様と女の人の、あまりの強さと容赦のなさに、わたしが青くなっていると、不意に視界が切り替わった。教育的配慮の行き届いたスイシャク様が、わたしに気を遣《つか》ってくれたのかな？　見えてきたのは、うちの家の表門で、玄関から出てきた女の人が、軽く手を振っているところだった。

何だろうと思って見ていると、停まっていた郵便馬車の御者《ぎょしゃ》が、急にがくっと身体を傾けた。何が起こったのか、わたしにはまったくわからない。ただ、偽物の郵便馬車だってことは、御者《ぎょしゃ》の人も偽者で、悪人の仲間なんだろう。

どこからともなく現れた二人の男の人が、介抱する素振りで、御者《ぎょしゃ》の人を郵便馬車に運び込む早技を、わたしは、ぽかんと口を開けて見ているだけだったんだ。

くるりくるりと、次に切り替わった視界に映ったのは、悪人１２３がいる部屋だった。すると、目をつむったまま、窓から顔を出していた悪人２が、いきなり悲鳴を上げた。

「何だ、これは⁉　いったい何が起こったんだ⁉」

「どうした？　何かあったのか⁉」

「わからない。弟の視界の隅を、人影がかすめたかと思ったら、そのまま何も見えなくなってしまったんだ」

「おい、質《たち》の悪い冗談はやめろ。本当に何も見えないのか？　娘はどうなった？　まだ木箱を回収できていないんだろう？」

「本当に、何一つわからないんですよ。くそっ！　これから、あの家まで様子を見に行くしかないでしょう。行ってきますよ、おれが」

「その必要はないぞ」

その声とともに、男の人たちが三人、部屋に滑り込んできた。三人とも、どこにでもある服装をした、普通っぽい見かけの人たち。わたしには、この人たちが誰なのか、すぐにわかったけどね。

悪人1は、なぜか後ろに手を回したまま、男の人たちにいった。

「誰だ、おまえたち!?」

「〈黒夜《こくや》〉」

「……。なぜ、ここへ来た？　おれたちは、何もしていないぞ。ただの一般人だ。人違いじゃないのか？」

「くだらん。ただの一般人が、〈黒夜《こくや》〉の名に反応などするものか。神霊術《しんれいじゅつ》を使う時間を稼ごうとしても、無駄なことだ。わからないのか？　後ろ手で印《いん》が切れないだろう？　おまえたちは、もう〈神去《かんさ》り〉になっている」

〈黒夜《こくや》〉の人の言葉は、その場に衝撃をもたらしたみたいだった。悪人1は、後ろに回していた手を前に出して、必死に印《いん》を切ろうとする。悪人2も、放火犯の悪人3も、目の色を変えて印《いん》を切り、詠唱をしようとするんだけど、全部が無駄だった。

指は意味もなく動き、口では詠唱らしきものを紡《つむ》げないまま、三人の悪人は、少しも神霊さんとつながれなかったんだよ。

〈黒夜《こくや》〉の人たちは、音もなく近寄って、あっという間に悪人123を気絶させた。武器とか神霊術とか、まったく使っているように見えなかった。何というか、すごいんだね、〈黒夜《こくや》〉の人って。

身動きもできない悪人123を前に、さっき話をしていた〈黒夜《こくや》〉の人が、胸元から何かを取り出して、右の手のひらに載せた。小さく丸く、柔らかな乳白色に輝く石は、きっと上等の月光石だと思う。

〈黒夜《こくや》〉の人は、左手だけで印《いん》を切ってから、こう詠唱した。

「人形を司る御神霊に乞《こ》う。ここに倒れている三人の男を、わたしの操り人形に加えてほしい。期間は今から五日間。この者たちの身体と、言葉と、精神を、わたしが自在に操って、人形遊びがしたいのだ。対価はわたしの魔力と、この月光石を捧げよう」

詠唱が終わったとき、部屋の中に濃い紫色の光球が現れた。両方の手のひらを合わせたくらいの大きさで、濃い紫のところどころに、薄《うつす》らと黒い糸のようなものが見えている。光球は、男の人の手のひらの上を、ぐるぐると何回か回ってから、悪人たちの上を行き来した。

何だか変わった光球だなって思ったら、中からするすると黒い糸が伸びていって、悪人123の頭や手足に、ぐるぐる巻きついていったんだ。

本当に、糸のついた操り人形みたいだって思ったときには、光球も月光石も黒い糸も、跡形もなく消えていた。

〈黒夜《こくや》〉の人は、何度か指を動かしてから、満足そうに笑った。そして、釣竿を引くみたいな動作をしただけで、悪人123は、のろのろと立ち上がった。多分、というか絶対に、意識がないままなのに。

それから、〈黒夜《こくや》〉というか、もう〈人形使い〉になった男の人は、ぼんやりと立ったままの悪人たちに向かって、感情のこもらない声で命令した。

「大罪人であるおまえたちは、わたしの傀儡《くぐつ》。意思を持たずに動かされるだけの、哀れな操り人形だ。我らが〈黒夜《こくや》〉の手足となって、思い通りに踊るんだ」

悪人123は、本当に壊れた人形みたいな動きで、カクカクと首を縦に振った。〈人形使い〉の男の人は、もう一度いった。

「さあ、命令だ。おまえたちは、ここから先、どんなふうに動く手筈《てはず》になっているのか、代表の者が話せ」

　男の人の問いかけに応えたのは、やっぱり悪人1だった。1は、焦点の合わない瞳を見開いたまま、ぼんやりと答えた。

「〈目〉の神霊術《しんれいじゅつ》を使う者が、拐《さら》った娘の服装を確かめてから、別部隊に連絡することになっている。おれたち〈白夜《びゃくや》〉だけじゃなく、クローゼ子爵家の護衛騎士も入れた部隊だ。娘を餌にしてフェルトを誘い出し、〈白夜《びゃくや》〉の拠点にしている場所まで連れて行く。夕刻には、クローゼ子爵たちも、そこに来る手筈《てはず》だ」

「いいだろう。別部隊への連絡は、風の神霊術か？」

「そうだ。〈目〉の神霊術を使える者が、風の神霊術も使えるから、誘拐《ゆうかい》の成功と娘の服装を伝えるんだ。しかし……」

「誘拐《ゆうかい》は失敗し、おまえたちは〈神去《かんさ》り〉だな。愚か者が。……グレイ」

「はい。使いますか、風の神霊術を？」

「頼む。さて、〈白夜《びゃくや》〉を名乗るおまえたちは、送るべき書状を用意し、送り先の〈目印〉を示せ。ちなみに、今日のお嬢様の服装は、白いブラウスに淡い黄色のカーディガン、ふくらはぎまでの長さの緑のスカートだ」

「わかった」

悪人1は、ぎくしゃくとした動きでペンを取り、小さな紙に何かを書いていた。それはいいんだけど、いいんだけど、〈黒夜《こくや》〉の人が、わたしの服まで詳しく知っているのって、ちょっとどうなんだろうね？

わたしが、微妙な顔をしたところで、視界はまたしても、くるくるっと切り替わった。今度、目に映ったのは、大きくて立派な建物の一室で、すぐ目の前には、すごく真剣な顔をしたフェルトさんがいた。

あれ？　何だか距離が近くない？　これって、あれだ。アリオンお兄ちゃんのポケットに入ったまま、小さくて可愛い頭だけを出している、子雀《すずめ》の視界なんじゃないの？

「大丈夫だと信じていても、落ち着かないものですね、アリアナさん」

「もう。今のわたしは、アリアナじゃなくてアリオンですって、百回はいい直しましたよ、フェルトさん。それに、丁寧語はやめて、普通にお話ししてくださいって、ずっとお願いしているのに」

「ごめん、ごめん、アリオン。その、アリアナさんでもアリオンでも、変わらずに可愛らしいから、つい……」

「嫌だわ……じゃなくて、嫌だよ、フェルトさん」

「はは。気をつけるよ、アリオン。それにしても、やっぱり心配だな。〈野ばら亭〉の人たちは、もうおれの大切な家族だから」

「ありがとう、フェルトさん。とってもうれしいよ。でも、大丈夫。チェルニを害することのできる者なんて、この世のどこにもいないから。それこそ、あの御二柱《おんふたはしら》の御神鳥が顕現《けんげん》される前からね」

「アリオン、それは……」

フェルトさんがいいかけたところで、扉を叩く音がして、王国騎士団のリオネルさんが入ってきた。

身につけているのは、キュレルの街の守備隊の制服だったけどね。

リオネルさんは、きりっとした凛々《りり》しい顔に、堂々とした自信を漂わせながら、フェルトさんにいった。

「来ましたよ。〈野ばら亭〉の従業員と名乗る者が、フェルト殿に面会したいと、受付で待っています。〈マルーク・カペラからフェルト殿へ、急用があって〉来たそうです」

「わかりました。ありがとうございます、リオネル様。行ってきます」

「先ほど、〈黒夜《こくや》〉から連絡がありました。こちらは、すでに襲撃犯、放火犯とも、全員を捕縛《ほばく》しております。お嬢様はもちろん、〈野ばら亭〉の方々《かたがた》もすべてご無事ですので、安心して誘拐《ゆうかい》されてくださ い」

「そうします。これでやっと、暴れられますよ。おれのために、皆さんにご迷惑をかけているのに、黙って待機しているしかなくて、鬱憤《うっぷん》が溜まっていたんです。この怒りは、おれの親族を騙《かた》る連中と、手先になっている馬鹿どもを相手に、思いっきりぶつけさせてもらいますよ」

そういって、フェルトさんは笑った。この秋晴れの空と同じ、晴々とした笑顔だった。作戦五日目にして、やっとフェルトさんの出番がきたみたいなんだ。

29

フェルトさんのいる、守備隊の本部にやってきたのは、すごく普通っぽい感じの、中年の男の人だった。リオネルさんに連れられて、フェルトさんとアリオンお兄ちゃんが受付まで行くと、慌てた感じで口を開いた。

「あの、あなたがフェルト・ハルキス様ですか？　その、ちょっと問題が起こりまして、一緒に来ていただきたいんです。わたしは、〈野ばら亭〉に出入りしている馬丁《ばてい》なんですが、急ぎでハルキス様をお連れするように、〈野ばら亭〉のご主人に頼まれまして」

「わたしは、今朝も〈野ばら亭〉から出勤してきた。カペラ殿は、何も仰っていなかったが？」

「はい。この数時間の間に、問題が起こりまして、すぐにハルキス様に戻っていただきたいとのことです」

「〈野ばら亭〉で、あなたにお会いしたことはないように思うが？」

「わたしは、昼間だけ通って、馬の世話をしたり、人手が足りないときだけ、御者《ぎょしゃ》をさせていただいたりしておりまして。顔を見知った方《かた》が来た方が、話が早いとは思ったのですが、今、〈野ばら亭〉にはその余裕がないんです」

「へえ。何があったのかな？」

「ここではちょっと。ハルキス様だけに、お話しするようにいい含められておりまして」

そういって、馬丁《ばてい》だって名乗った男の人は、フェルトさんの耳元に口を寄せて、そっとささやいたんだ。〈下のお嬢さんが消えてしまったんです〉って。子雀《すずめ》ちゃんは、しっかりと声を拾ってくれたけどね。

「そんなことが！　だったら、すぐに総隊長にお願いして、捜《さが》してもらわないと！」

「いやいや、お待ちください。妙な噂になると困るので、もうしばらくは内密でお願いしたいそうです。

ともかく、そのご相談もあるので、戻っていただけませんか？」

「わかった。すぐに戻ろう」

「では、よろしくお願いします。一刻でも早く戻ってほしくて、裏口に馬車を待たせておりますんで」

まあ、雑といえば雑な話だよね。普段のフェルトさんだったら、当然、疑ってかかると思うんだけど、今回は相手の誘いに乗るって、事前の打ち合わせで決まっているからね。フェルトさんは、やや下手くそな演技で、〈うわー、大変だー〉って顔をして、大きくうなずいたんだ。

馬丁《ばてい》だって名乗った人は、〈早く来てくださいね〉っていい残して、ささっと消えていった。フェルトさんは、リオネルさんと視線で会話してから、すぐに守備隊の本部を出ていった。

守備隊本部の裏口には、小さめの馬車が停まっていた。馬丁《ばてい》の人は、アリオンお兄ちゃんが一緒に来たことで、ちょっと嫌な顔をしていたけど、二人はまったく気にせずに、見つめ合っている。

「じゃあ、行ってくるよ、アリオン」

「気をつけてね、フェルトさん。お帰りを待っていますからね」

「わかっているよ。ありがとう。アリア……アリオンこそ、おれのいない間も、くれぐれも身の回りに注意してくれ。いいね？」

「はい。必ず、そうします」

「いい子だ。おれもすぐに帰ってくるから、心配は要《い》らないよ」

えっと。今のアリアナお姉ちゃんは、どこからどう見ても、美少年のアリオンお兄ちゃんなんだけど？

馬丁《ばてい》の……面倒だから、この人が悪人9で、御者《ぎょしゃ》をしている仲間が、悪人10でいいや。悪人9と10ってば、美少年のアリオンお兄ちゃんとフェルトさんが、明らかに普通じゃない感じで見つめ合ってるから、ぎょっとした顔になっちゃってるよ。

ともかく、フェルトさんが馬車に乗ったところで、悪人9が、馬車の扉の前に立って、アリオンお兄ちゃんに話しかけた。〈じゃあ、行ってきますので〉とか何とか、どうでもいい挨拶だった。その隙《すき》に、フェルトさんが、内側から鍵をかけたことを確認する振りをして、悪人10が、外側から鍵をかけたんだ。

これでもう、馬車は内側からは開かないから、フェルトさんは、閉じ込められちゃったことになるんだろう。

悪人9と10は、そそくさと馬車の御者席《ぎょしゃ》に乗って、ゆっくりと馬を走らせた。しばらくすると、〈野ばら亭〉とは正反対の方向に向かったのがわかったのか、フェルトさんが馬車の中から御者席《ぎょしゃ》の後方の小窓を開け、大声で怒鳴り出した。

「おい！　どこへ行くんだ。これじゃあ、〈野ばら亭〉とは逆方向だろう。急ぐんじゃないのか！　どういうことだ！」

「いいから、黙って乗っていろ、間抜けが。おまえが下手な真似をしたら、下の娘が無事では済まなくなるぞ」

「貴様！　あの子に何かしたんじゃないだろうな!?　消えたというのは、嘘なのか!?」

「嘘じゃないとも。おれらの仲間が、家から拐《さら》ったからな。親から見たら〈消えた〉ことになるだろうな。ははは」

「拐《さら》っただと。本当なのか!?」

「今日の娘の服装は、白いブラウスに黄色のカーディガン、緑のスカートだとさ。娘を拐《さら》った仲間からの連絡だ。家から出ない娘だそうだから、拐《さら》いでもしなけりゃ、服装なんかわからないだろうな」

「くそ！　卑怯者め！」

「娘を殺されたくなかったら、静かに乗っていろ。馬鹿が」

そういって、意地悪な顔で笑った悪人9と10は、キュレルの街を出るつもりなんだろう。通用門に向かって、馬車が速度を速めたのを見届けたところで、わたしの視界はくるりと替わり、自分の部屋に戻ってきたんだ。

フェルトさんが大丈夫なのは、よくわかっているんだけど、ちょっとだけ心配になって、スイシャク様とアマツ様をぎゅっと抱っこしていたら、部屋の外から声が響いてきた。厳《おごそ》かで、朗々としていて、厳しさと優しさを複雑に混ぜ合わせた特別な声は、神霊庁の神使《しんし》様でもある、ヴェル様の祝詞《のりと》だった。

「畏れ多くも顕現されし御二柱　いとも尊き御神鳥に　衷心よりの感謝を奉る　現世に在らぬ御神域に神託の雛を守護し給ひ　鼠も蛇も鬼さえも　雛の安寧を妨げること能わず　御二柱の御業にて　穢れの去りし結界に　再び雛を御戻しあれかし　神使たる身の願いにて　畏み畏み物申す」

（おそれおおくもけんげんされしおんふたはしら　いともとうときおんかみどりに　ちゅうしんよりのかんしゃをたてまつる　うつしよにあらぬごしんいきに　しんたくのひなをしゅごしたまい　ねずみもへびもおにさえも　ひなのあんねいをさまたげることあたわず　おんふたはしらのみわざにて　けがれ

みまもうす）

のさりしけっかいに　ふたたびひなをおもどしあれかし　しんしたるみのねがいにて　かしこみかしこ

ヴェル様の声に応じるように、わたしの身体をぐるんぐるんに巻き込んでいた、紅白の光が消えていき、天蓋《てんがい》付きベッドのレースみたいに、優雅に垂れ下がっていた紅白の幕も、しゅるしゅると清らかな音を立てて巻き上がっていった。

あれっと思ったときには、わたしはいつもの自分の部屋にいて、スイシャク様とアマツ様と一緒に、ベッドに座っていたんだよ。

その変化を察知したらしいヴェル様は、外からそっと部屋の扉を叩いた。そして、短杖《たんじょう》の一撃で、悪人たちを半死半生《はんしはんしょう》にしちゃった人とは思えない、優しい声でいった。

「もう大丈夫ですよ、チェルニちゃん。穢《けが》れた〈白夜《びゃくや》〉どもは、木箱に詰めて運び出しました。この素晴らしいお家には、彼奴《あやつ》らの汚らしい血など、一滴たりとも落としていませんからね。安心して出てきてください」

うん。確かに、悪人たちは誰も出血していなかったね。手足はばっきばきに折られていたし、何だったら生死も不安なくらい、容赦なかったけどね……。

＊＊＊

ヴェル様に連れられて、食堂に降りていくと、お父さんとお母さんが待っていて、わたしのことをぎゅって抱きしめてくれた。お互いに、無事だっていうことは知っていても、やっぱりちょっとだけ不安だったからね。大好きなお父さんとお母さんの顔を見て、やっと心から安心できたんだ。

ヴェル様は、そんなわたしたちを、にこやかな表情で眺めながら、襲撃の結果を教えてくれた。

「チェルニちゃんを拐《さら》うために、この家を襲撃してきたのは、総数で五名でした。郵便局員を装った先導役が一名、誘拐《ゆうかい》の実行犯が四名です。全員を捕らえましたので、ご安心ください」

「はい！　はい！」

「こんなときにも元気いっぱいで、可愛らしいですね、チェルニちゃん。何でしょう？」

「ヴェル様と一緒に戦っていた女の人は、〈黒夜《こくや》〉の人ですか？」

「やはり〈視《み》えて〉いましたか。そうですよ。彼女は、〈黒夜《こくや》〉が誇る武闘派なのです。強かったでしょう？」

「ヴェル様も、あの女の人も、すっごく強くて、すっごくカッコよかったです！」

「ふふ。ありがとうございます、チェルニちゃん。〈野ばら亭〉を監視し、放火しようとしていた三名も、近隣の宿屋の一室で確保しています。あの者たちには、別に使い道がありますので、先の五名と合わせて、〈黒夜《こくや》〉が支配下に置いています」

「多大な御尽力を賜《たまわ》り、御礼の言葉もございません、オルソン子爵閣下。誠にありがとうございました」

「とんでもありません、カペラ殿。もとはといえば、クローゼ子爵家を自由にさせていた、王国の科《とが》なのです。こちらこそ、御協力ありがとうございました」

ヴェル様とお父さんは、お互いにそういって、頭を下げ合った。ヴェル様は、右手を胸に当てて優雅に。お父さんは、きっちりと腰を折って深々と。二人を見ていると、うちの家と〈野ばら亭〉を守ってもらえたんだって、感謝の思いが込み上げてきた。まだ早いかもしれないけどね。

スイシャク様とアマツ様は、それぞれ、きらきらとした紅白の光の粒を舞い散らせて、わたしたちを労ってくれた。〈良き哉《かな》、良き哉《かな》〉〈穢《けが》れは去りて、神苑至《しんえんいた》る〉〈新たなる守護を授《さず》けん〉って。

お父さんとお母さんは、スイシャク様とアマツ様の前に額《ぬか》ずいて、心からの感謝を捧げていた。わたしもそうするべきだと思ったたし、そうしたかったんだけど、スイシャク様に優しく止められた。

スイシャク様がいうには、眷属《けんぞく》を守るのは当たり前だから、心の中で思っているだけで十分なんだって。本当にそれで良いのか、今度の手紙でネイラ様に聞いてみることにしよう。

それから、お父さんたちは〈野ばら亭〉に戻っていって、わたしとヴェル様は、一緒に紅茶を飲んだ。お茶請けに出してもらったのは、わたしの大好きな、いちじくのシロップ煮だった。いちじくを白ワインとお砂糖で煮て、冷たく冷やして、甘味を抑えたアイスクリームと一緒に食べるデザートは、大人な味がして、本当においしかった。

ヴェル様と、おいしいねって微笑み合って、いろいろなお話をして、スイシャク様やアマツ様を抱っこしているうちに、夕方に近い時間になった。まだまだ外は明るいけど、もう少しで日が陰り出すだろうっていう頃に、ようやくスイシャク様が合図をしてくれた。本当はずっと気になっていた、フェルトさんを連れ去った馬車が、遂に目的地に到着したみたいなんだ。

くるりくるり。わたしの視界が切り替わったとき、フェルトさんを乗せた馬車は、ちょうど大きなお屋敷の門を入ったところだった。庭が広くて、周囲にはぽつりぽつりと家が建っているだけだから、別荘なのかもしれない。ヴェル様が、〈王都郊外の高級別荘地ですよ〉って教えてくれたから、フェルトさんがこの家に連れ込まれるのは、予定通りの展開なんだろう。

フェルトさんを乗せた馬車が、よく手入れされた石畳の上に停まると、御者席《ぎょしゃ》から飛び降りた悪人10が、お屋敷の中に声をかけた。途端に飛び出してきたのは、二十人を超える男の人たち。中には数人、騎士っぽい人も含まれている。それぞれの手には、ナイフや剣が握られていて、完全に武装していた。

その人数を確認し、にやって、感じの悪い顔で笑った悪人10は、馬車の中にいるフェルトさんに向かって、怒鳴るみたいにいった。

「おい、降りろ！　〈野ばら亭〉の下の娘は、我らが預かっている。殺されたくなかったら、抵抗はするな。おとなしくしていたら、下の娘に会わせてやる」

悪人10が合図をすると、槍《やり》を持った男が進み出て、馬車の様子を窺《うかが》いながら、穂先《ほさき》で馬車の外鍵を開けた。悪人10は、続けていった。

「今、馬車の鍵を開けてやったから、黙って降りてこい。剣は、馬車の中に置いたままにしろ。娘を殺されたくなかったら、従うんだな」

悪人10の言葉に、馬車を取り囲んだ男の人たちが、げらげらと笑った。何がおかしいっていうんだろう？　どの人も、すごく愚劣で、悪質で、見ていて気分が悪くなったくらい、卑しい顔つきだった。

フェルトさんは、すぐには降りてこなかった。中から鍵を開ける音がしたと思ったら、扉から顔だけを外に出して、こういったんだ。

「チェルニちゃんの顔を見せろ。そうでない限り、ここからは降りない」

「ふん。なら、力ずくで引きずり出すだけだ」

「はっ！　おまえたちには無理な話だな。街のごろつき如《ごと》きが、何人集まろうと問題になどなるものか」

そういいながら、フェルトさんは、素早く印《いん》を切り、詠唱を口にした。

「力を司る御神霊よ。今こそ助けが必要だ。悪人どもに打ち勝つために、五体に力を注いでくれ。対価はおれの魔力と、必要なだけの髪の毛だ」

詠唱が終わると同時に、フェルトさんの乗った馬車の上に、両手で抱えるくらい大きくて、きらきらとした金色に輝く光球が現れ、くるくると旋回した。そして、馬車の中に吸い込まれたかと思うと、馬車の中を明るい金色に光らせたんだ。

フェルトさんてば、やっぱり強い神霊術《しんれいじゅつ》が使えるんだね。光の煌《きら》めきといい、周囲に漂う気配といい、桁《けた》違いに強力な術であることは、疑いようがなかった。王国騎士団長であるネイラ様が使う術だから、ルーラ王国の国民のほとんどが噂として知っている、これって〈力〉の神霊術だよね！

「おまえ、まさか、力の神霊術を使えるのか⁉」

「そうだ。いとも光栄なことに、〈神威《しんい》の覡《げき》〉で在《あ》られる御方《おんかた》と、同じ御神霊から印《いん》を賜《たまわ》っている。もちろん、与えられる加護の大きさは、比べものにもならないが、ごろつきどもを制するには、十分過ぎる恩寵《おんちょう》だ。おれにいうことをきかせたかったら、チェルニちゃんの無事な顔を見せろ」

「くそっ！　待っていろ。今、連れてきてやる」

悪人たちは、舌打ちをしたり、石畳を蹴《け》ったりして悔しがってたけど、フェルトさんと正面から戦っても、勝てないことはわかったんだろう。一人が裏手に駆け出したと思ったら、すぐに大きな木箱を抱えた人たちと一緒に、馬車の前まで戻ってきたんだ。

四人がかりで運ぶくらい大きな木箱には、見覚えがあった。家から拐《さら》うために、わたしを詰め込もうとしていた木箱だよ。木箱を運んでいるのは、〈野ばら亭〉に放火しようとしていた悪人１２３と、うちの家を襲撃に来た悪人7だった。

「そら、運んできてやったぞ。下の娘は、この木箱の中だ」

「すぐに開けて、チェルニちゃんの顔を確かめさせろ」

「わかったよ。おい、木箱を下ろせ。中を開けて、娘を見せてやれ」

悪人10にいわれるまま、運び手の悪人たちは、木箱を石畳の上に投げ捨てた。あれって、わたしが入ってることになってるんだよね。あの扱いって、どうなのさ？　わたしは、ちょっと気分が悪かったんだけど、悪人1と2は、かまわずに釘《くぎ》抜きを持ち出して、木箱のふたを開けた。

今さっき、ヴェル様が教えてくれた話によると、〈白夜《びゃくや》〉が誘拐《ゆうかい》を実行するときは、被害者を木箱に入れて、外側からふたを釘《くぎ》で留めちゃうことが多いんだって。不便といえば不便だけど、絶対に相手を逃さず、途中で検問とかにあっても、荷物を検《あらた》められる確率を減らすために、わざとそうするんだって。

悪人たちは、大きな釘《くぎ》抜きを使い、べきべきと音を立てて、一気に木箱のふたを外していった。すると、中から転がり出てきたのは、郵便局員に偽装していた、あの悪人4だったんだ！

悪人4は、猿ぐつわを噛まされ、後ろ手に腕を縛られていた。お人好しっぽい悪人4の顔は、怒りと苦痛に引きつり、片足は曲がっちゃいけない角度に曲がっている。うん。誰がどう見ても、十四歳の少女じゃないよね、悪人4。

木箱を取り囲んでいた悪人たちは、大声を出して、悪人1たちを怒鳴りつけた。

「おい！　どうして、こいつが閉じ込められているんだ⁉　娘はどうした。〈野ばら亭〉の下の娘で、フェルトの婚約者の妹は、どこにいる⁉」

「馬鹿野郎！　木箱の中身を確かめなかったのか？　いったい何をどう間違えたら、こいつと娘が入れ替わるんだ⁉」

「まさか、誘拐《ゆうかい》は失敗したのか⁉　娘はどうした？〈野ばら亭〉とかいう店は、燃やしてきたんじゃないのか⁉」

悪人たちが、慌てて叫んでいる最中、不意にすごい音が響き渡った。ガーンって！

それと同時に、まるで爆発したみたいな勢いで、フェルトさんの乗っていた馬車の扉が、ずっと先まで飛んでいった。力を司る神霊さんに、大きな力を貸してもらったフェルトさんが、重くて頑丈なはずの扉を、ひと蹴《け》りで吹っ飛ばしちゃったんだ。

ゆっくりと馬車から降りてきたフェルトさんは、腰に差した剣には手をかけないまま、唇を吊り上げて、こういった。

「二十人や三十人では物足りないが、とりあえずかかって来い。おれの大切な義妹を拐《さら》い、敬愛する義父母を焼き殺そうとしたおまえたちは、虫けら以下の極悪人だ。味方が到着する前に、さっさと方《かた》をつけさせてもらおうか」

叫んだわけでもないのに、フェルトさんの声に、悪人たちは揃って身体を震えさせた。よし！　フェルトさん、やっちゃって！

30

王都郊外に位置するらしい、〈白夜《びゃくや》〉の拠点に集まっていたのは、見るからに怖そうな悪人たちと、数人の騎士っぽい格好をした人たちだった。馬車から降りたフェルトさんは、正面から悪人たちに向き合ったんだ。

何度もスイシャク様に見せてもらったから、わたしにはわかる。騎士っぽい人たちは、使者AとBのお供をしたり、お屋敷でマチアスさんを見張ったりしていた、クローゼ子爵家の護衛騎士に間違いないよ。

フェルトさんは、護衛騎士たちにさっと視線を向けただけで、緊張した素振りもなかった。ただ、腰に差していた剣を、丁寧に馬車の中に置いてから、こう宣言したんだ。

「剣を抜くと、うっかり殺してしまいそうだからな。おまえたちの相手は、丸腰《まるごし》でしてやろう。ほら、さっさとかかってこい。全員一緒でもいいぞ」

フェルトさんってば、大丈夫なの？　そりゃあ、力の神霊さんの印《いん》は強力で、ルーラ王国でも数えるくらいの人しか使えない術だって聞いているけど、相手は二十人以上はいるし、全員が武器を持っているんだよ？

ここには、守るべきアリアナお姉ちゃんはいないんだから、無理はしないでほしい。心配のあまり、わたしが、ぎゅっとスイシャク様を抱っこすると同時に、悪人たちは、一気にフェルトさんに襲いかかったんだ。

悪人たちは、すごく戦闘に慣れているんだと思う。最初に突進していった三人は、お互いが動けるくらいの距離を空けながら、次々にフェルトさんに武器を向けた。

ぞっとするような光を放っている大型のナイフと、肩幅くらいの長さの鉈《なた》。三人目は、手のひらに隠れるくらいの、小振りのナイフを忍ばせていたんだけど、あれってわざとだよね？　ヴェル様が、〈最初の二人が囮《おとり》で、とどめを刺すのが三人目〉って教えてくれたよ。

丸腰のフェルトさんは、平気な顔をして、鉈を持って襲ってくる男に手を出した。男は、鉈を思いっきり振りかぶって、フェルトさんに叩きつける。怖い、怖い、怖い。フェルトさんの腕が、すっぱり切られちゃう！

わたしは、青くなって、左右の腕でスイシャク様とアマツ様に縋《すが》り付いたんだけど、心配は無用だった。何と、フェルトさんは、すごい勢いで叩きつけられた鉈を、右手で軽々と掴《つか》んじゃってる。

しかも、フェルトさんが手を出したのは、鉈の柄《え》の部分じゃなかった。薄《うっす》らと金色の光をまとった右手は、一滴の血も流さないまま、鈍い光を放つ鉈の刃を掴《つか》んでいたんだ。

フェルトさんは、そのまま右手に力を入れたんだろう。音がしそうな勢いで、鉈の刃が掴《つか》み潰されたから。硬い鋼《はがね》のはずの刃が、まるでぺらぺらの紙みたいに簡単に、ぐしゃっと。

遠目にもわかるくらい、はっきりと変形した鉈を、鉈男の手からもぎ取ると、フェルトさんは、男に笑いかけた。今夜の夢に見そうなくらい、凶暴な笑顔。そして、呆気に取られたままの鉈男を、左手で殴り飛ばした。

わたしには、軽く当てただけに見えたのに、鉈男はすごい速さで遠くまで飛んでいった。うん。本当に、飛んでいったとしかいえない距離を吹っ飛ばされて、ごろごろごろごろ、地面を転がっていったんだ。あれって、死んでないよね、鉈男？

間髪入れず、次に襲ってきたのは、大型のナイフを持った男だった。大型ナイフ男は、フェルトさんの目を狙ってナイフを横に振り払い、その隙《すき》を突いて、小型ナイフを腰のところで構えた男が、前屈みになって、猛然と突進していく。

本当に暴力に慣れていて、何度も連携したことがあるんだって、すぐにわかるくらい、息の合った攻撃だった。

大型ナイフ男の目潰しも、小型ナイフ男の突きも、フェルトさんは避けなかった。左手で軽く腕を振るって、大型ナイフを弾き飛ばしたかと思うと、右手を下手に突き出して、指先だけで小型ナイフを受け止めちゃったんだ。

そして、左手で小型ナイフ男の手首を掴《つか》んだフェルトさんは、びっくりするような反撃に出た。腕を捻《ひね》って小型ナイフ男を転ばせ、片足を掴《つか》んだかと思ったら、ろくに予備動作もないまま、左手一本で男の身体を振り回し始めたんだ。比喩ではなく、本当に。左手を高々と上げて、タオルを振り回すみたいに勢いをつけて、ぐるんぐるんって……。

このあたりで、わたしは、ぱかんと口を開いていたと思う。だって、片手だけで軽々と、大の男を頭上で回転させるなんて、ちょっとおかしくない？　フェルトさんの左手からは、薄《うす》らと金色の鱗粉《りんぷん》が振り撒かれていたから、力の神霊さんの術だとは思うんだけど、それにしてもすご過ぎるよ。

フェルトさんは、小型ナイフ男を鞭《むち》の代わりにすることにしたらしく、大型ナイフ男や、その次に攻撃を仕掛けるために迫っていた、数人の男に向かって、小型ナイフ男の身体を横に叩きつけた。

人間の身体って、とっても重いから、それを思いっ切り叩きつけられたら、衝撃は大きいんだろう。大型ナイフ男も、他の男たちも、おもしろいくらいの勢いで吹っ飛ばされて、四方《しほう》に転がっていったんだ。

五、六人をまとめて吹っ飛ばしたところで、フェルトさんは、小型ナイフ男をぽいっと投げ捨てた。小型ナイフ男は、足がぶらぶらになっちゃって、泡まで吹いてるみたいなんだけど、生きてるよね、あれ？

この頃になると、フェルトさんが尋常《じんじょう》じゃなく強いことは、誰の目にも明らかだったから、〈白夜《びゃくや》〉の人たちは、すっかり腰が引けたんだろう。フェルトさんを取り囲むだけで、誰も攻撃しようとはせず、隙を窺《うかが》っている。

そんな中、ゆっくりと前に出てきたのは、クローゼ子爵家の護衛騎士らしい男だった。腰の剣を抜きもせず、フェルトさんに向かい合った護衛騎士は、自信満々の顔をして、こういった。

「力の神霊の印《いん》持ちは、おまえたちには荷が重い。少しの間、おれが足止めをしてやるから、全員でまとめて斬りつけろ。できれば生捕《いけどり》にしたいところだが、殺したら殺したで別にかまわん。許可はもらってあるからな。さあ、フェルト・ハルキス。力の神霊術《しんれいじゅつ》よりも、有効な術を見せてやろう。王国騎士団長ならともかく、おまえ程度の力押しで、おれの神霊術が防げるかな？」

護衛騎士は、指先で複雑な印《いん》を切ると、はっきりとした声で詠唱した。

「枷《かせ》を司る神霊よ。目の前の生意気な男に枷《かせ》をつけて、固く拘束《こうそく》してくれ。身動きも抵抗もできないくらい、固く、固く、固く。対価はおれの魔力で払う」

詠唱の終わりと同時に現れたのは、どんよりとした鉄色の光球だった。光球は、フェルトさんの周りをくるくると回ったかと思うと、次の瞬間には、フェルトさんの両手首と両足首に、大きな鉄の枷《かせ》がはまっていて、両手と両足をそれぞれ鎖《くさり》で結びつけていたんだ。

鈍く輝く枷《かせ》を見て、男たちは歓声を上げた。そして、フェルトさんに向かって殺到した途端に、全員がぴたっと足を止めた。フェルトさんが、〈はっ！〉と息を吐くと同時に、両手両足の鎖《くさり》を引きちぎっていたから。

慌てず騒がず、フェルトさんは枷《かせ》をつけたままで、近づいてきた男たちに襲いかかった。騎士っぽい男の剣を掴《つか》み潰してぶん殴り、大型ナイフで突いてきた男を蹴《け》り飛ばし、槍《やり》を振るってきた男を槍《やり》ごとぶん投げ、風の神霊術で速度を上げて切りかかってきた男を肘《ひじ》打ちで沈め、鉄球を投げてきた男には手のひらで打ち返し……。

わたしが、ぱかんと口を開けたままでいる間に、ほとんどの悪人を叩きのめしちゃったんだ。フェルトさんってば、強過ぎない？

後に残されたのは、わたしが入れられているはずだった木箱を運んできた、悪人１２３と７だったけど、その人たちって、〈野ばら亭〉を襲撃しようとして捕まっていたんだから、もう〈黒夜《こくや》〉の人の〈人形〉にされているんだよね？　実際、四人とも、魂《たましい》の抜けたような顔で座り込んでいるだけで、フェルトさんを襲おうとはしなかったし。

本当はもう一人、枷《かせ》の神霊術《しんれいじゅつ》を使ったクローゼ子爵家の護衛騎士だけは、いつの間にか姿を消していた。枷《かせ》の男は、フェルトさんが鎖を引きちぎったと見るや否《いな》や、声すらかけず、仲間を見捨てて一目散《いちもくさん》に逃げていったんだ。

フェルトさんは、ちゃんと気がついていたはずなのに、枷《かせ》の男を追いかけようとはしなかった。遠くなっていく男の背中を見て、満足そうに笑ったから、多分、わざと一人だけ逃がしたんじゃないかな？

そして、フェルトさんが、両手首と両足首についたままの鉄製の枷《かせ》を、簡単に捻《ひね》り潰して外しているところに、十人くらいの騎馬の人たちが駆けつけてきた。王国騎士団から来てくれているリオネルさんと、わたしにも見覚えのある守備隊の人たちだった。

リオネルさんたちは、皆んなが目を丸くして、倒れている悪人たちを見ていたんだけど、次の瞬間には、大声で笑いながら、フェルトさんに向かって手を叩いた。〈お見事〉って。

本当にお見事だったよ、フェルトさん。とってもカッコよかったし。わたしの大好きなアリアナお姉ちゃんの、お婿さんにしてもいいって思ったのは、間違ってなかった。強さだけが、男の人の価値じゃないけどね。

やっぱり、人を見る目のある少女なのだ、わたしは。えっへん。

＊＊＊

フェルトさんの戦いっぷりに感動しているうちに、わたしの視界は、またしても切り替わった。今度目にしたのは、もう見慣れてきちゃった感じのする、クローゼ子爵家のお屋敷の中で、離れの一室にいるマチアスさんの姿だった。

マチアスさんは、長椅子に座って、ゆったりと本を読んでいた。そこへ、使者AとBが、急ぎ足で入ってきて、マチアスさんにささやいた。

「もう大丈夫です、閣下。オルト様とアレン様は、馬車で出発しました。お帰りは夜になるという話です」

「わかった。早めに戻ったとしても、しばらくは時間を稼げるだろう。ナリスやミランは来ていないのか？」

「今日はまだ。晩餐《ばんさん》には、お二人の分の席も用意されるそうですから、来られる予定ではあるのでしょう」

「うるさい女どもはどうだ、ロマン？」

「奥方様もカリナ様も、買い物にお出かけで、晩餐《ばんさん》も外で取られるそうです。オルト様がいらっしゃらないので、気晴らしに買い物をしてくると、お二人で外出されました」

「オルトの目を盗んで、散財をしに行ったか。ちょうどいい。我らは我らで、早々に悪事の証拠を探し出すとしよう。いつ邪魔が入るかわからないからな」

「お心当たりはあるのですか、閣下？」

「ある。図書室の奥の隠し部屋だ。クローゼ子爵家当主の〈座〉と、図書室の奥の隠し部屋という〈場〉。その二つが、いわば第二、第三の印《いん》の役割を果たす術なので、移動はできない仕組みなのだ」

「図書室の鍵はどうなさいます？　用心深いオルト様のことですから、肌身離さず持っておられる可能性もあるでしょう」

「叩き壊せばいいんですよ、ロマン様。オルト様たちが、揃って留守にする機会なんて、二度とないかもしれませんよ？　鍵を探しているうちに、時間切れになりでもしたら、目も当てられません。ルルナが、危険な目に遭《あ》うかもしれないじゃないですか」

「おまえ、そんなに単純な男だったか、ギヨーム？　いや、まあ、前から思慮深い男ではなかったか」

「ちょっと酷《ひど》くないですか、ロマン様？」

「ギヨームのいうことにも一理あるぞ、ロマン。オルトたちは、途中で引き返してくるだろうからな。心配せずとも、鍵は必要ない。ほら、これを見よ」

そういって、マチアスさんは、胸のポケットから銀色の鍵を取り出すと、指先でくるくると回した。

「それは、まさか？」

「複製した鍵だよ。わたしが当主の座を引いて、屋敷を離れてから、オルトは真っ先に図書室の鍵を付け替えた。彼奴《あやつ》の性根はわかっていたので、鍵屋に手を回して、新しい鍵の複製を手に入れておいたのだ。そのうちに、悪事の証拠を溜め込むだろうと思ったからな」

「さすがは、閣下ですな。では、参りましょうか。二人ほど残っている護衛騎士は、どういたしますか？」

「今日を限りに、本心を偽る必要はなくなるからな。適当に打ちのめして、拘束《こうそく》しておけばいいだろう」

「閣下のお手を、煩《わずら》わすほどのことではありませんからね。わたしがやりますよ。ありがたいことに、まだ風の神霊術《しんれいじゅつ》以外の術は使えるので、簡単です」

「いいだろう。頼むぞ、ギョーム」

マチアスさんと使者ABは、すぐに立ち上がって、離れの部屋を出ていった。部屋の外には、騎士っぽい男が二人、監視するような雰囲気で立っている。

先頭に立った使者Bは、騎士たちに話しかけられる前に、さっさと指先で印《いん》を切って、小声で詠唱した。

「石を司る神霊よ。目の前の二人の頭の上に、適当な大きさの石を落としてくれないか。一発で気絶して、死なない程度の石だ。対価はわたしの魔力と感謝で払う。まだ見捨てないでいてくれて、本当にありがとう」

おお！　わりといい人になってるじゃないの、使者Bってば。きっちりと神霊さんに感謝できるんなら、〈神去《かんさ》り〉にもならないかもしれないからね。その調子で更生してほしいよ、使者B。

わたしが、しみじみしている間に、使者Bの手元には、小さな灰色の光球が現れた。光球は、護衛騎士たちの頭の上に飛んでいって、くるくると旋回する。すると、手のひらくらいの大きさの石が二つ、二人の頭上に出現して、あっという間に落下したんだ。

ごーんって、あんまり鳴っちゃいけない音が響いて、石は二人を直撃した。そんなに高くからじゃなかったものの、けっこうな大きさの石だからね。二人の騎士は、呻《うめ》き声さえ立てずに、その場に崩れ落ちた。

使者Bって、意外とすごい神霊術《しんれいじゅつ》の使い手じゃないかと思っていたら、やっぱりそうだったね。ヴェル様まで、〈ほう。なかなかの術ですね。いろいろと使えそうだ〉って、感心していたくらいだから。

マチアスさんたちは、そのまま足早に本邸まで進んでいった。途中で何回か、三人を呼び止めた騎士たちは、ごんごん石を落とされて、片っ端から気絶していた。容赦ないよね、使者Bって。

そして、本邸の一番奥になるのかな？　大きな階段の裏側に、隠すみたいに作られている扉の前で、マチアスさんが鍵を出した。

開かなかったらどうしようって、わたしは、思わず息をつめたんだけど、心配は要《い》らなかった。かちって、小さな音を響かせて錠は外れ、図書室の扉が開いたんだ。

図書室の中は、綺麗に整理されていた。秋の日差しに薄《うっす》らと照らされて、たくさんの本が並んでいるのが見える。わたしが読みたかった本も、いっぱいあった。

マチアスさんは、迷いのない足取りで、図書室の奥の方にある本棚に向かった。天井近くまでの高さのある本棚は、やっぱり本でいっぱいだった。その本棚を前に、マチアスさんは、ゆっくりと印《いん》を切りながらいった。

「我が名は、マチアス・セル・クローゼ。クローゼ子爵家の当主となった者だ。初代当主の結びし約定により、〈扉〉の開示を望む。影を司る御神霊よ、現世《うつしよ》に在《あ》らぬ影の影、仄《ほの》暗き陰影に隠されし、秘匿《ひとく》の扉を開かれよ。契約の御神霊よ、この望みが正当たることを、影の御神霊に示されよ。対価は我が魔力で払う」

マチアスさんの詠唱が終わると同時に、純白の光球と黒い光球が現れて、本棚の前でくるくると回った。以前、使者AとBに向かって、〈契約の御神霊と影の御神霊の神霊術を、二重に駆使した隠し場所〉だって説明していたけど、こういうことだったんだね。

複数の神霊術を同時に使える人は、ルーラ王国でもかなり数が少ないんだって、町立学校の校長先生が教えてくれた。まして、一つの現象に対して、二重に術をかけられる人は、本当に少ないと思う。クローゼ子爵家の初代って、すごい神霊術の使い手だったんだろう。子孫は、あんなになっちゃったけど。

普通の神霊術よりは長く、本棚の前を回っていた光球は、最後に強く発光して消えていった。同時に、重い音を響かせて、本棚が勝手に横へ移動したかと思うと、空いた壁の部分に小さな扉が現れたんだ。

「さあ、行くぞ。わたしと一緒なら、おまえたちも入れるからな。この部屋の中から、求める証拠を探し出すんだ」

小さな扉を開けたマチアスさんは、そういって、使者ABを中に入れた。扉は開けたままにしてくれたから、わたしも中の様子を見ることができた。

わたしは、けっこう勘のいい少女だから、本当は〈雀《すずめ》の視界って、そんなに何でもかんでも見えないよね？　位置的にも〉って、気づいてはいる。今はそれどころじゃないから、知らない振りでいるけど。クローゼ子爵家の問題が解決したら、スイシャク様に教えてもらおう。そうしよう。

隠し部屋は、大人が三人入ったら、ちょっと狭く感じるくらいの大きさだった。壁は白くって、ほわっと光っていたから、明かりがなくても困らなかった。扉から見て左右の壁には、それぞれ大きな戸棚が据《す》えつけられていて、いろいろなものが入っているみたいだった。

「わたしは右、おまえたちは左の戸棚だ、ロマン、ギョーム」

「何を目当てにすればよろしいのですか、閣下？」

「宰相閣下の御見立てでは、書類か徽章《きしょう》、もしくはその両方だろうということだった。ともかく、アイギス王国やヨアニヤ王国の紋章のあるものを探してくれ」

書類はわかるけど、徽章《きしょう》って何だろう？　初めて聞く言葉に、わたしが戸惑っていると、優しいヴェル様が教えてくれた。

「徽章《きしょう》というのは、その者の身分を表す徽《しるし》のことですよ、チェルニちゃん。腕章やメダル、指輪など、形は様々ですが、見る者が見れば、相手の身分がひと目でわかります。クローゼ子爵家は、外患誘致罪《がいかんゆうちざい》という大罪を犯したのですから、後々の保身のためにも、相手の身分を示すものを渡すように要求しているだろうと、宰相閣下はお考えなのです」

なるほど。徽章《きしょう》や紋章入りの書類を渡していたら、弱みを握られることになって、簡単にクローゼ子爵家を切り捨てられなくなるわけか。

大人っていうか、貴族の世界って、すごく複雑なんだなって、わたしが感心している間にも、マチアスさんたちは、探し物を続けていた。そして、わたしとヴェル様が、紅茶のお代わりを頼もうかって相談しているところで、使者Bが声を上げた。

「ありました！　見つけましたよ、閣下、ロマン様！　これでしょう？」

使者Bことギヨームさんが、二人に掲げて見せたのは、くっきりと紋章が刻印された、一枚の書類だった。

金色と銀色の獅子が王冠をかぶった、複雑で色鮮やかな紋章。わたしの隣にいるヴェル様が、〈アイギス王国〉って、冷たくつぶやいたよ……。

31

スイシャク様が見せてくれる視界は、それからも目まぐるしく入れ替わった。くるりくるり、くるりくるり。数日のうちに、その不思議さに慣れてきちゃったけど、考えてみたら、これってすごいことなんだよね？

改めて、腕の中でふくふくしている、スイシャク様を覗《のぞ》き込むと、つぶらな瞳で首を傾げられた。尊い神霊さんのご分体で、わたしだって崇敬《すうけい》していて、でもとっても可愛いくて、思わず口元がむにむにしちゃったよ。

ともあれ、次にわたしの目に映ったのは、必死に馬を走らせている騎士っぽい人だった。あの服装と顔は、はっきりと覚えている。フェルトさんを拘束《こうそく》しようとして、枷《かせ》の神霊術《しんれいじゅつ》を使った、悪人の一人だよ。

いくら郊外とはいえ、まだ夕方になるかどうかっていう時間だから、それなりに歩いている人もいるし、馬車や馬だって走っているのに、騎士っぽい男は、かまわずに馬車道を疾走させている。怒ったような顔で、歯を食いしばっているから、きっと追い詰められた気分なんじゃないかな。

しばらくすると、騎士っぽい男は、急に走る速度を落とした。前からは、中型の箱馬車が走ってくる。何も紋章のついていない、どこにでもある箱馬車だった。

相手の馬車も、騎士っぽい男の姿を見て、速度を落としたみたい。騎士っぽい男と箱馬車は、それぞれに馬の足を止めて、近寄っていったんだ。

箱馬車の窓を開けて、不機嫌そうな顔を覗《のぞ》かせたのは、前クローゼ子爵であるオルトさんと、息子のアレンさん。その横には、ナリスさんとミランさんの姿も見えた。クローゼ子爵家の方も、悪人が一台の箱馬車に勢揃いしちゃってるよ。

騎士っぽい男は、さっと馬を降りて、馬車へと駆け寄った。窓から顔を出したオルトさんは、声を潜めて聞いた。

「どうした。出迎えでもあるまいし、何か問題でも起こったのか？」

「残念ながら、不首尾《ふしゅび》です、クローゼ子爵閣下」

「不首尾《ふしゅび》とは、どういうことだ？　まさか、〈白夜《びゃくや》〉がしくじったのか？　どこが不首尾《ふしゅび》なのか、はっきりしろ。フェルトはどうした？　〈白夜《びゃくや》〉の根城《ねじろ》にいるのか？」

「正確には、わかりません。誘拐《ゆうかい》も放火も成功したという報告を受け、フェルトも根城《ねじろ》に拉致されてきました。ところが、〈野ばら亭〉の娘を入れているはずの木箱には、〈白夜《びゃくや》〉の者が詰め込まれていました」

「ということは、誘拐《ゆうかい》は失敗か。しかし、そうだとしたら、なぜ失敗したという報告が入らないんだ。〈白夜《びゃくや》〉からは、成功したと知らせてきたんだな、アレン？」

「そうです。風の神霊術《しんれいじゅつ》で送られてきた紙には、娘を誘拐《ゆうかい》し、〈野ばら亭〉は燃やしたと書かれていました」

「ぼくも、アレンと一緒に報告を見ましたよ、伯父上。別の紙には、守備隊からフェルトを連れ出したと、はっきり書いてありました」

「〈白夜《びゃくや》〉め、口ほどにもない。気にかかることはいくつもあるが、問題はフェルトだ。フェルトは誘い出せたのだろう？　しっかりと拘束《こうそく》しているのだろうな？」

「それが、そちらも失敗しました。あの男、力の神霊術を使うのです、二十人以上で取り囲んだのに、あっという間に叩き伏せられました。わたしだけが、隙《すき》を見て逃げ出し、閣下に急を報告するべく、馬を走らせておりました」

「力の神霊術だと？」

「はい。それも、強力な術です。十人や二十人では、とても歯が立ちません」

騎士っぽい男の報告に、オルトさんは、すごい形相《ぎょうそう》で唇を噛み締めた。アレンさんも同じで、何だか異常に悔しそうに見える。

不思議に思って、首を傾げていると、わたしとスイシャク様を交互に見たヴェル様が、微笑みながら教えてくれた。

「ふふ。御神鳥とチェルニちゃんが、揃って首を傾げているのは、誠に愛らしいですね。いとも尊き御《おん》方《かた》には、不敬な発言ではございますが。クローゼ子爵家にとって、力の御神霊の加護は、特別な意味を持つのですよ、チェルニちゃん。歴代の英雄の一人に数えられる初代のクローゼ子爵、近衛《このえ》騎士団長となったいく人かのクローゼ子爵、そしてマチアス殿が、いずれも力の神霊術《しんれいじゅつ》の使い手だったのです」

「うわぁ。すごいんですね、クローゼ子爵家。もしかすると、マチアス様が後継《あとつぎ》になったのも、その関係だったりします？」

「本当に聡明ですね、チェルニちゃんは。先々代の近衛《このえ》騎士団長だったクローゼ子爵は、ご自分も力の御神霊の印《いん》を持った方《かた》で、同じ〈印持《いんも》ち〉のマチアス殿を、高く評価していたのです。けれども、それ以外の者は……」

「もらえなかったんですか、印《いん》を？」

「ええ。〈神去《かんさ》り〉になる前は、それなりに神霊術の使い手であったオルト・セル・クローゼも、嫡男《ちゃくなん》のアレン・セル・クローゼも、それ以外の一族の者も、誰も力の御神霊から印《いん》を許されてはいないのです。随分と悔しがり、不平不満を溜めていたようですよ、オルトは。力の御神霊の印《いん》は、近衛《このえ》騎士団長の象徴ともいえるものですから」

うわぁ。お祖父さんやお父さんが持っている、〈近衛《このえ》騎士団長の象徴〉の神霊術を、自分たちは使うことができないのに、フェルトさんが使っちゃったんだよね？　何というか、それって、すごく腹が立つんじゃないかな？

わたしが、不安を感じて目を凝らすと、怒りの形相《ぎょうそう》を浮かべていたオルトさんの顔が、見る間に変わっていった。額《ひたい》に〈瞋恚《しんに》〉の文字がくっきりと浮かんできたかと思うと、どんどんひび割れていったんだ。

〈瞋恚《しんに》〉の言葉の意味って、人を妬《ねた》んで、憎んで、怒り狂うことだったよね？　今のオルトさんには、ぴったり過ぎるんじゃないの？

　視界を共有しているヴェル様も、冷たくて厳しい視線で、オルトさんを見つめている。スイシャク様とアマツ様は、わたしを紅白の光でぐるぐる巻きにしながら、交互にメッセージを送ってきた。

〈益体《やくたい》もなき者共也〉〈またしても《鬼成《きな》り》とは、罪深きこと〉〈娘の初手は三岐《みまた》。父なる者は如何成《いかがなる》也《や》〉〈手に負えぬは《瞋恚《しんに》》の炎。己《おの》が魂魄《こんぱく》こそを焼き尽くす、哀れなる炎〉って。オルトさんってば、〈鬼成《きな》り〉しちゃうみたいだね……。

　オルトさんは、今までの余裕っぽい態度を捨てて、血走った目を大きく見開くと、こういった。

「フェルトが力の神霊術だと？　ふざけるな！　力の神霊の印《いん》は、クローゼ子爵家の正統な後継《あとつぎ》にこそ相応《ふさわ》しいものだ。ただの騎士爵の息子のくせに、わたしの父親を名乗るマチアス。どこの馬の骨が産んだとも知れない不義の子、クルトの息子。そんな下賤《げせん》な者が、どうして印《いん》を許されるんだ！」

　叩きつけるみたいな勢いで、オルトさんは叫んだんだけど……あれ？　オルトさんってば、今、どさくさに紛《まぎ》れて何ていったの？　フェルトさんのお父さんであるクルトさんを、〈誰が産んだかわからない〉っていった？　クローゼ子爵夫人だった、〈毒念《どくねん》〉のエリナさんが、お母さんじゃないの？　えぇ？

　わたしが、びっくりして口を開けている間に、額《ひたい》で光る〈瞋恚《しんに》〉の文字は、ばらばらばらばら、剥《は》がれ落ちていく。そして、噛み締めた唇に血が滲《にじ》んだところで、スイシャク様とアマツ様が、揃って強い警告のメッセージを送ってきた。〈来た〉〈いとも浅ましき、鬼成《きな》り也《と》〉って。

　オルトさんの額《ひたい》の文字は、剥《は》がれ落ちたと思った途端、どろりと溶けた。そして、オルトさんの喉元の皮膚が、ぼこりぼこりと波打ったかと思うと、いきなり大きな蛇が飛び出してきたんだ！

オルトさんの喉元の蛇は、カリナさんみたいに腐ってはいなかった。ただ、毒々しい色の炎に巻かれて、轟々《ごうごう》と燃え盛っていた。

首元の蛇は、くるっと一周、オルトさんの首に巻きついてから、威嚇《いかく》するみたいに伸び上がった。オルトさんの首と同じくらいの太さのある、どす黒い炎に包まれた胴体は、途中から四岐《よまた》の蛇に分かれている。赤黒い炎の蛇と、青黒い炎の蛇と、灰色に血管みたいな赤い色が走る炎の蛇と、黒ずんだ黄色い炎の蛇。

四岐《よまた》の蛇は、口からねばねばした液体を滴《したた》らせながら、気持ちの悪い鳴き声を上げていた。ギシャーギシャーって。

スイシャク様が、すぐに〈怨嗟《えんさ》〉〈妬心《としん》〉〈傲岸《ごうがん》〉〈憤怒《ふんど》〉の蛇だって教えてくれた。〈嫉妬と怒りに身を焼く四岐《よまた》〉って。うん。何となく、そんな感じがする。すごくする。

オルト・セル・クローゼという人は、子供たちの誘拐《ゆうかい》事件に加担して、〈神去《かんさ》り〉になって、マチアスさんを馬鹿にして、使者ＡＢを利用しようとして、遂にはフェルトさんや、わたしたちまで殺そうとした。神霊さんにだって救いようのない、救う価値のない、最低最悪の罪人に違いない。

でも、ほんの少しだけ、髪の毛一本の分くらいだけ、わたしはオルトさんを可哀想に思った。オルトさんの逆上ぶりを見ていたら、魂《たましい》の底の底から、力の神霊さんの印《いん》がほしくって、ずっと妬《ねた》んで苦しんできたんだって、わかっちゃったから……。

もちろん、そんなことは言い訳にもならなくて、厳しい罰が必要なことには、全然、まったく変わりはないんだけどね。


四岐《よまた》の蛇は、ギシャーギシャーって、勢い良く鳴きながら燃えているけど、オルトさん自身は、何とか平静を取り繕《つくろ》うことはできたんだろう。唇に滲《にじ》んだ血を、手の甲《こう》で乱暴に拭《ぬぐ》ってから、騎士っぽい男にいった。

「誘拐《ゆうかい》が失敗だというなら、我々はいったん屋敷に戻る。おまえは、大公閣下に事情を御説明して、御指示を仰げ。騎士の増員も必要だぞ」

「承知しました。わたしの同僚が三名、〈白夜《びゃくや》〉の根城《ねじろ》に取り残されているのですが、奴《やつ》らはどうしますか？」

「捨てておけ。キュレルの守備隊に連行されたところで、平民如《ごと》きが、大公家の私設騎士団に手出しできるものか。閣下に手を回していただくしかないだろう」

「さすがに露見しますよ。〈白夜《びゃくや》〉への依頼は」

「我がクローゼ子爵家は、関与していない。〈白夜《びゃくや》〉に依頼したのは、ロマンとギョームの二人だ。主《しゅ》家《け》の後継《あとつぎ》を案じた二人が、勝手に依頼をしただけのこと。クローゼ子爵家の罪は、臣下の監督不行き届きだけだ。そして、その責任を取るのは、当代のクローゼ子爵だろうさ」

「なかなか、苦しい釈明ですな。通りますか、そんな話が？　宰相は納得しないでしょう」

「大公閣下が、無理にも通してくださるさ。いくら宰相でも、この程度のことで、正面から大公閣下に敵対はしない。平民の殺人未遂くらい、目をつぶるだろう」

「そう簡単に収まりますかね。まあ、議論していても仕方ない。行ってきますよ」

そういうと、騎士っぽい男は、箱馬車を置いて馬に乗り、王城の方角に一気に走り出した。オルトさんたちの乗った馬車も、急いで方向転換して、元の道を引き返していく。

わたしは、その様子を見ながら、けっこう混乱しちゃってた。だって、新しい情報が多過ぎたからね。オルトさんと、騎士っぽい男の会話を思い返して、わたしが唸《うな》っていると、ヴェル様が優しく話しかけてくれた。

「可愛らしい顔に、大きな疑問符が浮かんでいますよ、チェルニちゃん。驚きましたか？」

「はい！　はい！」

「ふふ。何でしょう、チェルニちゃん？」

「オルトさんってば、さっきの会話の中で、フェルトさんのお父さんのことを話してましたよね？　お父さんのクルトさんって、クローゼ子爵家の三男じゃなかったんですか？　わたしの聞き間違いですか？」

「聞き間違いではありません。オルト・セル・クローゼは、力の御神霊から印《いん》を賜《たまわ》った、フェルト殿への嫉妬のあまり、つい口を滑らせたのでしょう」

「フェルトさんの生まれのこと、何か知っているんですか、ヴェル様？」

「古い噂としては、以前にも流れていたのですよ。貴族社会の嗜《たしな》みとして、誰も追及したりはしませんでしたが。詳しいことがわかったのは、つい先日です。我が主人のお力で、マチアス殿が不当な契約から解放されたときに、話してくれました」

「わたしが教えてもらってもいいことですか、ヴェル様？」

「もちろんですよ、チェルニちゃん。〈野ばら亭〉の皆さんは、フェルト殿の家族になるのですから。ただし、今はまだ、フェルト殿ご自身も知らないことなので、わたくしの口から、先にお教えすることはできません」

なるほど。ヴェル様の話は、今一つわからないけど、フェルトさん自身が知らないことなら、わたしも聞かなかったことにしよう。聞き分けのいい少女なのだ、わたしは。

「了解です。わたしの大好きなお父さんが、〈父親が誰であれ、アリアナの幸福とは関係ない〉って、前にいってたので、大丈夫です」

「娘と呼ばれる存在が、すべてチェルニちゃんのようであったら、この現世《うつしよ》の父親たちは、さぞ幸福なことでしょうね」

にっこりと微笑んで、そういったヴェル様は、代わりにいろいろなことを教えてくれた。子爵家くらいの貴族だったら、護衛騎士は二人か三人が普通で、クローゼ子爵家の人数は、明らかに多過ぎること。不審に思った〈黒夜《こくや》〉の調べで、その護衛騎士たちは、大公家からの貸し出しだって判明したこと。大公家は、五十人まで私設騎士団を持っていいって、王国の法律で認められていること。今の大公閣下は、何かと悪い噂のある人で、エリナさんとの関係も有名だったこと……。

事情がわかって、納得できたのは確かだけど、平民の十四歳の少女が耳にするには、やっぱり重たい話だったと思う。

そして、ちょうどヴェル様の説明が終わったとき、スイシャク様が視点を切り替えてくれた。くるくるっと動いて、わたしの目に入ってきたのは、王都の街の高級店、葉巻を扱っているはずの、〈白夜《びゃくや》〉の本拠地だった。

豪華な応接室みたいな部屋には、五人の男の人がいた。三人は、以前、スイシャク様が見せてくれたときと同じ、上品な商人に見える人たちで、〈白夜《びゃくや》〉の首謀者と幹部たち。後の二人は、どことなく呆然とした顔をした、普通っぽい人たち。

ヴェル様が、〈あの二人の魂《こん》は、《虜囚《りょしゅう》の鏡》の中で、神の業火《ごうか》に焼かれていますよ〉って教えてくれたから、〈野ばら亭〉を放火するための下準備に来た、悪人たちなんだろう。

人の魂《たましい》には、精神を司る魂《こん》と、肉体を司る魄《はく》があって、その魂《こん》だけを虜囚《りょしゅう》にしたんだって、ヴェル様がいってた。魂《たましい》のない状態で、〈黒夜《こくや》〉の〈人形〉にするんだって。

二人の悪人の、抜け殻《がら》みたいな顔を見ていると、それが本当に怖いことなんだって、わたしにもよくわかったよ。

〈白夜《びゃくや》〉の長らしい、穏やかで上品な顔をしたおじいさんが、瞳だけを刃物みたいに光らせて、二人の〈人形〉に聞いた。

「今、何といったんだ、おまえたち？」

「風の神霊術《しんれいじゅつ》で、次々に連絡が来ました。〈野ばら亭〉の娘の誘拐《ゆうかい》に失敗。〈野ばら亭〉の放火に失敗。フェルト・ハルキスの拘束《こうそく》に失敗。今回の仕事に当たった者のうち、二十人が捕縛《ほばく》された模様です」

「……。誰に捕縛《ほばく》されたというんだ？」

「キュレルの街の守備隊です」

「田舎街の守備隊如《ごと》きが、なぜ我らを止められる？　事前に情報が漏れていたのか？　そうでもなければ、捕縛《ほばく》など不可能だろう」

「クローゼ子爵家に売られたんじゃありませんか、会頭？」

「馬鹿馬鹿しい。奴《やつ》らがそんなことをして、何の得があるんだ？」

「しかし、そうとでも考えないと、説明がつきませんよ。おい、おまえたち。放火の下準備は、問題なく実行したといったな。間違いないんだろうな？」

「はい。間違いありません」

「捕縛《ほばく》された者たちは、もう連行されたのか？」

「王都郊外の根城《ねじろ》から、キュレルの街までは、それなりの距離がありますから。時間的にいって、連行している途中だと思われます」

「どうします、会頭？　このまま身を隠しますか？」

〈会頭〉って呼ばれたおじいさんは、少しの間、厳しい顔で考え込んでから、〈人形〉の二人と幹部たちに命令した。

「二十人もの人間を連行するんだ。どうしても足は遅くなる。〈白夜《びゃくや》〉を総動員して、キュレルに向かう道筋で襲撃しろ。何人くらい集められる？」

「今すぐとなると、二十人でしょうかね」

「十分だ。飛び道具と神霊術《しんれいじゅつ》を使って、全員殺せ」

「まさか、拘束《こうそく》されている仲間もですか？」

「そうだ。二十人で二十人を助けることなど、王国騎士団でもなければ不可能だ。口を塞《ふさ》げば、それでいい」

「わかりました。すぐに準備にかかります」

「急げ」

〈白夜《びゃくや》〉ってば、拘束《こうそく》された仲間を、口封じのために殺そうとしているよ。〈野ばら亭〉を放火しようとしていたことでも、わかってはいたけど、本当に悪人なんだね。

フェルトさんたちが心配になって、思わずヴェル様を見たら、大丈夫だよって、笑ってくれた。うん。ヴェル様たちが、それを予測していないはずがないし、〈黒夜《こくや》〉にはすべての情報が流れているんだから、きっと大丈夫なんだろう。

信頼の気持ちを込めて、ヴェル様に笑い返したところで、くるくるっと視界が動いた。目に飛び込んできたのは、もうおなじみのクローゼ子爵家だった。

お屋敷の奥にある図書室の、さらに奥にある隠し扉の向こう。使者ABと一緒に、戸棚を確かめているマチアスさんの手元に、薄《うっす》らと光る紙が現れた。風の神霊術を使った、連絡なんだろう。マチアスさんは、その紙を開いてから、こういった。

「〈黒夜《こくや》〉からの連絡だ。もうしばらくしたら、オルトたちが逃げ帰ってくるらしい」

「目当てのものも見つかりましたし、離れに戻りますか、閣下？」

「いや、証拠さえ手に入れば、隠れる必要などないからな。別れの挨拶に、この場でオルトたちを迎えてやろう。仮にも、父と呼び、息子と呼んだ間柄だったんだ。長過ぎる因縁《いんねん》に、そろそろけじめをつけたい」

そういって、マチアスさんは、微《かす》かに笑った。マチアスさんの気持ちが透けて見える、哀しそうな微笑みだった。

こうして、わたしが家でのんびりと紅茶を飲んでいる間に、あっちでもこっちでも、事態は目まぐるしく動き続けていくんだね……。

32

クローゼ子爵家にいるマチアスさんと、使者ＡＢは、図書室でオルトさんたちを待つことに決めたみたい。いくつかの書類らしきものを持ち出すと、隠し部屋の扉を閉めて、そのまま図書室に残ったんだ。

マチアスさんは、図書室の大きな窓に近づいて、カーテンを全開にすると、指で素早く印《いん》を切った。

「影を司る御神霊よ。今日は、もう一度力を貸してほしい。しばらくすると、この場に何人かの愚か者が現れるだろう。わたしが指を鳴らしたら、〈影縫い《かげぬ》〉の術を発動して、侵入者の動きを止めてくれないか。拘束《こうそく》時間は、わたしが再び指を鳴らすまで。対価は、我が魔力で支払おう」

マチアスさんが詠唱を終えると、さっきと同じ黒い光球が現れて、きらきら光りながら、図書室の中を旋回した。一回、二回、三回。黒い光球が消えた後には、図書室の壁伝いに、黒く光る線が浮かび上がり、すぐに見えなくなった。

初めて見る神霊術《しんれいじゅつ》だったから、わたしがじっと見つめていると、ヴェル様が感心したような口調で教えてくれた。

「さすがは、神霊術の使い手と名高いマチアス殿ですね。事前に神霊術を展開し、合図とともに発動させる〈配備術《はいびじゅつ》〉は、とてもむずかしいものなのです。それを、ご自分の魔力だけを対価にして、易々《やすやす》と成し遂げるのですから、実に素晴らしいですね」

「はい！　はい！」

「どうぞ、チェルニちゃん」

「配備術《はいびじゅつ》って、詠唱なしでも、すぐに神霊術を使えるように、事前に神霊さんにお願いしておくんですよね？　ヴェル様が、私たちのために使ってくれた〈虜囚の鏡《りょしゅう》〉も、配備術《はいびじゅつ》なんですか？」

「チェルニちゃんの聡明さには、いつも驚かされますね。そうです。〈虜囚の鏡《りょしゅう》〉も、配備術《はいびじゅつ》の一種だといっていいでしょう。ただし、あれは国宝たる御神鏡《ごしんきょう》の神力《しんりょく》をお借りし、神徒《しんと》たちの魔力の助けも借りて、ようやく使える術なのです。己《おの》が魔力だけを対価にするマチアス殿には、遠く及びませんよ」

なるほど。ヴェル様の神霊術が、マチアスさんに及ばないなんて、全然、まったく思わないけど、マチアスさんがすごいことは、よくわかった。

わたしの大好きな、町立学校のおじいちゃんの校長先生も、〈もっとも使いやすいのは、《今》に干渉する神霊術。未来を予約する《先》の神霊術は術者を選び、過去を変えようとする《去》の神霊術は、人の子には使えない〉って、教えてくれたからね。

マチアスさんと使者ABが、持ち出した書類に目を通していると、段々とお屋敷が騒がしくなってきた。何人もの人の声が、遠くに聞こえてくる。〈どうして護衛騎士が倒れているんだ⁉〉〈何があったんだ?〉って。

フェルトさんを拐《さら》ってくるために出かけていた、オルトさんたちが、お屋敷に戻ってきたんだろう。中には、〈何だ、このでかい石は！　つまずいたじゃないか！〉とか、怒っている声もあった。使者Bってば、図書室までの道筋で、護衛騎士っぽい人に会うたびに、頭から石を落としまくっていたからね。

しばらくすると、いかにも慌てた感じで、オルトさんたちが図書室に駆け込んできた。マチアスさんが、離れにいないことがわかって、不安になったんじゃないかな？　オルトさんの顔は、もう隠しようがないくらい青ざめていて、首元から生えている四岐《よまた》の炎の蛇も、汚らしい涎《よだれ》をたらして、小刻みに揺れていた。

図書室に入ってきたオルトさんは、長い足を組んで、ゆったりと椅子に腰かけているマチアスさんを見て、低い声で威嚇《いかく》した。

「どうして、貴方がここにいるのだ、父上」

オルトさんの声に合わせて、首元の蛇たちも、ギシャーギシャーって鳴きながら、ものすごい勢いで燃え上がった。

息子のアレンさんも、ナリスさんとミランさんの親子も、やっぱり憎しみに歪んだ顔で、マチアスさんを睨《にら》みつけている。本当の父親が誰であれ、マチアスさんとオルトさんたちは、親子だったはずなのにね……。

マチアスさんは、もう悲しい顔は見せないで、むしろからかうみたいな表情で、オルトさんに笑いかけた。

「どうしてといわれても、わたしが当代のクローゼ子爵になったからな。クローゼ子爵家の当主が、最初にすることといえば、決まっているだろう？」

「隠し部屋の確認か。しかし、当主といっても、まだ内示の段階だろう。宰相から、貴方が暫定的《ざんていてき》にクローゼ子爵になると、聞かされてはいるが、誓約はしていないではないか」

オルトさんの言葉に、ヴェル様が、わたしの表情を窺《うかが》った。これは、あれだ。オルトさんのいうことが理解できているか、気にしてくれたんだろう。町立学校でも習ったから、大丈夫ですよ、ヴェル様。

ルーラ王国では、貴族家の当主が交代するときに、〈誓約の儀《ぎ》〉っていう神事が行われる。神霊庁の中にある〈誓約の間〉っていう場所で、先代当主と一緒に誓約を捧げ、当主の任命を受けるんだって。当主が先に亡くなったりしたときは、神使《しんし》が先代当主の役割を担うことで、誓約を果たすらしい。〈誓約の儀《ぎ》〉の仲立《なかだ》ちをする人は、爵位によって厳密に決まっていて、王家は大神使《だいしんし》とすべての神使《しんし》、大公家と公爵家は大神使《だいしんし》、侯爵家と伯爵家は神使《しんし》、子爵家と男爵家は神徒《しんと》が祭祀《さいし》を執り行うんだ。

オルトさんは、明らかに焦りを滲《にじ》ませながら、でも必死に平静を装った声でいった。

「〈誓約の儀《ぎ》〉を終わらせないうちは、正式な当主ではなく、隠し部屋も開けられない。そうだろうが、父上」

「おまえは勘違いをしているぞ、オルト」

「どういう意味だ？」

「当主の交代には、必ずしも〈誓約の儀《ぎ》〉が必要なわけではない。先代当主の協力がなかったとしても、神使《しんし》の仲立《なかだ》ちを得て、御神霊に誓いを捧げることができれば、それだけで有効になるのだ」

「まさか、父上」

「ああ。畏《おそ》れ多くも、大神使《だいしんし》たるコンラッド猊下《げいか》が御力を貸してくださり、すでに誓約は成った。おまえは、〈神去《かんさ》り〉になっているから、自分の身の内から誓約が消えたことを、感じ取れなかったのだろう」

「では、貴方がここへ来た目的は……」

「すでに証拠は確保したぞ、オルト」

そういって、マチアスさんは、一枚の書類を見せた。さっき、使者Bが見つけた、アイギス王国の紋章の入った書類だった。

それを見た瞬間、オルトさんは、腰の剣に手をかけた。アレンさんも、ナリスさんとミランさん親子も、ためらいもなく剣を抜こうとした。三人いた護衛騎士も、迷いなく剣を抜きにかかった。

ところが、オルトさんたちが、剣を抜き放つより早く、マチアスさんが指を鳴らしたんだ。ぱちって。

軽い音が聞こえた瞬間、オルトさんたちは、揃って動きを止めた。見ると、図書室の窓から差し込む夕日に照らされて、長く伸びたオルトさんたちの影が、黒い光の杭《くい》で縫い留められていたんだ！

「動こうとしても無駄だ、オルト。わたしの〈影縫《かげぬ》い〉の力は、おまえも知っているだろう？　完全に陽が沈んだら、解除してやろう。それまでは、身動きのならぬ身で、己《おのれ》の所業《しょぎょう》を恥じることだな」

「待て！　その書類をどうするつもりだ!?」

「この足で王城に向かい、宰相閣下にお渡しする。そのために、この屋敷に戻ってきたのだからな」

「気でも狂ったのか？　そんなものが表沙汰になってみろ。我らはもちろん、おまえも処刑されるかもしれないのだぞ！」

「そうだな。そう思うなら、なぜ、子供らの誘拐《ゆうかい》などに加担したのだ？」

「おまえになど、わかるものか！　わたしは、わたしたちは、神霊術《しんれいじゅつ》などというものに見切りをつけたんだ。何が神霊だ、何が加護だ！　馬鹿も休み休みいえ！」

「……話にならんな。おまえのいい分は、裁きの場で述べるのだな」

「ロマン、ギョーム！　何をしている。その男を捕らえろ。わたしたちが捕縛《ほばく》されれば、おまえたちも同罪になるのだぞ」

「お言葉ですが、わたしは、子供たちの誘拐《ゆうかい》になど加担しておりませんよ、閣下。まあ、共犯にされたとしても、かまいません。このまま、クローゼ子爵家で魂《たましい》を穢《けが》すくらいなら、潔く裁かれますよ」

「ロマン様の仰る通りです。よりにもよって、子供たちの誘拐《ゆうかい》に手を染めるような下衆《げす》を、主人にはできませんな。この場でお暇をいただきますよ、閣下。共犯と見なされて死罪にされても、あなたに忠誠を尽くすよりはましだ」

「ということだ。次は、裁きの場で会おう」

「くそっ！　立場を考えろ、マチアス・セル・クローゼ！　おまえは、本気でクローゼ子爵家を潰すつもりか！」

「その名も捨てるさ。わたしには、クローゼを名乗るつもりも、その資格もないからな。名目上とはいえ、我が子と呼んだおまえたちを、わたしは正しく育てることができなかった。幼いおまえたちには、何の罪もなかったのに、愛情を注ぐこともできなかった。すまなかったな、オルト、ナリス。アレンもミランも、至らぬ祖父であったこと、改めて詫《わ》びておく。さらばだ、オルト。さらばだ、皆」

一度だけ、深く頭を下げてから、マチアスさんと使者ABは、静かに図書室を出て行った。オルトさんたちは、何かを口々に叫んでいたけど、三人とも一度も振り返りはしなかった……。

＊＊＊

くるりくるり。わたしの目が、次に映し出したのは、三台の箱馬車が、夕暮れの街道を走っている情景だった。

先頭の馬車には、キュレルの街の紋章が刻印されているから、きっと守備隊の箱馬車なんだろう。二台目の扉のない馬車は、フェルトさんが蹴《け》り飛ばしちゃった、〈白夜《びゃくや》〉のものだと思う。

馬車の周りでは、守備隊の人たちが騎馬で並走していた。優雅に手綱《たづな》を握るリオネルさんも、小隊長のアランさんも、元気いっぱいのフェルトさんもいる。

扉のない馬車の中には、縄で縛られた〈白夜《びゃくや》〉の人たちの姿が見えていて、これからキュレルの街の守備隊本部まで、悪人たちを連行していくんだろう。

フェルトさんたちの無事な姿を見て、わたしは、大きく息を吐いた。だって、〈白夜《びゃくや》〉の本拠地になっている王都の店の中で、〈会頭〉って呼ばれていた人が、フェルトさんたちを襲撃するっていってたからね。〈黒夜《こくや》〉の人たちが護衛をしてくれているから、大丈夫だってわかっていても、やっぱり気になってたんだ。

ヴェル様は、そんなわたしを見て、優しく微笑んでくれた。

「皆の帰り道が、心配だったのですね、チェルニちゃん？　安心してもらえるように、わたしが術を使うことにしましょうか」

「鏡ですか、ヴェル様？　いいんですか？」

「もちろん。我が主人は、チェルニちゃんの護《まも》りのために、わたしを〈野ばら亭〉に遣《つか》わされたのです。チェルニちゃんの心配事を取り除くのも、大切な役目ですよ。それに、〈白夜《びゃくや》〉の者は、遠隔から神霊術《じゅつ》を使うのでしょうから、万が一がないともいい切れません。危険な種は、芽吹く前に踏み潰しておきましょうね」

そういって、椅子から立ち上がったヴェル様は、食堂の窓を開けて、外に向かって声をかけた。〈いますか？〉って。

ヴェル様の呼びかけに応えて、すぐに近寄ってきた人影は、〈ここに〉って一言、ささやくみたいにいった。食堂の外は、お母さんが丹精した自慢の庭で、今の季節なら、可愛いオレンジ色の秋薔薇《ばら》が満開なんだけど、いつの間にか、王家の特殊部隊が常駐しちゃってるよ……。

「今から〈虜囚《りょしゅう》の鏡〉を使います。捕縛《ほばく》の対象となるのは、守備隊の帰途を襲撃する〈白夜《びゃくや》〉の者どもです。捕獲《ほかく》後の後始末を頼めますか？」

「畏《かしこ》まりました、猊下《げいか》。我ら〈黒夜《こくや》〉の手の者が、尾行を続けておりますので、〈抜け殻《がら》〉は抜かりなく確保いたします」

〈黒夜《こくや》〉の人の答を聞いて、ヴェル様は、満足そうにうなずいた。そして、窓を大きく開け放つと、胸元から小さな鏡を取り出した。

薔薇《ばら》の縁飾《ふちかざ》りが可愛らしい、ヴェル様の〈虜囚《りょしゅう》の鏡〉は、真っ黒だった鏡面を、今も紅く輝かせていた。アマツ様の〈浄《きよ》めの業火《ごうか》〉は、捕らえた罪人の魂《こん》を、ずっと燃やし続けているんだろう。

ヴェル様が、窓の外に向かって〈虜囚《りょしゅう》の鏡〉を掲げると、紅く燃えていた鏡面は、銀色に輝いた。冷たくて尊くて圧倒的な、神霊さんの銀光。煌々《こうこう》とした鏡面は、ひときわ強く発光したかと思うと、すごい勢いで光の帯をほとばしらせたんだ。

待つほどのこともなく、すぐに一本の光の帯が戻ってきた。前回と同じく、光の帯の先端には、穢《けが》らわしい影のようなものを縛りつけている。光の帯は、影を捕らえたまま、紅い鏡面に吸い込まれていった。

一本、二本、三本、四本……。次々に戻ってきて、鏡面に吸い込まれる光の帯は、合計で二十本になった。〈白夜《びゃくや》〉の長が、フェルトさんたちを襲撃するように命令した、犯人たちの数とぴったり同数。ヴェル様ってば、鏡をかざすだけで、〈白夜《びゃくや》〉の襲撃犯を一網打尽《いちもうだじん》にしちゃったんだね……。

わたしの肩にとまっていたアマツ様は、上機嫌に真紅の羽を揺らめかせた。頭の中には、〈上々《じょうじょう》の首《しゅ》尾《び》也。更なる業火《ごうか》にて燃やし尽くさん〉って、物騒なメッセージが送られてきたしね。

わたしが止める間もなく、ぶわって神威《しんい》を膨らませたアマツ様は、美しい羽先から、真紅の業火《ごうか》を生み出した。業火《ごうか》は、轟々《ごうごう》と渦を巻いて燃え盛り、〈虜囚の鏡《りょしゅう》〉に吸い込まれていった。

ヴェル様が、そっと見せてくれた鏡の中では、たくさんの人影のようなものが、赤々とした炎に焼かれ、苦しそうにのたうち回っていたんだよ。

〈虜囚の鏡《りょしゅう》〉の恐ろしさに、さすがにちょっと引いていると、またしても視界が入れ替わった。新しく目に入ったのは、さっきと同じクローゼ子爵家の図書室だった。

黒い光の杭《くい》で、影を縫い留められたオルトさんたちは、やっぱり身動きができないみたいで、ものすごい怒りの形相《ぎょうそう》で呻《うめ》いている。オルトさんの首から生えた蛇まで、一緒になって静止したまま、ギシャーギシャーって鳴いているのは、すごく不気味だった。

「くそ！　マチアスの奴《やつ》め、八つ裂きにしてやる！」

「そんなことより、兄上。この始末は、どうやってつけるつもりなんだ。あの書類を奪われた以上、いい逃れはむずかしいぞ。だから、早く証拠を隠せといったのに」

「煩《うるさ》い！　この隠し部屋以上に安全な隠し場所など、この現世《うつしよ》にあるものか」

「はっ！　実際には、まったく安全ではなかったがな。まんまと証拠を盗まれて、おれたちは破滅するんだ。いい面の皮だ」

「仕方がないだろう。わたしに一言の断りもなく、〈誓約の儀《ぎ》〉すら無視して、当主を交代するなどと、予測できるものか」

「それよりも、問題はこの先ですよ。どうするんですか、伯父上。座して死を待つおつもりですか？」

「まさか。身体が動くようになり次第、大公閣下のお屋敷に逃げ込む。大公家に了承なく踏み込むには、陛下の勅命《ちょくめい》が要《い》るのだから、宰相といえども、そう簡単には動けないはずだ。その間に、いったんアイギス王国に行く」

「大公家を巻き込むことなど、閣下が嫌がられるのではありませんか？」

「それでも、強引に押しかけるんだ。このまま屋敷に留まっていても、捕らえられるだけだろう。宰相に交渉できるのは、大公閣下だけなのだから、取りなしを願うしかあるまい」

「お祖母様とカリナは、どうします、父上？」

「捨てていく」

「本気ですか？」

「本気だとも、アレン。母上やカリナは、仮に捕らえられたとしても、乱暴には扱われない。今は、我々の身の安全を確保することが先決だ」

「しかし、兄上。ここまで仕掛けられていることを考えれば、我らの動きも見張られているだろう。どうやって大公家まで行くんだ？　途中で捕縛《ほばく》されるのが落ちだ」

「転移する。この屋敷から大公家までは、さほどの距離はない。大きな魔術触媒《しょくばい》を使えば、転移できるはずだ」

は？　待って、待って。オルトさんってば、今、何をいったの？　転移って、魔術触媒《しょくばい》って、それって神霊術《しんれいじゅつ》じゃないよね？　ルーラ王国に生まれた国民なら、誰も使えないはずの、魔術じゃないの？

オルトさんの言葉に、クローゼ子爵家の人たちは、驚いた様子を見せなかった。ただ、むずかしい顔をして、ナリスさんがいった。

「しかし、兄上。我らの魔術は、まだ半端だ。教えられている途中で、セレント子爵が捕まったからな。魔術を教わるために、誘拐《ゆうかい》にまで協力したというのに」

「そうですよ、父上。転移などという高等魔術は、今のわたしたちには不可能です。それなら、馬を走らせた方が確かだ」

「できるさ」

「父上？」

「できる。そうだろう、ミラン？　おまえは、もう魔術を使えるのだろう？」

オルトさんは、そういってミランさんに笑いかけた。毒々しく歪んだ笑いだった。ナリスさんとアレンさんは、目を見張って、ミランさんを凝視する。三人の視線を受け止めて、ミランさんは、微《かす》かに笑った。

「お気づきだったんですね、伯父上。ええ、できますよ。セレント子爵から受け取った、一番大きな水晶を使えば、大公家くらいまでは転移できます。いいでしょう。他に方法はないんだ。伯父上のいう通りにしましょう」

ちょうど、そのときだった。日が沈み、図書室が薄闇《うすやみ》に包まれたかと思うと、黒い光の杭《くい》が、一瞬で消えていったんだ。

「動く！　動きますよ、父上！」

「よし！　すぐに支度をするんだ、アレン。本当の貴重品以外は、すべて置いていけ。いいな。おまえは、魔術術式を組み上げろ、ミラン」

「わかりました、父上」

「では、そのようにいたしましょうか。神霊術《しんれいじゅつ》など、ぼくには不要だということを、証明してみせましょう」

「皆、急げ！　マチアスの思い通りになど、なってたまるか！」

そう叫んで、オルトさんたちは、いっせいに動き出した。クローゼ子爵家を追い詰めるための作戦は、五日目の夜にして、思いもかけない事実に突き当たったんだよ。

33

クローゼ子爵家の図書室で、自由に動けるようになったオルトさんたちは、すぐに逃げるための準備を始めた。オルトさんと息子のアレンさん、それからオルトさんの弟のナリスさんは、貴重品を取りに走った。残されたミランさんは、転移魔術の準備をするらしい。

額《ひたい》に神霊さんの文字で、大きく〈嗜虐《しぎゃく》〉って書かれているミランさんは、いつも冷たい目をして、薄笑いを浮かべていたんだけど、今は真剣な顔をして、ぶつぶつと何かをつぶやいている。

わたしは、ミランさんを横目で見ながら、ヴェル様に質問した。ミランさんたちが、転移魔術って口にしたときから、不思議に思ったことがあったから。

「はい！　はい！」

「何ですか、チェルニちゃん？」

「質問させてもらってもいいですか、ヴェル様？」

「いいですとも。わたくしにわかることなら、何でもお答えしますよ」

「ミランさんたちって、魔術を使えるんですか？　ルーラ王国の人は、神霊術《しんれいじゅつ》しか使えないんだと思ってました。うちの国で、魔術を使う人たちって、他の国から来た人だけなんですよね？」

そう尋《たず》ねると、ヴェル様は、むずかしい顔をして眉をひそめた。答えたくないっていうより、ヴェル様も迷っている感じだった。

「それは、とてもむずかしい質問ですね。我らがルーラ王国の国民は、生まれながらに御神霊の恩寵《おんちょう》に浴《よく》し、何らかの神霊術を使えるようになるといわれています。けれども、我らの身の内《うち》には魔力が宿っており、それは他国の者たちが魔術を使うための力と、明確な区別はないのです」

ゆっくりと言葉を探すようにして、ヴェル様は話してくれた。わたしの腕の中にいる、スイシャク様とアマツ様に視線を向けているのは、〈間違っていたら、教えてください〉っていう意味なんだろう、多分。

スイシャク様は、ふすっふすって、微《かす》かに鼻息を漏らし、アマツ様は、ほんの少しだけ朱色の鱗粉《りんぷん》を煌《きら》めかせた。はっきりとしたメッセージじゃないけど、これは〈そうだね〉っていう返事なんだと思う。

ヴェル様も、そう判断したみたいで、ゆっくりとスイシャク様とアマツ様に頭を下げてから、話を続けた。

「ということは、論理的にいって、ルーラ王国の国民であっても、魔術を使える可能性はあるのだと思います。実際、ルーラ王国から他国に移住した人々は、子や孫の世代には神霊術が使えず、逆に魔術が使えるようになるという噂もあります。ルーラ王国からの移住者は、ほとんど存在しないので、はっきりとは確認されていませんけれど」

うん。ヴェル様の言葉は、何となく理解できるよ。わたしの大好きな、町立学校のおじいちゃんの校長先生が、同じようなことを話してくれたことがあるから。

〈神霊術と魔術は、まったく別のものだが、それは神が介在《かいざい》するかどうかの違いなのかもしれない。我らは御神霊から賜《たまわ》った印《いん》の力で術を使い、他国の人々は、魔術の術式と魔術触媒《しょくばい》によって、近しい奇跡を起こすのではないか。わしは、そう思うんだよ、サクラっ娘《こ》〉って。

ちなみに、〈サクラっ娘《こ》〉っていうのは、髪の毛がサクラ色だからって、校長先生がわたしにつけた呼び名なんだ。言語感覚はあれだけど、わたしが一人で校長室に遊びに行ったときには、いろんなことを話してくれる、とっても素晴らしい先生なんだ。

わたしが、そんな校長先生の話をすると、ヴェル様は、ちょっと驚いた顔をして、それからうれしそうに笑ってくれた。

「チェルニちゃんは、先生に恵まれているのですね。素晴らしい洞察力だと思いますよ。ルーラ王国では、神霊術と魔術を同一視《どういつし》することを、御神霊への不敬だと考えがちです。わたくしも、二つが同じものだとは思いませんが、まったく別のものなのかというと、疑問が残るのです」

「今まで、考えたことがなかったんですけど、確かに不思議ですよね。そうだ。わたし、スイシャク様とアマツ様に聞いてみましょうか？」

わたしの言葉に、ヴェル様は、大きく目を見開いた。口の中でぼそぼそと、〈これはこれは。今、ご自分が、どれほどとてつもないことを口にしたのか、理解していないのでしょうね、このお嬢様は〉とか、つぶやいていた気がする。つまりは、聞いてもいいってことだよね？

ヴェル様に止められなかったので、わたしはスイシャク様とアマツ様に、心の中で質問してみた。祈《き》祷《とう》ほどの祈りを込めず、イメージを送っただけでも、ちゃんと答は返ってきた。

〈神にも物怖《ものお》じせざる者也〉〈労《ろう》たし、労《ろう》たし〉〈供物《くもつ》と料《りょう》の違い也〉〈何《いず》れは律《りつ》に行き着かん〉〈学び励めよ〉って。

スイシャク様とアマツ様のメッセージは、すごくむずかしくて、わたしには、よくわからないものだった。ヴェル様は、真剣な表情で考え込んでいたけどね。

そんなとき、オルトさんたちが、手に手に荷物を持って、図書室に戻ってきた。ずっと、ぶつぶついってたミランさんは、それを見て、静かに動き出した。初めて見るような真剣な顔で、ゆっくりと指を動かし始めたんだ。

印《いん》を切るときに似ているようで、何となく全部が違っている。ヴェル様が、そっと〈魔術の術式ですよ〉って教えてくれた。

口の中で何かをつぶやきながら、ミランさんが指先を動かすにつれて、足元に複雑な模様が描かれていった。多分、ミランさんの中にある魔力で生み出されているだろう、ほのかな光の模様。両手を広げたよりも大きいくらいの円に、わたしには読めない文字と数字らしきものが、びっしりと浮かび上がっているんだ。

子供たちを誘拐《ゆうかい》したセレント子爵が、転移魔術を使おうとしたときと同じ、魔力そのものの気配が、図書室に立ち込めているのが、わたしにはわかった。

「よし。術式は展開した。伯父上、魔術触媒《しょくばい》は持ってきてもらえましたか？」

「持ってきた。補助の術式を組み込んだ水晶、大きな力を秘めた、貴重な触媒《しょくばい》をな」

「では、三人とも、魔術陣の中に入ってください。できるだけ身を寄せて。お互いに、身体に触れていた方がいい」

「わかった」

「大丈夫なのか、ミラン？」

「ええ。大丈夫ですよ、アレン。大公殿下のお屋敷には、先に魔術陣を刻んでありますからね。道はすでにつながっています。魔術触媒《しょくばい》で消費魔力を効率化すれば、ぼくの力だけでも、四人が転移できますよ」

「いいぞ、ミラン。それでこそ、わたしの息子だ。神霊術《しんれいじゅつ》、神霊術というが、転移できる術など、神霊術にあるものか。おまえは、神霊術を超えようとしているんだ。〈神去《かんさ》り〉がどうした。神霊術を使えなくても、魔術があれば十分ではないか！」

「触媒《しょくばい》を、伯父上」

「わかった。頼むぞ、ミラン」

「皆んな、もっと近くに寄ってください」

ミランさんの言葉に従って、円形の魔術陣の上で、四人が身体を寄せ合った。ミランさんは、魔術陣の光の線に沿って、魔力を通そうとするんだけど、ミランさんの魔力だけだと、光の線の上を滑っていくだけで、何だか空回りしているみたいだった。

そのことがわかっているのか、ミランさんは、右手に持った水晶にも、同時に魔力を流し始めた。すると、魔力は水晶に吸い込まれてから、魔術陣の上で空回りしている魔力の上に、きらきらした光の粒になって降り注いでいく。

その瞬間、ミランさんの魔力は、残らず光の線に吸い込まれた。ほのかに光っていた線は、途端に輝きを強くして、図書室を明るくするくらいの閃光《せんこう》になったんだ！

「成功だ。発動するぞ！」

ミランさんの叫び声と共に、光の線で描かれた転移魔術陣は、いっそう強く発光した。そして、光が収まった後には、ミランさんたち四人の姿は、幻みたいに掻き消えていたんだよ。

＊＊＊

何かを話す間もなく、わたしの視界はくるりと替わった。見えてきたのは、もう夕闇に沈んだ景色の中に浮かび上がる、すごい大豪邸だった。

それは、真っ白な石造りの建物で、雰囲気が王城によく似ている。まるで小さな王城みたい。わたしがそう思っていると、視界を共有しているヴェル様が、〈大公の邸宅です。王城が《白鳥城》と呼ばれているのに倣《なら》い、王都では《白鳥小城》と呼ばれています〉って教えてくれた。

巨大で、美しくって、優雅な建物は、本当に小さいお城だったわけだけど、神霊さんの〈目〉を借りているわたしには、しっかり、はっきり見えていた。制服を着た門番さんが二人、堅く守っている正門に、わたしの身長くらいありそうな紙が、でかでかと貼り出されていたんだ。

本当なら、人の目には見えないはずの紙には、血の色みたいに赤い文字が書かれていた。クローゼ子爵家の正門に貼られていたのと同じ、神霊さんからの〈縁切り状〉なんだろう。書かれた文字は、たった一言。〈神敵《しんてき》〉だった。

その血色の文字を見た瞬間、わたしの髪の毛がぞわって逆立って、全身がぶるぶる震えた。怖い怖い怖い！

〈神敵《しんてき》〉って何さ？　いや、何となく意味はわかるけど、怖過ぎるって。森羅万象《しんらばんしょう》、八百万《やおよろず》、遍《あまね》く神霊さんの存在するルーラ王国で、〈神敵《しんてき》〉って！

あまりの衝撃に、わたしが固まっていると、いつものように赤と白の光の帯が、わたしをぐるぐる巻きにしてくれた。それから、わたしを慰めるためのメッセージが、スイシャク様とアマツ様から流れ込んできた。

大丈夫だから、落ち着きなさいって。大公の〈悪行〉は、〈神敵《しんてき》〉っていう言葉に該当する種類のものだけど、それだけですぐに罰するわけじゃないんだって。死後は、〈虜囚《りょしゅう》の鏡〉に囚《とら》われることが決まっているだけで、〈人の子の罰とは別〉なんだよって。

優しい紅白の光に巻かれながら、わたしは何となくわかった気がした。神霊さんと人の子とは、見ている世界が全然違うし、流れている時間も違う。だから、〈神敵《しんてき》〉と見なされた大公だって、〈鬼成《きな》り〉のクローゼ子爵家の人だって、そのときに罰を受けるとは限らないんじゃないのかな。

わたしたちには、わたしたちの理屈と法律があるように、神霊さんには、神霊さんの道理があるんだろう。現世《うつしよ》の誰にもわからなくて、何なら神霊さんにだってわからないかもしれない、人の子と神霊さんとの〈隔《へだ》たり〉は、〈神威《しんい》の覡《げき》〉であるネイラ様には、どう見えているんだろうね……。

わたしが、そんなことを真剣に考えていると、腕の中のスイシャク様が、ふくふくに膨らんで、喜びのメッセージを送ってくれた。〈聡《さと》し〉〈我が慈悲は、悠久の時の流れと共にあり、刹那《せつな》の人の子には、全てを知ること能《あた》わず〉って。

アマツ様は、逆にちょっとだけ不満そうで、真紅の羽先でスイシャク様をぺちぺち叩きながら、〈□□□□□□□□の慈悲は、雅人深致《がじんのしんち》。只人《ただびと》には届かず〉だって。スイシャク様の慈悲は深過ぎるから、人の子にはわからない……っていう意味だと思う、多分。

とっても仲の良さそうな神霊さん同士、スイシャク様とアマツ様にも、見解の相違があるんだって、ちょっと驚いているうちに、わたしの視界は、小城の中へと移動していった。

広い玄関ホールを抜けて、長い廊下を通って、煌《きら》びやかな螺旋《らせん》階段を上って、奥へ奥へ進むと、二人の騎士が警備している部屋があった。大公のお城の中に、さすがに雀《すずめ》はいないんじゃないかと思うんだけど、わたしの視界は、かまわずに部屋の中に入っていく。

そこにいたのは、見るからに上等の服を着た、初老の男の人だった。切れ長の青い目にも、引き結んだ唇にも、眉間に寄ったしわにも、細身の身体つきにも、思わず逃げ出したくなるくらいの、冷たい迫力があった。

ヴェル様が、〈さあ、チェルニちゃん。大公の登場ですよ〉ってささやいてくれたけど、見た瞬間からわかってたよ、わたし。巨大な机に座って、何か書き物をしていた大公の額《ひたい》には、滴《したた》る血の色で、〈神敵《しんてき》〉って刻まれていたから。

大公の迫力と、額《ひたい》の文字の恐ろしさにびっくりして、わたしが沈黙しているうちに、部屋の空気が変わり始めた。クローゼ子爵家の図書室を満たしたのと同じ、濃密な魔力の気配だった。

きらきら、きらきら。部屋の床が光り始めたかと思ったら、ゆっくりと魔術陣が浮かび上がってきた。ようやく気がついたらしい大公と、横にいた執事っぽい男の人が、ぎょっとした顔をして立ち上がる。

大公が身構え、執事っぽい人が、大公を庇うみたいに前に出たところで、魔術陣が強く光った。まぶしい光が収まって、輝きをなくした魔術陣の上には、ミランさんたち四人が立っていたんだ。

大公は、あんまり驚いた顔は見せなかった。ただ、不機嫌に眉根を寄せてから、オルトさんに話しかけた。

「どういうつもりだ、オルト。何の先触《さきぶ》れもなく、いきなりわたしの執務室に転移するとは、いくらおまえでも不躾《ぶしつけ》だろう」

「申し訳ございません。緊急事態なのです」

「そんなことは、わかっている。わたしが貸し与えた騎士から、報告もあった。フェルトとやらの身柄一つ押さえられず、逆に、実行犯を捕縛《ほばく》されたそうだな。しかし、報告以上の非常時でなければ、成功するかどうかもわからない転移魔術を使ってまで、押しかけてはこないだろう。何があったのだ？」

「マチアスに出し抜かれました。我らの留守を狙って、アイギス王国の紋章の入った書類を盗んでいったのです」

「……例の書類か？」

「はい、そうです。少なくとも、あの書類は盗み出されてしまいました」

「マチアスは、それをどうするつもりなのだ？」

「我らを告発すると。その足で、王城にいる宰相を訪ね、証拠を渡すと申しておりました。あの男がクローゼ子爵に復位《ふくい》したのも、我が屋敷に戻ったのも、すべては宰相と謀《はか》って、我らの罪の証拠を探すためだったようです」

大公は、すぐには返事をしなかった。何もいわず、怒った顔も見せず、無言で移動した大公は、飾り棚の上に飾ってあった、とっても高そうな大皿を、優雅な仕草で手に取ると、そのまま壁に叩きつけたんだ！

ガシャーンって、すごい音がして、大皿は粉々に割れちゃった。それでも、大公は何にもいわないし、眉間のしわが深くなっただけで、表情さえ変わっていない。

大皿の次は、綺麗な百合の花をいけてあったガラスの花瓶で、百合の花や水も一緒に、やっぱり壁に叩きつけた。ガシャーン！　机の上の優美なランプを手に取って、ガシャーン！　分厚い本を手に取って、ドゴーン！　壁際に飾ってあった鎧《よろい》を蹴《け》り上げて、ガシャーン！　鎧《よろい》の横に立てかけてあった剣を壁に投げつけて、グサーッ！

オルトさんたちも、執事っぽい男の人も、顔が真っ青になっているんだけど、皆んな硬直しているだけで、大公を止めるための言葉もかけられないみたいだった。花瓶を投げつけたあたりで、護衛騎士の人が慌てて様子を見に来たんだけど、もっと慌てて部屋から逃げていったしね。

しばらく荒ぶったまま、部屋をめちゃくちゃにした大公は、同じ無表情のまま椅子に座り、静かな声で呼びかけた。〈オルト。我が不肖《ふしょう》の息子よ。端的に説明せよ〉って。

いやいやいや。やってることと表情が、かけ離れてる。本当に怖いし、変だよ、この人！

オルトさんは、壊れた人形みたいにカクカクしながら、必死に事情を説明した。ときおり質問を挟みながら、じっと聞いていた大公は、ドーラっていう名前らしい、執事っぽい人に声をかけた。

「本日、王城では外交使節団を迎えて、晩餐会《ばんさん》が開かれるのであったな、ドーラ？」

「左様でございます。閣下がお出《で》ましになる時間も、迫っております。もうそろそろ、お支度をしていただきませんと」

「宰相は、晩餐会《ばんさん》に先駆けて、外交使節団との会談であったな？」

「左様でございます」

「ならば、マチアスの身分では、すぐに面会は叶うまい。最短でも、会談後になろう？」

「恐らくは」

「ならば、即座に手を打つ。風の神霊術《しんれいじゅつ》を使わせて、マチアスを呼び戻させよ。証拠を持ったまま、我が屋敷に来るようにと」

「しかし、閣下。マチアスが命令に従うとは思えません。あの男、いつもとは違って、不敵な態度でございました」

「案ずるな、オルト。マチアスは、絶対に戻ってくるし、黙らせることも容易《たやす》い。あの男には、唯一無二の弱点があるのだから。マチアスを足止めしている間に、証拠そのものを消してしまえばいい。大公騎士団の中で、即座に動かせるものは何人いるのだ、ドーラよ？」

「四十人はおりましょう」

「では、今からキュレルの街に向かわせろ。力押しで守備隊とやらに押し入り、捕縛《ほばく》された〈白夜《びやくや》〉を消せ。フェルトという男も、必ず殺せ」

「表立って騎士団を動かせば、発覚してしまいますよ、閣下！」

「黙れ、オルト。疑われるのも、犯行を知られるのも、承知の上だ。仕方なかろうが。無理にでも証人を消して、交渉に持ち込む余地を残すしかあるまい。状況証拠だけであれば、我が身に流れる〈青い血〉と、陛下を盾にもできるのでな。急げ」

「マチアスへの知らせには、何と書けばよろしいでしょうか？」

「証拠を持ったまま、即座に戻らないときは、別邸にいる我が姉、オディールを殺すと」

「信じますか？　閣下が姉君を害されるなどと」

「信じなくとも良い。万に一つの危険でもあれば、マチアスはすべてを捨てて従う。我が姉オディールは、マチアスにとって、それだけの価値がある女なのだ。愚かなことにな」

そういって、大公は冷たく笑った。え？　待って、待って！　大公のお姉さんって、オディールって、マチアスさんと引き離されて、ヨアニヤ王国にお嫁に行った、あの気の毒なお姫様じゃないの!?

34

それからは、何もかもが急だった。まるで激流に流されるみたいな勢いで、すべての物事が激しく動いていったんだよ。

まず、オルトさんたちの話を聞いた大公は、執事っぽい男の人に命令して、大公騎士団を動かした。

ヴェル様の説明によると、ルーラ王国の大公家は、近衛《このえ》騎士団の代わりに、大公直属の騎士団を持つことを許されているんだって。

ドーラっていう名前の、執事っぽい男の人の手配で、すぐに大公の執務室にやってきたのは、二人の騎士だった。そのうちの一人は、フェルトさんを誘拐《ゆうかい》しようとして失敗したことを、オルトさんに教えた男の人。もう一人は、見るからに威張《いば》った感じの、強そうな男の人だった。

大公は、冷たい無表情のまま、強そうな男の人に話しかけた。

「来たか、団長。事情は聞いているな?」

「はい。報告は受けております。愚息《ぐそく》がお役目を果たせず、誠に申し訳ございませんでした、大公閣下」

団長って呼ばれた男の人が、そういって頭を下げると、誘拐《ゆうかい》犯の方の男の人も、一緒に頭を下げた。

クローゼ子爵家に派遣され、フェルトさんを拘束《こうそく》しようとしていた騎士って、大公騎士団の団長の息子だったのか!

「申し訳ないと思うのなら、新しい任務を果たせ」

「何なりとご命令くださいませ、大公閣下。わたくし自身が、ことに当たらせていただきます。二度と失敗はいたしません」

「その言葉を違《たが》えるなよ。ドーラ」

「はい、閣下」

「差配をせよ」

「御意《ぎょい》にございます、閣下。詳細は、歩きながら説明しますので、ついて来てください、団長。今夜中に始末をつけなくてはならないのです」

「承知した、ドーラ殿」

「では、行け。決して抜かるなよ」

ドーラさんたちは、そのまま執務室を出ていった。大公は、うるさい虫でも追い払うみたいに手を振って、残ったオルトさんたちを追い出しにかかった。

「おまえたちは、応接室にでも行って、待機していろ。ほどなくマチアスが来る。そのときは同席を許す」

「畏《かしこ》まりました、閣下。我が屋敷に戻りましても、宰相の手の者に捕縛《ほばく》されないとわかるまで、こちらに滞在させていただいてよろしいのでしょうか？」

「仕方あるまいが、そなたたちを本邸に寝泊まりさせては、うるさい者もいる。別邸に用意を整えさせるので、そちらに行け。我が敷地内である以上、別邸であっても、宰相が手出しすることはできないからな」

「ありがとうございます。そうさせていただきます」

「ところで、エリナやカリナはどうした？」

「買い物に出ていたので、置いてきました。あれらは何も知りませんし、宰相も手荒な真似はしないと思いまして」

「よかろう。エリナの狂乱《きょうらん》にも、カリナの甘えにも、飽き飽きしていたのだ。放っておけば良い。若いときの容姿だけで、しつこい女に手を出すと、ろくなことがないものだな。もういい。行け」

オルトさんは、何となく不満そうだった。まあ、自分たちの母親が〈しつこい女〉っていわれたんだから、気分が悪いんだろう。わたしにいわせれば、さっさと置き去りにしてきたオルトさんたちも、似たようなものだと思うけどね。

しばらくすると、慌ただしく大公騎士団が動き出した。スイシャク様の雀《すずめ》が、夕闇の中で見せてくれたのは、目立たない平服姿の男の人たちが、一人二人とばらばらになって、大公のお屋敷を次々に出ていく姿だった。

わたしと一緒に、その動きを見ていたヴェル様は、綺麗なアイスブルーの瞳を凍らせ、冷たい笑顔を浮かべながらいった。

「何かと専横《せんおう》の目立つ大公騎士団も、今回は人目を忍ぶつもりのようですね。忍べるかどうかは別にして」

「はい！　はい！」

「何でしょう、チェルニちゃん？」

「あの人たち、大公騎士団を四十人も動かすって、いってましたよね？　ばらばらに移動するにしても、そんな人数の騎馬が動いたら、王都やキュレルの街の門で、止められるんじゃないですか？」

「とても思慮深い質問ですね、チェルニちゃん。普通はその通りですよ。しかし、大公騎士団の騎士たちは、〈詮議御免《せんぎごめん》〉の特別な通行証を持っているので、咎《とが》められないのです。大公という地位は、ルーラ王国では正式な王族には入らないものの、王位継承権は持っていますし、いろいろな特権もあるのです」

なるほど。だから、強引な襲撃計画を立てちゃうわけか。悪い人に権力を持たせると、ろくなことにならないっていう見本だね。わたしの大好きな〈騎士と執事の物語〉でも、〈愚者の持つ権力など、厄災に他ならぬ〉って、主人公の騎士が怒ってたし。

大公騎士団が出ていく頃、わたしの視界はくるりと替わって、もう一度、大公の執務室に移動した。ちょうど、ドーラさんが戻ってきて、大公に報告するところだった。

「先ほど、大公騎士団の四十名が出発いたしました。王都の門を出てから、風の神霊術《しんれいじゅつ》で先を急ぎ、月が出る頃には、目的地に到着する予定でございます」

「騎士たちには、何といい含めたのだ？」

「わたくしからは、〈キュレルの街の守備隊には、大公家に害をなした賊を引き渡すように伝え、連れ出した者たちは、人目のないところで消せ。フェルトは、証人の名目で連行し、やはり消せ〉と。炎の神霊術を使える者が複数おりますので、死体は燃やさせます。大公閣下の徽章《きしょう》を持たせ、大公騎士団の身分を保障いたしましたので、守備隊には逆らう権限はございません」

「よかろう。姉上の方は？」

「念のため、急ぎこちらにお越しいただくよう、風の神霊術で使いを出しました。オディール様の執事は、こちらが派遣した者ですので、即座にお連れするものと存じます」

「姉上の屋敷に、風の神霊術を使える者はいたか？」

「おります。執事がなかなかに術を使いますので、早々に到着いたしますでしょう」

「後は、マチアスか。わたしが出かけるまでに、終わらせておきたい」

「しかし、閣下。この度のことは、あまりにも人目につき過ぎておりますし、証拠も存在しております。宰相を黙らせるのは、いかに大公閣下でも、容易ではございますまい。かなりの詮議《せんぎ》があるやもしれません」

「……。王城に手紙を届けよ。晩餐会《ばんさんかい》の後、陛下にお時間をいただきたい、と。念のために、根回しをしておこう」

「御意《ぎょい》にございます」

「それから、状況が改善されなければ、早々にオルトたちを国外に出す。あれらも覚悟はしておろう。念のために、準備はさせておけ」

そういって、着替えをするために、大公は執務室を出ていった。〈マチアスが来たら、すぐに呼べ〉っていって。

少女の教育に熱心なスイシャク様は、わたしに大公の着替えを見せたりはしないで、その合間にくるりくるり、いくつかの情景を映してくれた。

まず最初に、マチアスさんと使者ＡＢ。それぞれ馬に乗って、王城に向かって進んでいた三人は、遠目に純白のお城が見えてきたあたりで、風の神霊さんが運んできた手紙を受け取った。

素早く封を切って、中を読んだマチアスさんは、何だか悪い顔で微笑んでから、馬を反転させた。

「大公の屋敷に行く。オディール様を殺されたくなければ、証拠を持ったまま来るようにと、命令されたのでな」

「想定内ですな、閣下。というか、想定した出方のうち、もっとも好都合な展開ではありませんか？」

「ああ。予定より早く終わりそうで助かるな。宰相閣下と〈読み合い〉をして、大公如《ごと》きが勝てるものか」

「これが終わったら、近日中に〈野ばら亭〉に行きましょうよ。閣下もご一緒に。ルルナの顔を見ながら、あの店で食事をするんです。冷たいエールを飲みながら。アイギス王国でいうところの、天国というやつですな。あいつらは、地獄行きですが。くくくっ」

「妙な笑い方をするな。相変わらず自由だな、ギョーム。まだ、何も終わっていないんだから、気を引き締めてくれよ」

「わかってますよ、ロマン様。わたしたちも処刑されるかもしれないんだから、今くらい、夢を見させてくださいよ。わたしは、こう見えてもできる男なので、大丈夫ですって」

マチアスさんは、使者ＡＢの話に笑いながら、素早く印《いん》を切って、手に持っていた手紙を飛ばした。はっきりと詠唱は聞こえなかったけど、水色の光球が旋回していたから、風の神霊術《しんれいじゅつ》だと思う。マチアスさんってば、風の神霊術も使えるんだね。

マチアスさんの飛ばした手紙は、薄《うっす》らとした水色の光の尾を引いて、勢い良く飛び去った。向かった方角は、純白の巨大な白鳥城。宰相閣下がいるはずの、ルーラ王国の王城だったんだ。

次に、わたしの目に映ったのは、大公騎士団の人たちが、王都の城門に向かって、馬を飛ばしているところだと思う。速度は抑えているんだけど、何十人も列になって、街中を疾走しているんだから、すごく目立っていた。

極秘とかいってたわりには、全然隠せていないのが、ちょっと恥ずかしい。十四歳の少女にそう思わせる作戦って、どうなんだろうね？　神霊さんの助けがなかったら、そんな無茶が通る可能性だってあるんだから、本当に怖いよ、権力。

そして、三つ目は、一台の豪華な箱馬車が、夜の馬車道を疾走している情景だった。きらきらした水色の光球をまとわせて、馬車はどんどん進んでいく。扉についている紋章を見て、ヴェル様が〈大公家のものです〉って教えてくれたから、そういうことなんだろう。

もしかして、もしかして。あの馬車の中には、気の毒なお姫様が乗っているのかもしれないの？

＊＊＊

風みたいに疾走していた箱馬車は、あっという間に、王都の通用門に着いた。大公家の紋章が、通行証の代わりになったんだろう。速度を緩めただけで、門番さんに止められることもないまま、王都の中に入ってきたんだ。

「はい！　はい！」

「ふふふ。何なりとお聞きください、チェルニちゃん」

「あの馬車の中には、オディール様が乗っているんだと思いますか？　王弟殿下のお姫様って、ルーラ王国に戻っていたんですか？」

わたしが尋《たず》ねると、ヴェル様は、何ともいえない顔で微笑んだ。悲しんでいるみたいで、怒っているみたいで、喜んでいるみたいで、切なそうでもある顔だった。

「ええ。戻っておられますよ。十六歳になった年に、ヨアニヤ王国の王弟殿下に嫁がれたオディール姫は、八年後に夫を亡くされ、喪が明けると同時にルーラ王国に帰国されました。再嫁《さいか》のお話は、随分と多かったそうですが、病弱で子を産めないからと仰せになり、ご実家の別邸に引きこもってしまわれました。王家が主催する席にも、一切参加なされず、やがて姫君の存在そのものが忘れられていきました」

「それって、もしかして、マチアスさんのためでしょうか？」

「姫君のお心はわかりませんが、恐らくはそうなのでしょう。お美しい方《かた》だそうですし、王弟殿下の姫君です。亡くなられたご夫君も病弱で、お子もおられませんでしたので、お顔をお見せになれば、縁談をお断りになれなかったかもしれませんからね」

ヴェル様の話を聞いているだけで、わたしは泣きそうになっちゃった。国の約束のために、大好きな人と引き離されて、結婚した相手にも死なれて、マチアスさんは誓文《せいもん》に縛られた結婚をしていて……。

わたしが、お姫様の立場だったら、本当に病気になったかもしれない。マチアスさんを騙《だま》して、何十年も二人を引き裂いた大公は、何て罪深いんだろう。死後、〈虜囚《りょしゅう》の鏡〉に囚《とら》われて、罰を受けるっていわれても、わたしたち人の子に大切なのは、〈今〉じゃないの？

すっごく腹が立って、スイシャク様とアマツ様を、無意識にぎゅーぎゅー抱きしめていたら、優しくなだめるみたいなイメージが送られてきた。〈人の子は強きもの也〉〈誓文《せいもん》の抜け道すらも見つけ出す〉〈流るる日々こそ愛おしき〉って。

ヴェル様も、何だかいたずらっ子みたいな顔をして、笑いかけてくれた。そして、〈優しいチェルニちゃんが泣かないように、種明かしがありますから、もう少し見ていてくださいね〉って、いってくれたんだ。

次に、くるりと視界が替わったら、今度は大公のお屋敷の応接室らしい部屋が見えた。足首まで埋まりそうな絨毯《じゅうたん》とか、飾りに本物の金をあしらった椅子とか、高い高い天井とか、ほんのり光っているみたいな壁紙とか、純白の大理石を貼った床とか。とにかく、ものすごく豪華な部屋だった。これでも、高級宿っていわれる〈野ばら亭〉の娘だから、わりと見る目のある少女なのだ、わたしは。

応接室にいたのは、オルトさんたちクローゼ子爵家の人たちと、ドーラっていう執事の人。そこへ、お付きの人を従えて、大公が入ってきた。ひと目で最高級だってわかる、漆黒の絹の正装。肩からは、中のシャツの色と同じ、白い絹の飾り帯を斜めがけにして、勲章がこれでもかっていうくらいつけられている。

さっと立ち上がって、深々と礼をしたオルトさんたちを、適当に片手を振って座らせてから、大公はいった。

「マチアスはまだか？　姉君はどうした？」

「マチアスは、いまだ到着しておりません。オディール様は、もう正門からお入りになられました。間もなく、侍従がこの部屋にご案内して参るものと存じます」

「わたしが屋敷を出るまでに、まだ間があるか？」

「晩餐会《ばんさん》でございますので、遅れてご参加いただくのは外聞が悪うございます。さほどの余裕はございません」

「愚図《ぐず》な男だな、マチアスは。良い。いよいよとなったら、風の神霊術《しんれいじゅつ》で馬車を急がせる」

「御意《ぎょい》にございます、大公閣下」

ドーラさんが頭を下げた瞬間、重い扉を叩く音がして、外に立っている護衛騎士らしい人が、こういった。

「オディール姫のお成《な》りにございます」

来た！　マチアスさんの大好きな、マチアスさんが大好きな、悲劇のお姫様が、とうとう登場したんだよ！　病弱だそうだけど、大公なんかに呼び出されて、大丈夫なんだろうか、お姫様？

ゆっくりと扉が開かれると、騎士っぽい人と、執事っぽい人を従えて、一人の女の人が入ってきた。ほっそりとして、白鳥みたいに優美な女の人。年配ではあるんだけど、絶対に〈おばあちゃん〉なんていえない、とっても綺麗な人。目元のしわや、銀色になった髪まで魅力的な人……。

マチアスさんの大切なお姫様は、どう見ても活力に溢《あふ》れた、元気いっぱいの様子で、大公にいったんだ。

「顔を合わすのは、三十年ぶりかしら、アレクサンス。完全に名前負けしているわたくしの愚弟《ぐてい》は、何の権利があってわたくしを呼びつけたのかしら？　本当にうっとうしいこと。生まれた瞬間から、馬鹿な弟だとは思っていたけれど、馬鹿は何十年経っても馬鹿なのね。おまえのために使う時間など、わずかでも惜《お》しいのだから、さっさと用件を話しなさいな。聞いていますか、アレクサンス？　おまえったら、運動神経が鈍い上に、そろそろ運動不足で足腰が弱っているのではなくて？　日頃の行いが悪過ぎるから、ぽっくりとはいけないわね。まあまあ、怖い怖い。わたくしは、まだまだ元気よ。おまえが寝たきりになったら、おもしろいから見舞いに来ようかしら？　でも、そんな時間が勿体《もったい》ないわね。馬鹿が移っても困るし。ところで、おまえ、まだ女を叩くことが趣味なの？　おまえに近づく女など、身持ちの悪い不義の女に決まっているのだから、かまわないといえばかまわないけれど。おかしな趣味よね？　鞭《むち》で叩いたり、耳元で恫喝《どうかつ》したりして、何が楽しいのかしら？　おまえ、クローゼ子爵家の毒婦《どくふ》とも、その趣味でつながっているんでしょう？　不思議だこと。ねぇ、人を呼びつけておいて、挨拶もできないほど馬鹿なの、アレクサンス？　何とかいったらどう？」

　すっごい早口なのに、明確に聞き取れる口調で、お姫様は一気にいい切った。絶対に聞いちゃいけなかったことも、いろいろと暴露されている気がする。大公もオルトさんたちも、目を見開いて硬直しているし、わたしだってびっくりだよ！

ねえ？　何十年も別邸に引きこもっている、高貴な悲劇のお姫様って、こういう感じの人だったの？

35

　高貴なお姫様に、とんでもない勢いで罵倒《ばとう》されて、応接室にいた人たちは、呆然とした顔で固まっていた。お姫様は、大公に冷たい目を向けてから、黙って空いている長椅子に腰かけた。優雅で上品で、まるで自分の家みたいに自然な動作だった。

　呆然としていた大公は、自分が何をいわれたのか、だんだんと理解してきたんだろう。真っ赤になったかと思うと、青白くなり、最後には墓石みたいな顔色になった。人間って、あんまり怒ると、最後は灰色になるのかな？

「……その無礼な態度は何だ。許されると思っているのか」

　シューシュー鳴く蛇を思わせる声で、大公はいった。その震える指先は、テーブルの上の分厚いガラスの灰皿にかかっていて、今にも投げつけそうな様子だった。

　一方のお姫様は、まったく平気な顔で、手に持っていたレースの扇を開いて、ひらりひらりと動かした。

「無礼ですって？　誰が、誰に対して無礼なのかしら？」

「いくら姉とはいえ、大公家の当主に向かっての罵詈雑言《ばりぞうごん》。無礼といわずして、何という。今すぐに詫《わ》びるがいい。床に這《は》いつくばって詫《わ》びねば、手打ちにいたす」

「まあ！　まあ！　まあ！　三十年ばかり見ないうちに、愚弟《ぐてい》が偉くなったものね。わたくしを、手打ちにですって？　よろしいわ。できるものなら、おやりなさいな。おまえに叩かれて喜んでいる奇妙な女たちと、わたくしを一緒にしないでちょうだい。おまえ、生まれたときから馬鹿だったし、三つ四つの頃にはもう、手に負えないほどの下衆《げす》だったけれど、年と共に馬鹿に磨きがかかったのね。覚えていて？　おまえが五つのとき、遊びで蛙を殺《あや》めていたわね？　あんまり腹が立ったから、お父様のステッキで叩きのめしてあげたら、だらしなく泣き叫んでいたわね？　〈お姉様、二度と弱い者虐《いじ》めはいたしません〉って。わたくしの目には、あのときから成長していないどころか、その約束も反故《ほご》にして、馬鹿に磨きがかかったように見えるのだけれど。その愚弟《ぐてい》が、わたくしを手打ちにですって！　おもしろいこと。どうぞ、どうぞ。さあ、どうぞ？」

　またしても、ひと息かって思うくらいの早口で、お姫様がいった。でも、これって、さすがに危ないよね？　大公が、本当にお姫様を攻撃したらどうしよう？

　そう思った瞬間、大公は、お姫様に向かって灰皿を投げつけた。高齢の女の人に、分厚いガラスの灰皿を、思いっきり！

　あんな重そうな灰皿が当たったら、お姫様が大怪我をしちゃうし、打ち所が悪かったら、命にだって関わりかねない。わたしは、思わず悲鳴を上げ、スイシャク様とアマツ様を抱きしめて、ぎゅっと目をつむった。

　腕の中のスイシャク様は、ぶふっとか呻《うめ》いていたけど、すぐに優しいイメージを送ってくれた。大丈夫だから、見てみなさいって。

　いわれるまま、恐る恐る視線を戻したわたしは、ぱかんと口を開けた。だって、緊張に包まれた応接室には、びっくりするような光景が広がっていたんだ。

お姫様は、きらきらと輝く透明の立方体の中で、悠然と微笑んでいた。大きさは、ちょうどお姫様の全身を覆《おお》うくらいで、きっとものすごく硬いんだろう。大公の投げつけた大きな灰皿は、粉々に砕けて周りに飛び散っていた。

しっとりと水分を含んだ輝きに見えるから、あれは氷だと思うんだけど、中のお姫様は自由に動けるらしく、開いていた扇を折りたたんで、くるくると回した。

一緒に見てきたヴェル様が、めずらしく吹き出したから、何のことかと思ったら、あれは〈扇言葉〉っていう、扇を使った貴婦人の合図で、くるくる回すのは、〈一昨日《おととい》きやがれ、馬鹿野郎〉っていう意味なんだって。貴婦人が〈馬鹿野郎〉とか、思ったりするんだね、やっぱり。

周りの人たちは、印《いん》も詠唱もなく発動した術に、呆気に取られていたけど、大公は違った。灰色だった顔を真っ白にして、小刻みに震えていたんだ。大公は、喘《あえ》ぐみたいな声で、お姫様にいった。

「なぜだ？　それは、その氷は、姉上の神霊術《しんれいじゅつ》だろう。なぜ、姉上が術を使えるのだ？　ヨアニヤの亡き王弟と婚姻したときから、神霊術を使えなくなったのではなかったのか？」

お姫様は、くふって、氷の中で微笑んだ。年齢的にはおばあちゃんっていえるお年頃なのに、すごく可愛らしい笑顔だった。大公も、オルトさんたちも、ドーラっていう執事っぽい人も、その可愛さがわからないのか、益々《ますます》顔が険しくなっていたけどね。

「もちろん、使えるわよ。氷を司る御神霊は、わたくしに危険が迫れば、わたくし自身が術を発動するまでもなく、鉄壁の氷で護《まも》ってくださるのだもの。慈悲深い御神霊は、ただの一度もわたくしをお見捨てにならず、常に尊いお力を貸し与えてくださっているわよ？」

「しかし、婚姻してルーラ王国の籍を離れた日から、一切の神霊術を使えなくなったと聞いている。ヨアニヤ王国側が、何度も確認して、間違いないと。神霊術の才を謳《うた》われた姉上が、すべての力を失い、それは帰国後も戻らなかったと」

「そして、元々大した神霊術を使えず、妬《ねた》み嫉《そね》みに身を焼かれていたおまえは、その知らせに狂喜して、どんどん思い上がっていったのね？　馬鹿馬鹿しい。ヨアニヤ王国に利用されないように、騙《だま》したに決まっているではないの。神霊術を悪用されては困るし、わたくしが力を保っていると知れば、約束を破ってでも、帰国させてくれなくなるかもしれないでしょう？」

「術が使えるのなら、なぜ引きこもった？　帰国後であれば、問題はなかろう？」

「オディール様は、警戒しておられたのですよ。あなたのことも、あなたの派閥に属する貴族どものことも、ヨアニヤ王国のことも」

不意に、力強い声が割り込んできた。皆んなが、声のした方に視線を向けると、いつの間にか開け放たれた扉の前で、使者AとBを従えたマチアスさんが、悠然と佇《たたず》んでいた。

マチアスさんは、大公を無視して応接室に入ると、お姫様の座る長椅子の横に立った。すると、きらきらと輝いていた氷は、一瞬で消え去ったんだ。お姫様の真実の騎士が現れたから、役目が終わった、とでもいうみたいに。

マチアスさんの登場に、ずっと黙ったままだったオルトさんたちが、怒りの形相《ぎょうそう》になったけど、さすがに口は開かなかった。マチアスさんに向かって叫んだのは、大公だった。

「マチアス！　貴様、姉上の術のことを知っていたのか？　なぜ黙っていた！」

「なぜ、と聞かれることに驚きますな、大公閣下。わたしは、オディール様の騎士ですよ？　オディール様がお望みになることなら、命に代えても叶えて差し上げるのが、わたしの役目ではありませんか」

「マチアスったら、嘘ばっかり。あれほど、連れて逃げてとお願いしたのに、わたくしの望みを無視して、エリナなどと婚姻の誓約をしたくせに」

「ですから、あれは無理ですよ、オディール様。わたしの命より大切な姫君に、王命に逆らう〈逆臣〉の汚名を着せることはできないと、何百回も申し上げたでしょう？　それに、エリナに愛を誓う婚姻の誓約など、一度たりともしておりません。一時的に形だけの婚姻を結ぶと、誓文《せいもん》を奉《たてまつ》っただけですよ」

「それは、さすがに今はわかるけれど、わたくしがどれだけ悲しかったと思っているの？　あなたと引き離されて、望まぬ婚姻を強いられて、あなたはエリナなどの夫になって。御神霊のお慈悲がなければ、絶望して命を絶っていたところだわ」

「待て。その態度は何だ？　マチアス、貴様、姉上と会っていたのか？　そのような報告は、誰からも受けていないぞ！」

「あまりにも腹が立ったから、夫になる人が少しでも誠意ある対応をしてくれたら、本当にあなたを忘れてやろうと決心していたのに。王弟殿下ったら、わたくしの愚弟《ぐてい》にそっくりの馬鹿なのですもの。ひどく病弱だったことには同情するけれど、あれはないわ。本当にないわ。書類の上だけのこととはいえ、あれがわたくしの夫だったのかと思うと、恥辱《ちじょく》のあまり死にたくなるわ」

「本当に申し訳ありません、オディール様。絶望に身を焼かれて、大公のくだらない策に引っかかるなど、あり得ない失態です。そのために、大切なあなたを苦しめてしまうとは、騎士失格ですね、わたしは」

「わたしの質問に答えろ、マチアス。それに、証拠の書き付けはどうした？　ちゃんと持ってきたのだろうな？」

「もういいわ、マチアス。わたくしの唯一の人。わたくしこそ、困らせてごめんなさい。時至《ときいた》れば〈白い結婚〉を申し立てて、婚姻の事実を消し去ってしまうから、それでいいわ。当時の証明書は、帰国前にあちらの国教会に預けてあるのだから、きっと大丈夫よ？」

「愚かな大公は、自分が何をしても勝てず、神霊術《しんれいじゅつ》では足下にも及ばなかったあなたが、不幸になることを望んでいたのです。わたしの浅慮《せんりょ》で、その不幸の一端《いったん》を担ってしまったのかと思うと、今も苦しくなります。この償いは必ずいたします、姫」

「一端《いったん》ではなく、ほとんどすべてだけれど、償いなど要《い》らないわ。わたくしがほしいのは、あなたの愛だけよ、マチアス」

「それは、初めてお目にかかった日から、すでに捧げております。未来永劫、我が愛は姫君お一人のものです。たとえ、あなたが要《い》らないと仰ったとしても」

「嬉しいわ、マチアス。わたくし……」

「いい加減にしろ!!」

ずっと無視されていた大公が、二人の会話を遮《さえぎ》って、大声で叫んだ。大公の顔は、今度は真っ赤に染まっていて、唇がぷるぷる震えている。今にも倒れるんじゃないの、あれ？

多分、お姫様とマチアスさんは、わざと大公をからかっていたんだろう。二人で仲良く顔を見合わせたかと思ったら、途端にすっと表情を引き締めた。長い因縁《いんねん》を断ち切るための対決が、遂に始まるんだよ、多分。

❈❈❈

大公は、マチアスさんとお姫様を憎悪の眼差しで睨《にら》みつけ、シューシュー鳴く蛇の声で質問した。

「問い質《ただ》したいことはいくつもあるが、まず答えよ。わたしが命令した通り、書類を持ってきたのだろうな、マチアス？　おまえが、オルトの隠し部屋から盗み出した書類だ」

「盗むなどとは、人聞きの悪い。今は、わたしがクローゼ子爵家の当主なのですから、中を検《あらた》めるのは当然でしょう？」

「御託《ごたく》はいい。書類を出せ」

「持っていませんよ。クローゼ子爵家の屋敷を出ると同時に、風の神霊術《しんれいじゅつ》で宰相閣下にお届けしました」

「何だと？　それは真《まこと》か？　何という愚かなことを！」

「大切な証拠なのですから、一番初めに、最も安全な方法で保管するのが、当然ではありませんか。オルトたちに泣きつかれて、あなたが動くことはわかっていましたし、オディール姫を利用して、わたしを脅そうとすることも、予想していましたからね」

「マチアスったら、いつまで愚弟《ぐてい》に敬語など使っているの？　馬鹿で卑怯で愚劣な上に、とうとうルーラ王国の〈国賊《こくぞく》〉になったのよ、この愚弟《ぐてい》は。丁寧にすることもないのではなくって？」

「そうですね、姫。あなたの弟君だと思えばこそ、耐えるところもあったのですが、姉君を殺そうと考える男など、弟を名乗る資格はありませんね」

マチアスさんは、お姫様に優しく笑いかけた。そして、次に振り返ったときには、激しい怒りを隠そうともしない、燃え盛る溶岩みたいな瞳で、大公を睨《にら》みつけた。

「わたしがお側にいる以上、我が姫にかすり傷さえつけさせるものか。やれるものなら、やってみろ。大公騎士団を名乗る腰抜けどもが、何十人かかってこようと、かまわない。貴様の下衆《げす》な策略にはまって、姫のお心を傷つけた過去は消せないが、そのせめてもの償いに、姫の敵という敵を、残らず地獄に送ってやろう。覚悟しておくんだな、アレクサンス・ティグネルト・ルーラ！」

「貴様、わたしに無礼な口をきいて、許されると思うなよ！　わたしを怒らせたら、未来永劫、おまえはエリナの夫のままだ。父上と当時のクローゼ子爵が死んだ今、誓文《せいもん》を破棄できるのはわたしだけだ。わたしとおまえ、二人が揃って破棄を願わなくては、誓文《せいもん》はおまえを縛り続けるのだぞ！」

「そういわれて、わたしは何十年も屈辱に耐えてきた。いや、愚かなわたしなどよりも、この上もなく高貴なご身分でありながら、世を忍ばなくてはならなかった姫の方が、何十倍、何百倍もおつらかっただろう。しかし、忍従《にんじゅう》のときは終わった。わたしと姫の絆は、もう誰に隠すこともない」

「そのいい方は、まさか、まさか、ずっと密会を重ねていたのか、おまえたち！　姉上は、己《おの》が身分もわきまえず、マチアスと関係していたのではないだろうな⁉」

「まあ。密会だの関係だのと、言葉選びが下品だわ、アレクサンス。さすが、愚弟《ぐてい》ね。マチアスは、わたくしの唯一の人ですもの。書類上の夫と死別して以降、わたくしたちがどうなろうと、おまえにだけは非難される謂《いわ》れはないわ。偽りの誓文《せいもん》で御神霊を謀《たばか》ったのは、おまえなのですもの」

「待て、待て！　父上、まさか、クルトの母親は……」

　死人みたいな顔色で、話に割って入ったのは、ずっと沈黙していたオルトさんだった。オルトさんの動揺を表すみたいに、首元から生えた四岐《よまた》の蛇も、前後左右にゆらゆらゆらゆら、大きく揺れている。

　クルトさんって、フェルトさんの亡くなったお父さんだよね？　確か、クルトさんだけがマチアスさんの息子で、エリナさんはお母さんじゃないって、いってなかったっけ？

　お姫様は、マチアスさんの腕に白い手を置いて、オルトさんたちを見た。応接室に入ってきてから、初めて大公以外の人に目を向けたお姫様の顔は、すごく悲しそうだった。

「クルトは、わたくしの産んだ子です。可愛いあの子を、エリナの息子と呼ばせるのは、死ぬほど嫌だったけれど、クローゼ子爵家の嫡子とした方が、将来が開けると思ったのよ。御神霊の〈理《ことわり》〉では許されても、現世《うつしよ》では、わたくしとマチアスは、許されない間柄だったから」

　マチアスさんは、自分の腕に置かれたお姫様の手を、片手でそっと包み込んだ。お姫様のことが大好きなんだって、それだけでわかる優しい手つきだった。そして、オルトさんの目を見つめて、はっきりといったんだ。

「クルトは、わたしと姫の間に生まれた、わたしの唯一の息子だ。オルト、ナリス。おまえたちのことを、息子だと思えなかったわたしを、恨むなら恨め。だが、おまえたちとの別れは、クローゼ子爵家の屋敷で済ませたのでな。もうこれ以上、かけるべき言葉はない。黙っておれ！」

鋭い声で叫んだかと思うと、マチアスさんは、お姫様の手に重ねていた手を離して、指を鳴らした。

パチって。

これは、あれだ。クローゼ子爵家の図書室で使った、影を司る神霊さんの術だよね？　相手を動けなくしてしまう、〈影縫《かげぬ》い〉だよ。

マチアスさんが指を鳴らすと同時に、どこからともなく現れた黒い光の杭《くい》が、大公側の人たちの影に突き刺さった。椅子に座っていた大公たちや、後ろに控えていた執事っぽいドーラさん、部屋の入り口で待機していた護衛騎士たち……。

豪華で煌《きら》びやかなシャンデリアが、淡く映し出していた影は、瞬きをする間もなく、黒い光の杭《くい》に縫い留められて、誰も動けなくなっちゃったんだ。

「動かれると面倒なので、賓客《ひんきゃく》が来られるまでの間、そのままにしているがいい。この屋敷の周りも、すでに固められているので、今のうちに懺悔《ざんげ》の言葉でも考えておくことだな」

「黙れ、無礼者が！　大公たるわたしの屋敷に、許可なく踏み込むことが許されるのは、陛下と王太子殿下のみ。王家の血を引く宰相であっても、勝手な真似は許さんぞ！」

「ねえ、マチアス。愚弟《ぐてい》が煩《うるさ》いから、喋《しゃべ》れないようにしておきましょうか？　男のくせに、本当に喧《やかま》しいこと。お客様がお出《で》ましになれば、自然にわかるのだから、静かにしていればいいのに。ああ、でも、そのまま極限まで興奮させておいて、倒れるかどうか見てみるのもおもしろいのかしら？　どう思う、マチアス？」

マチアスさんは、笑いながらお姫様の横に腰を下ろし、胸元から何通かの手紙を取り出した。素早く印《いん》を切り、詠唱すると、きらきら光る水色の光球が現れて、手紙の上をくるくると回る。そして、水色の光の帯を引きながら、手紙はすごい勢いで飛んでいったんだ。

それを見たヴェル様は、うちの食堂の窓を開けて、一声かけた。〈誰かいますか？〉って。わが家の庭には、なぜか〈黒夜《こくや》〉の人が常駐するようになっちゃったので、すぐに返事がきた。

窓の外に現れて、片膝をついたのは、優しそうな顔をした中年の女の人。〈野ばら亭〉の従業員さんの振りをして、ヴェル様と一緒に〈白夜《びゃくや》〉の襲撃を撃退してくれた、あのすさまじく強い女の人だった。

「わたしは、我が部下と共に出かけるので、チェルニちゃんの守護を」

「御意《ぎょい》にございます、猊下《げいか》。必ずや」

「チェルニちゃん。この者は、〈黒夜《こくや》〉でも指折りの手練《てだ》れですので、安心してください。まあ、チェルニちゃんを害することのできる者など、現世《うつしよ》にはおりませんが、御神霊のお慈悲に縋《すが》るだけでは、我らの役目が果たせませんので」

「はい！　はい！」

「何ですか、チェルニちゃん？」

「ヴェル様がどこに行くのか、聞いてもいいですか？」

「もちろんですとも。わたくしは、御神鏡《ごしんきょう》の御力をお借りし、〈鏡渡《かがみわたり》〉で大公の屋敷に出向きます。皆々様と共に。鏡を一枚、ここに残しておきますので、ご両親とご一緒に、この先の成り行きを見守ってくださいね」

そういって、ヴェル様は胸元から一枚の鏡を取り出した。あの怖い〈虜囚《りょしゅう》の鏡〉じゃなくて、古ぼけた縁飾《ふちかざ》りの小さな鏡。様子はすっかり変わっていたけど、わたしには、御神鏡《ごしんきょう》の世界で見た〈鬼哭《きこく》の鏡〉だって、すぐにわかったよ。

「ヴェル様。その鏡って……」

「ふふ。チェルニちゃんには、わかるのですね。そうです。娘さんを殺された恨みで鬼になってしまった、哀しい母の魂《たましい》が閉じ込められている、あの鏡です。しばらく前に、チェルニちゃんたちの〈窓〉になる鏡を呼び出そうとしたら、〈鬼哭《きこく》の鏡〉が現れたのです。きっと、自分を救ってくれたお嬢さんに、お礼がしたいのでしょうね」

そういって、ヴェル様は、わたしに鏡を渡してくれた。ひび割れて血の涙を流していた鏡は、今は淡い光を放って、静かに鏡面を輝かせていたんだ。

鏡が苦しそうじゃなかったから、安心して、うれしくなって、ちょっと泣きそうになっているわたしに、ヴェル様は優しい声でこういった。

「さあ、それでは、最後の仕上げに行ってきます。いろいろな方《かた》がお出《で》ましになるので、楽しみに見ていてくださいね。チェルニちゃんと御神霊のお力添えで、予定よりもずっと早く、敵は罠にかかりましたから」

綺麗なアイスブルーの瞳を輝かせた、ヴェル様の手には、いつの間にか一通の手紙がにぎられていたんだ。

36

ヴェル様が、うちの食堂を出て行くのと入れ違いに、お父さんとお母さんが戻ってきた。〈野ばら亭〉の従業員さんの振りをしている、神職の人たちから、大まかな話を聞かせてもらったんだって。

わたしの大好きなお母さんは、エメラルドみたいに澄み切った緑の瞳を、好奇心できらきら輝かせながら、満面の笑みだった。

「オルソン子爵閣下から、ご伝言をいただいたの。いよいよ作戦の大詰めだから、〈捕縛《ほばく》の瞬間は、ご両親にもご覧に入れましょう〉って、いってくださったのよ。わたしの可愛い子猫ちゃんや、神使《しんし》であられるオルソン子爵閣下と違って、わたしたちは話に聞くだけだったでしょう？　自分たちの目で、直接視《み》ることができるなんて、本当に畏《おそ》れ多くて、ありがたいことだわ。ねえ、ダーリン？」

「そうだな。やはり自分たちの目で、事件の終わりを確かめたい。皆様方《がた》のことは、心からご信頼申し上げているが、大切な娘たちの安全に関わる話だからな」

わたしたちが、そんな話をしているうちに、いよいよ〈時至《ときいた》った〉らしい。わたしのカーディガンのポケットに入れていた、あの〈鬼哭《きこく》の鏡〉が、勝手に動き出したんだ。

〈鬼哭《きこく》の鏡〉は、わたしのポケットの中で、何度か細かく震えてから、いきなり外へ飛び出した。そして、白い光を放ちながら、どんどん大きくなっていった。

小さな手鏡だった〈鬼哭《きこく》の鏡〉は、お父さんが両手を広げても足りないくらいの、大きな鏡になった。鏡は、そのまま壁際まで移動して、壁にぴたっと張り付くみたいにして、動きを止めた。鏡の世界では、濁《にご》って血の涙を流していた鏡面は、静かに澄んだ輝きに満ちていて、今はとっても美しい。

待つほどのこともなく、〈鬼哭《きこく》の鏡〉に映し出されたのは、大公の執務室だった。部屋の中にいるのは、大公とオルトさんたち、マチアスさんとお姫様たち、それから何人かの護衛騎士で、大公たちの足下には、黒い光の杭《くい》が刺さったままになっている。マチアスさんの言葉の通り、〈賓客《ひんきゃく》〉が揃うまで、動きを縫い留めているんだろう。

スイシャク様のおかげで、わたしは、すっかり見慣れちゃったけど、お父さんやお母さんには、初めての光景だからね。〈おお！〉とか〈まあ！〉とかいって、まん丸に目を見開いているのが、すごく微笑ましかった。

わたしは、スイシャク様とかアマツ様とかヴェル様とかに、これでもかっていうくらい神秘的な体験をさせてもらったから、これくらいじゃ驚かないよ？　十四歳にして、厳しく教育されている少女なのだ。

わたしたちが、息を潜めて見ているうちに、大公の執務室にも変化が訪れた。壁の一画《いっかく》に飾られていた豪華な装飾の鏡が、強い光を放ちながら、やっぱりどんどん大きくなっていったんだ。

壁一面を覆《おお》うくらいの大きさになった鏡は、鏡面を純白に輝かせた。大公たちが、顔を青くして、微《かす》かに震えているのは、神霊さんの気配を感じているからかもしれない。

マチアスさんとお姫様は、すぐに立ち上がって礼を取った。騎士であるマチアスさんは、片膝をついて胸に手を当て、深く頭を下げる。お姫様は、見惚《みと》れるくらい優雅な仕草で両膝をつき、両手を組んで頭を下げる。使者ABや、お姫様の従者っぽい人たちも、それぞれに最上位の礼をした。

使者Bってば、〈何ですか、これは？　おもしろいじゃないですか！　誰が来るんですか？　ねえねえ？〉とかいって、使者Aに頭を叩《はた》かれてたけどね。

やがて、白く輝く鏡面から、ゆっくりと現れたのは、わたしが見たことのない格好《かっこう》をしたヴェル様と、〈野ばら亭〉にいてくれた部下の神職さんたちだった。

漆黒の上下に白いドレスシャツは、うちにいたときと同じなんだけど、今のヴェル様は、その上からふんわりとした衣を羽織っていた。あれは多分、町立学校で習った〈格衣《かくえ》〉っていうものだと思う。神職さんが着る着物に重ねる、神聖な衣装なんだ。

ヴェル様の格衣《かくえ》は、空気に溶《と》けそうなほど薄くて、柔らかそうで、軽そうだった。膝くらいの長さがあって、色は高貴な薄紫で、動くたびに銀色の刺繍《ししゅう》が煌《きら》めいている。控えめにいって、ものすごく似合っていて、カッコいいよ、ヴェル様ってば！

ヴェル様は、大公をさくっと無視したまま、お姫様に向かって頭を下げた。

「お初にお目にかかります、オディール様。神使《しんし》の一《いち》を許されております、パヴェル・ノア・オルソンと申します。王族であらせられる姫君に、わたくしからご挨拶申し上げる無礼を、何卒《なにとぞ》お許しくださいませ。気高くも麗しき姫君のご尊顔を拝し奉《たてまつ》り、恐悦至極《きょうえつしごく》に存じます」

「ご丁寧なご挨拶を賜《たまわ》り、畏《おそ》れ多いことでございます、オルソン猊下《げいか》。この度は、わたくしの弟が許されざる罪を犯しましたこと、心よりお詫《わ》び申し上げます。この罪は、如何様《いかよう》にでもお裁きくださいませ。この場で毒杯《どくはい》を賜《たまわ》りましても、否《いな》やはございませぬ」

お姫様は、そういうと、組んでいた両手を床につき、額《ひたい》を床につけるみたいにして、本当に深々と頭を下げた。マチアスさんや使者ABたちも、無言でお姫様に続く。

「どうか、頭をお上げください、姫君。マチアス殿も。すべては、これからお出《で》ましになられる方々《かたがた》がお決めになられましょうが、姫君に罪なきことは、よくよく承知しております。さあ、そう申し上げる間にも、お渡りでございますよ」

ヴェル様のいう通り、巨大な鏡は、再び白く輝いた。何人かの神職さんを伴って、そこから登場したのは、威厳と慈愛に満ち溢《あふ》れた徳の高い人。わたしが鏡の世界でご挨拶した、大神使《だいしんし》のエミール・パレ・コンラッド猊下《げいか》だった。

コンラッド猊下《げいか》は、純白の着物と袴《はかま》の上に、濃紫の格衣《かくえ》を羽織っていた。格衣《かくえ》の裾《すそ》は、ヴェル様より長くて、ふくらはぎくらい。刺繍《ししゅう》の金糸と銀糸の煌《きら》めきが、うっとりするくらい綺麗だった。

「お久しゅう、オディール姫。息災《そくさい》であられましたか？　このような折ではありますが、お目にかかれて嬉しゅうございます」

コンラッド猊下《げいか》は、柔らかく微笑んで、お姫様に話しかけた。労《いたわ》りと慰めのこもった、優しい優しい声。お姫様は、〈猊下《げいか》……〉ってつぶやいたまま、涙ぐんじゃったんだけど、それも当然だと思う。

コンラッド猊下《げいか》の徳の高さって、ある意味の攻撃じゃない？　ほとんどの人は、心を射貫《いぬ》かれちゃって、反抗する気にならないよ、きっと。

そんなコンラッド猊下《げいか》は、不意に表情を厳しくして、大公を振り返った。大公は、大きく身体を震わせながらも、コンラッド猊下《げいか》にいった。

「いかに猊下《げいか》とはいえ、この無作法は問題でございましょう。我が身は大公であり、王族の権威によって守られている。神霊庁と王家は対等の存在であり、国王陛下の許可なくして、我が屋敷に踏み込むことはできないはずではありませんか」

「大神使《だいしんし》たる我が身には、ルーラ王国の何方《いずかた》であれ、閉ざされる扉はなきものと思っておりましたがな、アレクサンス殿」

「猊下《げいか》の訪問そのものは、何人《なんぴと》たりとも拒否できません。しかし、このなさりようは、まるで捕縛《ほばく》ではありませんか。そうであれば、陛下のご許可が必要なはず。わたしを罪人扱いすることを、陛下は良しといわれたのか？」

「いいえ。陛下には、まだお言葉をいただいておりませぬ」

「であるなら、我が屋敷への立ち入りは拒否いたす。早々に立ち去られよ」

「いいえ。我らは我らなりの根拠を基に動いておりますので、立ち去る必要はありませぬな」

「では、誰か別の者が許可したとでもいわれるのか？　王太子殿下か？　あり得ぬ。王太子殿下は、わたしを慕ってくださるのでな。偽りを申されるな」

「御神々《おんかみがみ》の使徒《しと》たる身で、偽りなど申しませんよ。そうであろう、パヴェル。我が愛弟子よ？」

「御意《ぎょい》にございます、猊下《げいか》。我らは至尊《しそん》の御方《おんかた》のご指示に、ただ従うのみにございます」

ヴェル様がいった、ちょうどそのとき、鏡は三度目の光を放った。部屋中を発光させるほどの、強い強い光。黒い軍服を着た数人の騎士たちを従えて、鏡の中から姿を見せた人がいた。

ひと目で最上級品だってわかる漆黒の軍服に、銀糸で刺繍《ししゅう》された五つの星が、襟元《えりもと》に煌《きら》めいている。

腰の佩刀《はいとう》の鞘《さや》に彫り込まれたのは、まるで本物の星みたい。

そう。遠くけぶって見えるくらい、圧倒的な神威《しんい》をまとって顕現《けんげん》したのは、わたしが文通している、わたしを友達だっていってくれる、あのネイラ様だったんだよ。

✤ ✤ ✤

ネイラ様が現れたことで、拘束《こうそく》されている大公たち以外の全員が、床に座って両手をついた。神事のときにしか使わない、最上位の座礼《ざれい》だって、ルーラ王国では、小さな子供たちでも知っている。

黒い光の杭《くい》に縫い留められたままの大公たちは、わたしが鏡越しに見てもわかるくらい、がたがた震えていた。ネイラ様の爆発的な神威《しんい》が、大公たちを威圧しているんだと思う。息もできないみたいで、何だかヒューヒューいってる気がするんだけど、大丈夫なのかな、あれって？

ネイラ様は、銀色の瞳を輝かせながら、ヴェル様とコンラッド猊下《げいか》に淡く微笑みかけ、お姫様に丁寧に会釈《えしゃく》した。目に見えるくらい濃密だった神威《しんい》が、途端に薄くなっていったのは、きっとネイラ様が気を遣《つか》って、意識的に抑えたんだろう。

「皆さん、どうかお立ちください。そのようにされては、わたしが困ります」

「お出《で》ましいただき、ありがとう存じます、レフ様」

「お互い様ですよ、コンラッド猊下《げいか》」

「これはまた、他人行儀な。いつものように、爺《じい》とお呼びくださいませ。寂しいではございませんか。

それでなくとも、わたくしがレフ様のお側使《そばづか》いを外され、神霊庁に戻されましてからは、お目にかかれる機会が減っておりますのに」

「また、そんな戯《たわむ》れをいって。昨日も会ったところではないか、爺《じい》。パヴェルにも、世話をかけた」

「いえいえ。レフ様のご命令のお陰で、この数日、誠に楽しゅうございます。今後は、わたくしのことは、ヴェルとお呼びくださってもよろしゅうございますよ？」

「煩《うるさ》いよ、パヴェル」

「おやおや。やはり、ご立腹でございますか、レフ様？　後が怖《こお》うございますな」

「初めてお目にかかります、オディール姫。王国騎士団長を拝命しております、レフ・ティルグ・ネイラと申します。マチアス卿も、ご苦労でした」

「お初にお目文字《めもじ》申し上げます、〈神威《しんい》の覡《げき》〉たる御方様《おんかたさま》。拝謁《はいえつ》の栄《えい》に浴《よく》し、恐悦至極《きょうえつしごく》に存じます。オディール・ティグネルト・ルーラでございます。すでにヨアニヤ王家の籍から外れて久しく、今はルーラ王籍の末席を汚しております」

「お出《で》まし、忝《かたじけの》う存じます、閣下。大公アレクサンス、並びにクローゼ子爵家の者たちは、すでに拘《こう》束《そく》してございます」

「ありがとう、マチアス卿」

そういって、ネイラ様は、ゆっくりと大公に視線を向けた。怒った表情もしていないし、冷たい目で見たわけでもないんだけど、ネイラ様の視線は、まるで銀色の荊棘《いばら》みたいだった。

大罪を犯した大公の魂《たましい》を、鞭《むち》打ち、縛り上げ、罪を暴かずにはおかない、神霊さんの〈裁定〉を宣告する瞳なんだって、どうしてだか、そう思った。

大公は、益々《ますます》震え上がり、一言も口をきけない。オルトさんたちも、わたしの目で見てもわかるくらい、血の気をなくしている。いつも薄ら笑いを浮かべている、〈嗜虐《しぎゃく》〉のミランさんでさえ、滴《したた》るほどの汗を流して硬直していた。

ネイラ様は、大公たちから視線を外すと、自分が通ってきた鏡を振り返って、穏やかな声で聞いた。

「アレクサンス殿は、何も話さないつもりらしい。どういたしますか、宰相閣下？」

鏡の中に映っていたのは、大きくて立派な部屋にいる、何人かの男の人たち。平民の十四歳の少女なのに、いつの間にか見慣れてきちゃった、王城の宰相執務室と宰相閣下だった。他を圧する威厳をまとった宰相閣下は、重々しくうなずくと、鏡の中から答えた。

「穢《けが》らわしき罪人でさえ、〈神威《しんい》の覡《げき》〉の御前《おんまえ》にては、申し開きもできないか。よろしい。わたしが、代わって尋《たず》ねよう。己《おの》が罪を認め、尋問に応じるのか、アレクサンス殿？」

ネイラ様の登場以降、ずっとヒューヒュー喘《あえ》ぎながら、真っ白な顔で汗を滴《したた》らせていた大公は、宰相閣下の言葉を聞いて、初めて声を出した。〈神威《しんい》の覡《げき》〉であるネイラ様には、反論することができなくても、宰相閣下が相手なら、まだ抵抗する気力があったんだろう。ある意味ですごい精神力かもしれないね、大公も。

「待たれよ、宰相。ロドニカ公爵よ。わたしが、罪をなしたという証拠は？　証拠はどこにある？」

「我が手元には、アイギス王国の公印の押された密約文書があるのだよ、アレクサンス殿」

「それは、クローゼ子爵家に関わる証拠であろう？　わたしは知らぬ。オルトたちが、一方的に助けを求め、我が屋敷に押しかけてきただけのことだ。わたしは関与しておらぬ」

「それは、あまりなお言葉です。あなたは本当の父君なのに！」

「黙れ、オルト。わたしは、事実だけを述べているのだ。わたしには、罪などないぞ、ロドニカ公爵。オルトたちの仕業《しわざ》を、わたしになすりつけるな」

「なるほど。では、大公騎士団も、オルト・セル・クローゼの独断で動かしたといわれるのかね？　大公騎士団が、そのような命に従うとは思えぬな」

「……何のことか、わからぬ。我が騎士団がどうかしたか、宰相？」

「そうかね。では、実際に見てみるとしよう。よろしいか、オルソン猊下《げいか》？」

「御意《ぎょい》にございます、宰相閣下。良き頃合いでございましょう」

冷たい笑顔で応えたのは、ヴェル様だった。ヴェル様は、胸元から小さな鏡を取り出すと、片手で素早く印《いん》を切った。

〈虜囚《りょしゅう》の鏡〉でも〈鬼哭《きこく》の鏡〉でもない、新しい小さな鏡は、白い光を放って浮かび上がり、空いている壁に向かって飛んでいった。そして、何度か旋回してから、どんどんどん広がって、壁一面を覆《おお》うほどの大きさになったんだ。

今度は何が始まるのか、皆んなが固唾《かたず》を呑《の》んで見ていると、巨大な鏡が一つの光景を映し出した。何回か行ったことがあるから、わたしもよく覚えている。鏡の中に見えるのは、キュレルの街を守ってくれる、守備隊の本部だった。

夜の馬車道を走って、守備隊本部を襲撃しようとしていた、四十人もの大公騎士団は、もうキュレルの街に入り込んで、本部を取り囲んでいたんだよ！

「この者たちに、見覚えがあるであろう、アレクサンス殿？」

「そなたは〈鏡のパヴェル〉か。神鏡《しんきょう》を通して、万事を暴き出すという、あの神使《しんし》のパヴェルか！」

「穢《けが》らわしき舌で、我が名を呼ぶな、大罪人。尊き御神鏡《ごしんきょう》が、そなたの罪の一端《いったん》を映し出してくださるので、黙って見ているがよい」

鏡の中では、大公騎士団の騎士たちが、騎馬のまま本部の正門と裏門を固めていた。腰に剣は差しているけど、さすがに抜いている人はいない。夜とはいえ、まだ皆んなが起きている時間だからね。この街中で、四十人が抜刀するほど、馬鹿じゃなかったんだろう。

待つほどのこともなく、正門から数人の男の人が出てきて、大公騎士団と向き合った。わたしの大好きな、熊みたいな総隊長さんと、王国騎士団から来てくれた人たち。マルティノさんとリオネルさんが、総隊長さんの左右を守ってくれているんだ。

総隊長さんたちの姿を見て、大公騎士団の団長が、二、三歩馬を進めて前に出た。右手には、小さな盾みたいなものを持っていて、それを掲げながら、鋭い声で呼びかけた。

「わたしは、バルナ・ド・カストラ男爵。アレクサンス・ティグネルト・ルーラ大公閣下の騎士団において、団長職を拝命している。証拠の徽章《きしょう》はここに」

「わたしは、キュレルル守備隊の総隊長だ。どこにでもいる平民なので、わたしの名など、覚えてもらわなくてもけっこう。面倒だから、さっさと用件をいってもらおうか」

「この無礼者が！　卑しい平民の分際で、栄《は》えある大公騎士団に向かって、何という口をきくのだ。名乗りも返さぬとは、これ以上の無礼はないぞ。騎士道も知らんのか、平民！」

「騎士道だと？　大公騎士団に騎士道があったとは、初めて聞いたな」

うわぁ。いつもは、とっても礼儀正しい総隊長さんが、最初から相手を挑発しちゃってるよ。大公騎士団長は、怒りのあまり、塩茹《ゆ》でした蟹みたいに赤くなってるけど、総隊長さんってば、平気な顔で無視してるし。

「余計な問答はいいから、さっさと用件をいってくれ。この大人数の騎馬で、いきなり守備隊本部を包囲したんだ。用事くらいはあるんだろう？」

「身のほどを知らぬ愚か者が、調子に乗って後悔するなよ。まあ、いい。おまえの無礼の始末は、後でつけてやるが、今は主命《しゅめい》が先だ。本日、おまえたちが捕らえたのは、大公家に害をなし、大公騎士団でも捕縛《ほばく》に動いていた者たちだ。取り調べは我らが行うので、早々に引き渡せ。証人として、フェルト・ハルキスの身柄も、併せて差し出せ」

「はぁ？　罪状も告げず、事情の説明さえなく、凶悪犯を引き渡せというのか？　応じるわけがないだろうが。まして、フェルトは何の証人なんだ？　理不尽なことしかいわないおまえたちに、大事な隊員を渡せるものか」

「大公家は、〈詮議無用《せんぎむよう》〉を通せることも知らんのか、平民。文句があれば、王城にでも訴えるのだな。時が惜《お》しい。退《ど》け！　退《ど》かねば斬る！」

ひえぇ。そういって、本当に剣を抜いたよ、大公騎士団長！　抜刀するほど馬鹿じゃないと思ってたけど、やっぱり馬鹿だった！

他の騎士たちも、いっせいに剣を抜いて、押し寄せようとしている。きっと大丈夫なはずだけど、本部にはアリオンお兄ちゃんこど、アリアナお姉ちゃんもいるんだよ？　どうなっちゃうの、これ⁉

37

熊みたいな総隊長さんの挑発に乗って、大公騎士団の団長は、四十人もいる騎士たちに抜刀を命じた。キュレルの街のど真ん中で、まだ夜も早い時間なのに！

あまりにも馬鹿だから、わたしの口がぱかんと開いちゃったんだけど、お母さんにいわせると、必ずしも馬鹿だとはいえないんだって。

「わたしたちは、ネイラ様のご助力や、神霊様の御加護があるから、気持ちを強くしていられるのよ。王族である大公の権力は強いから、普通だったら、総隊長さんも要求を拒否できなかったと思うし、力ずくで押し通されたら、そうそう逆らえないわ。抜刀したのだって、〈無礼があったから〉だって言い張られるだけだしね。身分社会って、やっぱり理不尽なのよ、子猫ちゃん」

花びらみたいな唇を〈への字〉にして、お母さんがいった。お父さんも、隣でむずかしい顔でうなずいているから、その通りなんだろう。神霊さんに守られた、このルーラ王国だって、やっぱり人の世の〈穢《けが》れ〉は存在するんだね。

わたしが、ちょっと悲しい顔をすると、大好きなお母さんは、にっこりと微笑んだ。大輪の薔薇《ばら》みたいに綺麗だけど、わたしがお母さんの敵だったら、ちょっと怖いだろうなって思う、迫力のある笑顔だった。

「でも、心配は要《い》らないのよ、子羊ちゃん。こんなときのために、ネイラ様が手を打ってくださっているし、神霊王国であるルーラ王国の国民には、ちゃんと〈奥の手〉もあるのよ。ほら、見ていてご覧なさい」

お母さんは、そういって〈鬼哭《きこく》の鏡〉を指差した。鏡の中では、総隊長さんを脅していた、大公騎士団の団長に向かって、マルティノさんが進み出たところだった。

王国騎士団から来てくれたマルティノさんは、人格者っていう言葉が、ぴったりな人だと思う。穏やかな物腰《ものごし》で、とっても落ち着いていて、わたしみたいな平民の少女にも、いつも優しく笑いかけてくれたからね。

そのマルティノさんが、ネイラ様の佩刀《はいとう》に似た、銀の星の煌《きら》めく剣を掲げ、すっごい威圧感を漂わせながら、大公騎士団の団長に宣言したんだ。

「そなた、大公騎士団の団長といったな。では、わたしも名乗ろう。わたしの名は、マルティノ・エル・パロマ子爵。畏《おそ》れ多くも、〈神威《しんい》の覡《げき》〉で在《あ》らせられる御方《おんかた》、我らの至尊《しそん》たる王国騎士団長閣下の、筆頭補佐官を拝命する者だ。そなたらの暴虐は、我が目で確《しか》と目撃した。今すぐに剣を収め、王国騎士団まで出頭せよ」

「馬鹿な！　なぜ、王国騎士団の幹部が、守備隊の本部などにいるのだ。あり得ない。おまえの言葉など、信用できるものか。だが、しかし、その剣は……」

「そう。漆黒の鋼《はがね》に、純銀の星の象嵌《ぞうがん》。王国騎士団の象徴ともいえる拵《こしら》えは、王国からの注文品以外、決して作ってはならない禁制品だ。我が剣が模造品でないことくらい、そなたにもわかるだろう？」

「……なぜ、王国騎士団がここにいる？」

「団長閣下が、かくあることを見抜いておられたからだ。王国騎士団の名に懸《か》けて、そなたらの好きにはさせぬ」

「大公騎士団は、王家が独立《どくりつ》不羈《ふき》を認めておられる。王家直属の近衛《このえ》騎士団ならまだしも、王国騎士団の指図は受けんぞ。下手をすれば、王家との争いになると知っていて、この場に介入する気か？」

「承知の上だ。剣を収めよ」

「聞かぬ！　我ら大公騎士団は、王国騎士団の風下には立たぬ！　我らと争えば、そなたらも困るのだぞ。王家と王国騎士団との亀裂を、ここでさらに深める気か？　部外者は黙って手を引け！」

「では、当事者が、この場に立たせていただきます」

夜空に凛とした声を響かせて、抜き身の剣を恐れもせず、大公騎士団の前に立ち塞《ふさ》がった人を見て、わたしは卒倒しそうになった。だって、だって。その人は、わたしの大好きな、アリアナお姉ちゃんだったんだよ！

アリアナお姉ちゃんは、服装こそアリオンお兄ちゃんのままだったけど、もう偽装は解いていた。あまりの美少女ぶりに、大公騎士団の騎士たちが、声にならない悲鳴を上げていたみたいだけど、まあ、それはいいだろう。アリアナお姉ちゃんの後ろに、ぴったりと張り付いているフェルトさんが、ちゃんと目を光らせているからね。後で、ぼこぼこにされたらいいよ。

アリアナお姉ちゃんは、きらきらしたエメラルドの瞳で、大公騎士団長を見据え、はっきりとした口調でいった。

「わたしは、アリアナ・カペラ。皆さんが連行しようとしている、フェルト・ハルキス様の婚約者であり、守備隊本部で拘束《こうそく》されている者たちに、家族揃って焼き殺されそうになった被害者です。これ以上の当事者はおりませんでしょう？」

アリアナお姉ちゃんの言葉に、大公騎士団長も、とっさに反論できないみたいだった。お姉ちゃんのいう通り、当事者中の当事者だもんね。

マルティノさんに権力で対抗され、アリアナお姉ちゃんに理屈で負けた大公騎士団長は、歯ぎしりの音が聞こえてきそうな顔で、お姉ちゃんたちを睨《にら》みつけた。アリアナお姉ちゃんは、やっぱり凛々《りり》しい顔をして、そんな団長に追い討ちをかける。

「そして、大公騎士団を名乗る方々《かたがた》は、街中で堂々と剣を抜いて、わたしたちを脅迫しました。このことは、然るべきところへ訴え出たいと思います」

「黙れ、小娘。家名からいって、ただの平民なのだろう。おまえたちが、証拠もなしに訴えても、話を聞くのは守備隊くらいのものだ。王国騎士団には、大公騎士団を裁く権限などなく、王都の守備隊も動きはしないぞ」

「守備隊や王国騎士団に訴えるなどとは、一言も申し上げておりません。わたしは、神霊庁に告発をいたします」

アリアナお姉ちゃんが、そう断言した瞬間、あたりは沈黙に包まれた。あまりにも意外で、すぐには言葉の意味もわからなくて、でも、重い、決意を秘めた宣言だったから。

神霊王国であるルーラ王国には、他の国にはない、独特の制度がある。理不尽な目に遭《あ》っている人を助けるために、王家と対等な存在である神霊庁が、直接、国民の告発を受け付けてくれるんだ。さっき、お母さんがいってた〈奥の手〉って、このことなんだね？

どんな権力者でも、資産家でも、大貴族でも、神霊庁に告発されたら、必ず平等に裁かれることになる。わたしたちのルーラ王国が、〈正義の国〉っていわれることがあるのは、この告発制度のおかげだろう。もちろん、嘘の罪状で告発したりすれば、逆に厳しく裁かれるんだけどね。

「……証拠は？　証拠はあるのか？　わたしたちは、何も脅迫などしていない。剣を抜いたのは、そこにいる総隊長が、我らに無礼を働いたからだ。いった、いわないの水掛け論で、神霊庁を煩《わずら》わせる気か、小娘」

「証拠なら、いくらでもありますよ？　たとえば、先ほどの抜刀と脅迫も」

アリアナお姉ちゃんは、上着のポケットから、薔薇《ばら》の縁飾《ふちかざ》りのついた小さな手鏡を取り出して、にっこりと微笑んだ。出た！　お姉ちゃんの神霊術《しんれいじゅつ》の一つである、鏡の術だよ！

いつもはおっとりとしたお姉ちゃんが、すごい勢いで印《いん》を切り、小さな声で詠唱した。〈薔薇《ばら》の鏡の神霊さん。わたしの魔力と引き換えに、さっきのやり取りを見せてください〉って。

すると、手鏡から淡い光が溢《あふ》れ出て、光の幕の中にたくさんの人影を映し出した。そこには、大公騎士団や守備隊の人たちの姿があって、ほんの少し前のやり取りを、正確に再現し始めたんだ。

人影は少しだけ淡いものだったけど、声は明瞭に響いていた。〈時が惜《お》しい。退《ど》け。退《ど》かねば斬る！〉。

大公騎士団長が、そう叫んだところで、お姉ちゃんは鏡の映像を止めた。久しぶりに見るけど、あれって、見事な神霊術《しんれいじゅつ》だよね。

「先ほどの抜刀と脅迫だけでなく、フェルト・ハルキス様が、クローゼ子爵家の方々《かたがた》に脅迫される様子も、守備隊の牢にいる者たちに襲撃される様子も、すべて残っております。襲撃の際は、この手鏡を持っていてもらいましたから。そういえば、後で見せていただいた映像の中に、そこにいる騎士の方《かた》も映っていました。どうしてでしょうね？」

お姉ちゃんは、可愛らしく首を傾げながら、一人の騎士を指差した。そう、大公騎士団長の真横にいる、あの息子だった。

お姉ちゃんの言葉を受けて、マルティノさんたちが、すかさず声を上げた。

「王国騎士団長筆頭補佐官、マルティノ・エル・パロマは、アリアナ・カペラ殿に、告発の意志があることを確認した」

「王国騎士団中隊長、リオネル・セラ・コーエンは、アリアナ・カペラ殿に、告発の意志があることを確認した」

「キュレル守備隊総隊長、ヴィドール・シーラは、アリアナ・カペラ殿に、告発の意志があることを確認した」

「キュレル守備隊分隊長、フェルト・ハルキスは、アリアナ・カペラ殿に、告発の意志があることを確認すると共に、自身でも告発を行う。アリアナさんは、わたしの大切な婚約者ですから」

約一名、余計なことまでいってる人がいるけど、それはそれ。問題は、大公騎士団の出方だよね？

大公騎士団長は、夜目にもわかるくらいの憤怒《ふんど》の表情になった。そして、何かを叫ぼうとしたんだけど、不意に顔を強張《こわば》らせて、小さくつぶやいた。〈黒夜《こくや》〉って。

守備隊本部に掲げられている、門灯《もんとう》に照らされて、ぼんやりと浮かび上がったのは、黒い服を着た人たちだった。王国騎士団の軍服みたいに、銀糸の刺繍《ししゅう》のある華やかなものじゃなくって、本当に夜の闇に紛《まぎ》れそうな、ひたすらに黒いだけの服。人数は、二十人近くいると思う。

その中から一人、どこにでもいそうな顔をした、若い男の人が進み出て、こういった。

「我らは〈黒夜《こくや》〉。名を惜《お》しまず、王国の夜に潜みし者。〈黒夜《こくや》〉は、アリアナ・カペラ嬢に、告発の意志があることを確認した」

ずっと剣を振り上げたままだった、大公騎士団長の腕が、震えながらゆっくりと下ろされた。それを見たマルティノさんは、大公騎士団の人たちに向かって、鋭く叱責の声を上げた。

「騎士たる者の本分を忘れた愚か者ども！　我ら全員の口を封じられない以上、そなたたちの目的はすでに潰《つい》えたのだ。この上は、早々に武器を捨てよ！　これ以上の恥を晒《さら》す気か、大公騎士団！」

騎士の一人が、マルティノさんの気迫に押されて、ふらふらと馬から降りた。その後はもう、次から次へと剣を置き、投降していくだけだった。

最後には、大公騎士団長も、静かに馬を降りて、剣を投げ捨てた。あんなに自信満々だった人が、頼りなく背中を丸めていたけど、仕方ないよね？　何ていったって、自業自得なんだから。

大公騎士団が投降したところで、〈鬼哭《きこく》の鏡〉は、別の場所を映し出した。ネイラ様たちのいる、大公の執務室。その壁にかかった鏡の中には、王城にいる宰相閣下の姿も映っている。

大公騎士団の失敗を目の当たりにして、顔色を失った大公を横目に、最初に口を開いたのは、コンラッド猊下《げいか》だった。猊下《げいか》は、すごく楽しそうに微笑みながら、ネイラ様に話しかけた。

「ルーラ王国神霊庁が大神使《だいしんし》、エミール・パレ・コンラッドは、アリアナ・カペラ殿に、告発の意志があることを確認いたしました。よろしゅうございますか、レフ様？」

「ええ。もちろん、異論はありません。王国騎士団長、レフ・ティルグ・ネイラは、アリアナ・カペラ殿に、告発の意志があることを確認しました」

「誠に素晴らしいお嬢様ですね、アリアナ嬢は。凛として美しく、気高い勇気と愛情に満ちておられる。さすが、チェルニちゃんのお姉様だけのことはあります。そうそう。チェルニちゃんは、わたくしを、ミル様と呼んでくださることになりましたよ、レフ様」

「だから、煩《うるさ》いよ、爺《じい》。宰相閣下はいかがですか？」

「オルソン猊下《げいか》の鏡を通して、すべて見聞きしたよ、レフ。ルーラ王国宰相、アルベルトス・ティグネル・ロドニカは、アリアナ・カペラ殿に、告発の意志があることを確認した。証人は十分である故《ゆえ》、アレクサンス殿を拘束《こうそく》し、取り調べるとしよう」

「待て、待て、宰相。何かの間違いだ。わたしは何も知らぬ！」

「己《おの》が騎士団を動かしながら、何も知らぬとは、無理押しが過ぎるな、アレクサンス殿。もう口を閉じるが良い」

「閉じぬ。閉じてたまるか！　仮に、神霊庁の裁判にかけられるのだとしても、わたしを拘束《こうそく》することはできぬぞ！　どうしても、わたしを罪人扱いしたいのなら、陛下のお許しをもらうのだな！」

大公が必死に叫んだ、ちょうどそのとき、官吏《かんり》っぽい男の人が、宰相閣下の手元に、小さな紙を差し出した。素早く目を通した宰相閣下は、椅子の上で威儀《いぎ》を正すと、厳《おごそ》かな口調で宣言した。

「たった今、陛下のご裁可を賜《たまわ》った。〈アレクサンス・ティグネルト・ルーラ大公より、一時的にティグネルト・ルーラの名を剥奪《はくだつ》する。身の潔白を完全に証明するまで、この決定が覆《くつがえ》ることはない〉とな。陛下と王太子殿下は、別室の鏡をご覧になっていたのだよ、アレクサンス殿」

その瞬間、大公は力を失い、ぐったりと崩れ落ちた。マチアスさんの〈影縫《かげぬ》い〉の神霊術《しんれいじゅつ》で、縫い留められていなかったら、卒倒していたかもしれない。それくらい、大公の瞳は力を失い、虚《うつ》ろになっていたんだ。

オルトさんは、大公を助け起こそうとして動けず、その場でもがきながら、大公を呼び続けた。〈父上、父上〉って、必死な声で。

ネイラ様は、そんなオルトさんに、銀色の視線を向けた。大公の執務室に現れてから、一度もオルトさんを見なかったネイラ様が、初めてオルトさんを〈視《み》た〉んだよ。

それからは、あっという間だった。ネイラ様の銀色の視線が、オルトさんじゃなく、オルトさんの胸元から生えている、穢《けが》れた炎の蛇を捉えた瞬間、赤黒い炎を吹き上げた〈怨嗟《えんさ》〉の蛇と、青黒い炎の〈妬心《としん》〉の蛇と、灰色に血管みたいな赤い色が走る炎の〈傲岸《ごうがん》〉の蛇と、黒ずんだ黄色い炎の〈憤怒《ふんど》〉の蛇が、いっせいに青白い炎をまとって燃え上がった。

炎の蛇さえも焼き尽くす〈業火《ごうか》〉は、大公の執務室いっぱいに燃え広がり、轟々《ごうごう》と炎を吹き上げた。オルトさんとアレンさんとナリスさんとミランさんの身体にも、ネイラ様の業火《ごうか》が燃え移り、四人は胸を掻きむしって、苦しそうに喘《あえ》いだ。オルトさんの炎の蛇は、もう骨だけになっているのに、崩れ去ることもなく、ずっと激しく焼かれ続けている。大公は……。

「どうか、罪深き罪人どもに、暫《しば》しの猶予《ゆうよ》をお与えくださいませ、レフ様。御身《おんみ》の尊きご神眼《しんがん》を前にしては、罪人らが、塵芥《ちりあくた》と消え去りましょう。現世《うつしよ》の裁きを為《な》すまで、何卒《なにとぞ》ご容赦くださいませ」

そういって、ネイラ様の視線を遮《さえぎ》るように、大公を背にして座礼《ざれい》を取ったのは、コンラッド猊下《げいか》だった。その後ろでは、額《ひたい》に刻印された赤い〈神敵《しんてき》〉の文字から、すさまじい勢いで業火《ごうか》を吹き上げたまま、大公が、死人みたいな顔で痙攣《けいれん》していたんだよ。

うん。コンラッド猊下《げいか》のいう通りだね。このままだと、ネイラ様の銀色の視線に焼かれて、大公たちは、生きながら灰になっちゃうと思うし、そうなったら、尋問も裁判もできないだろう。

ネイラ様は、軽くうなずいて視線を外すと、ヴェル様の名前を呼んだ。

「パヴェル」

「御前《おんまえ》に。お戻りになられますか、レフ様？」

「我らは王城へ。オディール姫とマチアス卿は、いかがなされますか？」

「マチアス共々、ひとまずは別邸に戻らせていただいても、よろしゅうございましょうか、至高の御方《おんかた》様？」

「もちろん。人手をお貸ししましょうか、姫？」

「お言葉、忝《かたじけの》うございます。愚弟《ぐてい》の手の者が、今はもう、わたくしの忠実な執事となっておりますので、支障はございません」

「ならば、良かった。爺《じい》は、いかがする？」

「共に王城に参上いたしますよ、レフ様」

「わかった。では、共に。ブルーノ」

「何なりと」

「そなたは、この場に留まり、屋敷の者を残らず捕縛《ほばく》し、証拠を保全するための指示をせよ。配置はできておろう？」

「御意《ぎょい》にございます、閣下。王国騎士団から百名、この屋敷を囲ませております」

「よろしい。オディール姫とマチアス卿には、数日中に王城に来ていただくことになろうかと思いますので、よしなに」

「御意《ぎょい》にございます。お呼びいただければ、いつなりと参上いたします」

「ありがとう。宰相閣下から、何かご指示はございますか？」

「ないよ、レフ。すべての後始末はこれからだが、いったんは事件の終わりを祝うとしよう。ささやかに祝杯を上げるので、戻っておいで。コンラッド猊下《げいか》も、どうかご一緒に」

鏡の向こうの宰相閣下は、そういって、楽しそうに微笑んだ。いつの間にか、黒い光の杭《くい》が消えたことで、呆然と床に転がったままの大公たちのことは、誰も心配していないみたいだけど、別にいいよね？

宰相閣下のいう通り、まだ何も解決していないし、子供たちも取り戻せていないけど、お姉ちゃんやフェルトさんが巻き込まれた、クローゼ子爵家の事件は、こうして一応の終わりを迎えたらしい。

お父さんとお母さんが、うれしそうに何かを話しているのを、わたしは、あんまり聞いていなかった。大公の執務室にいるネイラ様が、鏡を通って帰っていく姿を、じっと見ていたかったんだ。

だって、次は、いつネイラ様に会えるのか、わからなかったから。今日だって、わたしが、一方的に鏡を見ているだけだから、会ったとはいえないかもしれないけど。

そのとき、光り輝く鏡に、足を踏み入れようとしていたネイラ様が、不意に振り返った。わたしの目に映ったのは、さっきまでの神霊さんさながらの尊い顔じゃなくて、わたしが知っている、優しくて親切で温かい、ネイラ様の表情だった。

そして、ネイラ様は、わたしを見て笑ってくれた。ネイラ様からは、わたしの姿は見えないはずなのに、銀色の月みたいに美しくて、ご神鏡《しんきょう》みたいに輝いている瞳は、確かにわたしを捉えていた。

ネイラ様と目が合った瞬間、わたしは震えた。顔が真っ赤になって、ぶわっと涙が溢《あふ》れてきた。ネイラ様に会えてうれしい。でも、すぐに会えなくなるのが、悲しい。もっともっと、ネイラ様を見ていたいと思ったんだ。

どうしよう？　いくら鈍感なわたしだって、さすがに気がついちゃった。どうしよう、どうしよう？

わたし、ネイラ様のこと、好きになっちゃってるよ……。


〈続〉

この作品は、小説投稿サイト『小説家になろう』に投稿された作品を、書籍化にあたり加筆修正ならびに再編集したものです。
※「小説家になろう」は株式会社ヒナプロジェクトの登録商標です。

特別編

チェルニ・カペラの心尽くし

キュレルの街で有名な〈野ばら亭〉、いつも満員御礼の大食堂の片隅で、中年の馴染み客が、店主であるマルーク・カペラに手を合わせていた。燃える日差しが照りつける、真夏の午後のことである。

「何だその手は。やめてくれよ、イヴァン」

「いや、どうしても聞いてもらいたい頼みがあるんだ。無理は承知の上で、何とか頼めないかな、マルーク？」

「どうした？　おれに何を頼みたいんだ？　まず、話してくれ」

「あのさ、隣街に住んでいる甥っ子が、半年ほど寝込んでるんだよ。病気そのものは良くなって、もう心配はなくなったんだが、元気が戻らなくてな。〈病み疲れ〉ってやつで、食欲も体力も落ちたまんまなんだ。甥っ子のカミルは、ずっと〈野ばら亭〉に来たがっていたそうだから、ここの料理なら、食べてくれるんじゃないかと思うんだ。いつも大忙しの〈野ばら亭〉が、持ち帰りをやってないのは、よくわかっているんだが、何か少しでも」

「いいぞ」

「え？」

「水臭いことをいうなよ。おまえは、おれの友達で、うちの店の大事な常連客じゃないか。お安い御用だ。何を作れば良い？」

「マルークぅ……」

「涙目になるな、馬鹿者。おれやおまえが目を潤ませたって、うちの娘たちみたいに可愛くはないからな。で、何をどれだけ作れば良いんだ？　いつ持っていく？」

二つ返事で引き受けたマルークは、馴染み客のイヴァンから、甥の様子を聞き出した。王都の出版社で働いていた甥は、無理な長時間勤務をきっかけに、若い身体を壊してしまったのだという。隣街の親元に帰り、病気そのものを治すことはできたが、この夏の厳しい暑さに、すっかり体力を奪われているらしい。

とすれば、単に味が良いだけの料理では、甥の助けにはならない。胃腸に優しく、滋養が取れて、食欲が湧《わ》き、生きる気力を高めるような料理……。マルークは、すぐに献立を考え、イヴァンに持たせるための準備に取りかかるのだった。

§

モストの街に住むカミル・シルベルは、怠《だる》さの抜けない身体を寝台に投げ出して、窓越しに街の風景を眺めていた。頬はげっそりと瘦け、腕は枯れ枝のようで、茶色の瞳には生気がない。誰がどう見ても、カミルは立派な重病人だった。

カミルが病気になったのは、冬に引き込んだ風邪が原因である。毎日の残業に疲れ果て、崩れるように部屋の床で寝入ってしまったカミルは、翌朝、ものの見事に熱を出した。その時点で適切な治療を受け、たった数日、身体を休ませていれば、カミルは今も元気だったに違いない。

ところが、過剰な勤務を強いる職場は、カミルの休暇を認めなかった。憧れの王都で、希望の出版社で働いていたカミルは、職を失うことを恐れて上司の命令に従い、十日も経たないうちに、重度の肺炎を起こしたのである。

連絡のつかないカミルを心配し、王都の下宿を訪ねてきた母親は、薄い毛布に包《くる》まったまま、高熱を出して痙攣《けいれん》する息子を発見して、大きな悲鳴を上げた。意識の朦朧《もうろう》としたカミルは、出ない声で〈母さん、煩《うるさ》い〉などという、実に罰当たりな文句をつぶやいたが、母の登場が数時間遅れていたら、今、生きてはいられなかったかもしれない。

王都の医療機関に入院し、小康状態になるのを待って、カミルはモストの街に連れ戻された。入院中にあっさりと解雇されたカミルは、心身ともに疲弊《ひへい》しており、とても王都で一人暮らしを続けられる状態ではなかったのである。

窓の外では、夏の暑さにも負けず、人々が忙しそうに行き交っている。寝台に寝ているだけの自分を振り返り、カミルの瞳が、ますます光を失いかけたとき、部屋の扉が勢い良く開かれた。ノックもせずに立ち入ってくるのは、いつも母親と決まっている。カミルは、視線を動かさないまま、小さな溜息を吐いた。

「あのさ、母さん。扉を叩いてから、入ってきてくれないかな？　いつも面倒をかけて、悪いとは思ってるけど」

「何をいってるのかしらね、この子は。わたしが無断で乱入したからこそ、命が助かったっていうのに。まあ、それは良いわ。お客さんよ。叔父さんが、お見舞いに来てくれたわよ」

「よう。具合はどうだ、カミル？」

「ああ、イヴァン叔父さん。わざわざ来てくれたんだね。ありがとう。具合は相変わらずだよ。父さんや母さんの迷惑にはなりたくないから、何とか早く良くなって、仕事を探そうとは思うんだけどさ」

「無理は禁物だぞ、カミル。そもそも、無理をしていなかったら、こんなに寝つく羽目にもならなかったんだからな。でも、まあ、それは良いさ。今日は、おまえに土産を持ってきたんだ。ちょっとでも体力をつけてほしくてな」

そういって、イヴァンは大きな紙袋を持ち上げた。顔だけをイヴァンに向けていたカミルは、紙袋を見つめたまま、ゆるりと身体を起こした。理由もわからないまま、カミルは、その紙袋こそ、自分が待ち望んでいたものだと理解したのである。

「その紙袋の中身は何なの、イヴァン叔父さん？　良い匂いがするような気がする」

「おっ。良い勘だな、カミル。これは、おれが頼んで用意してもらった、〈野ばら亭〉の料理だよ。おまえ、〈野ばら亭〉に行きたかったんだろう？　何とかいう雑誌の記事を、後生大事にとってあるって、姉さんに聞いたんだ。イカ天だったか？」

「イカ天じゃなくて〈うま天〉だよ、叔父さん。〈美味天空―星々が選ぶ美味《うま》いもの――〉っていう、王国一《いち》のグルメ雑誌だよ……って、そんなことより、本当に〈野ばら亭〉なの？　あの店、人気があり過ぎて対応できないし、味が落ちるのが嫌だからって、持ち帰りはやらないんじゃなかった？」

「店主のマルークとは友達だから、特別に用意してもらったんだ。本当に気の良い男なんだよ、マルークは。顔も良いけどな。さあ、とにかく、食べられるだけ食べて、少しでも体力をつけてくれよ、カミル」

叔父であるイヴァンや、実は夜も眠れないほど心配している母親に促《うなが》され、カミルは寝台から起き上がった。カミルの部屋の円テーブルを、寝台の横まで移動させたイヴァンは、紙袋の中身を積み上げていく。思いやりに満ちたマルークは、たくさんの種類の料理を、カミルのために用意していたのだった。

最初にカミルに渡されたのは、優しい人肌の温度を保ったままのスープだった。イヴァンによれば、〈野ばら亭〉の看板娘の妹の方で、神霊術《しんれいじゅつ》の使い手として知られる少女が、熱を司る神霊に頼んで、適温が保たれるように術をかけてくれたのだという。

しかし、その尋常《じんじょう》ならざる神霊術に驚くよりも、カミルは、手の中に渡されたスープに見入っていた。淡い金色をしたスープには、何の具も入っておらず、薄い油膜だけが光を弾いて輝いている。ふわりと立ち上ってくるのは、爽やかな森の香りだった。

美味い。このスープは、きっと美味い。その確信に突き動かされ、長く食欲を失っていたカミルは、微かに震える手でスプーンを握った。

ほんのひと口、スープを含んだ瞬間、乾いてひび割れていたカミルの魂に、清らかな小雨が降り注いだかのようだった。ほのかな塩気と微《かす》かな甘味の奥に、たくさんの旨味が層をなし、言葉では表現できないほどの複雑な美味となって、カミルを揺り動かしたのである。

最初のひと匙《さじ》の余韻《よいん》に打たれ、呆然としたカミルは、我に返ると同時に、勢い良くスプーンを動かし始めた。二口目は圧倒的な美味であり、三口目は感動的な美味であり、四口目は絶対的な美味であった。

「……美味い……」

「そうか、美味いか。よくわからないが、ものすごく手間のかかるスープらしいぞ。三十種類くらいの材料を入れて、材料ごとに時間を変えて、つきっきりで蒸し上げるんだってさ。おまえが美味いっていってくれたら、マルークも喜ぶよ」

「カミルが、食べ物を美味しいっていってくれたのは、半年ぶりよ。良かったわ。ありがとうね、イヴァン」

「良いんだ、姉さん。それより、次の料理だ。ちゃんと順番通りに食べさせろって、紙に書いて教えてもらったんだ。さあ、カミル」

次に手渡されたのは、小ぶりのガラスカップに入った一品だった。卵の蒸し物らしきものの上にかかっているのは、コンソメのジュレだろう。涼しげな見た目が、夏の暑さを忘れさせてくれる。

ひと匙《さじ》、ジュレごとすくって口に入れて、カミルは目を見開いた。淡く優しい味を想像していたカミルの舌に、香辛料の刺激が突き刺さったのである。ぴりっとした辛味は胡椒、異国風の香りはクミンだろうか。刺激に驚いて、眠っていた味覚が目覚めたかと思うと、とろりとやわらかな卵の蒸し物が、その刺激を優しく包み込む。あっという間に飲み込みむ寸前、卵の蒸し物の中に、小さく切ったクリームチーズが潜《ひそ》ませてあることを知って、カミルは唸《うな》った。

小さなガラスカップは、四口ほどで綺麗に空になった。心なしか、瞳に生気の戻り始めたカミルに、イヴァンは次の料理を差し出した。冷たさから一転、ほわりと湯気を立てているのは、鶏肉のシチューだった。

病人が食べる献立として、鶏肉のシチューは、定番中の定番ともいえるものである。半年の療養生活の中で、カミルの母も何度も作って食べさせてくれた。あまりにも当たり前で、料理屋では逆に敬遠されるような一品なのに、〈野ばら亭〉の鶏肉のシチューは、すべてが普通ではなかった。

まず、その色合いである。クリームシチューの白でもなく、ブラウンシチューの茶でもなく、トマトシチューの赤でもない。強いていえば、ゴールデンオリーブとでも表現したら良いのか。透き通って輝く薄茶色に、旨味が色を足したような、何ともいえず食欲をそそる色味だった。

また、身体を壊してからのカミルは、肉も魚も生臭く感じ、ほとんど食べられなくなっていたのだが、肉感的なほどの瑞々《みずみず》しさを湛《たた》えた鶏肉からは、何ともいえない芳香が立ち昇っていた。放し飼いにした上質な鶏肉を、余分な筋の一本も残さないほど、徹底的に下処理したからこそ、いっそ官能的な香りを纏《まと》ったのだと、実は食道楽であるカミルには、すぐに察せられた。

一杯の鶏肉のシチューに込められた、多くの手間と思いやりに感謝しながら、カミルはひと匙《さじ》、シチューを口に入れた。ほろりと解《ほど》けるばかりにやわらかく、生命の旨味を含んだ鶏肉は、飲み込んだ瞬間から、カミルの血肉になるようだった。

鶏肉と一緒に煮込まれた、じゃがいもやにんじんや玉ねぎは、力強い大地の味がした。鮮やかな青味のブロッコリーは、清々しい大気の味がした。結局のところ、あまりの美味しさに震えるカミルは、瞬《また》く間にシチューを完食したのだった。

こよなく愛読している心の聖書《バイブル》、〈美味天空——星々が選ぶ美味《うま》いもの——〉に書かれている編集方針が、不意にカミルの脳裏に浮かんだ。業界にその人ありと知られる、敏腕編集長のミランダ女史は、繰り返し述べているではないか。〈食べることは生きること。より良く食べることは、より良く生きることに他ならない〉と。

「ありがとう、イヴァン叔父さん。美味い。美味いよ。あんまり美味くって、元気が出たよ。おれ、一日も早く元気になって、〈野ばら亭〉に食べに行くんだ」

「おお、おお！　その意気だ、カミル。おれが予約をもぎ取ってやるから、一緒に行こうな。店で食べる料理も、べらぼうに美味いからな」

「〈うま天〉で、パトリック・クレマン記者が絶賛していた、もつ煮込みを食べたいんだ。ミランダ女史が感動していたメニューも試したいし……」

「ははは。でも、焦りは禁物だぞ。せっかく治ったんだ。ゆっくりと回復すれば良いからな。マルークは、また持ち帰り用の料理を作るって、いってくれてるしな」

「大丈夫。わかってるよ、叔父さん」

「ありがとう、イヴァン。カミルが前向きになってくれて、安心したわ。〈野ばら亭〉のご主人にも、よくお礼をいっておいてね。本当に何といえば良いのか……」

「泣くなよ、姉さん。良かったよ。カミルは、可愛い甥っ子だからな」

「ねえ、叔父さん。次の料理を食べさせてよ。おれ、猛烈に食欲が湧《わ》いてきたんだ」

「あ、だめだめ。今は、これで終わりだ」

「はあ？　どうして？　料理の包み、まだたくさんあるじゃない？」

「たくさんあるぞ。〈野ばら亭〉名物の焼き立てパンだって、何種類もある。ただ、一度に食べさせず、必ず何時間か間を空けてくれって、マルークにいわれてるんだよ。病人が急に食べると、胃が痛くなったり、下痢をしたりするんだってな。少量ずつ、何回にも分けて食べさせろってさ」

「そりゃあ、正論だけどさ。もうちょっと、もうちょっとだけ、何か食べさせて！」

「カミルったら、すっかり元気になって、嬉しいわ」

「そうだな。最後に、水分補給のために作ってくれた、緑茶のゼリーを出してやるよ。何でも、冷たい水で時間をかけて、緑茶を淹《い》れるんだってさ。ほら、ありがたいことに、〈野ばら亭〉の看板娘のメッセージつきだぞ」

　そういって、イヴァンが渡してくれたのは、大きめのガラスの器に入った、淡い緑色のゼリーだった。わずかな濁《にご》りもない新緑は、宝石を思わせる輝きで、あっさりとカミルを魅了した。

　この緑茶のゼリーが、いまだにほど良い冷たさを保っているのは、神霊術《しんれいじゅつ》をかけてくれた看板娘の妹の方のお陰だろう。すぐにでも口に運びたいところだったが、その思いやりに感謝して、カミルは先に小さなカードを開いた。

〈これだけ暑いと、身体も疲れちゃいますよね。《野ばら亭》のご飯を食べて、元気を出してくれるとうれしいです。ゆっくり回復してから、《野ばら亭》にも来てくださいね。待っています〉

カードを見たカミルは、思わず吹き出した。変哲《へんてつ》もない文章だが、温かな思いやりが感じられる。そして、大変汚い子供のような字は、パトリック・クレマン記者が、〈うま天〉に書いていた通りだったのである。

久しぶりの笑顔になって、ひと匙《さじ》、ゆっくりと緑茶ゼリーを掬《すく》い上げると、今にも崩れ落ちそうなやわらかさで、ふるふると揺れている。慎重に口に運んだ瞬間、カミルは恍惚《こうこつ》となった。

爽やかな緑茶の香りが鼻から抜け、緑茶を淹《い》れたらしい冷水にすら、深い滋味が感じられる。緑茶の甘味以外、何の味もつけられていないゼリーが、するりと喉を滑り落ちると、長く微熱の抜け切らなかった身体が、内側から癒されるかのようだった。

「ああ、美味《うま》い。美味いよ、イヴァン叔父さん」

「そうか、良かったな、カミル」

「母さん、心配をかけて、ごめん。焦らず、でも、絶対に元気になるよ。もう大丈夫だって、そんな気がするんだ」

「良かった。良かったわ、カミル……」

二匙《さじ》、三匙とゼリーを口に含みながら、いつしかカミルの瞳は潤み、今にも涙が溢《こぼ》れそうになった。

食べ物に対して、並々ならぬ感性を持っているカミルは、今日の〈野ばら亭〉の料理に、尊い神霊の息《い》吹《ぶき》を感じ取ったのである。

畏《おそ》れ多さに震え、ありがたさに胸を締めつけられたカミルは、誰に教えられるまでもなく気づいていた。今、この瞬間こそが、カミル・シルベルの再生のときなのだ、と。

その後、二月《ふた》ほどで完全に回復したカミルが、一念発起して〈うま天〉の採用試験を受ける決意を固めたことも。念願の〈野ばら亭〉に行った日、看板娘の姉の方に一目惚れしたことも。あっという間に失恋して、熱い涙を流しながら、生きる実感に心を躍らせたことも、すべてはまた別の話である……。

§

イヴァンに特別メニューを手渡した日、キュレルの街のカペラ家では、夕食後のひととき、家族で見知らぬ青年の身体を気遣っていた。

「イヴァンおじさんの甥っ子さん、ちゃんとご飯を食べられたかな？」

「心配しなくても大丈夫よ、わたしの可愛い子猫ちゃん。ダーリンが特別に作ってくれたお料理だもの。死んじゃった人だって、起きてきて食べたがるわよ」

「……その喩えは、ちょっとどうかと思うのよ、お母さん。大丈夫だって、わたしも思うんだけど」

「あらまあ。そうね、ちょっと縁起が悪かったわね。ごめんなさいね、お花ちゃん」

「ううん。生意気いって、ごめんなさい、お母さん」

「本当にもう、なんて良い子たちなのかしら、うちの娘は。子猫ちゃんも、熱の神霊さんに、無理をお願いしてくれたんでしょう？」

「子猫ちゃんって呼ばれて、普通に返事をする自分もどうかと思うけど……頼んでおいたよ、お母さん。冷たいものは冷たく、温かいものは温かく、適温で食べてもらえると思うんだ。お父さんのお料理は最高だから、おいしく食べてほしいもん」

「ありがとうな、チェルニ。おまえが、自分から温度管理を買って出てくれたから、安心して料理を渡せたよ。明日には、イヴァンも戻ってきて、様子を聞かせてくれるだろう。少しでも、元気になってくれると良いな」

「心配ないよ、お父さん。何となく、もう大丈夫な気がするんだ」

そういって、チェルニは、清々しい夏空の瞳を宙《ちゅう》に向けた。人ならざる神聖なものに、異様なほど好かれる娘には、頼もしく請け合ってくれる神霊の気配が、ほのかに感じ取れたのである。

チェルニの不思議な微笑みに、両親も姉も、優しく微笑み返した。青年の回復を祈るカペラ家と、チェルニ・カペラの心尽くしの一日は、こうして静かに更《ふ》けていったのだった。

著者紹介

須尾見　蓮（すおみ　れん）

覆面兼業作家。

小説投稿サイト『小説家になろう』にて、『神霊術少女チェルニ〈連載版〉』を執筆。同作は累計１３６万ページビュー、44万ユニークアクセスを記録（２０２１年11月現在）。同サイトには『神霊術少女チェルニ往復書簡』他作品も掲載。

また、「菫乃薗ゑ（すみれのそのえ）」名義で、長編ファンタジー小説『フェオファーン聖譚曲（オラトリオ）』シリーズを執筆。『フェオファーン聖譚曲 op.Ⅰ　黄金国の黄昏』『フェオファーン聖譚曲 op.Ⅱ　白銀の断罪者』『フェオファーン聖譚曲 op.Ⅲ　鮮紅の階』を刊行、続刊予定。

神霊術少女《しんれいじゅつしょうじょ》チェルニ　1
神去《かんさ》り子爵家《ししゃくけ》と微睡《まどろみ》の雛《ひな》

2021年12月24日　初　版　第一刷発行

著　者　須尾見蓮（すおみ　れん）
発行者　鈴木征浩
発行所　株式会社opsol book（オプソルブック）
〒519-0503　三重県伊勢市小俣町元町623-1
電話　0596-28-3906
発売元　星雲社（共同出版社・流通責任出版社）
〒112-0005　東京都文京区水道1-3-30
電話　03-3868-3275

印　刷　シナノ印刷株式会社
製　本　シナノ印刷株式会社

編　集　鈴木征浩（opsol book）
山下里恵（opsol book）
奥山佳奈恵（opsol book）
装　丁　宮川和夫（宮川和夫事務所）
装　画　wataboku